黄河治河工程现代抢险技术研究

张宝森　朱太顺　陈银太　田治宗　著

黄河水利出版社

内容提要

本书共分为7章。在调查分析黄河下游防汛抢险形势的基础上，重点对黄河堤防漏洞形成发展机理及抢护对策、黄河河道整治工程险情分析及抢护对策、土工合成材料在黄河下游抢险中的应用、大网笼大土工包机械化抢险技术、防汛道路应急措施技术进行了试验研究，提供了一些可用于实际防汛抢险的现代抢险技术和抢险对策。本书可供从事治河工程管理、防汛抢险研究的科研人员、抢险指挥人员，以及大专院校相关专业的师生阅读参考，也可供治河工程抢险人员培训参考。

图书在版编目(CIP)数据

黄河治河工程现代抢险技术研究/张宝森等著.—郑州：黄河水利出版社，2004.12

ISBN 7-80621-873-4

Ⅰ.黄…　Ⅱ.张…　Ⅲ.黄河-河道整治-防洪工程-工程技术-研究　Ⅳ.TV882.1

中国版本图书馆CIP数据核字(2004)第142248号

出 版 社：黄河水利出版社

地址：河南省郑州市金水路11号　　邮政编码：450003

发行单位：黄河水利出版社

发行部电话及传真：0371-6022620

E-mail：yrcp@public.zz.ha.cn

承印单位：黄河水利委员会印刷厂

开本：787 mm×1 092 mm　1/16

印张：18.25

字数：419千字　　印数：1—1 000

版次：2004年12月第1版　　印次：2004年12月第1次印刷

书号：ISBN 7-80621-873-4/TV·386　　定价：38.00元

前言

洪水泛滥是对人类危害最大的一种自然灾害。防汛抗洪是关系到社会稳定、经济发展和千百万人民生命财产安全的大事。而且经济越发展,社会越进步,人民生活水平越提高,洪灾造成的损失也就越大,对防洪保安的要求也就越高。

坚持和弘扬艰苦奋斗和创新精神,就要围绕“堤防不决口、河道不断流、水质不超标、河床不抬高”目标和建设“三条黄河”治河新思路,坚持科技治河和依法治河,进一步解放思想,实事求是,与时俱进,不断推进治河技术、治河手段、管理体制与运行机制的创新,由传统治河向现代治河转变,最终实现黄河下游治理开发与管理现代化,实现黄河终极目标:“维持黄河健康生命,人与河流和谐相处。”借助现代化科技手段和现代管理理念,通过广泛深入的科学研究和实践,建立有效的创新机制和保障机制,把治黄全面推向现代化。查险抢险是黄河防汛的三个关键之一,是关系到黄河安危最直接、最关键的环节。影响防汛抢险的主要方面包括防洪工程防洪能力、防汛抢险道路状况、防汛抢险队伍组织、抢险技术措施等。通过近几年黄河防汛抢险调查、分析、试验,在机械化抢险设计和技术创新方面进行前瞻性、开拓性的研发,并逐步使成果用于实际抢险。

本项研究获得以下主要结论及创新点:

(1)对于黄河堤防漏洞形成发展机理的研究,由于可借鉴的文献资料很少,因而难度较大。本次研究通过实验室模型试验和堵漏演习现场原型观测试验资料分析,结合有关土力学、水力学等方面的理论,对漏洞形成发展机理进行了初步试验分析和研究,提出了一些观点,将漏洞形成发展过程分为四个阶段,并指出了各阶段的特点,为抢险堵漏提供了理论依据。

(2)实践证明,应用土工合成材料抢险时的主要矛盾是防淤堵,达到排水减压的目的。防淤堵问题非常复杂,研究抢险即土颗粒在运动状态下的反滤准则,土工合成材料应用于抢险时的适应性或选型是一个新课题。本次试验提出了用于黄河防洪抢险的土工合成材料反滤应用准则,解决了黄河防汛抢险中土工合成材料的选型问题,提出了适用于各类险情的土工合成材料技术指标。

(3)2004 年研发成功 10～12m^3 化纤大网笼、12 号铅丝加 8 号铅丝加筋铅丝大网笼以及大土工包,可满足自卸车装运抛机械化作业要求,为机械化抢险技术提供了新材料。用 1 台挖掘机或装载机配合 1 辆自卸车装散石或软料、石料按质量比 1:1 或 1:2 混装,铅丝大网笼只需要 20～30min 的时间、化纤大网笼用 10min 的时间、大土工包装散土用 15min 的时间即可完成,可大大提高抢险速度。

(4)采用大型机械联合作业将散土推至洞口堵漏的方法获得了成功,但在具体操作中还有许多制约因素,应根据现场情况采取相应的配套措施。兰考蔡集 54 号坝水中进占抛投 12 号铅丝加 8 号筋大网笼试验已经成功,在水深 4～6m、流速小于 1.2m/s、大溜顶冲情况下,软料石料按质量比 1:1 或 1:2 混装的 10m^3 大网笼可以站稳,并能快速形成占体。

本书所涉及到的研究，均是2000年以来黄河防汛总指挥部办公室“黄河防汛抢险重大技术研究”项目，其中“土工合成材料在黄河防汛抢险中的应用研究”是国家防汛抗旱总指挥部办公室“防汛抢险关键技术研究”项目中的一个课题。该课题已于2001年11月27～28日通过国家防汛抗旱总指挥部办公室组织的验收。验收委员会对课题给予了高度评价，认为：“该课题研究目标明确，技术路线正确；提出的土工合成材料反滤准则成果具有突破性；对土工合成材料在黄河防汛抢险中的研究成果可推广应用，可供其他江河借鉴。”在各项专题研究中，得到了河南黄河河务局、山东黄河河务局、开封市黄河河务局、郑州市黄河河务局等方面的大力支持和协助；同时，得到了庄景林、胡一三、刘贵芝等专家和学者对该项研究的无私奉献和技术指导，在此深表敬佩和感谢。

本项研究成果的取得还得益于所有参加项目研究人员的共同努力和协作，参加研究人员有：

张宝森　朱太顺　陈银太　田治宗　汪自力　王德智　刘新华　崔　武　张喜泉
余咸宁　王卫红　崔建中　谢志刚　郭全明　闫国杰　高兴利　刘　恒　张永正
张厚玉　闫少义　孙振谦　朱松立　李跃伦　周景芍　王松鹤　张希芳　许雨新
潘　恕　兰华林　王仲梅　李　莉　张俊霞　周君林　耿　晔　尤玉臣

本书共分为7章。第一章介绍了黄河治河工程现代抢险技术试验研究的目的及意义、研究目标及研究内容、国内外技术发展概况及研究进展；第二章论述分析了黄河下游防汛抢险形势；第三章重点对黄河堤防漏洞形成发展机理及抢护对策进行了试验研究；第四章对黄河治河工程险情及抢护对策进行了分析和试验研究；第五章对土工合成材料在黄河下游抢险中的应用进行了试验研究；第六章对大网笼、大土工包机械化抢险技术进行了试验研究；第七章对防汛道路应急措施技术进行了试验探索，该项研究提供了一些可用于实际防汛抢险的现代抢险技术和抢险对策。

在本书的论述中，引用了很多相关研究文献，在此谨向文献的作者深表谢意。由于防汛抢险是一门实用性很强的技术，我们的研究也是建立在大量的实践调查基础上的，经过试验研究提出了一些新的观点和抢险方法，但研究的结论是初步的，因而书中提到的一些内容和抢险方法仍然有待于在今后的实践中得以充实、完善和改进。同时，由于作者学识浅薄，错误难免，衷心地希望广大专家、学者和有兴趣的读者批评指正。

作　者

2004年9月

目　　录

第一章 绪 论

第一节 研究的目的及意义

自古以来，黄河就是一条桀骜不驯、举世闻名的多沙多难的河流，自公元前 206 年至 1938 年间，黄河决溢次数竟达 1 590 余次，洪水波击范围北抵天津，南达江淮，纵横 28 万 km^2，洪水所到之处，水毁沙埋，人畜荡然无存。千百年来，黄河下游两岸的人民为了生存和发展生产，不停地与洪水进行抗争，修建了大量的堤防、险工和河势控导工程。到目前为止，黄河下游共有各类堤防工程长度 2 291km，其中临黄堤 1 371km，分滞洪区堤防 314km，支流堤防 196km 和其他堤防 264km，河口堤防 146km。计有各类险工 215 处，坝、垛和护岸 6 317 道，工程长度 419km；控导护滩工程 231 处，坝垛 4 459 道，工程长度 427km；防护坝工程 79 处，防护坝 405 道。修建分泄洪闸、引黄涵闸共计 112 座。新中国成立以来，四次对堤防进行加高加固，大规模地淤临淤背工程，大大增强了黄河下游的抗洪能力。

但是，由于黄河下游河床逐年不断淤积抬升，河道的过洪能力日趋减小，尤其是河南省内的游荡性河段。例如 1958 年花园口通过流量为 22 300m^3/s、水位 93.77m；1973 年流量为 5 000m^3/s、洪水位比 1958 年高出 2.4m；1992 年流量为 6 264m^3/s、但水位却超过建站以来历史最高水位。1996 年汛前，黄河下游河道的平滩流量不足 3 000m^3/s，在 8 月份发生流量 7 860m^3/s，花园口站的洪水位达 94.73m，创历史最高，高滩上水，造成 20 多万公顷滩地受淹，受灾人口达 100 多万。2002 年 7 月小浪底水库调水调沙期，高村以下流量 1 800m^3/s 开始漫滩，濮阳滩区受淹，形成明显的“小水大灾”。除此之外，黄河下游两岸大堤是在历代民埝的基础上不断加高培修而成的，基础条件复杂，堤身多为沙质土，历史上决口口门众多，存在许多险点隐患。

目前，黄河下游大部分河道整治工程标准低、根石不足，有 323 处工程急需加高改建和加固根石，在 299km 长的宽河段内还缺少河道整治工程，河势尚未得到有效控制，中常洪水时极易出现“横河”、“斜河”，大洪水时可能出现“滚河”，堤防仍然存在着发生溃决和冲决的危险[1]。过去，黄河下游河道整治工程大多采用传统的柳石结构，它具有结构简单、施工快捷等优点，虽然在控导河势、保护大堤中发挥了重大作用[2,3]，但在工程运行中出现的突出问题是，在受大溜顶冲时，根石易迅速下蜇而出险，每年汛期都要投入大量的人力、财力和物力对这些坝垛进行抢险加固，每修一座坝垛，都需经过多年甚至几十年和多次反复抢护，才能达到基本稳定。

进入 20 世纪 90 年代以后，黄河防汛暴露了许多新情况、新问题[4]，不仅在大水情况下出险，而且在中小水条件下，河道工程险情仍频频发生，工程抵御洪水的能力依然有限，同时防汛抢险技术水平远不能适应迅速发展的国民经济建设的形势要求，建设标准堤防和淤筑相对地下河的任务还很艰巨,防洪形势仍然十分严峻[5]。因此,加强对河道工程(险工、控导、堤防)的险情研究,模拟黄河下游河道工程常见的险情,探索相应的、具体的抢险技术措施是非常必要的。

历史上常用传统柳石工抢险,从发现险情到组织人力、料物,再到开始抢险需要耗费很长的时间,有时甚至一天也不能到位,在这一段时间里,险情已经发展,往往由小险发展成大险,使抢险面临极其险恶的局面,造成黄河防洪工程在历史上频频出大险,动辄数百人、上千人,连续数天甚至几十天进行抢险。随着社会的进步、经济的发展和科学技术水平的提高,现代化的抢险机械和新材料大量涌现,对降低抢险劳动强度、快速抢险和提高抢险效果等方面的要求愈来愈高。同时随着人们对生态环境保护意识的增强,柳秸料的收集将变得更加困难。因此,传统柳石工抢险技术已远远不能满足时代的发展要求。传统柳石工抢险技术在历史上发挥了巨大作用,在今后的抢险斗争中仍有着巨大的应用价值,我们必须继承它,同时也很有必要将其与机械化抢险技术相结合,提出新的基于机械化为主的抢险方法。

第二节　研究目标及研究内容

2.1　研究目标

目前，虽然大型机械和新材料在黄河下游防洪工程抢险中已有所应用，但各单位的应用程度、水平不同，且多局限于抛散石抢险。在实际抢险斗争中，有盲目滥用机械抛石抢险情况，因散石走失而石料浪费严重，对于土胎外露、溃膛等险情抢护技术以及水中进占或堵口还有待进一步完善和优化。因此，研究的主要目标是：根据社会和时代的发展要求，探索机械化抢险与传统抢险方法有机结合的途径，充分发挥大型抢险机械的作用，充分利用土工合成材料丰富、强度高、耐久、储运方便的优点，以就地取材（土料、坝垛备防石）为原则，充分利用已有的研究成果，通过对传统柳石工抢险的改造、提高和创新，研究和完善符合社会和时代前进方向的机械化抢险材料、设备和技术工艺等。

防汛抢险需要新理论、新材料、新结构、新设计等新技术的应用研究和技术支撑。

2.2　研究内容

(1)黄河下游防汛抢险形势调查分析;

(2)黄河堤防漏洞形成发展机理及抢护对策研究;

(3)黄河治河工程险情分析及抢护对策研究;

(4)土工合成材料在黄河下游抢险中的应用研究;

(5)大网笼、大土工包机械化抢险技术试验研究;

(6)防汛道路应急措施技术研究。

第三节　发展概况

传统抢险材料主要是石料、柳料、秸料、麻料、铅丝、麻袋等。在以往的抢险中，抛石、抛铅丝笼和捆抛柳石枕等措施，在黄河防汛抢险中发挥了重要作用[6]，抗御了历年的黄河大洪水，但传统的抢险材料和抢险技术也有其不足和局限性。在黄河防洪抢险历史上，抛石护根一直是重要手段，但大量的抛石也带来了国家投资的巨大耗费，而且石料储运的工作量相当大。柳料、秸料是传统的有效的抢险材料，但其事先不易大量储备，临时采集不但容易误事，而且储运的工作量很大，同时对生态环境也有不利影响。土工合成材料的产生弥补了其他材料的不足，该材料不仅具有产品规格化、抗拉强度高、质地柔软、适应变形能力强等优点，而且具有重量轻、便于储运、便于施工、抢险速度快、整体性好、适宜各种险情处理、造价低等优点，有较好的抢险效果，在近年来抗洪抢险中得到广泛应用[7,8]。

从目前国内外的使用情况看，土工合成材料的发展前景广阔，土工合成材料不仅用在抗洪抢险中，而且用在水利工程、环境工程、公路建设、港口建设、机场建设等领域[9,10]。

从以前黄河抢险的实例看，成功率比较高，抢险效果也比较好。如 1997 年焦作市黄河河务局将化纤笼装块石替代铅丝笼分别用于黄河驾部、大玉兰、开仪三处控导工程的根石加固；2003 年 9～10 月在东垆裁弯取直工程抢险中使用了土工袋抢险就起到了很好的作用。从国外的情况看，利用土工合成材料抢险也有较好的例子，如荷兰利用土工合成材料制成的砂包用于 Pliu mopot 工程的堤防堵口就是很好的例子。

在 1998 年长江、松花江及嫩江的抗洪抢险中，土工合成材料广泛应用于堤防的渗水、管涌、脱坡、风浪等险情的抢护，尤其是在抢修子堤、九江堵口中发挥了重要作用，起到了传统抢险材料无法替代的作用[9]。各地调用的抢险物料达 130 多亿元。长江中下游 1998 年抗洪抢险中共耗用土工编织袋达 51 473 万条、草袋 6 942 万条，各种土工合成材料 3 684 万 m^3、砂砾石 1 512 万 m^3、木材 65 万 m^3、毛竹 172 万根、铁丝 2 971t、油料 28 000t。依靠编织袋、草袋及土料抢筑子堤挡水长度 350km，最大挡水头 1.7m。2003 年黄河秋汛抢险，同样使用土工合成材料。

2000 年结合国家防办"堤防堵口关键技术研究"专题项目，2001 年 4 月在枣树沟工程进行了大型铅丝石笼、大型土工包水中进占堵口试验：大型铅丝笼、大型土工包比照自卸车斗的大小制作，敞口放置于车斗内，装载机或挖掘机装石（或装土），铅丝笼装满后用同样铅丝封口，土工包装满后用缝袋机封口。实践证明，自卸汽车直接将大型铅丝石笼、大型土工包运送卸放至出险部位，往往能起到控制险情的显著效果，多部大型自卸汽车同时运用，威力更大。

以上进行的各种实践和探索，都不同程度地积累了一定的经验教训，尤其是装载机或挖掘机装石（或装土），自卸汽车直接将大型铅丝石笼、大型土工包运送卸放抢险的研究，得到了国家防办验收专家的充分肯定和赞扬，认为其快速、安全、可行、可靠。以上的研究成果都为该课题的顺利开展提供了坚实可靠的研究基础和条件。

1977 年，在美国华盛顿特区，修建于波托马克河的石笼潜堰，采用直升机进行施工并现场填充。1985 年，在紧急情况下，英格兰动用直升机放置预装好的石笼袋进行抢险试验。

1978年，在意大利伦巴地区，在水上采用平板船作业，使用圆柱形土工布加高强度石笼用于波河弯道的防洪堤堵口。缺口有500m宽，其深度从最低水位算起，由12～26m不等。在尝试使用散石防护的方案失败后，开始采用石笼围堵缺口的方案，采用40 000m^3石笼以防止出现大的缺口。

国外使用了特大型水上土工包抢险，这种土工合成材料产品由于尺寸很大(长度可达40m，体积可达800～1 000m^3)，柔性好、整体性强，因此用于大面积崩岸治理、堤防迎水坡堵漏、河岸及河底的淘刷都很有效[29]。

第四节　研究进展

4.1　黄河堤防漏洞形成发展机理试验及抢护对策研究

江河堤防深水漏洞是最严重、最危险，也是最难抢护的险情之一，若抢护不及时，极易造成大堤决口[12]。黄河堤防漏洞形成发展机理极其复杂，影响因素众多。由于黄河堤防多为砂性土，临背悬差大，各种隐患多，历史上，黄河大堤因自身隐患形成漏洞而决口的例子屡见不鲜。本研究在室内完成土的特性试验及模型试验的基础上，结合2000年黄河防总堵漏演习现场，进行了原型观测，取得了有关浸润线、洞内流速和压力变化的数据。综合运用有关土力学、水力学等方面的理论，对所取得的室内外观测资料进行了较全面的分析，将漏洞形成发展过程分为四个阶段，并指出了各阶段的特点；从理论上说明了漏洞进口吸力产生的原因及其影响因素；分析了影响漏洞发展速度及洞内流速和压力变化的因素；也分析了漏洞形状的特点及其形成原因；对深水漏洞抢堵困难的原因也作了分析。明确提出：在抢堵过程中应尽量延缓漏洞的发展，其最为关键的是控制漏洞内的水流速度。"临堵"既可降低洞内流速也可降低洞内压力，故为根治措施；而"背导"则只能降低洞中流速，并使洞中压力增加，但其比较直观易采取措施，故为延缓漏洞发展的有效的临时措施。这一结论为抢险堵漏提供了理论基础[13、14]。

另外，张宝森还提出了导渗器堵漏、水下爆破堵漏、水下高压喷射混凝土堵漏、反渗透堵漏、液氮快速堵漏等技术思路。

4.2　黄河治河工程险情分析及抢护对策研究

黄河下游河道防汛抢险经过数千年的实践，积累了大量的经验，对于河道堤防、险工及其他河道整治工程险情抢护，均有相应的技术措施和方案。然而，由于对险情的产生和发展过程缺乏科学的监测，对各种险情的抢护往往是被动的，抢护材料和技术也不能满足治黄发展的要求，对黄河大洪水的控制能力还有限。通过调查分析，进一步了解到黄河下游河道工程（包括堤防、险工、控导工程）出险的基本规律和现状河道工程险情的特点[15、16]。即现状河道条件下，河道工程重大险情基本上集中在控导工程上面；从险情的时间分布上，有涨峰阶段、洪峰阶段和落峰阶段；更为严重的是黄河河道工程险情不仅在特大型洪水条件下发生，而且在高含沙洪水、中小洪水甚至非汛期均有可能发生；在

1 000～2 000m^3/s流量下出险的频率最高，可达到33.7%。河道整治工程不配套、不完善是重大险情发生的重要因素之一。此外，根石探测技术、预测预报技术以及防汛抢险技术手段落后也是黄河防洪亟待解决的重要问题[17、18]。

4.3 土工合成材料在防汛抢险中的应用研究

为了提高防汛抢险的技术水平，做到堤防出险时有措施、有对策，加快防汛抢险关键技术研究十分必要。根据国家防汛抗旱总指挥部办公室的要求，由黄河防汛总指挥部办公室承担"防汛抢险关键技术研究"项目，"土工合成材料在黄河防汛抢险中的应用研究"是其中一个课题。该课题已于2001年11月27～28日，通过国家防汛抗旱总指挥部办公室组织的验收。验收委员会对课题给予了高度评价，认为："该课题研究目标明确，技术路线正确；提出的土工合成材料反滤准则成果具有突破性；对土工合成材料在黄河防汛抢险中的研究成果可推广应用，可供其他江河借鉴。"

该课题研究成果已在公开核心刊物发表[19～24]，部分研究成果已转化为生产力，在2001年东平湖抗洪抢险中发挥作用，特别是为黄河防汛物资的选型和采购提供了科学依据。

新兴土工合成材料的开发利用，为防护工程及防汛抢险开辟了一条新途径。近几年来，我国在黄河、长江、海河及东北严寒水系上成功应用的土工合成材料防护工程已有多种型式。例如以编织物制成的软体排覆盖于坡面或河底防冲刷；制成充土长管袋作为岸坡坡面，填充涡穴，或作为水下压重，以双层编织物专门制成的砂浆或混凝土土工模袋，可形成刚性护坡；土工织物和土工膜组合材料用于封闭堤坝坡面的漏水孔洞或防渗；透水无纺织物覆盖于背水坡浸润区，能有效地防止管涌和散浸的危害。

在上述各种工程应用中，土工合成材料发挥防护作用，是因为它们在土与水流之间形成隔离层，避免水流直接冲刷，削减其能量；它们既能渗水，却又不让土粒被水流带走；或是直接封堵水流通道，消除冲蚀动力等。

概括起来，土工合成材料防汛抢险制品有：土工合成材料软体排、沉枕（土枕、土袋）、石笼（筐）、长管袋、织物模袋等。例如，传统的石笼是采用铅丝、钢筋或植物枝条等制成各种网格或笼状体，内装块石、砾石或卵石而形成的条体或块体。用土工格栅或土工网等土工材料代替铅丝等制成的石笼，强度高、抗腐蚀和抗霉烂性好，且材源丰富，明显优于传统石笼。这类石笼常以高强度土工绳网、土工格栅或塑料条带制成，形状多为矩形和圆柱形。

大土工包柔软变形能力强，适合于填充冲刷坑，在本身荷载作用下可很好地贴服于河床上，便于稳定水下坝基，对河道丁坝抢险非常有利；大土工包可工厂化生产，便于储备、运输，且抢险操作简单、方便，机械化程度高，速度快，效果好，劳动力强度低，可节省大量石料和铅丝笼[28]。

4.4 适应黄河防汛抢险的反滤准则研究

设计反滤准则是以土工织物孔径和土壤特征粒径间的关系表述的，要在土壤中建立滤层，就需要土颗粒在织物的孔隙间形成拱架。然而，目前业内对抢险也即对于土壤在渗流破坏或结构破坏状态下与织物界面的拱架结构和反滤特性则研究得很少。实践证明，应用土工合成材料抢险时的关键技术是防淤堵，达到排水减压的目的。防淤堵问题非常复杂，研究抢险即土颗粒在运动状态下的反滤准则，土工合成材料应用于抢险时的适应性或选型是一个新课题。

从无纺织物的反滤排水特征分析，无纺织物作为反滤材料应具有保土性、透水性和防堵性。《水利水电工程土工合成材料应用技术规范》(SL/T 225—98)给出了相应的设计准则。因大多织物滤层隐蔽于土中，很难观测评价其实际工况，但根据堤坝背水坡脚排水系统运行的观察，往往很不理想，渗水很难透过织物滤层，在织物下坡面产生接触冲刷。更糟糕的是，织物遮住了流土或管涌的出口，不得已去除排水系统的织物滤层，甚至有的部门规定不用其作堤防的贴坡排水。从挖出的无纺织物看，迎水一面已形成泥面，受到不同程度的堵塞[25]。

根据上述分析，本次试验特别提出了土颗粒在运动状态下的反滤准则研究，这是一个新的研究课题。并进行了以下模拟试验：室内试验开展了土工织物的加速淤堵试验、土工织物在泥浆中的过滤特性试验、长管袋充填试验、背河漏洞控制试验、水槽漏洞抢护试验；现场试验开展了流土抢护试验、不同水深堵漏试验、土工管袋充填试验、土工织物网笼抛投试验等。其试验目的是为了正确选用适合黄河防汛抢险的土工合成材料，并提出用于黄河防洪抢险的土工合成材料反滤应用准则。

4.5 机械化抢险技术试验研究

2001 年 4 月在枣树沟工程进行了大型铅丝石笼、大型土工包水中进占堵口试验。装载机或挖掘机装石(或装土)，铅丝笼装满后用同样铅丝封口，土工包装满后用缝袋机封口，需要 20～30min 的时间。实践证明，自卸汽车直接将大型铅丝石笼、大型土工包运送、卸放至出险部位，往往能起到控制险情的显著效果，多部大型自卸汽车同时运用，威力更大。以上进行的各种实践和探索，都不同程度地积累了一定的经验教训，尤其是装载机或挖掘机装石(或装土)、自卸汽车直接将大型铅丝石笼、大型土工包运送、卸放抢险的研究，得到了国家防办验收专家的充分肯定和赞扬，认为该项技术快速、安全、可行、可靠。

2004 年研发的 12 号铅丝加 8 号铅丝加筋网笼做的 10～12m^3 的大笼试用效果较好，可满足自卸车装运抛机械化作业要求。用 1 台挖掘机配合 1 辆自卸车软料石料按质量比 1∶1或 1∶2 混装，只需要 20～30min 的时间；按改进后的结构生产的 10～12m^3 化纤大网笼，用 10min 的时间即可完成。

采用大型机械联合作业将散土推至洞口堵漏的方法获得了成功，但在具体操作中还有许多因素制约，应根据现场情况采取相应的配套措施[26]。兰考蔡集 54 号坝水中进占抛投 12 号铅丝加 8 号筋大网笼试验已经成功，在水深 4～6m、流速小于 1.2m/s、大溜顶冲的情况下，软料、石料按质量比 1∶1 或 1∶2 混装的 10m^3 大网笼可以站稳，并能快速形成占体。

装载机、挖掘机、大型自卸汽车等机械的大量配备和使用，并配合使用高强度土工合成材料，在黄河下游防洪工程抢险时，创造出一种机械化的新材料、新工艺、新方法，其快速、高效的特点最大程度地符合了抢险原则和时代要求，带来了抢险材料的新组合使用方式,使抢险技术得到进步。

4.6 防汛道路应急措施技术研究

目前解决重型机械在泥泞道路上通行的经验,采用的方法基本为简易的就近取材临时道路铺设法,如:用木杆、碎石、草袋、树枝秸料等铺设道路;还有利用当地盛产的芦苇编织成厚一般为5～10cm的芦苇板,作为临时道路,效果较好。针对未硬化的防汛道路面层因雨水浸泡遭受浅层破坏(面层破坏厚度小于20cm)而使车辆无法通行时,黄河防汛抢险技术研究所研发出能快速铺设并能重复利用的轻质路面铺放在已损坏的道路面层上,使运送抢险料物的车辆和大型抢险机械顺利通行[27]。通过试验得出,下层为机织土工布,上层为合成纤维土工格栅,可基本解决黄河下游常见的防汛道路因雨雪天气造成的道路泥泞而无法通行的问题。例如,2003年汛期河南封丘大宫工程抢险,在0～15号坝联坝铺设了碎石路,在老汴新路基抢修了砖渣路;在-1～-9号垛通往大堤的农田里修筑了三条临时砖渣道路。为解决持续降雨导致降低抢险车辆在联坝上的通行能力,开封王庵控导工程在抢险之前,就在联坝上铺设了15～20cm厚的石子,丁坝上覆盖花格布,避免坝面饱和,事实证明,这种未雨绸缪的做法为今后的抢险工作提供了有益的思路和经验。黄河兰考段蔡集堵串采取了铺设4排双车道钢管排架的方式,解决了料物运输困难的问题。

4.7 认识与建议

(1)研究表明,土工合成材料用于防汛抢险,在技术上可行、经济上合理,而且在快速抢险、应用操作、储存、调运等方面都具有明显的优势。

(2)应用土工合成材料进行抢险,是为了有效地利用其在抢险中的优势,快速有效地遏制险情,而不是"为用而用"。实践证明,应用土工合成材料抢险,若选型不当,特别是所选土工织物与被保护的土体及抢险土源的土壤特性不相适应时,将给抢险带来被动。因此,各河道防汛管理单位,应结合所辖河段土壤情况及险情特点,事先对土工合成材料进行选型,并根据需要储备相应种类规格的土工合成材料。

(3)土工合成材料的抗老化问题尚未得到很好解决,不宜长期储存。如编织袋、编织型土工布、针刺型无纺布、有纺机织土工布及各类化纤绳索等土工合成材料,即使在比较好的仓储条件下,储存期较短(一般在5年左右,最长达8年)。因此,应创造比较好的仓储条件,避光保湿,尽量延长储存时间,同时在使用上也应加强管理,以减少不必要的损失。

(4)实际抢险时,应以快速有效地控制险情为目的,应根据洪水情况、工程出险状况,结合当时当地的料物供应及抢险技术条件,选用适宜的抢险材料。因此,在抢险过程中,既不能排斥土工合成材料的应用,也不排斥其他材料的应用。

(5)建议今后继续深化土工合成材料在防汛抢险中的应用研究,加大应用推广力度,在抢险实践中不断积累经验,逐步完善应用土工合成材料进行抢险的方法,使之在防汛抢险中能发挥其优势。

(6)加强大型机械化抢险技术的研究,特别是水上抢险技术的研究。

(7)加强对新结构坝险情预测、预报及采用新技术、新材料抢险方面的研究，把险情消灭在萌芽状态，使河务管理真正做到主动防护、主动抢险，以保证黄河堤防的安全。

参考文献

[1] 王恺忱，王开荣.黄河下游游荡性河段"横河"和"斜河"问题的研究.人民黄河，1996(10)

[2] 胡一三.中国江河防洪丛书·黄河卷.北京：中国水利水电出版社，1996

[3] 胡一三.黄河防洪.郑州：黄河水利出版社，1996

[4] 赵业安，杨彦平.二十一世纪黄河泥沙处理的基本思路和对策.见：第四届海峡两岸多沙河川整治与管理研讨会(论文集).中国.郑州，2001.12

[5] 李国英.论黄河长治久安.人民黄河，2001(7)

[6] 罗庆君.防汛抢险手册.郑州：黄河水利出版社，2000

[7] 刘宗耀，等.土工合成材料工程应用手册(第二版).北京：中国建筑工业出版社，2000

[8] 杨光煦.九江长江江堤堵口实录及经验.人民长江，1998(11)

[9] 董哲仁.堤防除险加固实用技术.北京：中国水利水电出版社，1998

[10] 包承纲.堤防工程土工合成材料应用技术.北京：中国水利水电出版社，1999

[11] 杨光煦.1998年长江抗洪抢险及土工合成材料在防洪工程中的应用.见：全国第五届土工合成材料学术会议论文集.香港：现代知识出版社，2000

[12] 张宝森，张喜泉，等.黄河堤防深水漏洞堵漏技术研究.见：第四届海峡两岸多沙河川整治与管理研讨会.2001.12

[13] Zhang Baosen . PROTOTYPE OBERVATION AND ANALYSIS ON LEVEE LEAK DEVELOPMENT IN YELLOW RIVER. XXIX IAHR Congress Proceedings. Beijing Tsinghua University Press . 2001.9

[14] 汪自力，张宝森.黄河堤防漏洞形成与发展机理初探.人民黄河，2002(1)

[15] 郭全明，张宝森，等.黄河堤防险情调查分析.地质灾害与环境保护，2003(3)

[16] 张宝森，郭全明.黄河河道整治工程险情分析.地质灾害与环境保护，2002(3)

[17] Zhang Baosen . SECRETARIAT OF INTERNATIONAL YELLOW RIVER FORUM ORGANISING COMMITTEE. 1ST INTERNATIONAL YELLOW RIVER FORUM ON RIVER BASIN MANAGEMENT. Volume Ⅲ. 2003, 10:151～153

[18] 张宝森.堤防工程及穿堤建筑物土石接合部安全监测技术发展.地球物理学进展，2003(3)

[19] 张宝森，张喜泉，等.土工合成材料工程特性试验研究.甘肃工业大学学报，2001(11)

[20] 张宝森.土工合成材料软帘堵漏试验效果分析.见：土工合成材料防渗反滤和排水技术的研究与实践.武汉：武汉出版社，2001

[21] 刘新华，张宝森.土工合成材料在防汛抢险中反滤设计准则研究.人民黄河，2003(3)

[22] 张宝森，李莉，等.土工织物反滤特性试验研究.人民黄河，2003(3)

[23] 张宝森，沈秀珍，等.土工合成材料在渗水(流土)抢险中的应用研究.人民黄河，2003(3)

[24] 崔建中，张宝森，等.土工合成材料在黄河河道整治工程抢险中的应用.人民黄河，2003(3)

[25] 王钊.水利工程应成为土工合成材料应用的典范.见：全国第五届土工合成材料学术会议论文集.香港：现代知识出版社，2000

[26] 王德智，汪自力，等.大型机械推运散土堵漏技术试验结果分析.人民黄河，2002(7)

[27] 张宝森，孔振谦，等.黄河防汛道路应急措施技术研究.全国第六届土工合成材料学术会议论文集

(陕西西安).香港:现代知识出版社,2004
[28] 张宝森,汪自力.大土工包机械化抢险技术探讨.全国第六届土工合成材料学术会议论文集(陕西西安).香港:现代知识出版社,2004
[29] 王钊.国外土工合成材料的应用研究.香港:现代知识出版社,2002

第二章 黄河下游防汛抢险形势调查分析

黄河以水少沙多闻名于世[1,2]，黄河下游多年平均输沙量为16亿t，其中约有4亿t的泥沙淤积在下游河道内，致使河床不断升高，形成“悬河”或“多级悬河”。为了加大河道的泄洪能力，减少游荡性河道主流的摆动幅度，黄河下游河道通过修建河道整治工程，以达到防洪减灾的目的[3,4]。河道整治工程是控制行洪和防止黄河堤防不决口的重要工程和首要防线[5]。由于黄河下游河床逐年不断淤积抬升，故河道的过洪能力日趋减小。目前河道整治工程已初具规模，河道河势基本上得到了有效控制。但是黄河游荡性河道河段的整治工程距规划要求还相距甚远，仍存在着工程不配套、不完善，河势的稳定性较差，河道演变规律受水沙条件的支配作用增大，“横河”、“斜河”等畸形河势时常发生等问题，河势的演变不仅给防洪工作增加了难度，也使现有的河道工程险情不断，堤防仍然存在着发生溃决和冲决的危险[6]。

进入20世纪90年代以后，黄河防汛暴露了许多新情况、新问题，不仅在大水情况下出险，而且在中小水情况下，河道工程险情仍频频发生，防洪形势仍然十分严峻。因此，加强对河道工程（险工、控导、堤防）的险情研究，探索堤防不决口的技术措施是非常必要的。

第一节 基本情况

1.1 下游防洪工程概况

黄河下游防洪工程体系分布见图2-1。

1.1.1 堤防工程

黄河下游河道长878km，除右岸郑州以上和东平湖至济南为山岭外，其余均约束于两岸大堤之间。黄河下游现行河道两岸堤防包括临黄堤、东平湖堤、河口堤、北金堤、展宽堤（包括南展宽堤和北展宽堤）和支流沁河堤、大清河堤等各类堤防长2 290.851km，其中设防堤长1 960.206km，不设防堤长330.645km。临黄堤长1 371.227km，分滞洪区堤防长313.842km，支流堤防长195.367km，渔洼以下河口堤防长146.210km（见表2-1）。

人民治黄以来，黄河下游经过四次较大规模的加高加固大堤（第一次为1950～1959年，第二次为1962～1965年，第三次为1974～1985年7月，第四次为1990年至今），形成了目前黄河下游临黄大堤高度一般为7～11m，最高达14m，临背河地面高差4～6m，最大10m以上，堤防断面顶宽7～15m；临背边坡：艾山以上均为1:3、艾山以下临河坡1:2.5，背河坡1:3。

按照防御2000水平年花园口站22 000m^3/s设防标准，高度不足值在0.5m以上的堤段经过1998年以来加高，目前已经完成。

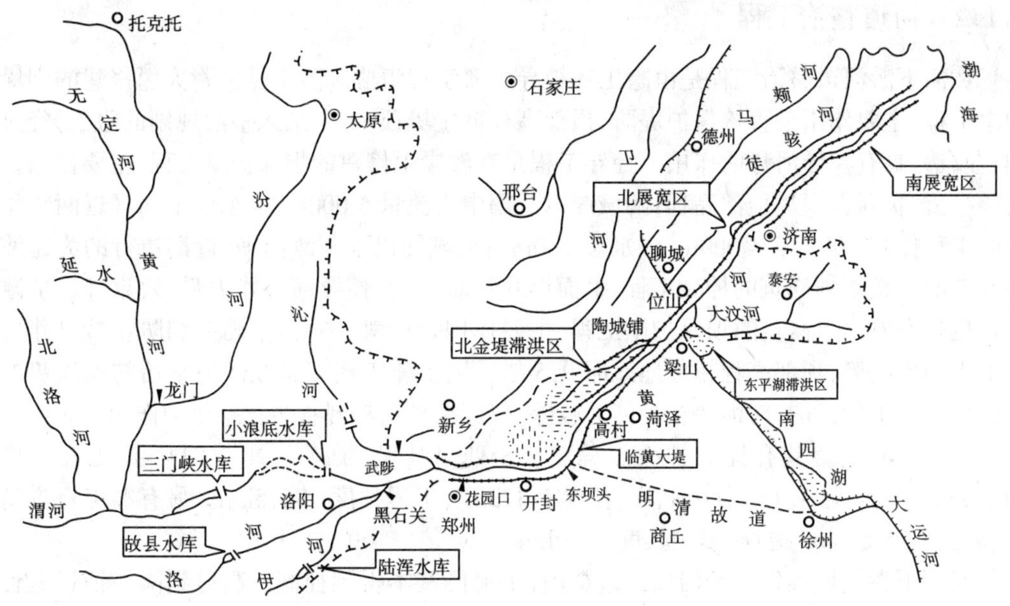

图 2-1　黄河下游防洪工程体系分布

表 2-1　　黄河下游堤防长度汇总

河段	堤防类型	堤防名称	长度(km)
孟津白鹤至垦利渔洼	设防堤	临黄堤	1 371.227
		分滞洪区堤	313.842
		支流堤	195.367
		小　计	1 880.436
	不设防堤		264.205
	合　计		2 144.641
渔洼以下	设防堤		79.770
	不设防堤		66.440
	合　计		146.210
总计	设防堤		1 960.206
	不设防堤		330.645
	合　计		2 290.851

自 1970 年在黄河下游放淤固堤以来,共完成土方近 5 亿 m^3,加固黄河堤防 899km,其中临黄堤 887km。目前采用截渗墙加固堤防长度为 56.6km,其中临黄堤 51.3km。采用前后戗加固堤防 373km,其中临黄堤 269km。

1.1.2 河道整治工程

黄河下游河道整治工程是由险工和控导护滩工程组成。险工是依附大堤修建的坝垛护岸工程，主要作用是直接保护堤防，顶部高程低于堤顶 1m。纳入整治规划的险工，经过调整改造，具有控导河势的作用。控导工程是在滩岸上修建的坝垛护岸工程，主要作用是控导主流、护滩保堤。顶部高程：陶城铺以上超中水流量 5 000m^3/s 水位 1.0m（近两年修建的工程按超 2000 年 4 000m^3/s 水位 1.0m）；陶城铺以下与滩面平（近期执行的为超滩面 0.5m）。按规划修筑的控导工程，平面形式规顺合理，控导河势能力强、效果好。护滩工程也是在滩岸上修筑的坝垛护岸工程，主要作用是护滩、护村、护码头和防止抄已建控导工程的后路等，顶部高程超当地滩面 0.5m，。因护滩工程多系在河道整治初期河势变化剧烈时被迫修做的，对河势控导能力较差，仅起维护河势现状防止恶化的作用。

目前黄河下游共有控导护滩工程 2 278 处，坝、垛、护岸共计 4 534 道，工程长度 446.85km；堤防险工 143 处，坝、垛、护岸 5 372 道，工程长度 336.5km。另有顺堤行洪防护坝工程 79 处，405 道坝，裹护长度 40.9km。

黄河下游陶城铺以下窄河段经过整治，主流已基本得到控制。高村到陶城铺过渡性河段的主流也初步得到控制，高村以上游荡性河段主流摆动范围有所缩窄，但在局部河段因工程不配套、不完整，控导主流能力很差，仍需要继续加强整治。

1.1.3 涵闸工程

黄河下游共有引黄涵闸 95 座，设计引水流量 4 057m^3/s；分泄洪闸 11 座；虹吸 8 处（均在河南）。

1.2 防汛道路

黄河下游防汛抢险道路包括堤顶道路、沿黄乡镇或公路通往大堤的上堤防汛道路、通往滩区控导工程的控导工程防汛路、控导工程联坝坝顶道路。

1.2.1 堤顶道路

目前，临黄堤、沁河堤、东平湖围坝、大清河堤共长 1 680m。共硬化 524.089km，其中临黄堤硬化 513.028km，沁河堤硬化 2.061km，东平湖二级湖堤硬化 9km。

1.2.2 上堤防汛道路

黄河下游共有上堤防汛路（硬化路）324 条，长 1 940km，平均每 5.19km 堤防有 1 条上堤防汛道路。

1.2.3 控导工程防汛道路

下游 168 处主要控导工程长 360km，有防汛路 190 条，长 850km。已硬化 84 条、长 368.2km；土路 106 条、长 482km。控导工程联坝长 360km，联坝已硬化 22 处、长 37.79km。

1.3 防汛抢险队伍组织情况

黄河防汛实行军民联防制度,防汛抢险队伍由治黄专业队伍、群众防汛队伍、当地驻军及武警部队等组成。

1.3.1 防汛机动抢险队

建立防汛机动抢险队,是保证黄河下游防洪安全的一项重要防洪非工程措施。经原水电部批准,1988 年在黄河下游开始建立防汛机动抢险队以来,通过 10 余年的探索发展,现已在黄河下游建立了 24 支,河南、山东各 12 支。

下游 24 支防汛机动抢险队共有人员 1 295 人,总投资 16 224 万元,形成设备固定资产 14 261 万元。下游 24 支机动抢险队已配置各类设备 333 台套,其中主要抢险设备有各类自卸汽车 134 辆、推土机 39 台、装载机 33 台、挖掘机 38 台。设备配置只达到定额的一半(见表 2-2、表 2-3)。

表 2-2　　**黄河下游防汛机动抢险队基本情况统计**

序号	名称	所在市(县)	建队时间(年·月)	职工人数	其中		场地面积(万 m²)	抢险设备(台套)	固定资产(万元)	其中设备固定资产(万元)	总投资(万元)
					固定人员(人)	技术人员(人)					
1	豫西地区河务局抢险队	孟津	1999.7	30	25	5	0.15	9	366.06	311.31	366.06
2	郑州市局第一抢险队	中牟	1988.5	64	59	5	0.07	18	900.00	835.71	960.00
3	郑州市局第二抢险队	邙金	1999.5	68	56	12	2.2	8	613.08	484.82	613.08
4	开封市局第一抢险队	开封	1991.5	44	40	4	0.3	25	1 290.00	819.00	1 290.00
5	开封市局第二抢险队	兰考	1999.5	80	50	8	0.5	8	499.34	484.79	499.34
6	新乡市局第一抢险队	封丘	1988.5	103	60	15	1.62	24	1 269.07	905.07	1 269.07
7	新乡市局第二抢险队	长垣	1999.5	96	50	16	1.93	8	480.90	463.62	480.90
8	焦作市局第一抢险队	武陟	1991.5	75	55	20	0.5	19	1 135.00	1 101.70	1 135.00
9	焦作市局第二抢险队	温县	2001.6	50	45	5	1	6	381.40	373.60	381.40
10	濮阳市局第一抢险队	范县	1991.2	60	55	5	0.99	13	677.18	677.18	677.18
11	濮阳市局第二抢险队	台前	1999.5	54	52	4	0.05	10	497.09	497.09	497.09
12	濮阳市局第三抢险队	濮阳	2001.6	50	46	4	0.03	6	373.60	373.60	373.60
13	山东黄河第一抢险队	鄄城	1988.5	47	47	6	0.05	21	716.23	702.88	716.23
14	山东黄河第二抢险队	济南	1988.5	50	50	9	0.44	18	694.26	687.00	694.26
15	山东黄河第三抢险队	滨州	1991.6	46	46	6	0.70	19	776.00	712.00	776.00
16	山东黄河第四抢险队	济南	1992.2	35	35	23	0.77	19	756.00	687.30	756.00

续表 2-2

序号	名称	所在市(县)	建队时间(年·月)	职工人数	其中		场地面积(万 m^2)	抢险设备(台套)	固定资产(万元)	其中设备固定资产(万元)	总投资(万元)
					固定人员(人)	技术人员(人)					
17	山东黄河第五抢险队	东平	1992.12	45	45	6	0.28	13	651.00	551.00	651.00
18	山东黄河第六抢险队	东阿	1999.6	47	47	3	0.15	15	637.00	605.00	637.00
19	山东黄河第七抢险队	垦利	1992.1	40	40	10	1.5	14	1 042.00	687.00	1 042.00
20	山东黄河第八抢险队	齐河	1999.7	32	32	18	0.11	14	562.00	505.00	562.00
21	山东黄河第九抢险队	高青	1999.7	38	38	12	0.61	14	558.00	548.00	558.00
22	山东黄河第十抢险队	东明	1999.5	48	48	3	0.08	16	482.34	472.34	488.85
23	山东黄河第十一抢险队	惠民	2001.8	45	45	5	1.63	8	400.00	388.00	400.00
24	山东黄河第十二抢险队	济阳	2001.7	48	48	4	0.35	8	400.00	388.00	400.00
	合　计			1 295	1 114	208	16.02	333	16 157.55	14 261.01	16 224.06

注:技术人员是指具有中级以上职称的抢险队员人数。

表 2-3(1)　　黄河下游防汛机动抢险队现有设备情况统计(河南局)

设备名称	队名 型号	焦作一队 武陟	焦作二队 温县	新乡一队 封丘	新乡二队 长垣	濮阳一队 范县	濮阳二队 濮阳	濮阳三队 台前	豫西队 孟津	郑州一队 中牟	郑州二队 邙金	开封一队 开郊	开封二队 兰考	小计	合计
自卸汽车	北方奔驰 20t	8	3	1	3		3	3	3	1	3		3	31	63
	斯太尔 19t					4						10		14	
	太脱拉 17t			3		2				5				10	
	克拉斯 6510			3										3	
	黄河自卸 9t	1				1						1		3	
	解放自翻车			2										2	
推土机	TYS160	1				1						2		4	18
	TYS220			1	1		1		1	1	1		1	7	
	东方红 802			1										1	
	东方红 70			1										1	
	20kW	1		1		1				1		1		5	
装载机	WA300－1	1		1		1				1		1		5	17
	WA380－3	1	1	1				1		1				5	
	ZL50E			1	1	1	1		1		1		1	7	
挖掘机	CAT325BL	1	1	1	1	2	1	1		1	2	1	1	13	19
	MH6A1									1				1	
	PC220－6	1		1								1		3	
	RH6l0			1										1	
	W4－6C			1										1	

续表 2-3(1)

队名		焦作一队	焦作二队	新乡一队	新乡二队	濮阳一队	濮阳二队	濮阳三队	豫西队	郑州一队	郑州二队	开封一队	开封二队	小计	合计
设备名称	型号	武陟	温县	封丘	长垣	范县	濮阳	台前	孟津	中牟	邙金	开郊	兰考		
吊车	25t 吊车			1										1	1
后勤保障	东风 3t 随车吊								1	1				2	9
	平板车				1							1		2	
	东风 8t 加油车	1										1		2	
	大客车 6990－Y2			1			1			1				3	
指挥车	BJ213			1						1				2	11
	三菱猎豹	1			1	1	1		1	1	1	1	1	9	
生活车	PICKUP	1		1		1				1		1		5	9
	庆铃 QL6470YH		1					1						2	
	尼桑皮卡				1				1					2	
通讯设备	车载台	1		1		1				1		1		5	20
	手机电话			1		1				1				3	
	800M 手机	4				3						2	3	12	
办公机具	复印机	1		1		1				1		1		5	15
	微机	1		1		1				1		1		5	
	传真机	1		1		1				1		1		5	
发电机	75kW									1				1	8
	7.5kW				1	1								2	
	雅马哈			1			1		1		1		1	5	
抢险机具		1		1		1			1	1	1	1	1	8	8

表 2-3(2)　　黄河下游防汛机动队现有设备情况统计(山东局)

队名		山东一队	山东二队	山东三队	山东四队	山东五队	山东六队	山东七队	山东八队	山东九队	山东十队	山东十一队	山东十二队	小计	合计
设备名称	型号	鄄城	天桥	滨州	济南	东平	东阿	垦利	齐河	高青	东明	惠民	济阳		
自卸汽车	北方奔驰 20t			3	3	2	4	4	4	4		3	3	30	71
	斯太尔 19.5t			1	2	7			4		4			18	
	太脱拉 17t	5	5	1	2	5								18	
	克拉斯 6510	2												2	
	东风	1	2											3	
推土机	TYS160			1		1	1	1	1	1	1			7	21
	TYS220	1	1			4								6	
	TX20				1									1	
	PYN－120		1											1	
	D60			1										1	
	东方红 70		3	1		1								5	

续表 2-3(2)

队名		山东一队	山东二队	山东三队	山东四队	山东五队	山东六队	山东七队	山东八队	山东九队	山东十队	山东十一队	山东十二队	小计	合计
设备名称	型号	鄄城	天桥	滨州	济南	东平	东阿	垦利	齐河	高青	东明	惠民	济阳		
装载机	WA380－3	1	1		1	1						1	1	6	16
	ZL50E			1			1	1	1	1	1			6	
	WA320－3		1											1	
	ZL30D	1		1	1									3	
挖掘机	CAT325BL			1			1	1	1	1	1	1	1	8	20
	WY－160		2			1								3	
	PC300－6					1								1	
	PC220－6	1	1	1	1	2								6	
	北京新建							1						1	
	上海				1									1	
后勤保障	东风 5t 随车吊	1	1	1	1	1	1	1	1	1	1			10	18
	平板车	1	1			1		1						4	
	东风 145 加油车	1						1						2	
	QD－652B 大客车	1	1											2	
指挥车	三菱猎豹	1				1	1	1	1	1	1			7	11
	BJ2021		1	1	1									3	
	BJ2020	1												1	
生活车	尼桑皮卡						1	1	1	1	1			5	12
	庆铃客货车	1	1	1	1	1						1	1	7	
通讯设备	车载台	2	3	2	2	2	2	3	2	2	2			22	79
	手机电话	5	5	4	8	5	4	4	4	4	4			47	
	对讲机	8			2									10	
办公机具	便携机					1		1	1	1				4	44
	复印机	1	1	1	1	1	1	1	1	1	1			10	
	传真机	1	2	1	3	1	3	1	2	1	1			16	
	台式微机		1		1		3	2		2				9	
	打印机					1	2			2				5	
发电机	150kW			1	1									2	29
	120kW			1	2		1	1	1	1	1			8	
	90kW				1									1	
	50kW	1	1	1										3	
	75kW					1								1	
	12kW				1									1	
	6kW 以下				2	4	2	2	1	2				13	
冲锋舟		2	2	2	2	2	2	2	2	2	2	2	2	24	24
抢险机具		1套	1套	1套	1套	1套								5	5

1.3.2 县级河务局专业抢险队

黄河下游各县级河务局成立的专业抢险队共有28支，计1 355人，共有各类汽车46辆、推土机54台、装载机8台、挖掘机14台(见表2-4)。

表2-4　　黄河下游县级河务局专业抢险队情况

序号	抢险队名	总人数	技术人员数	年龄结构(人数)					文化程度(人数)			抗洪抢险(人数)		现有抢险设备数量				
				20岁以下	21～30岁	31～40岁	41～50岁	50岁以上	初中以下	高中与中专	大专以上	1982年	1996年	挖掘机	装载机	推土机	汽车	其他
1	孟津县队	80	13		22	18	24	14	34	34	12			1	2	2	6	1
2	开封市水上队	104	7		11	31	54	8	59	29	16	40	74					3条船
3	温县局队	101	9		25	25	46	5	33	52	16	50	66	1				4
4	武陟一局队	70	3	3	5	24	34	4	40	27	3	19	29	1	1	1	4	
5	武陟二局队	58	3	0	5	22	30	1	40	17	1	26	53		1			2
6	博爱县队	35	5		4	12	19			26	9				1			
	河南小计	448	40	3	72	132	207	32	206	185	57	135	222	3	5	3	10	7
1	东明县局队	37	4		10	15	12		12	20	5	10	23	1		10	4	
2	牡丹区局队	38	11	0	4	18	15	1	21	14	3	13	36	1	1	3	6	
3	鄄城县局队	57	6		10	5	42		35	19	3	24	41			1		11
4	郓城县局队	50	5		6	36	8		35	10	5	5	47					
5	梁山县局队	50	1	0	12	18	19	1	33	15	2	18	42					
6	梁山湖管局队	42	25		18	16	7	1		17	25	12	36	3				
7	东平湖管局队	60	5		25	32	2	1		3	2	60	60	1		2	5	5
8	阳谷县局队	40	8		5	14	19	2	8	27	5		35					
9	槐荫区局队	54	11		14	8	32		16	26	12		45					
10	天桥区局队	34	2			10	24		18	13	3	20	26					
11	历城区局队	37	2		4	7	26		20	13	4	24	31					
12	章丘市局队	52	4		8	27	17		28	15	9	31	47					
13	济阳县局队	48	1		1	6	41		20	26	2	48	27					
14	德州市局直队	30	1		7	15	8			29	1							

续表 2-4

序号	抢险队名	总人数	技术人员数	年龄结构(人数)					文化程度(人数)			抗洪抢险(人数)		现有抢险设备数量				
				20岁以下	21~30岁	31~40岁	41~50岁	50岁以上	初中以下	高中与中专	大专以上	1982年	1996年	挖掘机	装载机	推土机	汽车	其他
16	滨城区局队	76	8		22	4	50		10	72	4	38	40	1	1	10	5	69
17	惠民县局队	40			3	10	27		23	16	1	13	31					
18	垦利县局1队	35	6		2	6	27			29	6		20			6		
19	垦利县局2队	35	7		1	8	27		3	28	4		19			6		
20	利津县局1队	32	1		2	15	15		22	8	2	23	31		1	8	4	
21	利津县局2队	30	1		6	8	16		17	11	2	18	24	3		3	12	
22	东营区局队	30	3	0	3	9	17	1	15	10	5	15	28	1	0	2	0	15
山东小计		907	112	0	163	287	451	7	336	421	105	372	689	11	3	51	36	100
合计		1 355	152	3	235	419	658	39	542	606	162	507	911	14	8	54	46	107

1.3.3 亦工亦农抢险队

据统计,下游现有由基干民兵组成的亦工亦农抢险队 208 支,8 795 人(见表 2-5)。

表 2-5　　黄河下游亦工亦农抢险队情况

序号	市、县名	抢险队数量	抢险队人员数量	抽查抢险队情况											
				抢险队名	人数	年龄结构(人数)					文化程度(人数)			外出务工人数	在家人数
						20岁以下	20~30岁	31~40岁	41~50岁	50岁以上	初中以下	高中与中专	大专以上		
1	洛阳市	2	295	孟津县队	220	20	90	84	26		108	100	12	50	170
2	郑州市	12	700	金水区石桥队	70		30	40			47	23		30	40
3	开封市	11	720	开封郊区马庄队	60	11	21	17	11		36	24		3	57
4	焦作市	25	1 100	温县大玉兰队	100	16	50	34			60	40			100
5	新乡市	24	720	原阳桥北乡队	20		5	9	6		14	6		0	20
6	濮阳市	25	1 210	濮阳县队	50		5	18	27		48	2		9	41
小计		99	4 745		520	47	201	202	70	0	313	195	12	92	428

续表 2-5

序号	市、县名	抢险队数量	抢险队人员数量	抽查抢险队情况											
				抢险队名	人数	年龄结构(人数)					文化程度(人数)			外出务工人数	在家人数
						20岁以下	20～30岁	31～40岁	41～50岁	50岁以上	初中以下	高中与中专	大专以上		
1	菏泽市	17	510	东明县焦园乡队	30		13	13	4		28	2		20	10
2	东平湖	21	630	黑虎庙队	50		18	28	4		46	3	1	15	35
3	聊城市	7	350	东阿县大桥镇队	50	4	9	12	25		29	20	1	5	45
4	济南市	23	810	栾湾乡队	30		15	13	2		16	13	1	12	18
5	德州市	6	180	齐河县焦庙镇队	30		30					21	9	16	14
6	淄博市	5	150		31		18	11	2		7	24		10	21
7	滨州市	18	850	大年陈乡郭口队	50	2	13	30	5		41	8	1	21	29
8	东营市	12	570	济军生产基地队	50		32	14	4		7	42	1	0	50
小计		109	4 050		321	6	148	121	46		174	133	14	99	222
合计		208	8 795		841	53	349	323	116		487	328	26	191	650

1.3.4 群众防汛队

为保证黄河下游防洪安全，河南、山东黄河河务局每年都组织大规模的群众防汛抢险队伍，据统计，下游每年组织群众防汛队伍 300 万人，其中一线队伍 120 多万人，二线队伍 80 多万人，三线队伍 50 万人，滩区分滞洪区队伍 40 多万人。

1.3.5 解放军、武警部队

当黄河发生洪水时，根据洪水大小和防汛抢险形势，调动中国人民解放军、武警部队参加防汛抢险。济南军区 3 个集团军有黄河防汛任务。

第二节 防汛抢险存在的主要问题

2.1 防洪工程存在的主要问题

2.1.1 堤防工程存在的主要问题

下游 1 371km 临黄堤中,有 800 多千米堤顶宽度不足,其中宽度小于 8m 的为 500 多千米,主要集中在山东窄河段;有 433km 的堤段没有采取淤背或截渗墙进行加固,其中设计浸润线在堤防背河坡出逸的堤段长约 150km。

东平湖水库围坝质量差,基础渗漏严重,有 80km 长的围坝急需进行加高加固。沁河堤防宽度不足,堤身断面小,有 50km 堤防急需加高加固。

2001 年,河南、山东两局对近堤坑塘、堤河、井渠进行了普查,在堤防临、背河各 200m 范围内,共有坑塘 1 961 处,堤河 165 条,渠道 356 条,水、油、气井 2 665 个(见表 2-6)。

近堤坑塘、堤河、井渠的存在易使堤防产生渗漏、管涌等渗透破坏。下游堤河的长度 810 多千米,宽度为 50～200m,个别段落达 400～500m,一般深度 1～2m,局部较深,已变为坑塘,常年积水。有堤河的堤段易产生顺堤行洪,严重威胁堤防安全。

表 2-6　黄河下游近堤险点隐患综合统计　(单位:处)

距堤脚的距离	坑塘	堤河	渠道	水、油、气井
50m 内	712	61	134	789
50～100m	523	67	105	736
100～200m	726	37	117	1 140
合计	1 961	165	356	2 665

2.1.2 河道整治工程存在的主要问题

2.1.2.1 险工存在的问题

黄河下游临黄堤险工 5 279 道坝垛中,有近 50% 的坝垛高度差 0.5m 以上。据 2003 年 3～4 月根石探测结果,50% 的坝垛根石深度小于 10m,60% 多的坝垛根石坡度陡于 1:1.3,满足 1:1.5 稳定要求的坝垛只有 8%。有 120 多道顺堤行洪防护坝需要加高加固。另外有 60 处险工的 655 坝垛目前没有备防石。

2.1.2.2 控导工程存在的问题

(1)新修工程数量大、基础浅。1997 年以来,黄河下游新续建 102 处河道整治工程(含滚河防护工程),新建 926 个坝垛,新建工程长度 96km,其中有 3.5km 为灌注桩护岸,有 9.23km 为铅丝笼、长管袋、模袋混凝土等沉排结构,83km 为土石结构,占 86%。这些工程大多没有基础,没有经过大洪水考验。

(2)部分工程高度不足,防洪标准降低,对河势的控制能力减弱。随着黄河下游主河槽的淤积萎缩,同流量水位抬高,目前下游控导工程共 4 000 多道坝垛中,有近 50% 的坝垛高度不足,导致工程防洪能力降低,对河势的控制能力减弱。

据统计,黄河下游大多数控导工程实际防洪能力为 3 000～4 000m^3/s,有的只有 2 000m^3/s,多数工程的抢险道路在 3 000～4 000m^3/s 时就被淹没。

(3)根石深度浅、坡度陡。据 2003 年 3～4 月根石探测结果,有近 35%的坝垛根石深度小于 10m,35%多的坝垛根石坡度陡于 1:1.3,满足 1:1.5 稳定要求的坝垛只有 14%。

(4)部分坝垛没有备防石。据两省河务局统计,目前下游有 102 处控导工程的 695 个坝垛没有备防石,称为"空白坝",缺备防石 24 万 m^3。

2.1.3 涵闸工程存在的主要问题

目前,黄河下游部分引黄涵闸存在起闭不灵活、闸门漏水等问题,特别是河南的红旗、共产主义闸、8 处虹吸,山东的打渔张、麻湾闸等存在严重问题,已形成险点,急需改建加固或拆除。

2.2 防汛抢险道路不足,路况差

目前,下游 1 371km 黄河大堤堤顶道路已硬化的只有 513.028m,硬化比例只有 37.4%;两岸沿黄公路通往大堤的道路不足、路况较差,有些路口还未硬化,据统计,需要新建、翻修上堤防汛路 280 余条、1 600 多千米,1 500 余个上堤路口需要硬化;通往滩区控导工程的道路路况较差,控导工程联坝上的道路绝大多数没有硬化。抢险道路不足、路况差,严重影响了抢险的顺利进行,不能满足抗御大洪水的要求。

2.2.1 堤顶道路

目前,临黄堤堤顶道路已硬化 513.028km,占总长的 37.4%,现状路面较差的有 38.48km,占已硬化长度的 7.5%,未硬化堤段长 858km,占临黄堤总长的 63%。沁河堤堤顶只硬化了 2.061km,路面较差。东平湖二级湖堤硬化 9km。

2.2.2 上堤防汛道路

黄河下游共有上堤防汛路(硬化路)324 条,长 1 940km,平均每 5.19km 堤防有 1 条上堤道路。其中有 148 条、长 892km 路况较差,占硬化道路的 46%。

2.2.3 控导工程防汛道路

下游 168 处主要控导工程长 360km,有防汛路 190 条,长 850km;已硬化 84 条、长 368.2km,占上坝防汛路的 44%,其中 42 条、长 214km 路面较差,占已硬化路长度的 58%;土路 106 条、长 482km,占上坝防汛路长度的 56%。控导工程联坝长 360km,已硬化 22 处、长 37.79km,硬化比例为 10%。

2.3 专业人员老化,抢险经验不足

据对下游 24 支机动抢险队和县局成立的 28 支专业抢险队的调查,由于多年来治黄队伍补充年轻职工较少,目前治黄职工抢险人员中 40 岁以上的占 50%,普遍老化,体力

不足,抢险难以持久。

据调查,机动抢险队队员参加过 1982 年大洪水抢险的只占 11%,参加过 1996 年洪水抢险的占 39%,抗洪抢险的经验不足。

机动抢险队和专业抢险队的人员中,大专以上文化程度占 12%,高中与中专占 45%,文化程度偏低(见表 2-4、表 2-7)。

表 2-7　　黄河下游机动抢险队与专业抢险队人员结构

队　别	统计总人数	技术人员占的比例(%)	年龄结构(%)			文化程度(%)			曾抗洪抢险(%)	
			21～30岁	31～40岁	41～50岁	初中以下	高中与中专	大专以上	1982年	1996年
机动抢险队	1 159	14	20	36	41	43	45	12	11	39
专业抢险队	1 404	11	18	31	48	40	45	12	38	68

2.4　群众防汛队伍组织困难,到位率低

据对亦工亦农抢险队进行的典型调查,农村青壮年外出务工平均占 23%,有的地方占 60%多,发生洪水时,能够参加抢险的群众,只能以老、弱、妇、少补充,抢险能力不足(见表 2-5、表 2-8)。

表 2-8　　黄河下游亦工亦农抢险队人员结构

统计总人数	年龄结构(%)			文化程度(%)			所在地点(%)	
	21～30岁	31～40岁	41～50岁	初中以下	高中与中专	大专以上	外出务工	在家
841	41	38	14	58	39	3	23	77

2.5　机动抢险队规模小,设备不足

根据规划和“十五”可研❶,黄河下游需要建立 31 支机动抢险队,目前初步建立了 24 支,配置抢险设备基本上只达到定额的一半。

防汛机动抢险队主要承担重大险情的抢护任务,在黄河防洪抢险中发挥了生力军和突击队的作用。现有黄河下游防汛机动抢险队数量不足,设备少且不配套,不能满足抗大洪、抢大险的要求。为保证黄河下游防洪安全,急需加强防汛机动抢险队建设。

2.6　基层河务部门缺少抢险设备

目前各基层河务局能用于抢险的设备很少。据调查,各县局成立的专业抢险队共有各类汽车 49 辆、推土机 55 台、装载机 9 台、挖掘机 15 台,远远不能满足抗洪抢险的需要。

---

❶ 黄河下游近期防洪工程建设可行性研究报告. 水利部黄河水利委员会勘测规划设计研究院,2004 年 4 月

2.7 抢险技术较落后

洪水主流冲刷堤防、涵闸土石接合部和闸基础,导致出险、堤防漏洞等,是对堤防安全威胁最严重的险情。对这些险情,目前还缺乏十分有效的抢护技术。另外,适用于机械化操作的抢险技术十分缺乏,在实际抢险中,大多仍沿用原来人工操作的抢险技术,效率十分低下,难以满足抢大险的要求。

通过 2003 年洪水险情调查分析,虽然属小流量洪水,但是通过防汛抢险,充分暴露了存在的各类问题和薄弱环节。主要存在以下几方面的问题。

(1)防汛道路不畅,严重影响抗洪抢险进程。许多工程防汛抢险道路年久失修,道路损坏严重,抢险柳料运送困难;坝顶没有硬化,遭遇 2003 年阴雨天气,抢险道路泥泞不堪,严重影响了抢险进程。

(2)机动抢险队抢险机械严重不足,设备老化,外出抢险缺少相应装备。尽快为机动抢险队配备 60 座大客车一辆,30t 拖板车两辆(用于 320、325 挖掘机及 220 推土机远程外出抢险),自动化加油车一辆。加大资金投入,用于机械维修及改善机动抢险队住房训练条件,改善职工工作生活环境。配备抢险帐篷、床张、抢险工具及其他抢险必备物品,以增强机动抢险队的反应速度及抗洪抢险能力。

(3)在后勤保障方面,各局存在库存严重不足、缺乏抢险料物运送车辆,仓库年久失修等问题。黄河防总应对防汛料物仓库进行规划,重新建设。同时配备快速组装式餐车 1 辆,以适应工程一线抢险的需要。

第三节 防汛抢险形势分析

3.1 堤防被冲决的可能性仍然存在

3.1.1 近期河道险情分析

目前,黄河下游大堤临河滩面一般高于背河地面 4~6m,东坝头至陶城铺宽河段滩面横比降达 1‰~2‰,而河道纵比降为 0.14‰,滩唇一般高于黄河大堤临河地面 3m 左右,最大达 4~5m。2002 年 7 月黄河小浪底水库首次调水调沙试验期间,高村上下河段濮阳滩区在流量不到 2 000m^3/s 时即发生漫滩,漫滩水流顺串沟直冲大堤,并在堤河低洼地带形成顺堤行洪,濮阳部分堤段堤根水深达 4~5m。2003 年秋汛期间,黄河中下游连降暴雨,水位陡涨,造成主河道向南岸不断滚动。在 2 000m^3/s 流量条件下,受洪水前期畸形河势持续上提的影响,兰考蔡集控导工程 32~35 号坝长时间大溜顶冲发生了重大河势变化,导致了工程上首滩区生产堤的冲决。由于“二级悬河”的存在,大量洪水通过生产堤口门进入滩区,在主槽水位低于滩唇高程的条件下,漫滩流量最大达 820m^3/s,最大流速达 2.7m/s;河南兰考谷营乡蔡集村生产堤两处决口后,主要受制于地形的变化,水流向东南方向近乎垂直冲向大堤,使大堤桩号 155+000~160+000 一带堤防受到顶冲,在桩号 150+000~179+500 近 30km 堤河出现不同程度的顺堤行洪。临黄大堤发生多处渗水险情，其中临黄堤东明堤段177+500～178+200段背河护堤地发现宽约8m、长30m的渗水群。河南兰考、山东东明部分滩区上水，被洪水围困的村庄达114个，淹没耕地1.2万hm^2，受灾人口16万。通过这两次调水调沙试验，更清晰地看到黄河下游夹河滩以下河段主槽萎缩、过洪能力减小的趋势有了进一步发展，串沟夺流、顺堤行洪，甚至发生"滚河"的不利形势十分严峻。

3.1.2 新修工程多且基础薄弱，大洪水期必将发生严重险情

1997年以来，黄河下游新续建102处河道整治工程(含滚河防护工程)，新建926个坝垛，新建工程长度96km，大部分为土石结构。这些工程基础浅，没有经过大洪水考验，在发生大洪水时，将会发生较严重的险情，抢险任务十分繁重。

3.1.3 工程防洪能力降低，抢险难度增大

随着河槽严重淤积萎缩，"二级悬河"加剧，平滩流量严重减小，控导工程实际抗洪能力降低，并且洪水漫滩后，抢险道路被隔断，大部分控导工程处于孤岛状态，抢险人员与设备进场、撤离，抢险料物的供应十分困难，难以保障抢险的顺利进行和抢险人员、设备的安全。

据统计分析，黄河下游大多数控导工程实际防洪能力为3 000～4 000m^3/s，有的只有2 000m^3/s，多数工程的抢险道路在3 000～4 000m^3/s时就被淹没。陶城铺以上河段70处主要控导工程中，防洪能力和防汛路淹没流量同时大于或等于5 000m^3/s的只有27处，占39%；有46%已不能满足防御5 000m^3/s设计要求，有60%工程防汛路在5 000m^3/s以下时被淹没。陶城铺以下河段96处控导工程中，防洪能力和防汛路淹没流量同时大于或等于5 000m^3/s的只有8处，占8%；有53%的工程防洪能力小于4 000m^3/s，有69%工程防汛路在4 000m^3/s以下时被淹没(见表2-9)。

表2-9 黄河下游主要控导工程防洪能力及防汛路淹没流量

项目	流量级别(m^3/s)	工程处数	占总数的百分数(%)	其中防汛路淹没流量大于等于防洪能力	占总数的百分数(%)	防汛路淹没流量级别(m^3/s)	防汛路处数	占总数的百分数(%)
陶城铺以上共有70处	≥5 000	38	54	27	39	≥5 000	28	40
	4 000～5 000	25	36	15	21	4 000～5 000	25	36
	3 000～4 000	5	5	3	4	3 000～4 000	11	16
	2 000～3 000	3	4	3	4	2 000～3 000	5	7
陶城铺以下有96处控导工程	≥5 000	15	16	8	8	≥5 000	10	10
	4 000～5 000	30	31	16	17	4 000～5 000	20	21
	3 000～4 000	41	43	39	41	3 000～4 000	57	60
	2 000～3 000	10	10	10	10	2 000～3 000	9	9

控导工程发生重大险情机遇增加，抢险困难，特别是控导工程上下首生产堤很容易决口，对堤防造成很大威胁。洪水时期，一旦发生“横河”、“斜河”、“滚河”、顺堤行洪，主流冲刷堤防，抢护十分困难。这是因为：一是水流流速大，冲刷力强；二是冲刷的堤段较长；三是黄河堤防的土质多为砂壤土，抗冲能力低。

综上所述，随着黄河下游河槽严重淤积萎缩，“二级悬河”加剧，平滩流量严重减小，大洪水时，滩区过流量加大，“横河”、“斜河”、“滚河”、顺堤行洪发生的机遇增大，堤防被冲决的可能性仍然存在。

3.2 堤防发生溃决的可能性减少

虽然经过1998年以来大规模的加固，使黄河下游堤防的防洪能力有较大的提高，但目前还有376km临黄堤未加固，其中设计浸润线出逸堤段长150km。随着河槽严重淤积萎缩，洪水位表现较高，传播速度慢，使堤防的偎堤水深增大，历时延长，溃决的可能性依然存在。

1996年花园口站洪峰流量只有7 800m^3/s，水位达94.73m，为1946年人民治黄以来的最高值，超过1982年15 300m^3/s洪水位0.74m，洪峰从花园口至孙口传播历时224.5h，为正常值的4.7倍。2002年黄河首次调水调沙试验期间，高村水文站2 930m^3/s流量的水位比“96·8”洪水同流量水位高出0.55m左右，郓城县部分堤段发生了管涌险情。

但是，随着黄河下游标准化堤防的建成，堤防发生溃决的可能性减少。

3.3 堤防发生漫决的可能性几乎没有

人民治黄以来，黄河下游经过四次较大规模的加高加固大堤，形成了目前黄河下游临黄大堤高度一般为7～11m，最高达14m，临背河地面高差4～6m，最大10m以上，堤防断面顶宽7～15m；临背边坡艾山以上均为1:3，艾山以下临河边坡1:2.5，背河坡1:3。

按照防御2000水平年花园口站22 000m^3/s设防标准，高度不足值在0.5m以上的堤段经过1998年以来加高，目前已经完成。

小浪底水库的建成应用，使下游堤防设防标准提高到千年一遇，因此堤防发生漫决的可能性几乎没有。

第四节 堤防决口影响因素

影响堤防决口的因素很多[7～11]，主要包括自然因素、人为因素和自身因素，各影响因素分层见图2-2。三大影响因素呈辩证统一关系，即自身因素是影响堤防决口的内在的、本质的因素，自然因素和人为因素是影响堤防决口的外在的、表层的因素。因此，对堤防进行加固除险[12]、维修养护是确保堤防不决口的关键，加强对自然因素、人为因素的研究和控制，特别是对非工程措施研究和管理，同样是确保堤防不决口的关键。

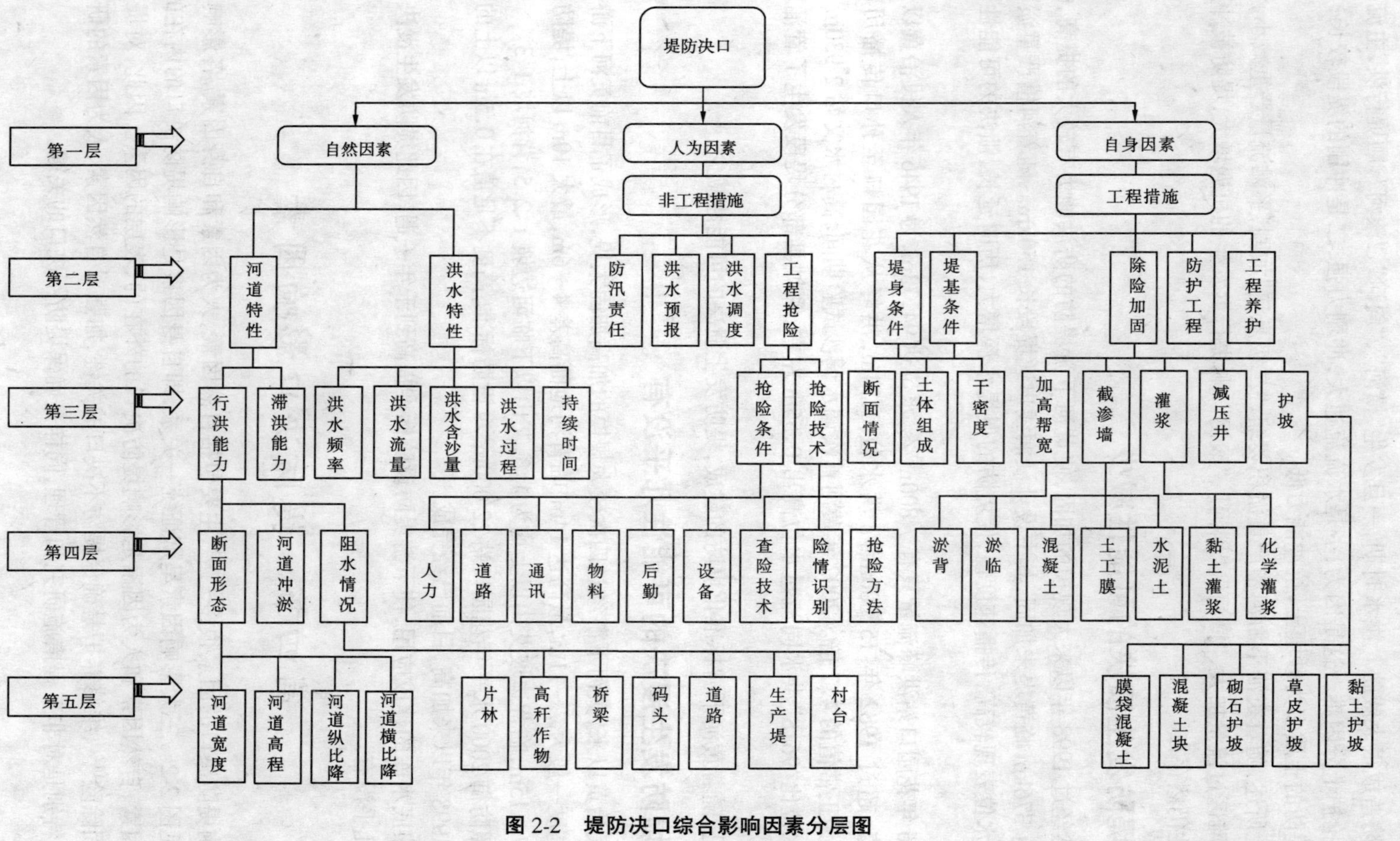

图 2-2　堤防决口综合影响因素分层图

第五节 对策与建议

(1)加大涵闸、虹吸除险加固、堤防加固、河道整治、滚河防护等防洪工程建设力度,进一步完善防洪工程的设计、建设和配套,提高工程的抗洪能力。加快安排堤顶硬化、上堤道路、控导工程联坝道路整修和硬化的建设,为防汛抢险的顺利进行创造条件。今后控导工程的联坝设计,泥结碎石路面应该作为一项基本条件考虑进去,以提高工程整体防洪抢险能力。

(2)尽快开展夹河滩至孙口河段的“二级悬河”治理工作,要把引洪放淤作为一项治理“二级悬河”的重要措施,抓紧进行研究落实。

(3)积极推进群防队伍组织和管理改革,推广沿黄基干民兵参加黄河防汛抢险的机制,给予适当的经费补助,相对稳定一线群防队伍。

(4)加强机动抢险队的建设。2005 年以前完成规划的黄河下游 31 支机动抢险队的组建,重点加强郑州、开封、新乡、濮阳、菏泽、东平湖、济南等重要河段的抢险队的建设,特别是加强水上机动抢险队的建设和装备。

(5)黄委应设立专项科研经费,加强抢险关键技术研究,尤其是机械化抢险技术攻关,力争两年内取得突破。加大抢险新技术、新设备的推广力度,将近年研制的较成熟的机械捆抛枕机、YBZ 拔桩器、YZH－A 应急照明车、YP－A 型液压自动抛石机、防汛抢险钢桩及快速旋桩机等新机具,尽快推广应用。安排下游县河务局小型抢险设备的配置,提高抢险能力。

(6)重新认识防洪预案如何适应小水出大险的问题。从 2003 年的情况看,今后 4 000m^3/s以下的洪水造成的险情防护在预案中要充分考虑。在编制预案时,对 4 000m^3/s以下流量再进行细分,分别考虑相应流量级下险情抢护、滩区漫滩、河势水情、出险工程和非出险工程之间抢险物资调用的问题。

(7)制定机动抢险队参加控导工程抢险的有关规定,在工程防汛道路淹没以前,参加控导工程抢险的机动抢险队必须撤守到大堤,以保证黄河大堤防洪安全。

(8)在目前抢险设备不足的情况下,各县河务局可租用一部分社会机械设备,用于河道整治工程抢险。

(9)加强后勤装备,应配备像集装箱式的活动房屋、快速组装式餐车等。

(10)对于重大险情,可根据实际情况,成立以县河务局为主的黄河防汛指挥部及 9 个相关职能组,明确各小组的职责和任务。按照已制定的全员防汛责任制分工,对人员、设备进行周密部署和精心安排。同时和上级防汛指挥部进行联络汇报,与乡防汛指挥部配合落实有关村的群众抢险人员,根据险情大小进行人员调配。各职能组职责和任务如下:

①综合调度组:职责是负责洪水期间气象、雨情、水情、河势、工情的分析、预测工作,信息上传下达工作,监测资料的汇总、整理、分析工作,工程险情及抢险情况上报工作,洪水技术总结工作,完成洪水期间领导临时交办的任务等工作。②物资保障组:职责是负责各抢险工地的料物供应工作,保证抢险需要;负责群众及社会抢险料物验收、分配工作;及时统计上报料物消耗及抢险料物补充;完成洪水期间领导临时交办的任务。③照明组:职

责是做好照明机械、设备的检修保养工作；及时将照明机械、设备、工具运送到抢险地点；做好夜间抢险照明工作；完成洪水期间领导临时交办的任务。④通讯保障组：职责是保证通讯及网络设施运行正常，通信、信息畅通；完成洪水期间领导临时交办的任务。⑤后勤保障组：职责是负责一线职工及机关人员生活供给，保证生活需要；负责接待外来人员；保障交通运输工作；完成洪水期间领导临时交办的任务。⑥督察组：职责是督察本次洪水期间局属各单位、各工作组工作完成情况。⑦抢险组：受综合指挥部指派，协助抢险现场指挥部工作，现场工作期间，负责向指挥部报告险情处理情况。⑧前线观测抢险组：职责是认真做好河势、工情观测，做好查险、报险、抢险、水位观测、滩岸坍塌观测，漫滩情况观测，进水情况的统计上报等工作，并整理好原始记录，按要求观测填写、上报，落实工程抢险机械设备完好，发现险情及时组织抢护。⑨安全保卫组：职责是与地方公安部门搞好配合、协调工作；为工程抢险、河道观测提供安全环境保障；保证抢险运输道路畅通；完成洪水期间领导临时交办的其他任务。

参考文献

[1] 胡一三.中国江河防洪丛书.黄河卷.北京:中国水利水电出版社,1996

[2] 胡一三.黄河防洪.郑州:黄河水利出版社,1996

[3] 胡一三,等.黄河下游游荡性河道整治.郑州:黄河水利出版社,1998

[4] 张俊华,许雨新,等.河道整治及堤防管理.郑州:黄河水利出版社,1999

[5] 李国英.论黄河长治久安.人民黄河,2001(7)

[6] 李国英.治水辩证法.北京:中国水利水电出版社,2001

[7] 罗庆君.防汛抢险技术.郑州:黄河水利出版社,2000

[8] 张宝森,郭全明.黄河河道整治工程险情分析.地质灾害与环境保护,1997(1)

[9] 陈新民,夏佳,等.黄河下游悬河决口灾害的风险分析与评价.水利学报,2000(10)

[10] 朱建强,欧光华,等.堤防决口机理及其防治.湖北农学院学报,2000(11)

[11] 孙芦忠,赵建均,等.堤防决口的水力学试验研究.人民长江,2003(11)

[12] 董哲仁.堤防除险加固实用技术.北京:中国水利水电出版社,1998

第三章 黄河堤防漏洞形成发展机理及抢护对策

第一节 概 述

江河堤防深水漏洞是最严重、最危险，也是最难抢护的险情之一，若抢护不及时，极易造成大堤决口。由于黄河堤防多为砂性土，临背悬差大，各种隐患多，历史上黄河大堤因自身隐患形成漏洞而决口的例子屡见不鲜[1]。

新中国成立后，黄河大堤经过多次培修和压力灌浆、淤临、淤背加固，防洪能力大大提高。但由于黄河大堤多是在历史民埝基础上逐步加修的，甚至有的堤身是在历史决口口门堵复后形成的，堤基内的秸料历经多年已腐烂变质，堤基基础复杂，堤身内土质不均匀，且存在松土、洞穴、裂缝等险点隐患。一旦发生大堤偎水，仍会形成漏洞造成险情。如1951年、1955年凌汛期山东黄河利津段的王庄、五庄大堤都曾因漏洞而发展成决堤，给当地人民生命财产造成了巨大损失。为此，对黄河堤防漏洞形成发展机理进行了初步试验研究。

对于黄河堤防漏洞形成发展机理研究由于可借鉴的文献资料很少，因而难度较大。本次研究通过实验室模型试验和堵漏演习现场原型观测试验资料分析，结合有关土力学、水力学等方面的理论，对漏洞形成发展机理进行了初步试验分析，提出了一些观点，以供制订抢险堵漏方案时参考。

第二节 研究方法和主要内容

2.1 研究方法

在现场1∶1物理模型试验与室内物理模型试验的基础上，进行计算分析，探索漏洞发展机理，为堵漏提供方法指导。现场1∶1物理模型结合2000年黄河防汛抢险演习场地基本按黄河堤防标准设计；室内试验针对不同土质、不同工程措施进行模拟试验研究，主要模拟砂壤土、粉质壤土、粉质黏土三种典型土质进行试验。

2.2 室内试验主要内容

(1)经过现场勘测、取样，选择三种典型土样，即砂壤土、粉质壤土、粉质黏土。

(2)取散状土样做击实试验，取原状土样进行土的天然状态下的物理力学性能试验，取得三种土在不同密度下的各种物理力学性能指标。

(3)三种典型土样在三种不同密度组合情况下的起动流速模型试验，包括起动流速、冲刷破坏程度等。

(4)三种典型土样在三种不同密度组合情况下浸泡崩解试验。

2.3 现场试验

通过现场观测资料分析寻求漏洞形成发展机理,其关键问题一是如何模拟漏洞形成;二是观测方法,各种水力学参数观测和漏洞形成发展过程的监测。

2.3.1 试验场地

2000 年度演习试验场选在黄河南岸中牟杨桥险工,试验场地布置见图 3-1。蓄水池堤防基本上是比照黄河大堤修建的,土质为粉质黏土,堤顶宽 7m,临背边坡 1:2,临河堤高 5m,水深 4.5m。通过预先在水下 2.5m、3m、3.5m 土堤内预埋 ϕ150mm、ϕ100mm、ϕ50mm 的镀锌钢管(见图 3-2),演习时用拖拉机将其拉出而形成漏洞。蓄水池共修建 3 个,水量约 3 万 m^3,水面面积 9 000m^2。

2.3.2 试验程序

(1)现场 1:1 模型制作:在中牟杨桥险工,按标准断面设计制作 1:1 物理模型,在施工过程中预设漏洞并埋设有关观测仪器。

(2)现场 1:1 模型试验:针对不同土质、不同抢堵措施进行模拟试验研究,通过现场有关参数观测,研究堤身漏洞的形成和发展过程。

(3)在试验完成后进行开挖解剖。

(4)综合分析。

本次试验现场完成:钻孔数 32 个、钻探总进尺 230m,取原状样 23 个、散状样 40 个,埋设测压管 36 个、总长 214m,安装压力传感器 20 个、安装流速传感器 10 个、安装洞径传感器 4 组,开挖解剖 6 个漏洞。

2.3.3 观测内容

(1)洞口变化观测:漏洞进口拟采用水下摄像实时记录,但由于初选的水下摄像机在浑水中无法使用,故现场演习未用,漏洞出口采用摄像机实时记录。

(2)浸润线观测。

(3)蓄水池水位观测。

(4)漏洞发展过程观测:包括洞内动水压力、平均流速、洞径发展、含沙量等。

(5)溃口口门发展过程观测:包括口门处水深、流速、口门宽、冲刷坑情况等。

(6)抢险过程观测:在临背河各设一台摄像机,并辅以人工记录抢险的整个过程。

(7)在试验完成后进行开挖解剖观察。

(8)其他:土的常规物理力学指标检测。

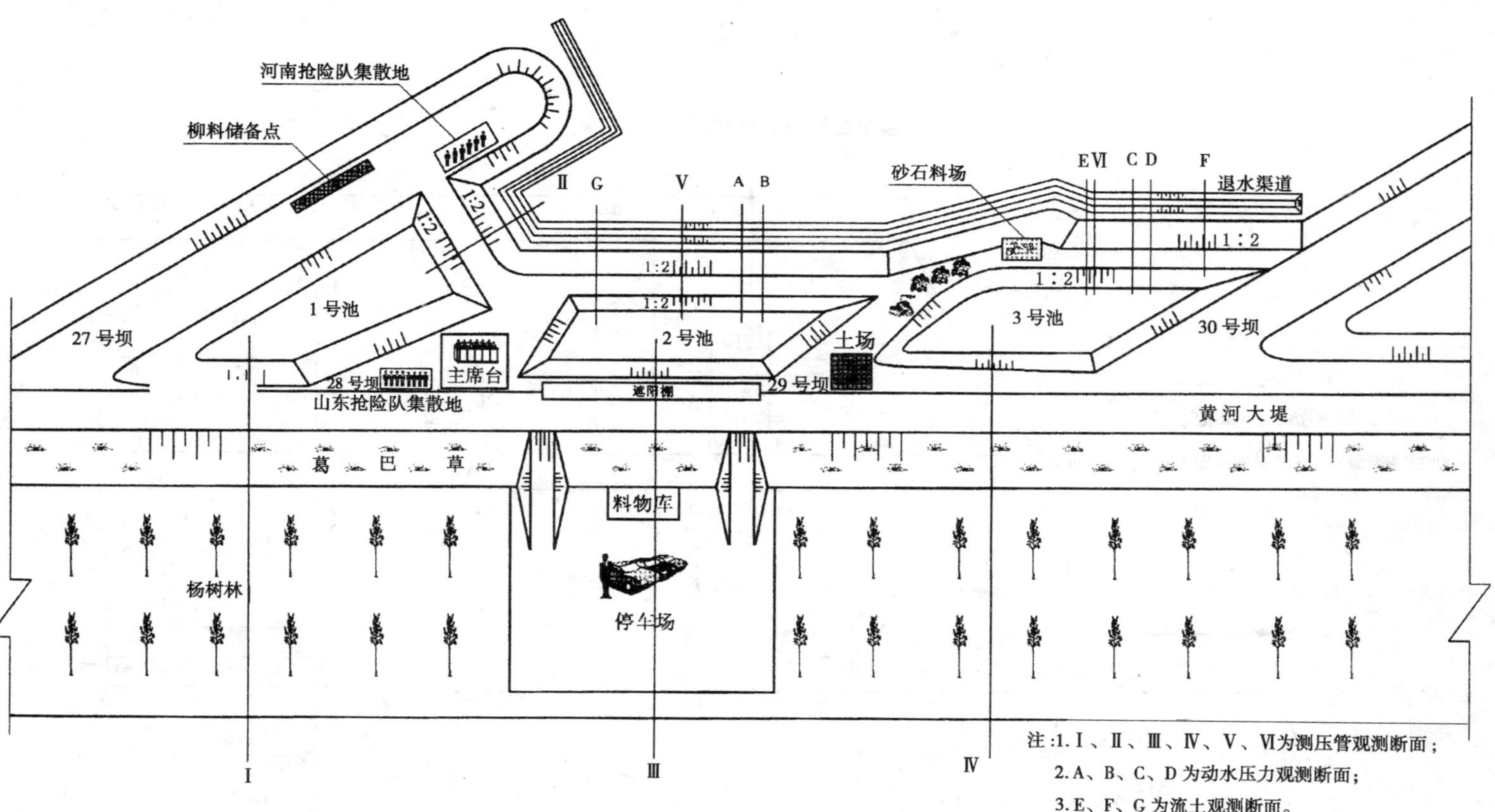

注：1. Ⅰ、Ⅱ、Ⅲ、Ⅳ、Ⅴ、Ⅵ为测压管观测断面；

2. A、B、C、D 为动水压力观测断面；

3. E、F、G 为流土观测断面。

图 3-1 堵漏现场及原型观测平面布置

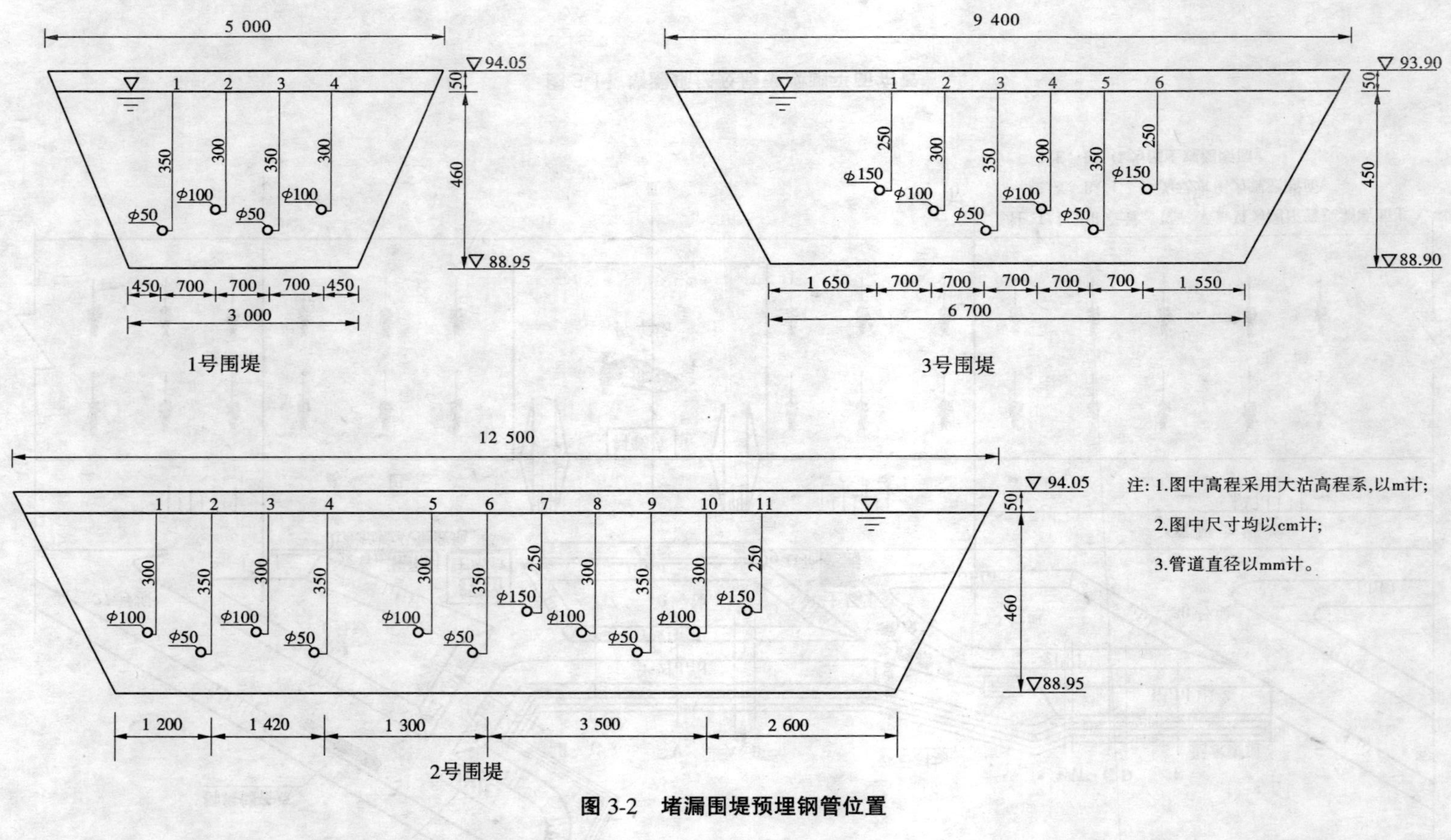

注：1.图中高程采用大沽高程系，以m计；

2.图中尺寸均以cm计；

3.管道直径以mm计。

图 3-2　堵漏围堤预埋钢管位置

第三节　土的特性试验

研究漏洞的发展机理首先必须研究组成堤防土的物理力学特性,即要研究黄河堤防土的工程特性。

3.1　物理力学性质

根据演习现场取样,室内试验成果分析(见表 3-1～表 3-3),黄河大堤堤身代表土性主要为中粉质壤土、重粉质壤土、粉质黏土。黏粒含量介于 15%～30%占多数。孔隙率介于 0.40～0.50 之间,塑性指数 $I_P<20$,土的摩擦角除黏性土外均在 20°以上。

淤背区的代表土性为重粉质砂壤土、重砂壤土、中粉质壤土和轻粉质壤土。土样的不均匀系数 C_u 介于 3.9～7 之间,曲率系数 C_c 介于 1.52～8.47 之间,多数土样的颗粒级配曲线较陡,分布范围窄,为不良级配土,黏粒含量小于 15%的占多数。

3.2　渗透性

从黄河大堤原状土取样试验结果看,液限 ω_1 大于 26%,塑性指数 I_P 在 10～20 之间,黏粒含量一般大于 10%。它在工程特性方面的表现是细颗粒之间具有一定的凝聚力,处于中等密度状态,干密度均大于 1.48g/cm^3,渗透系数 k 小于 1×10^{-4}cm/s,具有低渗透性。

本次堵漏试验所筑新堤,土质基本上为粉质黏土,黏粒含量在 29%～42%之间,渗透系数 k 小于 1×10^{-5}cm/s,这类土属于低渗透性土,具有良好的防渗性能。

据以往对黄河堤防堤基砂性土渗透变形特性的试验资料[2](见表 3-4)可知,这类砂性土的渗透变形大部分属于流土破坏形式。

3.3　抗冲蚀能力分析

从现场堵漏试验来看,2000 年演习所用围堤土质具有较大的抗冲刷能力,而 1999 年赵口堵漏试验的土质抗冲刷能力很低。

黄河水利科学研究院曾结合某工程土料,用 8 字形断裂冲刷仪直接拉伸方法对黏性土的断裂强度和裂缝抗冲刷能力进行了试验[1]。根据试验成果可知,黏性土裂缝(非表面缝)的抗冲能力与土的颗粒级配、密实度、含水率诸因素有关,它随着土体中黏粒含量的增加而提高,随着密实度的增加而增大。在适宜的含水率和密实度情况下,粉质壤土的抗冲蚀流速为 4.72～6.69cm/s,水力坡降为 0.11～0.15;黏土的抗冲蚀流速为 14.84～30 cm/s,水力坡降为 0.58～1.33。

据有关文献[3],室内试验结果表明,我国北方的非分散性土,抗冲蚀流速在 100cm/s 左右,冲蚀水力比降大于 2.0;而分散性土抗冲蚀的流速很小,小于 5cm/s,冲蚀水力比降甚至小于 1.0。

表 3-1　　堵漏试验场围堤筑堤土料试验成果

试验场名称	试验时间（年·月·日）	土样名称	颗粒组成（%）					土粒级配	干密度（g/cm³）	含水率（%）	渗透系数（cm/s）
			>0.25	0.25～0.1	0.1～0.05	0.05～0.005	<0.005				
中牟杨桥	1999.5.3～5.24	中粉质壤土			21	60	19	良好	1.56	20～7	6.77×10^{-4}
中牟赵口	1999.7.12～23	重砂壤土	5	28	23	35	9	良好	1.50～1.68	9.6～16	
中牟杨桥	2000.6.16～30										
1 号池		粉质黏土			13	56	31				
2 号池		粉质黏土			0	60	40		1.46～1.63	8～29	1.89×10^{-4}
3 号池		重粉质壤土			18	57	25		1.59	16.6	4.95×10^{-5}
2 号池		粉质黏土(2.0m)			6	61	33		1.54	19.1	
2 号池		粉质黏土(3.0m)			2	65	33		1.42	25.0	
2 号池		粉质黏土(4.0m)			3	55	42		1.53	21.9	8.55×10^{-7}
2 号池		粉质黏土(5.0m)			2	49	49		1.43	33.9	8.54×10^{-6}

表 3-2

土料综合试验成果

土样编号	深度(m)	颗粒组成(%)				液、塑限试验			比重	直剪试验		孔隙比	干密度	含水率	渗透系数	土样定名
		粒径大小(mm)				液限(%)	塑限(%)	塑性指数		C (kPa)	ϕ (°)		(g/cm^3)	(%)	(cm/s)	
		>0.1	0.1~0.05	0.05~0.005	<0.005											
Ⅲ线 1-1	2.0~2.2		23	57	20	24.7	13.6	11.1	2.71	23.0	32.0	0.844	1.47	14.2	8.03E-5	重粉质壤土
Ⅲ线 1-2	4.0~4.2		24	45	31	31.0	17.3	13.7	2.71	64.0	26.0	0.807	1.50	16.1		粉质黏土
Ⅲ线 1-3	6.0~6.2		26	52	22	27.2	14.9	12.3	2.71	5.0	24.2	0.831	1.48	18.7		重粉质壤土
Ⅲ线 1-4	8.0~8.2		61	29	10				2.69	48.0	22.0	0.964	1.37	14.8	9.87E-4	轻壤土
Ⅲ线 1-5	10.0~10.2		5	79	16	30.0	16.4	13.6	2.70	10.0	26.6	0.742	1.55	25.5	4.71E-4	中粉质壤土
Ⅲ线 1-6	13.0~13.2		9	73	18	32.0	16.2	15.8	2.71	5.0	31.0	0.748	1.55	25.1	5.91E-5	中粉质壤土
Ⅲ线 1-7	15.0~15.2		9	77	14	29.4	15.2	14.2	2.70	15.0	29.9	0.720	1.57	26.1	4.60E-4	轻粉质壤土
Ⅲ线 3-1	2.0~2.2		68	24	8				2.69	12.0	33.0	0.747	1.54	18.0		重砂壤土
Ⅲ线 3-2	4.0~4.2		14	65	21	27.5	14.3	13.2	2.71	25.0	27.5	0.760	1.54	23.5		重粉质壤土
Ⅲ线 3-3	6.0~6.2		61	30	9	22.5	13.9	8.6	2.69	44.0	30.0	0.660	1.62	21.5		重砂壤土
Ⅲ线 3-4	8.0~8.2		62	29	9				2.69	39.0	29.0	0.692	1.59	21.6	3.09E-4	重砂壤土
Ⅲ线 3-5	10.0~10.2		8	83	9	30.9	18.0	12.9	2.69	7.0	33.0	0.770	1.52	26.7		重粉质砂壤土
Ⅲ线 3-6	13.0~13.2		8	63	29	28.4	13.6	14.8	2.71	60.0	9.0	0.844	1.47	28.4		重粉质壤土
Ⅴ线 2-1	2.0~2.2			61	33	35.0	17.6	17.4	2.72	75.0	21.0	0.766	1.54	19.1		粉质黏土
Ⅴ线 2-2	3.0~3.2		2	65	33	37.0	19.3	17.7	2.72	30.0	22.5	0.915	1.42	25.0		粉质黏土
Ⅴ线 2-3	4.0~4.2		3	55	42	41.9	21.2	20.7	2.73	77.0	20.5	0.784	1.53	21.9	8.55E-7	粉质黏土
Ⅴ线 2-4	5.0~5.2		2	49	49	51.2	26.4	24.8	2.73	64.0	6.5	0.909	1.43	33.9	8.54E-6	粉质黏土
Ⅴ线 2-5	6.0~6.2		5	64	31	36.9	20.1	16.8	2.72	16.0	22.0	0.813	1.50	22.4	9.70E-5	粉质黏土
Ⅵ线 2-1	2.0~2.2		18	57	25	28.9	17.8	11.1	2.71	70.0	24.0	0.704	1.59	16.6	4.95E-5	重粉质壤土
Ⅵ线 2-2	4.0~4.2	26	19	43	10	22.8	14.1	8.7	2.69	0	35.0	0.935	1.39	8.7		轻壤土
Ⅵ线 2-3	6.0~6.2	50	20	19	11			2.68								轻壤土
Ⅵ线 2-4	8.0~8.2	22	12	31	35	29.1	15.3	13.8	2.72	4.0	2.9	1.000	1.36	35.3		粉质黏土
Ⅵ线 2-5	10.0~10.2		2	57	41	39.8	21.0	18.8	2.72	20.0	11.3	0.957	1.39	32.8	8.75E-8	砂质黏土

表 3-3 堵漏试验场土料试验成果

土样位置及编号	颗粒组成(%) 粒径大小(mm)			土样定名《土工试验规程》(SD128—84)	干密度(g/cm)	含水率(%)
	0.1~0.05	0.05~0.005	<0.005			
2号池9号洞上方10cm	6	61	33	粉质黏土	1.43	24.3
2号池9号洞上方40cm	6	60	34	粉质黏土	1.45	18.3
2号池10号洞上方10cm	4	60	36	粉质黏土	1.42	19.1
2号池10号洞上方20cm	7	64	29	重粉质壤土		
2号池10号洞上方50cm	3	60	37	粉质黏土	1.55	22.3
3号池1号洞1~5号样	11	56	33	粉质黏土		
3号池1号洞6~10号样	13	65	22	重粉质壤土		
3号池4号洞1~6号样	2	73	25	重粉质壤土		
3号池4号洞7~12号样	14	60	26	重粉质壤土		
3号池4号洞13~16号样	7	67	26	重粉质壤土		
3号池4号洞17~19号样	9	65	26	重粉质壤土		
中牟抢险备料	25	59	16	中粉质壤土		

表 3-4 黄河大堤堤基砂性土的渗透变形试验

土壤定名	干密度(g/cm^3)	孔隙率	等效粒径(mm)	平均孔隙直径(mm)	渗透系数(cm/s)	临界破坏坡降 J_{kp}	渗透破坏形式
轻砂壤土	1.65	0.39	0.034	0.008 5	5.20×10^{-5}	1.27	流土
轻砂壤土	1.64	0.38	0.038	0.009 1	2.71×10^{-5}	2.35	流土
粉砂	1.56	0.42	0.039	0.011 1	2.70×10^{-4}	0.65	流土
极细砂	1.57	0.41	0.048	0.013 1	1.90×10^{-4}	1.41	流土
轻砂壤土	1.60	0.40	0.039	0.010 2	1.93×10^{-4}	0.92	流土
细砂	1.66	0.38	0.048	0.011 5	1.30×10^{-4}	1.35	流土
轻砂壤土	1.58	0.41	0.030	0.008 2	4.00×10^{-5}	2.85	流土
中砂	1.58	0.40	0.079	0.020 7	7.20×10^{-3}	0.83	流土
粉砂	1.58	0.42	0.040	0.011 4	8.10×10^{-4}	0.94	流土
轻砂壤土	1.58	0.41	0.032	0.008 7	1.33×10^{-4}	2.37	流土
轻砂壤土	1.53	0.43	0.040	0.011 8	5.20×10^{-4}	0.86	流土
粉砂	1.58	0.42	0.040	0.011 4	7.90×10^{-4}	0.94	流土

3.4 湿化崩解特性试验

在本次堵漏试验中,从所取的原状样中,选取不同黏粒含量(轻、中、重粉质壤土和粉质黏土)和不同深度的土样进行了湿化崩解试验,试验成果见表 3-5、图 3-3。从表中可知，除Ⅵ线 2－5 试样外，其他试样在浸泡 60min 以后的崩解量全部超过 80％。

表 3-5 湿化崩解试验成果

取样编号	取样深度（m）	黏粒含量（％）	名称	干密度（g/cm^3）	含水率（％）	崩解量 A_t（％）		
						10min	30min	60min
2 号池	散状样	40	粉质黏土	1.53	21.2	68.6	88.6	92.6
Ⅲ线 1－2	4.0～4.2	31	粉质黏土	1.47	16.1	96.7	96.7	96.7
Ⅲ线 1－5	10～10.2	16	中粉质壤土	1.51	25.5	32.3	71.5	86.2
Ⅲ线 1－7	15～15.2	14	轻粉质壤土	1.53	26.1	13.2	23.5	91.2
Ⅲ线 2－3	6～6.2	9	重砂壤土	1.59	21.5	93.9	95.5	95.5
Ⅲ线 2－5	10～10.2	9	重粉质砂壤土	1.52	26.7	52.3	78.5	81.5
Ⅵ线 2－5	10.0～10.2	41	粉质黏土	1.38	32.8	4.8	8.9	10.5

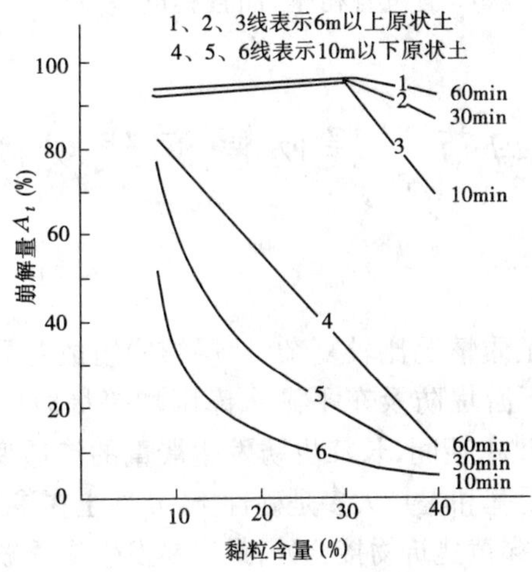

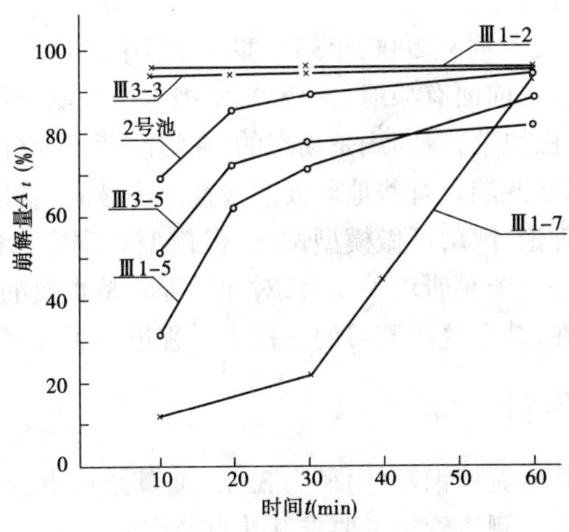

图 3-3 崩解量与时间、黏粒含量及取样深度关系

从表 3-5 分析可知，土体在湿化过程中强度降低，颗粒间的联结力减弱，浸水时土体产生变形，土体遇水后易湿化崩解，崩解速度主要与黏粒含量、干密度、含水率、固结历时等因素有关，黏粒含量越大，干密度越大，崩解速度越慢。

从图 3-3 湿化崩解与黏粒含量以及取样深度的变化关系图上来看，6m 以上和 10m 以下的原状土不管黏粒含量大小如何，其湿化崩解结果明显不同，即地下水位以下的土体，其湿化崩解速度较为缓慢，地下水位以上的土体即便是黏粒含量较高(例如 30%～40%)，其湿化崩解速度也是很快，而且堤防漏洞的形成位置往往在地下水位以上。若不及时堵漏，则漏洞的发展是很快的。

3.5 土体结构分析

目前大堤加高加固基本采用机械化施工，因此，形成的大堤基本呈层状分布(层状构造)。每层土质情况会有差别，其密实度不同，一般上部较大，下部略低。由于施工的特殊性，土体呈斑状结构，即黏土块周围包有粉土，而且程度差别较大，本次试验围堤施工中表现得较为明显。

第四节 堤防浸润线观测

4.1 观测目的

黄河堤防堤基和堤身土质情况比较复杂，地层结构组成各异，其填筑质量不一。在 1958 年大洪水期间，黄河下游堤防及东平湖水库围坝等堤段曾发生严重的渗透破坏。1998 年长江流域发生特大洪水期间，长江堤防发生严重的渗透变形等险情，引起了人们的足够重视。黄河堤防的堤基和堤身大多是砂性土，砂性土在渗透水流的作用下，无论在地基中，或是在堤身及其与穿黄建筑物接合处，最容易发生渗透破坏，产生渗透通道，甚至形成漏洞，这些都令人担忧。

张光斗院士在致《人民黄河》(2000 年第 3 期)的信中指出："堤防挡水位是动态的。堤防有的偎水，有的不偎水，前面有滩地。一般平常挡水位很低，浸润线较低，不控制堤防断面。洪水时，挡水位快涨快落，浸润线是动态的，在堤防背水部分浸润线较低，往往不逸出堤坡，所以不做排水和反滤层。有些地区浸润线逸出堤坡时，就加大堤防断面。但是堤防动态浸润线很难通过理论计算，可做模型试验，但模型难率定，计算和试验成果都要用原型观测资料率定。这是一个科研攻关项目，对加固堤防是重要的。"

鉴于以上问题的存在，结合这次演习的蓄排水过程进行了浸润线动态观测。

4.2 测压管结构设计

测压管设计采用 1 英寸镀锌钢管(内径为 32mm)，其结构由透水花管段、导水管段和管口保护设备三部分组成。测压管施工要求钻孔直径在 80～105mm 之间，钻孔采用清水跟进法施工或干钻法施工，钻孔力求垂直。

透水花管的开孔直径为 8mm，间距 30mm，呈梅花形布置，开孔率为 16%左右，外包针刺无纺布2层;测压管埋设时,透水花管周围回填中细砂或中粗砂,回填高程稍超出花管顶部20cm为宜,回填砂料总量可按体积还原法确定。反滤料回填到位密实后,再分层回填黏土封孔。

4.3 测压管埋设

在三个蓄水池堤防上共布设6个测压管断面(见图3-1),分别布设在三个蓄水池和黄河大堤所建围堤上,各断面测压管安装情况见表3-6。在钻探过程中,钻孔Ⅲ-2号(2号池老堤)堤顶以下2.5m处严重漏水,钻孔3号~5号淤背区以下4.1m处漏水严重,钻孔Ⅴ-2号(2号池新堤)堤顶以下6.3m处严重漏水。反映了堤身堤基局部存在隐患,其他各钻孔施工基本正常。

表3-6 测压管埋设有关参数

观测断面	测压管编号	埋设日期	管口高程(m)		花管长(m)	导管长(m)	总长(m)
			测量值	大沽高程			
1号池老堤(Ⅰ线)	1	6月9日	-0.42	93.63	7.5	1.5	9
	2	6月14日	1.635	95.69	7.5	1.5	9
	3	6月9日	-1.12	92.93	6.5	1.5	8
	4	6月9日	-1.69	92.36	6.5	1.5	8
	5	6月9日	-3.96	90.09	4.5	1.5	6
	6	6月11日	-7.40	86.65	5.0	1.0	6
1号池新堤(Ⅱ线)	1	6月10日	-0.09	93.96	5.5	0.5	6
	2	6月10日	-0.07	93.98	5.0	1.0	6
	3	6月10日	-0.06	93.99	5.0	1.0	6
	4	6月10日	-2.38	91.67	3.0	1.0	4
	5	6月10日	-4.45	89.60	1.5	0.5	2
	6	6月14日	-4.965	89.69	5.5	0.5	6
2号池老堤(Ⅲ线)	1	6月11日	1.625	95.68	7.5	1.5	9
	2		1.483	95.53	7.5	1.5	9
	3		-2.330	91.72	6.5	1.5	8
	4		-2.820	91.23	6.5	1.5	8
	5		-4.680	89.37	4.5	1.5	6
	6		-7.400	86.65	5.0	1.0	6
2号池新堤(Ⅴ线)	1	6月14日	0.194	94.24	5.5	0.5	6
	2		-0.002	94.05	5.0	1.0	6
	3		0.15	94.20	5.0	1.0	6
	4		-2.06	91.99	3.0	1.0	4
	5		-4.281	89.77	1.5	0.5	2
	6		-4.365	89.69	5.5	0.5	6

续表 3-6

观测断面	测压管编号	埋设日期	管口高程(m)		花管长(m)	导管长(m)	总长(m)
			测量值	大沽高程			
3 号池老堤（Ⅳ线）	1	6 月 13 日	0.065	94.12	7.5	1.5	9
	2		1.42	95.47	7.5	1.5	9
	3		−3.04	91.01	6.5	1.5	8
	4		−3.10	90.95	6.5	1.5	8
	5		−4.60	89.45	4.5	1.5	6
	6		−7.40	86.65	5.0	1.0	6
3 号池新堤（Ⅵ线）	1	6 月 14 日	0.235	94.29	5.5	0.5	6
	2		0.055	94.11	5.0	1.0	6
	3		0.055	94.11	5.0	1.0	6
	4		−1.77	92.88	3.0	1.0	4
	5		−3.785	90.27	1.5	0.5	2
	6		−4.365	89.69	5.5	0.5	6

注：基点高程为 94.05m。

4.4 观测资料及分析

4.4.1 蓄水过程

(1)1 号池新堤堤顶高程为 93.98m，6 月 9 日开始蓄水，到 6 月 14 日蓄水水位为 92.37m，6 月 23 日蓄水到设计水位 93.35m，6 月 25 日决口试验，库水位快速降到 90.78m。高水位浸泡时间为 10 天。

(2)2 号池新堤堤顶高程为 94.11m，于 6 月 21 日开始蓄水，6 月 23 日早上蓄水位 93.55m。6 月 23 日进行了演习，6 月 24 日又进行了演练，6 月 30 日开始放水，将水抽回 3 号池。高水位浸泡时间为 8 天。

(3)3 号池新堤堤顶高程为 94.20m，6 月 13 日开始蓄水，到 6 月 16 日蓄至设计水位 93.55m，6 月 16 日进行堵漏演练，6 月 21 日开始放水（即将 3 号池中的水抽调到 2 号池中）。高水位浸泡时间为 7 天。

4.4.2 观测资料整理

(1)黄河大堤各断面因 2 号、5 号测压管考虑长度不够，一直没有观测到水位（1 号池 2 号孔例外）。黄河大堤各断面测压管水位观测成果详见表 3-7～表 3-9。并据此绘制各断面库水位与测压管水位过程线见图 3-4～图 3-10。

表 3-7　　1 号池黄河大堤测压管水位观测成果

观测时间	池水位(m)	测压管水位(m)				
		1 号	2 号	3 号	4 号	6 号
6 月 9 日 14:00	89.05					
6 月 10 日 8:10	\	86.63	\	85.93	86.28	83.09
6 月 10 日 18:20	\	86.96	\	85.93	85.96	83.09
6 月 11 日 18:00	\	88.68	\	85.93	85.62	83.09
6 月 13 日 9:00	\	90.48	\	85.93	85.51	83.09
6 月 13 日 17:10	\	90.63	\	85.93	85.46	83.09
6 月 14 日 9:20	92.37	90.82	\	85.93	85.41	83.09
6 月 15 日 9:00	92.38	91.05	\	85.97	85.42	83.09
6 月 17 日 9:00	92.38	91.20	\	85.98	85.34	83.09
6 月 18 日 9:00	92.87	91.83	\	86.01	85.27	83.09
6 月 19 日 9:00	92.75	91.76	\	86.03	85.26	83.09
6 月 20 日 9:00	92.80	91.91	\	86.05	85.26	83.09
6 月 21 日 9:00	92.85	92.05	86.90	86.08	85.26	83.09
6 月 22 日 14:30	93.15	92.11	86.95	86.11	85.36	83.09
6 月 23 日 9:00	93.35	92.56	87.03	86.13	85.36	83.19
6 月 24 日 9:00	93.27	92.60	87.11	86.35	85.35	83.19
6 月 25 日 9:00	93.16	91.83	87.22	86.25	85.39	83.19
6 月 25 日 16:15	90.55	\	\	\	\	\
6 月 26 日 18:15	90.55	90.78	\	86.28	85.39	83.22
6 月 28 日 18:00	90.55	90.51	\	\	85.44	83.22
6 月 30 日 10:00	90.25	90.24	\	\	85.47	83.22

注:"\"表示未测,下同。

表 3-8　　2 号池黄河大堤测压管水位过程线观测成果

观测时间	池水位(m)	测压管水位(m)			
		1 号	3 号	4 号	6 号
6 月 15 日 9:00	89.05	\	85.44	84.47	83.19
6 月 17 日 9:00	\	\	85.41	84.40	83.19
6 月 18 日 9:00	90.69	\	85.41	84.39	83.19
6 月 19 日 9:00	90.55	\	85.41	84.39	83.19
6 月 20 日 9:00	90.55	\	85.42	84.38	83.19
6 月 21 日 9:00	91.85	85.99	85.39	84.33	83.19
6 月 22 日 14:30	93.15	86.88	85.41	\	83.19
6 月 23 日 9:00	93.55	87.23	85.42	\	83.19
6 月 24 日 9:00	93.45	88.07	85.46	\	83.19
6 月 25 日 9:00	93.45	88.45	85.49	\	83.19
6 月 26 日 18:15	93.05	88.83	85.52	\	83.19
6 月 28 日 10:00	92.85	89.06	85.56	\	83.22
6 月 30 日 10:00	92.30	90.24	85.52	\	83.22

表 3-9　　　　　　　　　**3 号池黄河大堤测压管水位过程线观测成果**

观测时间	池水位(m)	测压管水位(m)			
		1号	3号	4号	6号
6月13日17:10	\	85.42	84.96	84.40	83.19
6月14日9:20	90.29	85.43	84.96	84.40	83.19
6月14日6:24	90.50	85.44	84.96	84.40	83.19
6月15日9:00	91.30	85.47	84.96	84.28	83.19
6月17日9:00	93.55	90.88	84.96	84.30	83.19
6月18日9:00	93.25	91.18	84.96	84.27	83.19
6月19日9:00	92.55	91.17	84.96	84.25	83.19
6月20日9:00	92.35	91.19	84.96	84.25	83.19
6月21日9:00	92.27	91.20	84.95	84.25	83.19
6月22日14:30	89.05	90.53	84.95	84.26	83.19
6月23日11:30	89.05	90.18	84.93	83.27	83.19
6月24日9:00	89.05	89.92	84.93	84.33	83.19
6月30日9:00	\	89.14	84.93	83.87	83.22

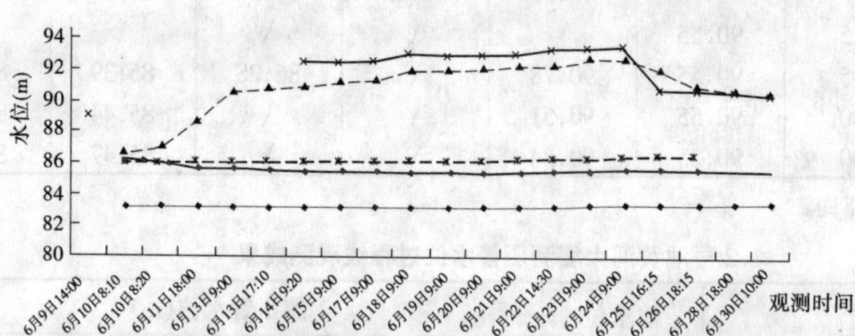

图 3-4　1 号池黄河大堤测压管水位过程曲线

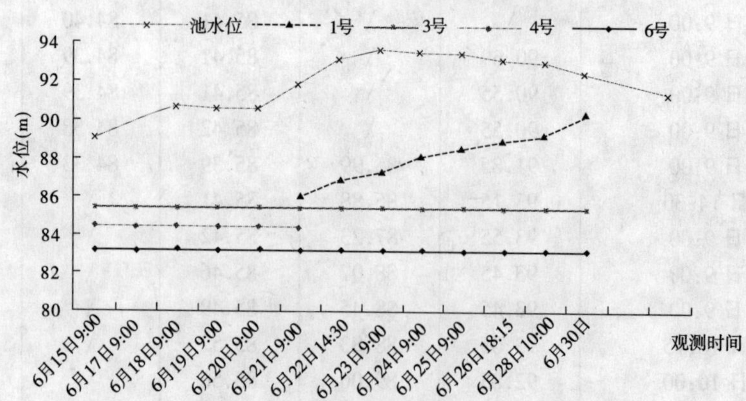

图 3-5　2 号池黄河大堤测压管水位过程曲线

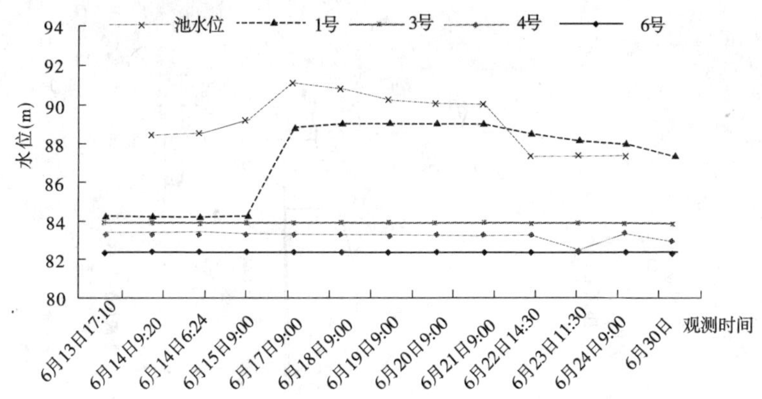

图 3-6　3 号池黄河大堤测压管水位过程曲线

(2)各蓄水池新修围堤上的 2 号至 5 号测压管从蓄水开始到试验结束，堤身内均无水位；各池堤肩 1 号管有水位出现，其中 1 号池 6 月 21 日 9:00 观测水位 88.84m，6 号管水位始终为 85.35m。

4.4.3　观测成果初步分析

(1)从图 3-4～图 3-10 可粗略看出，池中水位上涨，测压管水位呈现上升趋势，临河水位下降，测压管水位呈下降趋势，但有滞后现象，以 1 号测压管反映最显著。升降幅度大小随测压管位置而变，距临河近者变化幅度较大，远者基本无变化，反映了不稳定渗流的特点。

(2)各池黄河大堤测压管，从蓄水开始到试验结束，只有临河堤肩 1 号测压管基本与蓄水、放水同步变化，其余测压管基本保持原水位不变。说明黄河大堤如果在这种黏性土质及干密度较高的情况下，高水位浸泡 10 天以内，堤身不会形成稳定的浸润线(见图 3-7～图 3-9)。

(3)各池新修围堤上的测压管从蓄水开始到试验结束，堤身内均无水位；堤肩 1 号管有水位出现，而且均在新堤的堤基内，说明新增堤防在整个蓄水过程中均无浸润线形成，这一点在 6 月 25 日 1 号池决堤后剖面上已经证实(见图 3-10)。

(4)从图 3-4、图 3-10 中可以看出，池水位快速降落后，临河 1 号测压管水位降落明显滞后于池水位降落，说明堤身内部土体孔隙水压力的消散比较缓慢，如果堤防排水条件不好或堤坡较陡，向临河侧就会产生较大的渗透力，造成脱坡现象。例如 1 号池在 6 月 25 日决口后，东侧丁坝有两处脱坡，长度分别为 15m 及 5m。

(5)在渗流作用下，土体的渗透变形都发生在背河渗出段，然后才向内部扩展。因此，对可能出逸的薄弱堤段应复核其渗透比降。

4.4.4　堤防浸润线的计算

江河堤防的渗透不同于挡水坝，挡水坝在一般情况下多属稳定渗流，个别时期例外。均质土坝中稳定浸润线形式可看做一条直线，其直线坡度与筑坝材料密实度(透水性能)有关，材料越密实，透水性越小，反则浸润线越陡，一般在 1:3 到 1:5 之间。黄河堤防在洪

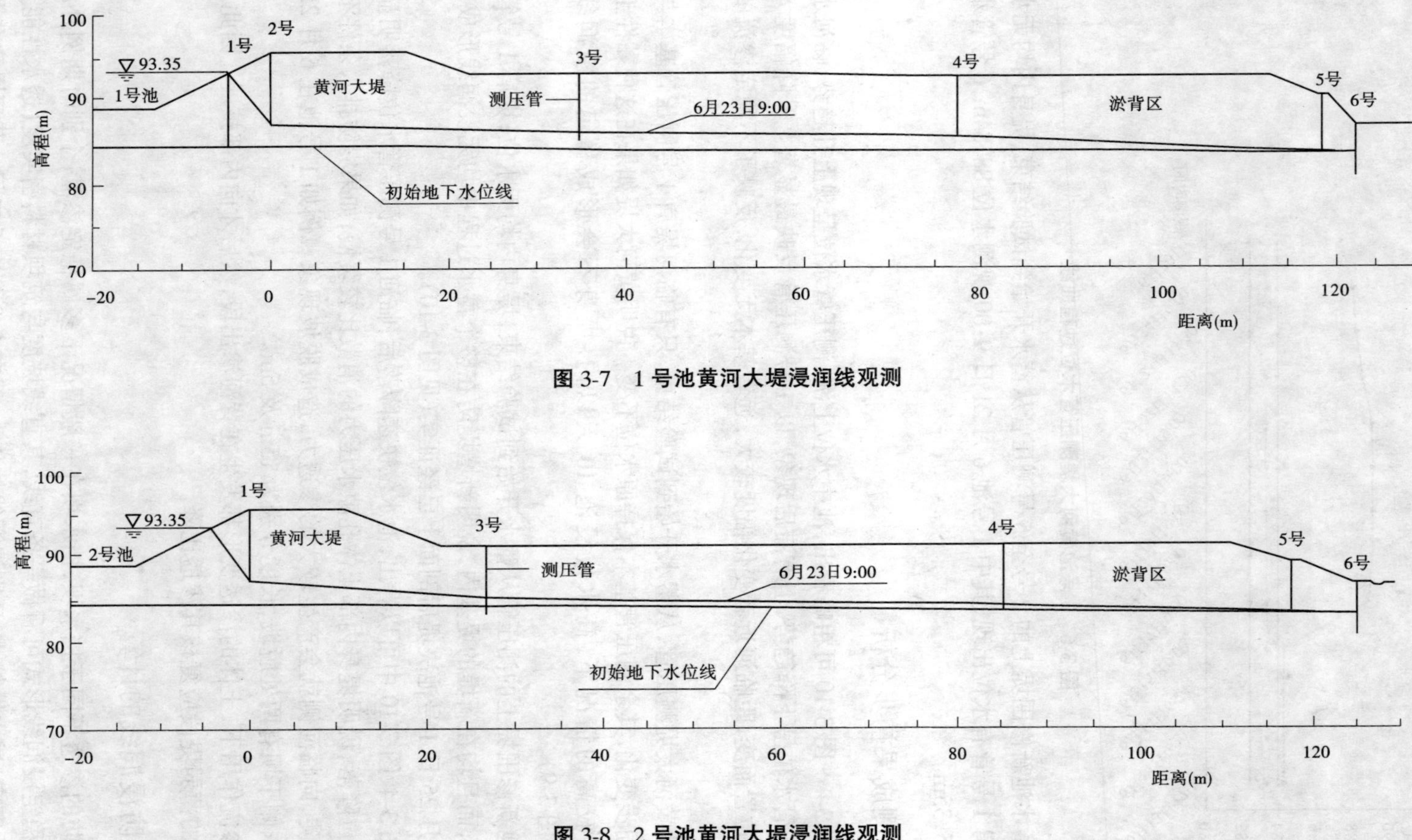

图 3-7　1 号池黄河大堤浸润线观测

图 3-8　2 号池黄河大堤浸润线观测

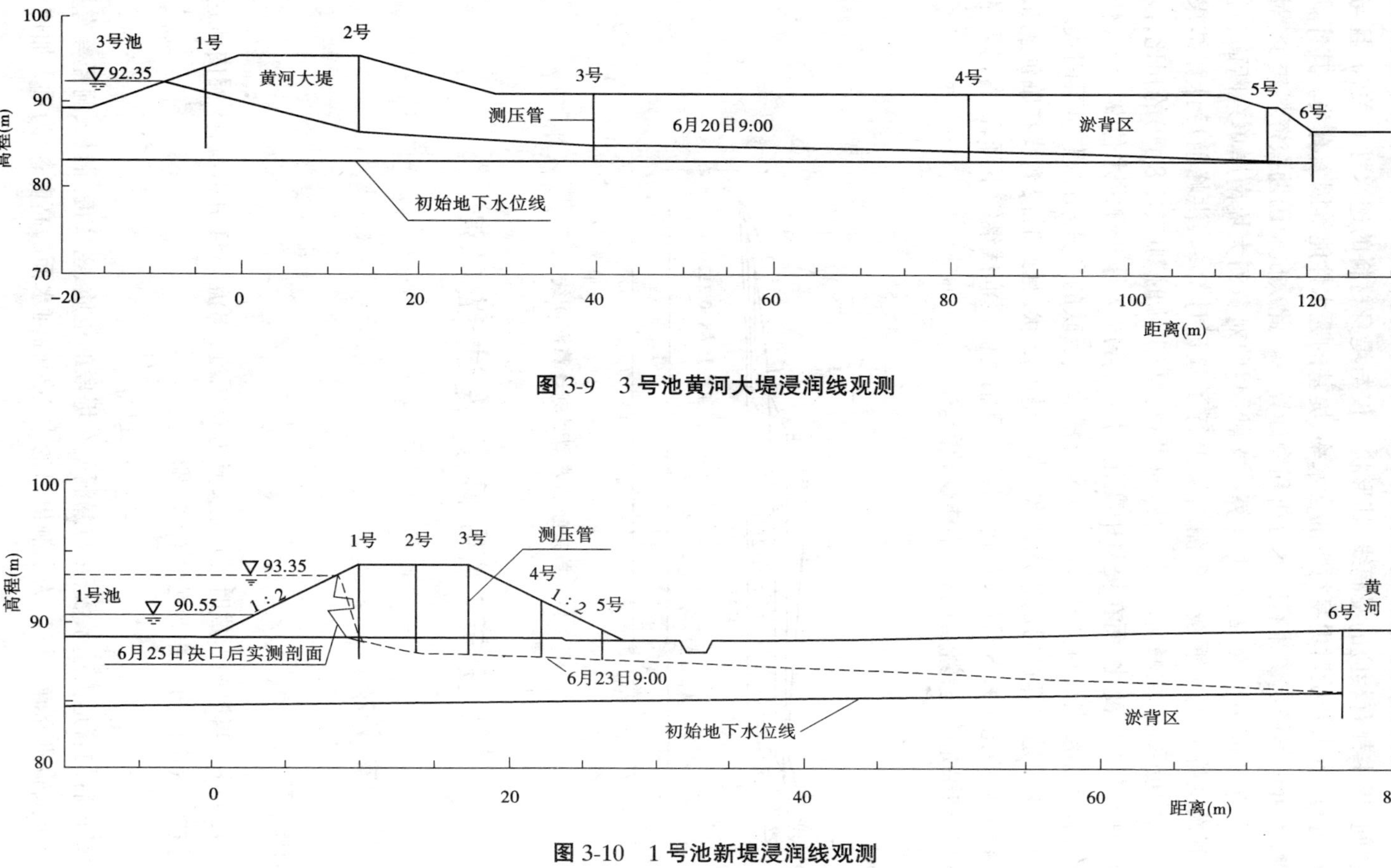

图 3-9　3 号池黄河大堤浸润线观测

图 3-10　1 号池新堤浸润线观测

水期,因临河水位陡涨陡落,高水位持续时间较短,堤身渗流情况则属不稳定渗流,堤身浸润线变化滞后于临河水位变化。原来处于干燥或非饱和状态的堤防,当水位涨落时,在一定水压力的作用下,受浸湿水重力和土壤吸力的影响,堤防会逐渐浸湿。在水位上涨或下落的每一瞬间,堤中都有相应的浸润线,其形状不仅与堤身材料的透水性有关,而且与整个洪水历时过程、壅水开始时堤身材料的含水率、堤基的透水性能等因素有关。其计算有经验公式❶,也可用不稳定渗流有限元分析程序计算[4]。此次试验因勘探资料较少,对堤身、堤基土质分布掌握不全面,故不再计算。文献[4]曾对黄河大堤南岸单东断面(桩号5+000)对某次洪峰时刻浸润线的观测结果进行了验证计算,其洪峰前后计算结果见图3-11。从图中可看出,洪峰前(7月3日)的浸润线与洪峰时刻(7月8日)的相比,浸润线只是在临河侧有大的变化,而在堤身中变化很小。若按7月8日洪水位94.57m作稳定渗流计算,背河侧浸润线将会升高。7月8日浸润线反映的是升水过程,呈下凹状;7月12日浸润线反映的是洪峰过后的落水过程,因而呈上凸状,且此时浸润线在临河侧虽有所下降,但背河侧却比7月8日的高;到7月21日临河侧浸润线继续下降,而背河侧基本无变化。这些结果是稳态渗流计算所不能反映的。

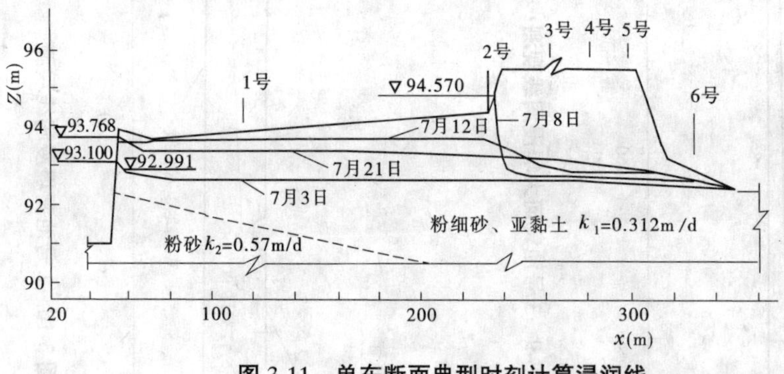

图3-11　单东断面典型时刻计算浸润线

第五节　漏洞发展过程观测

5.1　水流状态分析

5.1.1　洞内流速

如图3-12所示,当漏洞形成时,洞内水流为有压流,出流为自由出流,故洞内流速可按简单管道在大气中的自由出流公式计算,即

$$v = \mu \sqrt{2gH_0} \tag{3-1}$$

式中:μ为修正后的管道流速系数,μ与漏洞所在堤段的土质、密实度、洞长、洞径等有关,还有待进一步试验研究确定;H_0为漏洞出口的中心距临河水面的高度;g为重力加速度。

---

❶ 秦曰章.黄河大堤洪水浸润线形成过程及坡降观测研究.黄委会水利科学研究所,1989

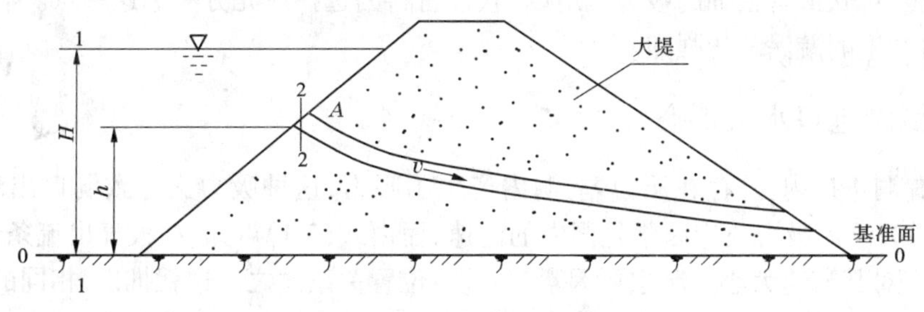

图 3-12　堤防漏洞示意

从上式也可看出,洞内流速在 μ 基本不变的前提下,主要取决于漏洞出口的高度,与进口位置无直接关系。对于临背差很大的黄河堤防来说,漏洞出口往往很低,出流流速也因此较大。

当漏洞发展为特大漏洞成明流时,实质上已成为溃堤,溃坝时流速计算公式为:

$$v = \frac{2}{3}\sqrt{gH_0} \tag{3-2}$$

式中:H_0 为总水头差。

5.1.2　漏洞进口处压力

若用软帘等将漏洞进口覆盖,其所受压力为:

$$P = \gamma H_j \omega \tag{3-3}$$

式中:H_j 为漏洞进口中心距水面的高度;ω 为洞口面积;γ 为水的容重。

当 H_j 超过 2.5m 时,压力会很大,往往能将强度不高的软帘压变形,甚至压破。所以,软帘等覆盖物一定要选择强度高的材料。

5.1.3　漏洞吸力

堤防漏洞能产生吸力是人们公认的,其值大小直接关系到抢堵的难度,但目前还没有准确的计算方法,这里可近似采用伯诺里方程进行分析计算。图 3-12 为堤防漏洞示意图,选择河底为计算基准面,列 1—1、2—2 断面能量平衡方程:

$$H + \frac{\alpha_1 v_1^2}{2g} = h + \frac{p_2}{\gamma} + \frac{\alpha_2 v_2^2}{2g} + \zeta \frac{v_2^2}{2g} \tag{3-4}$$

式中:H 为总水深;α_1、α_2 为动能修正系数,它与漏洞截面上流速分布的均匀性有关,流速分布越不均匀,其值越大,还有待进一步试验研究确定;v_1 为 1—1 断面行进流速,可忽略不计;h 为洞内计算点距基准面高度;p_2 为洞内计算点的压强;v_2 为洞内计算点处的流速;ζ 为漏洞进口局部水头损失系数。

$$(H - h) - \frac{p_2}{\gamma} = (\alpha_2 + \zeta)\frac{v_2^2}{2g} \tag{3-5}$$

上式左端为洞内外压力差,右端是洞内流速的函数,其值为正值。这就说明,洞内压力总是小于洞外压力,所以,就产生吸力。洞内流速越大,右端项越大,表明压力差越大,洞内吸力就越大。实际上,在软帘覆盖洞口的一瞬间,由于来流突然中断,洞口内还会产生瞬时负压,对软帘有很强的吸力。所以,软帘材料的选择应充分考虑这一点。洞内吸力越大,洞口产生的漩涡就越强烈。

5.1.4 漏洞进口水流形态

由于漏洞进口内、外存在压力差,洞内产生了吸力,这种吸力又导致洞口出现漩涡。由式(3-5)知,洞内吸力决定因素是洞内的流速,而由式(3-1)可知,在大气出流条件下,漏洞出口高度对其流速大小又起主要因素,与进口位置关系次之。这就推出,相同的流速条件下,其吸力相差不大,由此产生的漩涡强度应基本一致。这样,就解释了为什么浅水漏洞易在表面发现漩涡,而深水漏洞就不易发现漩涡的道理。

既然洞内流速、吸力与漏洞进口位置高低关系不大,为什么深水漏洞较浅水漏洞难以抢堵呢?可归结为以下几方面原因:一是进口位置不易发现;二是软帘铺设困难,由于进口处水深越大,压强就越大,较大的水压力给铺设软帘带来很大困难;三是软帘强度不够时易压变形甚至破坏;四是压重及闭气难,水深大时,在洞周围渗透坡降也较大,抢险人员在堤顶无法准确、快速完成向软帘周围压土袋和闭气,造成深水堵漏难的局面。

5.2 洞内平均流速观测

5.2.1 观测方法

采用染料及盐类示踪法,其测试方法见图 3-13。固体 NaCl(食盐)遇水极易溶化,溶化后的 NaCl 溶液中 Na^+ 离子和 Cl^- 离子异常活跃,导电性很好,便于现场测试。

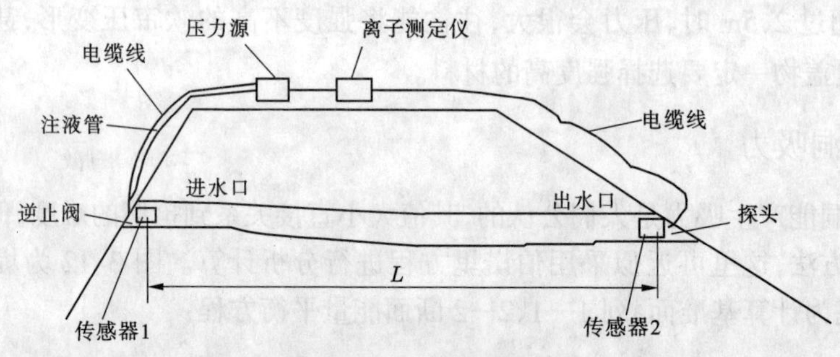

图 3-13 流速测定示意

本次观测采用计算机数据自动采集系统,该系统由笔记本电脑、PH－206 离子测定仪、离子选择传感器、电缆线及盐类示踪剂、压力灌等组成。

观测前,先在进水口安放注液管,同时在贴近进口处固定传感器 1,在出水口安放传感器 2。在两个传感器固定以后即可测量出两个传感器之间的直线距离 L。观测流速时,视水流速度快慢选定合适的时间间隔投放示踪剂,初步确定为 10～30s。示踪剂在通过传感器时产生一个突变电压信号,离子测定仪将该电压信号以 0.5s 的时间间隔进行数字化采样,传送到笔记本电脑中,并在屏幕上以曲线形式显示出来,同时记录在硬盘上。两个传感器生成两条曲线,在屏幕上两条曲线突变点之间的时间差 Δt 可直接读出,从而可确定出漏洞中水的平均流速：

$$v = \frac{L}{\Delta t} \tag{3-6}$$

现场监测数据可在室内进行回放处理，在打印机上可以打印出曲线图。时间分辨率为0.25s。

5.2.2 流速观测资料及初步分析

本次堵漏试验共观测5个漏洞的洞内平均流速，即3个洞径50mm、水深3.5m，2个洞径100mm、水深3.0m。流速传感器埋设有关参数见表3-10。1号池3号洞是专门观测漏洞的发展过程，并用示踪法和雷达测速法同时进行了洞内流速测量，其他4个洞（2号池的9号、10号洞，3号池的3号、4号洞）都是结合堵漏工作同时进行的。其观测结果在堵漏以前是漏洞发展的实际值，其余观测值只能用于堵漏效果分析，其观测成果见表3-11～表3-14、图3-14～图3-17。

表3-10　　流速传感器埋设有关参数

观测断面	埋设日期	埋设位置距进水口距离(m)	钢管长度(m)	测量距离(m)	洞径(mm)	水深(m)
3号池3号洞	6月13日	2.0	23	21	50	3.5
3号池4号洞	6月13日	2.5	21	18.5	100	3.0
2号池9号洞	6月14日	1.7	23	21.3	50	3.5
2号池10号洞	6月14日	2.1	21	18.9	100	3.0
1号池3号洞	6月25日	0	23.0	23.0	50	3.5

表3-11　　3号池4号洞流速观测成果

观测时间	14:44:32	14:57:12	14:58:43	14:59:03	15:04:24	15:05:14	15:08:18	15:09:49
时差Δt(s)	6.8	15	15	15	12.2	22	17.7	19
流速(m/s)	2.72	1.23	1.23	1.23	1.52	0.84	1.05	0.97

注：$L=18.5$m，水深3m，洞径100mm。洞径变化不大，临河用麻袋包塞堵，并用散土闭气，背河出流忽大忽小。

表3-12　　2号池9号洞流速观测成果

观测时间	15:42:58	15:42:33	15:42:49	15:43:23	15:43:53	15:56:55	15:57:18	15:57:52	16:00:16	16:00:38	16:09:03
时差Δt(s)	13.2	13.6	14.0	16.3	15.2	23.6	25.4	26.6	29.2	29.0	0
流速(m/s)	1.61	1.57	1.52	1.31	1.4	0.9	0.84	0.80	0.73	0.76	0

注：$L=21.3$m，水深3.5m，洞径50mm。始测15:25:25，15:44:00出口开始制作碎石反滤围井；15:44:25开始在堤顶灌浆；15:51:55灌浆结束；15:53:42上游进口推土；14:08:35基本闭气。

表 3-13　　2 号池 10 号洞流速观测成果

观测时间	10:48:04	10:48:20	10:48:42	10:48:59	10:49:19	10:49:40	10:49:55	10:50:07
时差 Δt(s)	16	15	16	16	16	14	14	17
流速(m/s)	1.14	1.22	1.14	1.14	1.14	1.31	1.31	1.08
观测时间	10:50:24	10:50:43	10:50:55	10:51:13	10:51:28	10:51:42	10:52:14	10:53:59
时差 Δt(s)	14	15	23	29	30	32	34	39
流速(m/s)	1.31	1.22	0.80	0.63	0.61	0.57	0.54	0.47

注：$L=18.3$m，水深 3m，洞径 100mm。临河软帘覆盖，推土机散土闭气，背河反滤围井。

表 3-14　　1 号池 3 号洞流速观测成果

观测时间	10:58:49	10:59:29	11:03:29	11:04:25	11:05:06	11:05:30
时差 Δt(s)	17.2	21	24	14	13	12.6
流速(m/s)	1.34	1.1	0.96	1.64	1.77	1.83
观测时间	11:13:16	11:14:32	11:17:45	11:19:50	12:10:06	12:28:08
时差 Δt(s)	8.2	6.0	6.0	6.0	4.85	8.6
流速(m/s)	2.8	3.83	3.83	3.83	4.79	3.02

注：$L=23.0$m，水深 3.5m，洞径 50mm，不抢堵。

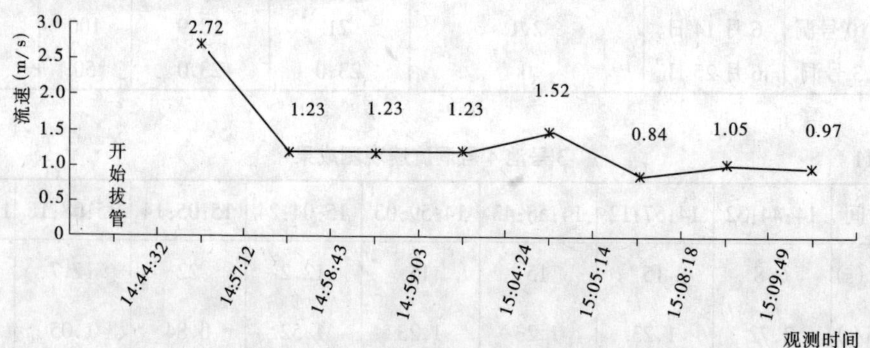

图 3-14　3 号池 4 号洞流速观测成果

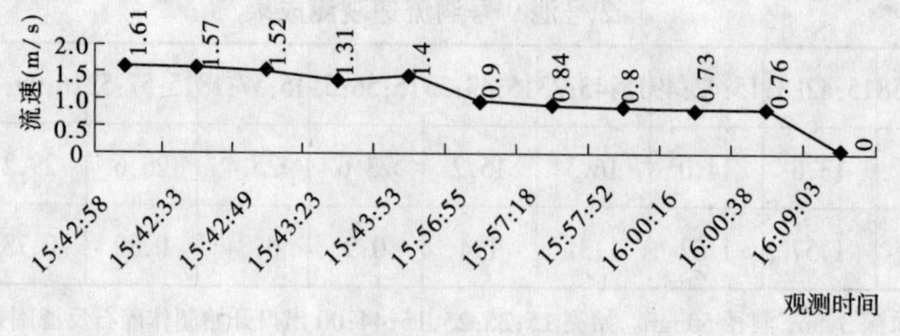

图 3-15　2 号池 9 号洞流速观测成果曲线

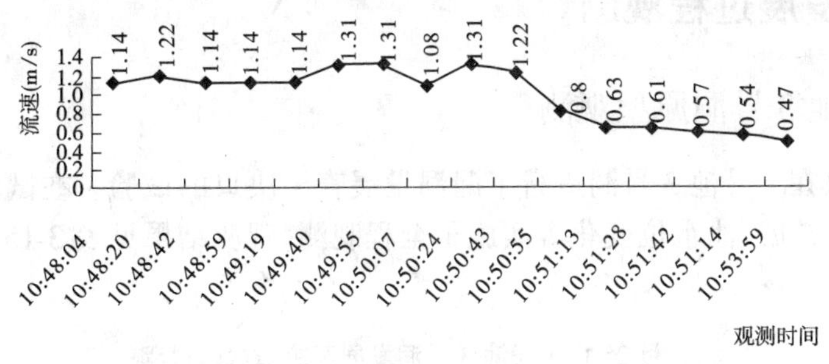

图 3-16　2 号池 10 号洞流速观测成果曲线

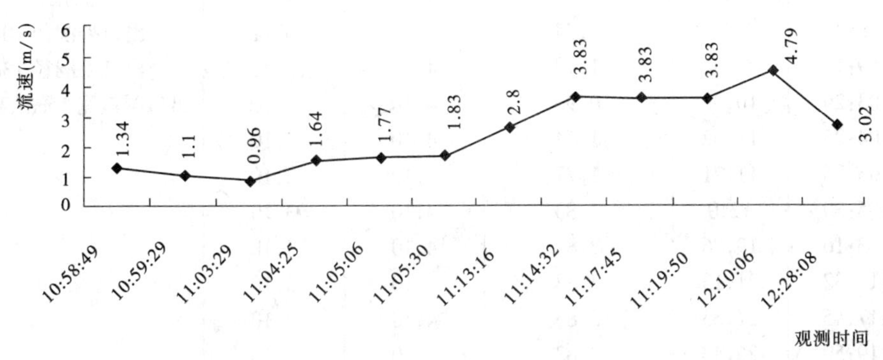

图 3-17　1 号池 3 号洞流速观测成果曲线

2 号池 9 号洞(表 3-12 和图 3-15)的观测结果表明,漏洞发展初期,即洞径 50mm 以下的漏洞,即使水深达 3.5m,流速也在 1.61m/s 以下,漏洞发展较为缓慢;从 3 号池 4 号洞(表 3-11 和图 3-14)的观测结果可知,若 100mm 以上的漏洞,即使水深只有 3.0m,洞内平均流速也较大,其开始实测流速达到 2.72m/s;而洞径为 100mm 的 2 号池 10 号洞(表 3-13 和图 3-16)有些特殊,开始流速 1.14m/s,分析原因是在 2 号池蓄水过程中 10 号洞东侧附近的底部排水管发生渗漏进行过推土堵漏,推土范围影响到了 10 号洞的进水口,因此实测流速较小。

从 1 号池 3 号洞流速观测结果(表 3-14 和图 3-17)分析,开始流速较慢,流速在 1.5m/s 左右,当漏洞扩大到一定洞径时,流速增加很快,最大实测流速在 4m/s 左右,这么大的流速对土体冲刷是很快的,发展到此时,抢险也是很困难的。

2 号池 9 号洞、10 号洞和 3 号池 3 号洞、4 号洞的流速观测是结合堵漏进行的。3 号池 3 号洞,由于在出口处做减压围井,故在洞子打开后未测到流速外,其余 3 个洞实测平均流速均在 1.10～1.5m/s,且随着堵漏方案的实施,洞内流速逐步减小,说明各种堵漏方案基本控制了流速的进一步扩大,防止了漏洞的进一步发展。洞径测试结果表明,漏洞洞径基本上没有变化,可以判断堵漏方案在此种堤防土质条件下是成功的。

5.3 漏洞发展过程观测

5.3.1 1号池3号洞原型观测

6月25日,在1号池3号洞进行了漏洞发展直至决口的试验。在试验过程中,对洞内流速、洞径的扩展、池水位变化等实施了全程观测,观测结果见表3-15,水位变化过程见图3-18。

表3-15 6月25日1号池3号洞发展至决口试验过程

观测时间(时:分:秒)	累计时间(min)	洞内平均流速(m/s)	水位(m)	洞上水深(m)	说明
10:53:25	0		4.11	3.11	洞拉开
10:58:49	5.24	1.34	4.11	3.11	出口处洞径10cm
11:59:19	6.09	1.10	4.11	3.11	出口处洞径13cm
11:03:29	10.08	0.96	4.10	3.10	出口洞口宽15cm、高10cm
11:04:25	11.02	1.64	4.10	3.10	
11:05:06	11.71	1.77	4.10	3.10	
11:05:30	12.0	1.83	4.10	3.10	
11:13:16	19.86	2.80	4.10	3.10	
11:14:32	21.13	3.83	4.10	3.10	
11:17:45	24.35	3.83	4.10	3.10	
11:19:50	26.43	3.83	4.10	3.10	
12:10:06	76.61	*	4.09	3.09	由于局部塌土造成以上用示踪法测,以下用雷达测
12:28:08	94.73	*	4.09	3.09	
13:15:00	141.0	/	4.07	3.07	洞径25cm
13:45:00	171.0	/	3.85	2.85	洞口急速扩大
13:51:00	177.73	3.80	3.35	2.35	
13:55:00	181.73	4.00	2.90	1.90	全部为明流
14:00:00	186.73	4.40	2.30	1.30	
14:01:00	187.73	/	2.27	1.27	流速达最大,随即洞顶塌透
14:45:00	232.73	0	1.60	0.60	塌土断流

注:"/"表示未观测,"*"表示所测数据异常。

根据现场观测和对洞内流速、水位和洞径变化过程分析,该土质条件下的漏洞形成后发展过程大致分为三个阶段:

阶段一:漏洞缓慢发展阶段(10:54~13:15)。该阶段长达140min,池水位无明显变化。这一阶段初期,漏洞刚刚形成,过流断面很小,洞子长、洞壁粗糙、沿程阻力大,因此流速较小,在1.5m/s以下。但10min后,洞壁经过冲刷变得光滑,洞内流速开始加大,逐步增至3.8m/s。由于土的黏性大,抗冲能力较强,洞径发展较慢。除出口处外,洞内水流基

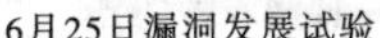

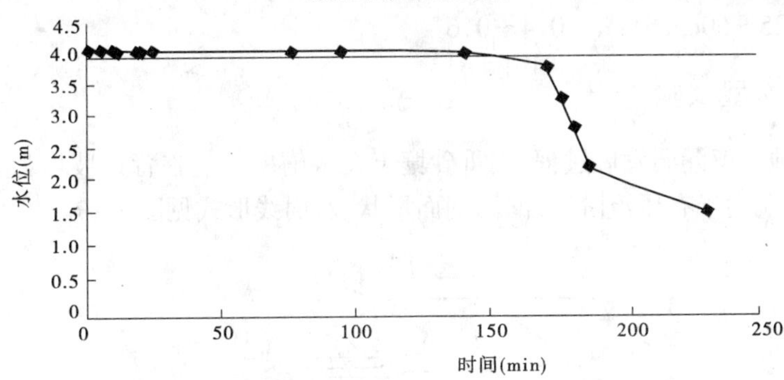

图 3-18　1 号蓄水池水位变化过程线

本为有压流。

从漏洞的发展过程看，由于水流的冲刷，在该阶段出口洞径扩展较快，并呈现为无压流。当出口段的洞径扩大到 0.5m 以上后，洞顶的拱效应减小，出现拉应力，土体开始下塌。出流在堤坡上产生跌水，同时在洞内的有压段和无压段结合处也产生跌水，最大流速有可能发生在有压段到无压段的交界处。

在这一阶段，由于该堤黏粒含量高、干密度大，洞径的扩展还不是很大，洞周围的拱效应也还较大，所以，漏洞发展还较慢，有压段洞径发展为 25cm，出口处漏洞呈门洞形，宽 1m、高 1.5m。

阶段二：洞径急剧扩展阶段(13:15～13:55)。该阶段洞径急剧扩大，流速陡然增加(实测达到 4.4m/s)，水流流势凶猛，池水位快速下降。

出口水流快速冲刷洞底和两侧，使洞上土体失去支撑，拱效应大大降低，土体坍塌速度加大，因此洞径扩大速度很快。此阶段漏洞出口位置已冲刷后退达 5m 左右，洞的总长和有压段缩短，水力半径增大，流速快速增加，出流量很大。有压段的洞径已扩展为 0.5m 以上，出口的门洞宽约 2m、高约 3m 以上。在该阶段后期，进口出现明显漩涡，洞内全部转为明流。

阶段三：溃口阶段(13:55～14:01)。洞顶出现裂缝并坍塌、断堤形成口门，并继续加宽。由于该阶段水位已经较低，实测流速并不大，口门水流为明流。从本阶段的发展情况看，进口水流出现漏斗，水面比降很陡。当口门发展宽度达 6m 后趋向稳定，由于口门两侧土体的坍塌，在池水位还有 1.6m 的情况下坍塌土体截断水流使试验停止。

从上述漏洞发展过程和流速变化规律看，在水深一定的条件下，洞径的扩展速度主要决定于土质及压实度；黏粒含量越高，压实度越大，洞径发展速度就越慢，反之就快(1999 年的防汛堵漏演习，由于土质为砂性土，漏洞从形成到决口，仅用了十几分钟)；洞内流速关键取决于洞径和水头差。由于这次雷达测速仪是架设在堤下离溃口不远的推土机上，因怕发生意外，在溃口发生前的 1min 推土机撤离现场，故未测到最大流速。

洞内平均流速公式见式(3-1)。流速系数 μ 由不同阶段的流速、水深等代入式(3-1)得：

当洞径为 5～10cm 时：$\mu = 0.2 \sim 0.3$

当洞径为 10～25cm 时：$\mu = 0.3 \sim 0.4$

当洞径为 25～50cm 时：$\mu = 0.4 \sim 0.6$

5.3.2 水槽模型试验

为更直观地了解漏洞发展过程，用重砂壤土在水槽中修筑临背边坡均为 1∶2 的模型坝。经试验，在洞内半有压流阶段，漏洞剖面形状、水面线形式见图 3-19。

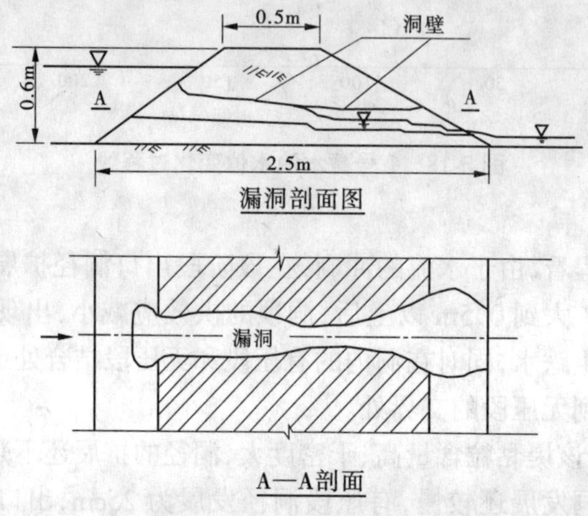

图 3-19 水槽试验漏洞剖面

由图 3-19 可以看出，漏洞的进出口断面均大于漏洞中部，且漏洞出口大于漏洞进口，漏洞最小断面出现在中部偏下部位。漏洞的前半部为有压流，后半部为无压流，整个漏洞呈半有压流状态。

5.4 洞内动水压力观测

5.4.1 观测仪器的选择及埋设方案

选择洞径 50mm、100mm 各 2 组，共 4 个断面，即 2 号池 9 号、10 号洞，3 号池 3 号、4 号洞。每个断面布设 0.1MPa 孔压传感器 3 个，0.1MPa 土压传感器 1 个。动水压力观测仪器布置及传感器埋设见图 3-20，需要说明的是，在 3 号池埋没孔压计时，将其传感器上的透水石去掉，故孔压计实际上已起到土压计的作用。

5.4.2 观测方法要求

压力传感器埋设以后，应随即进行观测，并将其初始测值填入考证表，在围堤施工期或蓄水期间，应 1～2d 观测一次。在正式试验阶段，当钢管拉出形成漏洞后，该断面 4 个压力传感器应同时连续观测，观测时间间隔初步定为 10～20s。

5.4.3 观测仪器埋设及使用情况

洞内压力观测采用的仪器主要有：XP98 型振弦式频率测定仪 1 台，XD20X 选点箱，

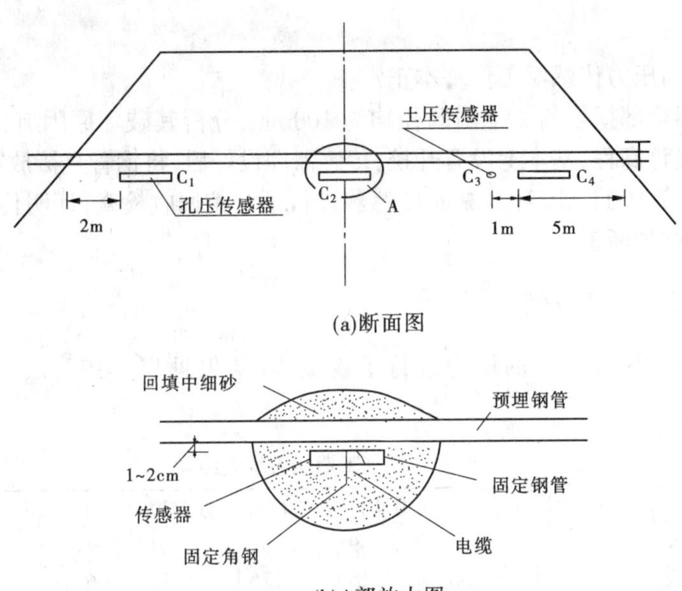

(a)断面图

(b)A部放大图

图 3-20　压力传感器埋设

传感器 20 支,土工电缆线及仪器率定设备。

选择 2 号池 9 号、10 号洞,3 号池 3 号、4 号洞进行预埋传感器,其有关参数见表 3-16,使用情况如下:

表 3-16　　压力传感器埋设有关参数

观测断面	传感器编号	埋设编号	埋设日期	规格(MPa)	电缆长度(m)	埋设频率 f_0(Hz)	K (Hz^2/kPa)
2 号池 9 号 洞径 50mm 水深 3.5m	10216	A_1	5 月 25 日	0.1	45	1 504.3	−9 580.48
	10210	A_2		0.1	35	1 497.7	−11 679.36
	10040	A_3		0.1	25	785.0	−11 533.27
	10213	A_4		0.1	25	1 494.9	−11 527.68
2 号池 10 号 洞径 100mm 水深 3.0m	10215	B_1	5 月 26 日	0.1	40	1 495.6	−10 599.68
	10211	B_2		0.1	30	1 559.4	−11 788.05
	10172	B_3		0.1	20	885.1	−12 090.87
	0610204	B_4		0.05	20	1 517.0	−32 871.36
3 号池 3 号 洞径 50mm 水深 3.5m	10214	C_1	5 月 31 日	0.1	45	1 474.2	−10 036.95
	10218	C_2		0.1	35	1 504.7	−12 953.28
	10173	C_3		0.1	25	930.9	−11 342.23
	06001	C_4		0.05	25	1 519.1	−28 364.42
3 号池 4 号 洞径 100mm 水深 3.0m	10212	D_1	6 月 5 日	0.1	40	1 552.2	−10 967.44
	060200	D_2		0.05	30	1 478.6	−30 280.96
	10171	D_3		0.1	20	884.4	−11 306.75
	06003	D_4		0.05	20	1 560.3	−29 871.52

(1)2 号池 10 号洞压力传感器 5 月 26 日埋设,6 月 1 日测量时,发现 B_1、B_2、B_3 全部损坏;6 月 13 日,B 断面电缆线又被全部碾压断,B_4 也被损坏。

(2)3 号池 4 号洞压力传感器 6 月 5 日埋设,6 月 13 日测量时,发现 D_1 ~ D_4 均无信号,全部损坏。

(3)其余断面压力传感器工作基本正常。

上述传感器全部损坏的 2 个洞洞径均为 100mm,分析其破坏原因有:在埋设时坝体高程均为埋管设计高程,基本上没有开挖,传感器埋设好后,将钢管直接放在上部,电缆线被推土机损坏。7 月 11 日,对 B 断面传感器进行了开挖回收检查,证明传感器本身没有损坏,是电缆线被拉断了。

5.4.4 动水压力观测资料分析

对施工期及堵漏过程中的压力进行了观测,其结果见表 3-17～表 3-19、图 3-21～图 3-23。

表 3-17　　2 号池 9 号洞施工期压力观测结果　　(单位:kPa)

传感器编号	5月25日	5月29日	6月1日	6月4日	6月13日	6月14日	6月18日	6月23日	6月24日
A_1	埋设	−3.59	−3.59	−4.39	−5.31	−5.24	1.64	18.07	19.25
A_2	埋设	−2.75	−3.58	−4.15	−5.76	−5.76	−6.49	−6.73	−6.99
A_3	埋设	0.64	13.29	19.35	41.62	41.47	44.88	44.51	44.72
A_4	埋设	−2.11	−2.68	−3.23	−4.72	−4.78	−5.22	−5.41	−5.62

表 3-18　　2 号池 9 号洞堵漏过程动水压力观测结果

时间(s)		0	50	100	150	200	250	300	350	400	450	500
A_1	(kPa)	18.9	23.9	25.6	25.6	26.1	26.3	26.7	26.7	26.9	26.8	26.7
A_2		−4	−3.7	−3.9	−4.1	−4.3	−4.2	−4.2	−4.2	−4.2	−4.2	−4.2
A_4		−5.8	−5.7	−5.6	−5.7	−5.9	−5.9	−5.9	−6	−6	−6.5	−6
时间(s)		550	600	650	700	750	800	850	900	950	1 000	1 050
A_1	(kPa)	26.8	26.7	26.8	26.8	26.7	26.7	26.7	26.7	26.7	26.8	26.8
A_2		−4.2	−4.3	−4.3	−4.3	−4.3	−4.3	−4.3	−4.3	−4.3	−4.3	−4.3
A_4		−6	−6	−6	−6	−6.1	−6.1	−6.1	−6.1	−6.1	−6.1	−6.2
时间(a)		1 100	1 150	1 200	1 250	1 300	1 350	1 400	1 450	1 500	1 550	1 600
A_1	(kPa)	26.8	26.8	26.7	26.8	26.9	26.9	26.8	26.9	26.8	26.8	26.9
A_2		−4.3	−4.3	−4.3	−4.3	−4.3	−3.1	−4.4	−1.7	−1	−1.1	−1
A_4		−6.2	−6.2	−6.2	−6.2	−6.2	−6.2	−6.2	−6.1	−6.2	−6.1	−6.1
时间(s)		1 650	1 700	1 750	1 800	1 850	1 900	1 950	2 000	2 050	2 100	2 150
A_1	(kPa)	7.1	8.8	9.5	10.4	10.9	11.2	11.9	10.8	10.6	10.4	10.1
A_2		−3.4	−3.8	−4	−4	−4	−4	−4	−4	−4	−4	−4
A_4		−6.3	−6.4	−6.4	−6.4	−6.4	−6.4	−6.4	−6.4	−6.4	−6.4	−6.4
时间(s)		2 200	2 250	2 300	2 350	2 400	2 450					
A_1	(kPa)	10.2	10.1	10.1	10.4	10.4	10.5					
A_2		−4	−4	−4	−4	−4	−4					
A_4		−6.4	−6.4	−6.4	−6.4	−6.4	−6.4					

表 3-19　　3 号池 3 号洞施工期土压力观测结果　　(单位:kPa)

传感器编号	5月31日	6月1日	6月4日	6月6日	6月13日	6月14日	6月16日
C_1	埋设	-1.32	-0.71	-4.3	24.30	21.63	57.54
C_2	埋设	0.67	24.64	24.45	55.32	56.60	60.82
C_3	埋设	4.68	21.10	15.06	50.20	50.47	50.90
C_4	埋设	1.63	8.73	3.94	25.05	25.27	28.66

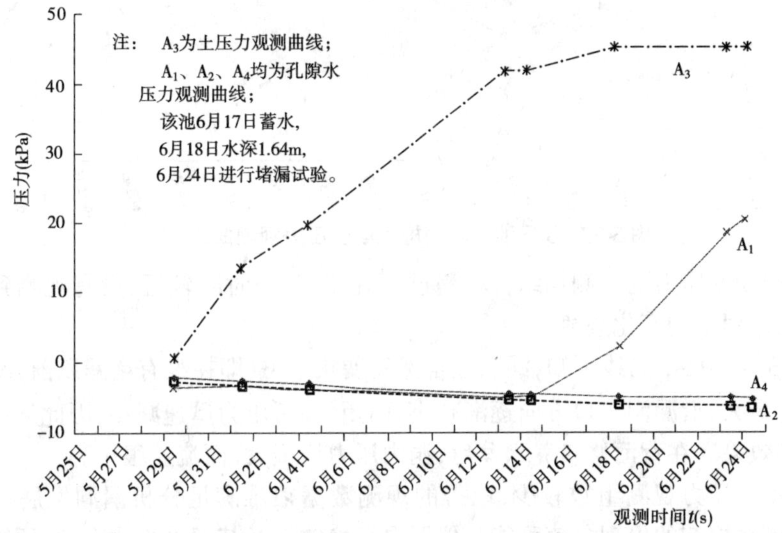

图 3-21　2 号池 9 号洞施工期压力观测曲线

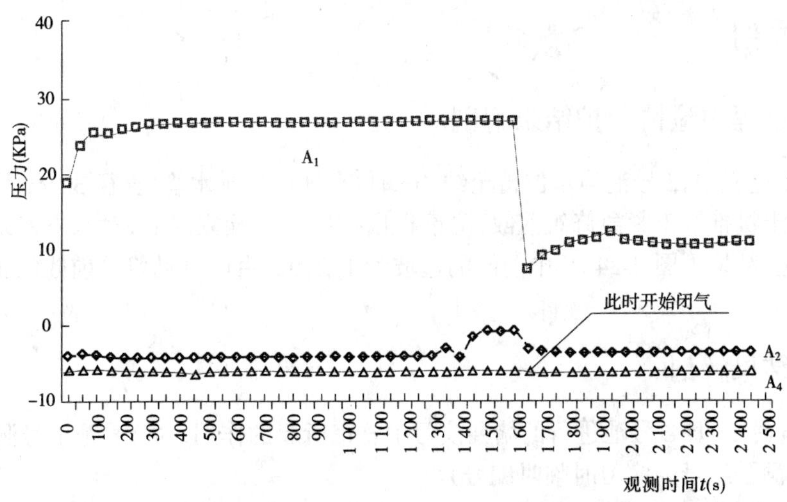

图 3-22　2 号池 9 号洞堵漏试验动水压力观测曲线

(1)从表 3-19 和图 3-23 可以看出,施工期土压力观测结果符合堤防土压力分布规律,说明本次试验所选传感器量程精度及埋设方法均能满足观测设计要求。

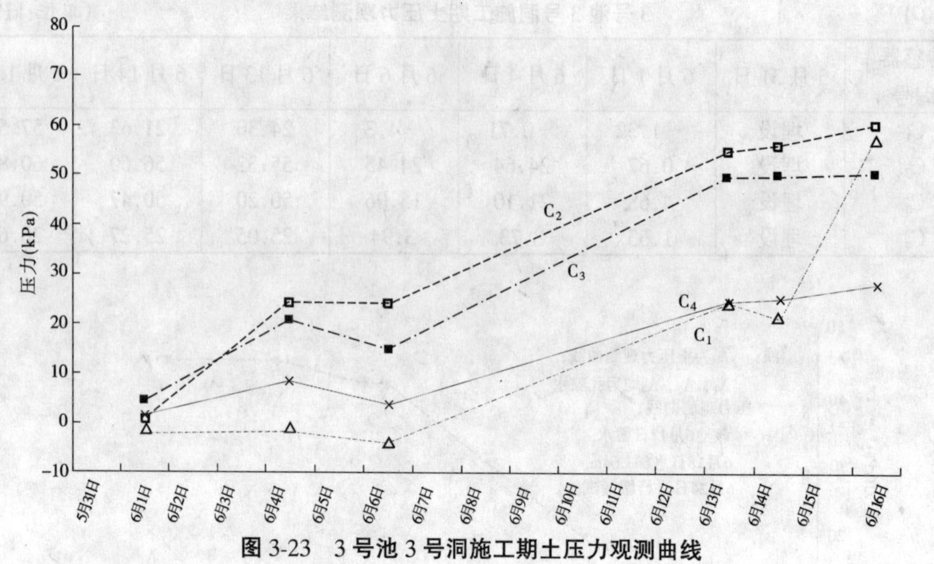

图 3-23　3 号池 3 号洞施工期土压力观测曲线

(2)漏洞中动水压力的观测均结合堵漏过程观测,观测时间较短,没有观测到漏洞进一步扩大发展过程中的变化规律。

(3)由图 3-22 中 A_1 曲线可知,漏洞在自然发展状态下(即在没有堵漏以前)漏洞进口处的动水压力最大,沿漏洞出口方向逐渐减小;而闭气后,压力迅速减小,因此从压力变化即可知其堵漏效果。在背河修筑养水盆后,洞内压力均很大,而流速很小。

(4)本次动水压力观测组数较少,取得的观测数据很难满足分析漏洞发展机理的要求。另外,所测数据有的出现负值可能与仪器自身稳定性及其埋设方式有关,原因尚待查清。

5.5　堵漏解剖

5.5.1　施工过程中险情抢护结果解剖

在现场施工过程中,2 号池当水位蓄至约 4m 时,在埋设的排水管(直径 30cm)周围发生渗水,经用推土机推散土紧急修筑前戗,险情得以控制。试验完成后,对水下修筑的前戗做了详细测量,结果见图 3-24,其中前戗的边坡为 1:2.9。由此可见修筑前戗的工作量是很大的。

5.5.2　堵漏结果解剖

为了查清 6 月 23 日 2 号池进行的堵漏演习中软帘所起的作用,对 2 号池 1 号洞、4 号洞进行了解剖(洞子编号为演习时临时编号)。

(1)2 号池 1 号洞(水深 3.5m,洞径 50mm,山东黄河河务局抢堵)。经由挖掘机开挖,发现软帘没在所筑的前戗内。后在 1 号、2 号洞中间前戗的堤脚前沿处发现部分帆布篷软帘,但未找到固定软帘的滚筒。

(2)2 号池 4 号洞(水深 3m,洞径 100mm,河南黄河河务局抢堵)。用挖掘机对 4 号洞

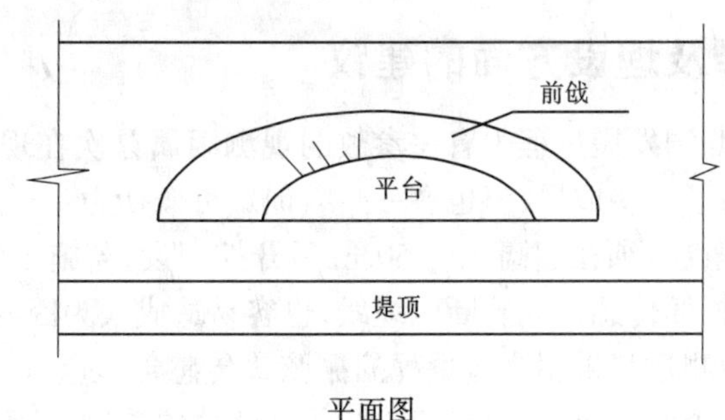

图 3-24　前戗(单位:m)

进行了全面解剖,在背河堤肩下 3.5m 深处发现漏洞,其形状呈扁圆形,宽 30cm,高 10～12 cm,并发现洞内有 12cm×10cm×5cm 的胶泥块,在其下右侧 8cm 处发现一传感器。经对漏洞前戗和堤脚的开挖,最终在漏洞进口的堤脚发现堵漏用的水布袋,后在堤脚前 2m 处挖出已腐烂的帆布软帘和滚筒,软帘下有黑色的污泥(系软帘腐烂所致)。软帘滑入堤脚是由于推土机在推入散土时,为避免因软帘的存在而发生意外,将固定软帘的绳子推断所致。

5.5.3　漏洞出口形态观测(3 号池 1 号洞)

6 月 16 日河南河务局在 3 号池进行了堵漏演练,在封堵 1 号洞时,由于洞径较大且周围有分布不均的砂壤土,漏洞发展较快,中间部位洞径约 40cm,水充袋将要被冲出洞口,漏洞出口处呈现多级台阶(见图 3-25)。

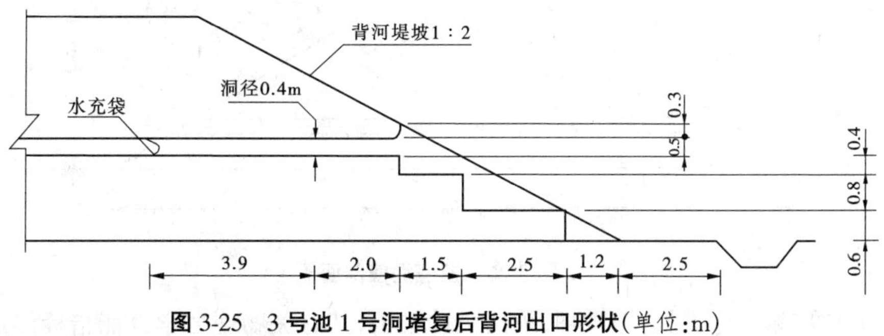

图 3-25　3 号池 1 号洞堵复后背河出口形状(单位:m)

5.6 仪器选择及埋设方面的建议

这次黄河堤防漏洞发展过程中有关参数的观测因属首次在现场进行,并受堵漏作业条件的限制,虽取得了一些成果,但也有一些教训。可概括为:

(1)传感器的埋设必须在超高 30～50cm 后开挖埋设,若施工到设计高程直接埋设容易因重型机械施工损坏传感器或轧断电缆线,也容易造成人为因素破坏。

(2)动水压力观测建议采用合适量程的振弦式传感器,埋设时宜采用角钢固定,受压面与洞壁平行,在每个洞内布设 4 个传感器,传感器位置分别在距进口 2m、7m、堤轴线和距出口 5m 处,观测时间间距为 10s 较为理想。

(3)本次试验流速观测采用示踪测量方法可行有效,建议今后观测时采用分段测量,测量位置与动水压力传感器位置相同,以便观测到流速在整个漏洞中的分布情况。

(4)本次试验洞径测量采用埋设电阻式多道传感器方法有一定可行性,取得了初步成果。建议今后观测时,将单向电阻式多道传感器改进为多向网格状电阻式传感器,可测量漏洞的洞径变化过程。

第六节 漏洞周围土体的应力应变计算

6.1 计算基本资料

为分析漏洞形成后对其周围土体应力变化的影响,采用三维线弹性有限元法,对漏洞周围堤身土体受力状态进行了分析计算,得出相应的拉力区与压力区的分布状况,从而为进一步分析漏洞在高水位作用下的变化情况提供依据。

(1)堤防几何尺寸如图 3-26 所示,结合室内模型试验,选择计算所用模型堤堤顶宽 5m,堤底宽 25m,堤高 6m。漏洞的洞径考虑两种情况,分别为 50cm 和 100cm,均为直洞,洞的中心线距离堤顶 4.5m。计算时沿大堤长度方向取 10m 作为计算范围,两侧面加以连杆约束,底部采用固定约束。

(2)水深及洞内压力分布:上游水深 5m,下游无水,并假设洞内水压力分布按直线分布,即进口为临河静水压力,出口为零。

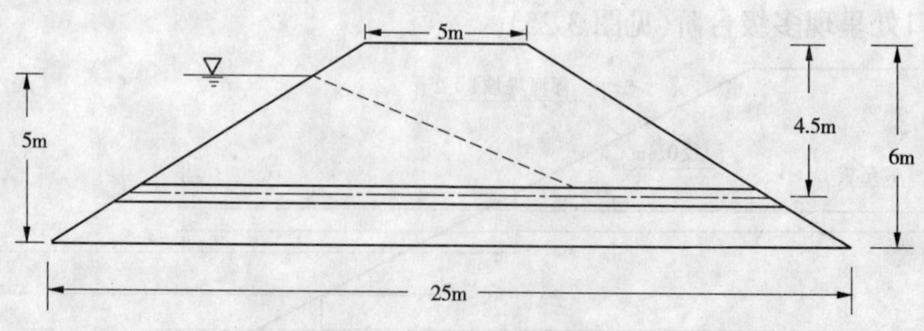

图 3-26 模型堤横剖面

(3)计算参数。大堤为均质坝,采用重砂壤土,其有关物理力学性能指标假定为:湿密度 1.85t/m^3,干密度 1.65t/m^3,饱和密度 2.04t/m^3;黏聚力 $C=15$kPa,内摩擦角 $\varphi=$

27°,压缩模量 $E_s = 20MPa$,弹性模量 $E = 14.85MPa$,泊松比 $\mu = 0.3$。

(4)计算方案。此次计算暂不考虑浸润线的影响,根据漏洞大小计算分为以下两种工况:

工况 1:漏洞洞径为 50cm,有限元三维网格消隐图如图 3-27 所示。

工况 2:洞径为 100cm。

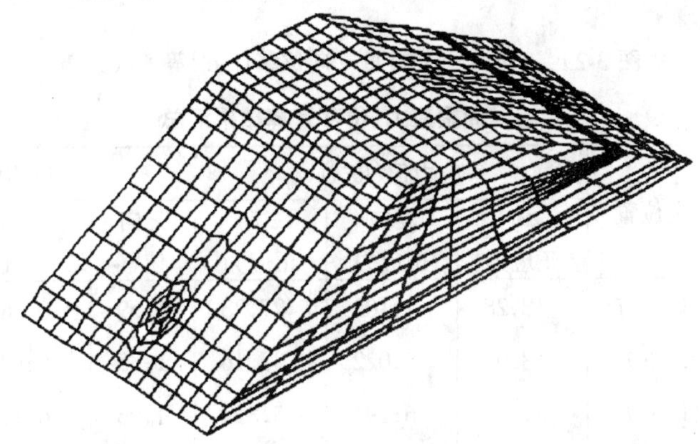

图 3-27 有限元三维网格消隐图(洞径 50cm)

6.2 计算结果及分析

6.2.1 计算结果的整理

根据研究所关心的部位,只将靠近洞体的两个典型剖面的应力应变结果进行了整理。即 Y1、Y2 横剖面,Y1 剖面位于漏洞一侧,距洞体中心线 3m,其坐标 $y = 2.0$;Y2 剖面位于漏洞中心线,其坐标 $y = 5.0$。坐标轴的正方向为:x 轴从上游指向下游,y 轴沿大堤长度方向,z 轴垂直向上。

计算结果见图 3-28～图 3-39。在有关等值线图中,位移和应力的具体值为:等值线上所标数值乘以步长值,位移单位为 mm,应力单位为 kPa。其符号规定为:位移与坐标轴方向相同时为正,应力以压应力为正。

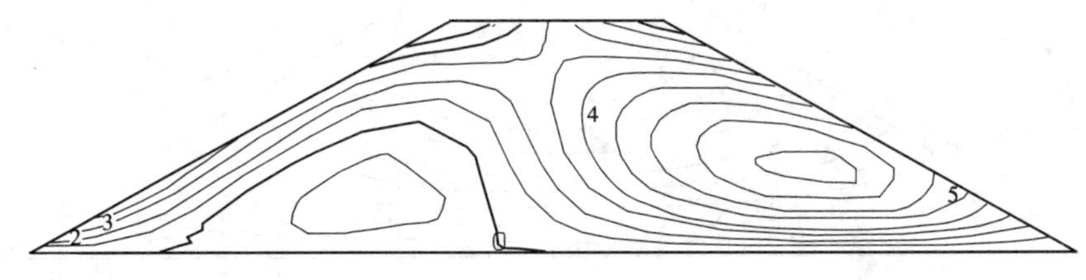

图 3-28 工况 1:Y1 剖面 x 向位移(mm)等值线分布

为便于分析比较,将两种工况下漏洞进、出口的三个方向的应力、位移列于表 3-20 中。

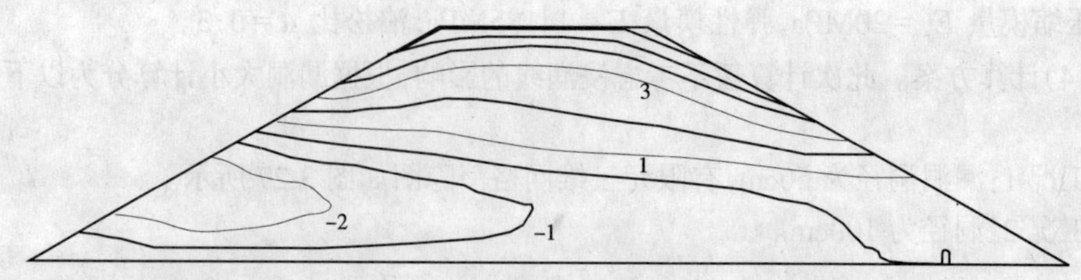

图 3-29　工况 1:Y1 剖面 y 向位移(mm)等值线分布

表 3-20　漏洞周围应力、位移计算结果汇总

计算工况	发生位置	应力值(kPa)			位移值(mm)		
		x 向正应力	y 向正应力	z 向正应力	x 向位移	y 向位移	z 向位移
工况 1(洞径 50cm)	进口上方	18.28	1.102	27.23	1.59	0.58×10^{-4}	-3.93
	进口下方	18.96	5.022	32.16	1.35	0.12×10^{-4}	-2.68
	出口上方	8.277	6.194	5.822	1.96	0.17×10^{-4}	-1.64
	出口下方	8.251	7.337	6.874	1.03	0.22×10^{-4}	-0.79
工况 2(洞径 100cm)	进口上方	17.38	-3.299	26.14	1.57	0.24×10^{-5}	-4.49
	进口下方	17.86	3.996	32.86	1.14	-0.75×10^{-6}	-2.05
	出口上方	7.977	7.226	4.544	2.51	0.28×10^{-5}	-2.44
	出口下方	7.146	7.554	6.382	0.66	-0.58×10^{-6}	-0.46

6.2.2 计算结果分析

(1)工况 1。图 3-28~图 3-33 分别给出了 Y1 剖面内土体的位移和正应力分布图。从图中位移的变化趋势来看,符合土体在自重和水压力作用下的变形规律,最大 x 向位移为 2.52mm,发生在下游堤坡附近;最大 z 向位移为 16.96mm,发生在堤顶附近。

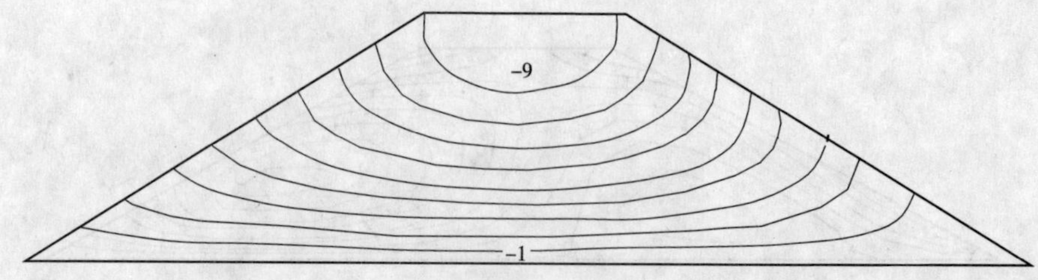

图 3-30　工况 1:Y1 剖面 z 向位移(mm)等值线分布

从图中应力的变化趋势来看,由于土体自重为主要的作用力,因此竖直向的应力随深度的增加由小变大。x、y 向的应力作为侧向应力,变化规律基本同 z 向的分布。同时由于上游水压力的作用,三个方向的应力分布都出现上游大于下游的趋势,特别在 x 向

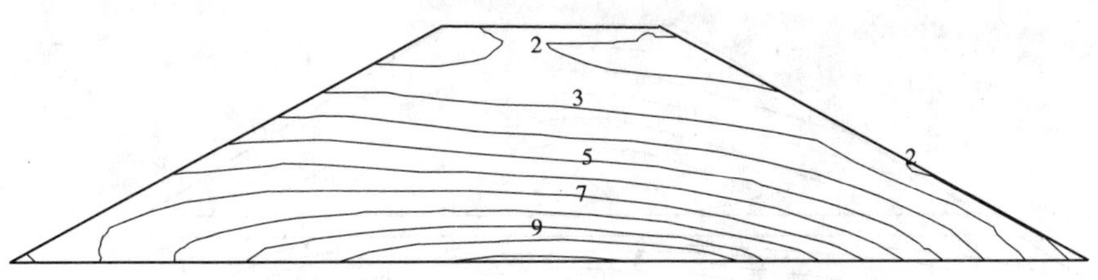

图 3-31　工况 1:Y1 剖面 x 向应力(kPa)等值线分布

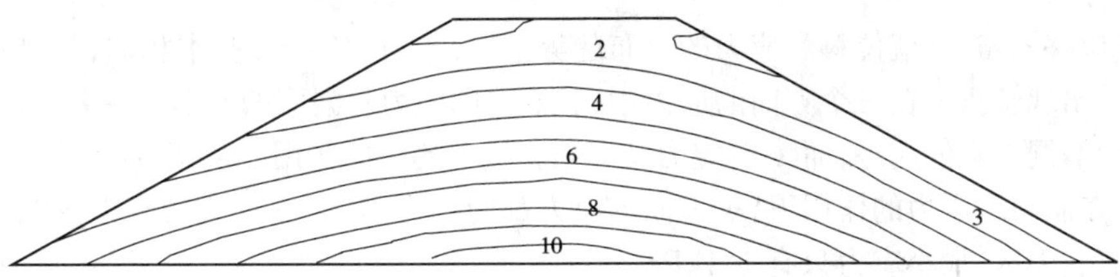

图 3-32　工况 1:Y1 剖面 y 向应力(kPa)等值线分布

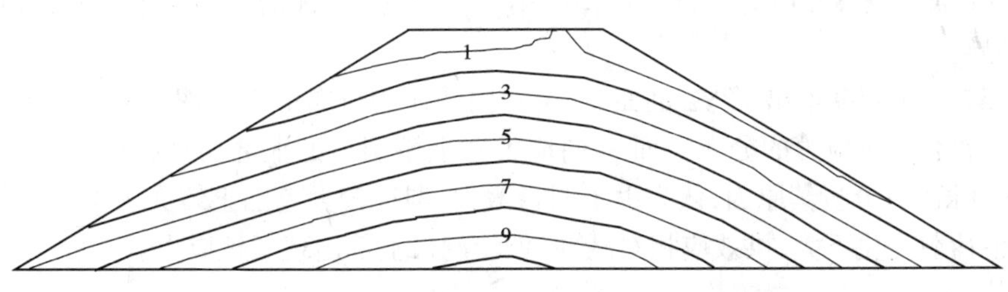

图 3-33　工况 1:Y1 剖面 z 向应力(kPa)等值线分布

应力的等值线图中表现最为明显。

Y2 剖面的位置处于漏洞的中心线,图 3-34～图 3-36 给出了 x、y、z 向的正应力等值

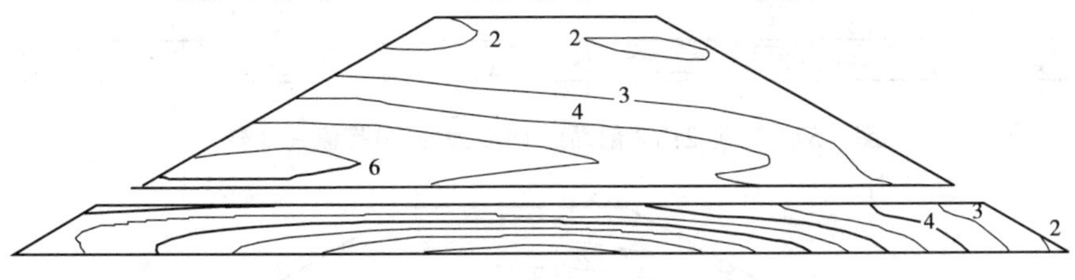

图 3-34　工况 1:Y2 剖面 x 向应力(kPa)等值线分布

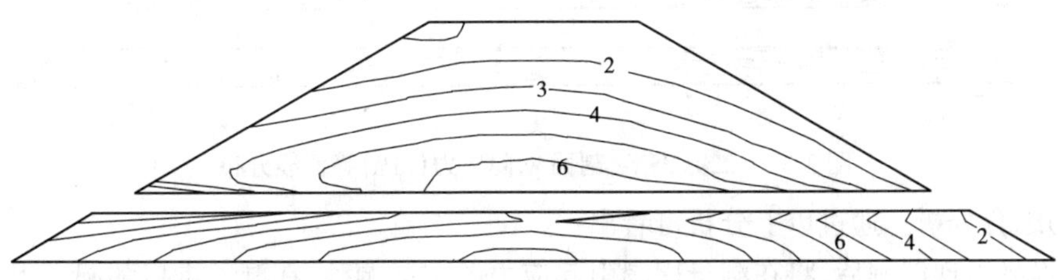

图 3-35　工况 1:Y2 剖面 y 向应力(kPa)等值线分布

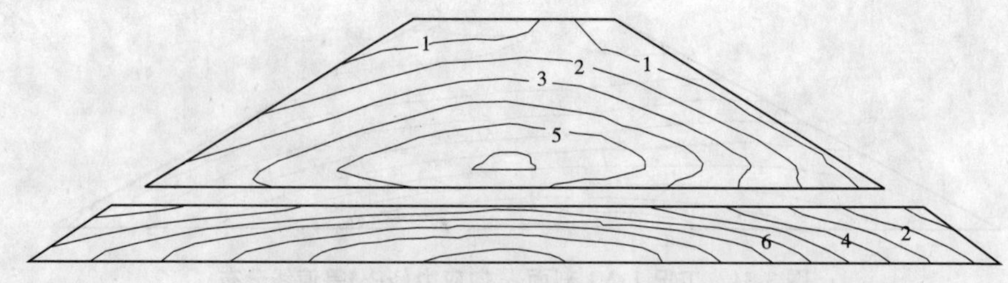

图 3-36 工况 1:Y2 剖面 z 向应力(kPa)等值线分布

线分布(位移图略)。就位移和应力的分布趋势上看,它与 Y1 剖面基本相似,只是在漏洞处等值线出现转折。在三个方向的应力中,y、z 向的应力对漏洞的变形起主要作用,z 向应力有使漏洞变扁的趋势,而 y 向应力又有阻止这一趋势的作用。从图 3-35、图 3-36 中可看出,在洞内水压力的作用下,y、z 向的应力都为压应力,但 y 向应力在上游洞口的上部出现弱应力区,最小应力只有 1.1kPa。

(2)工况 2。工况 2 与工况 1 的区别,仅在于洞径的差别,由原来的 50cm 变为 100cm。Y1 剖面位移和应力的分布规律与第 1 情况 Y1 剖面的分布基本相同,只是数值上稍有差异。

图 3-37~图 3-39 给出了 Y2 剖面 x、y、z 向的应力分布等值线图。z 向应力都为压应力,基本符合自重应力的分布。而 y 向应力在上游洞口的上部出现拉应力区,最大拉应力为 3.3 kPa。分析其原因,认为由于洞径增大,洞顶较大范围土体失去下部土体的支撑,而其他荷载变化不大,拱效应相对减弱,就使洞口上部出现了拉应力。

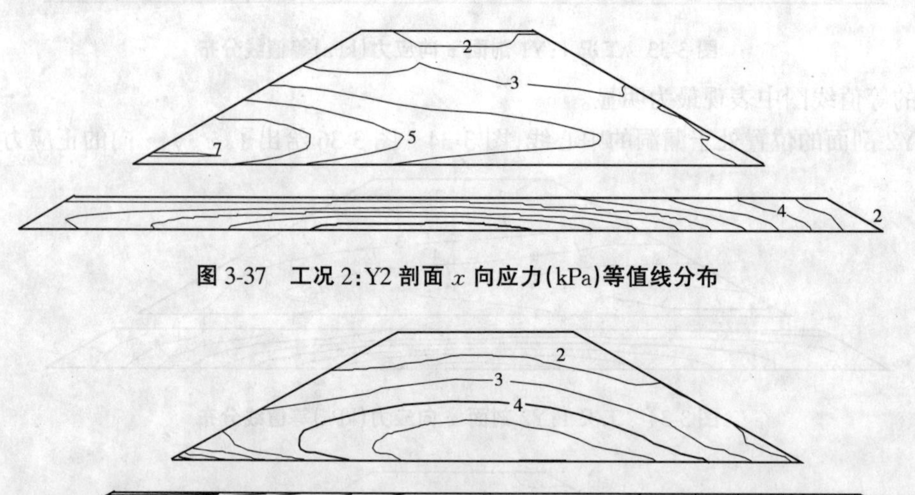

图 3-37 工况 2:Y2 剖面 x 向应力(kPa)等值线分布

图 3-38 工况 2:Y2 剖面 y 向应力(kPa)等值线分布

(3)综合分析。通过以上分析可看出:

①堤身出现漏洞后,将在洞子周围引起应力的重新调整,在洞子进口和洞子出口均出现弱应力区,甚至会出现拉应力,而在洞子中部则一直保持较大的压应力,因此洞子进出

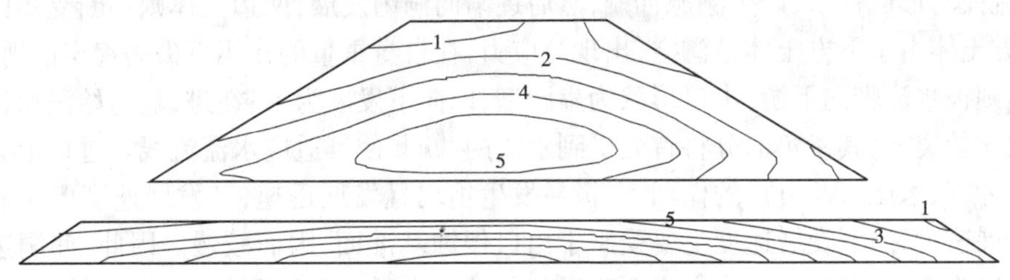

图 3-39　工况 2:Y2 剖面 z 向应力(kPa)等值线分布

口部位土体较为松散,被水流淘刷发展较快。而洞中部土体较为密实,不易被冲刷。

②洞子进口、出口处上方压应力均小于其下方的压应力,因此洞子进口处受有压流的作用向上发展的速度要快于向下发展的速度,而洞子出口处由于其上部一般不受水冲刷(明流),故以向下发展为主。

③当漏洞洞径较小时,洞周围均为压应力,而当其发展较大时,则可能出现拉应力,土体抵抗冲刷的能力减弱,因此洞子发展的速度也随洞径的变大而加快。

第七节　观测资料综合分析

7.1　漏洞形成发展的四个阶段

从漏洞形成到决堤经历了一个先缓后急的过程,可概括为如下四个阶段:

(1)漏洞形成阶段。漏洞的成因可归为两类:一类是由于堤身或堤基发生渗透破坏引起的;另一类是由堤身或堤基存在的各种隐患造成的。

对于黄河堤防来说,由于其堤基渗透性一般都比较强,背河堤脚处会得到浸润,在一定水力坡降下,可能会发生以流土形式破坏的渗透变形,并逐渐形成贯穿临背河的漏洞。这类漏洞的形成过程较长。

由于堤防修建过程留下的隐患(如虚土层、穿堤建筑物等)或动物的破坏,堤防内存在大量的隐患[5]。当隐患部位与水接触之后,便发生较快的浸润和渗漏。当渗漏带走了一定数量固相物之后,就会使渗漏道路变得畅通起来,从而形成临背河贯穿的漏洞。这类漏洞的形成速度较快。

(2)漏洞缓慢发展阶段。漏洞形成初期,洞径较小、阻力较大,所以洞内流速也较小,洞内全部为有压流。此阶段漏洞发展以冲刷为主,发展速度较慢。

(3)漏洞急剧发展阶段。当漏洞扩展到一定程度时,漏洞出口处出现明流,洞内流速明显加大,冲刷加剧,洞顶出现拉应力,并向下坍塌,塌陷物则被水流带走,漏洞发展速度较快。

(4)溃口阶段。漏洞继续扩大,洞内以明流为主,漏洞上方发生急剧崩塌,最后便形成决堤。

7.2　漏洞形状及其形成机理

漏洞的发展过程实际上是一个冲蚀与坍塌破坏相结合的过程。在出口,比降突然增大，水流极易形成跌水，产生溯源冲刷，然后逐渐向洞内发展，两边土体则不断受淘刷而扩宽，上方土体由于下方土体被淘空，出现拉应力，在自身重量的作用下失去稳定而坍塌，坍塌土体则被水流带向下游，出口形状为扁圆型，以向下发展为主；在进口，初始漏洞进口形态棱角比较突出，其棱角部分将首先受到水流的冲刷，使其适应水流流线。进口上方土体在水流冲刷、水压力及自重的作用下，极易发生坍塌且发展迅速，其发展速度要明显快于向下发展速度，向下发展速度主要受制于出口侵蚀基准面，因而较慢。因此，漏洞进口以向上发展为主，逐渐形成外大内小喇叭形态。总的来看，漏洞洞径沿程变化较大，可分为三段，即进口、出口段（较大）和中间段（较小）。

7.3 影响漏洞发展速度的因素

漏洞发展速度影响因素较多，主要有洞周围土质情况、洞内流速、洞径大小、上覆荷重等。土质情况主要指：土的黏粒含量、堤身的压实质量、含水率等。如黏粒含量较小的砂壤土，起动流速较低，易被冲蚀。另外一般情况下，漏洞形成后其周围部分土体浸水饱和，饱和后的土体产生较大的孔隙水压力，抗剪强度降低，也更容易被水流冲刷，使漏洞发展速度更快。处于漏洞上方的土体，在漏洞发展到一定程度，使拱效应降低，在上覆荷重的作用下，出现拉应力，形成坍塌，使漏洞发展速度也加快。

7.4 洞内流速、压力分布

洞内流速、压力随着洞径的变化而变化，其相互关系可由伯诺里方程解释，即各断面总能量在减小（水头损失），位能、压能、动能三者在不断转化。

洞内流速随着洞径的发展总体呈加快趋势，沿程表现为漏洞进口处小，最大流速应在中间有压段或出口段，尚需进一步研究。

洞内压力随着洞径的增加总体呈减小趋势，即由全有压流→半有压流→全明流。沿程表现为进口处最大，并逐段减小，到出口处最小。这与图 3-22 的观测结果也是一致的。

7.5 影响洞内平均流速变化的因素

洞内平均流速的大小，在水深一定的条件下，主要与漏洞出口高程有关，也与洞径、洞长及土质情况等因素有关。在其他因素不变的情况下，出口位置越低，水头差就越大，洞内平均流速越大；洞径大，流速越大；漏洞越短，流速越大；洞周围土质情况越有利于水流通过，沿程水头损失就越小，洞内流速就越大。在洞内的分布是不均匀的，在进口处流速较小，沿洞逐步增大。

7.6 影响漏洞进口吸力大小的因素

所谓漏洞进口吸力实际上是在洞口内外产生的动水压力差，所以其大小与洞内流速关系最大，而与洞子进口高低无直接关系。但为什么一般认为深水漏洞处吸力更大呢？这是由于漏洞进口越低，出口位置也低，临河与漏洞出口水头差也越大，洞内流速也就变大，洞口吸力也就大。从这次观测到的情况表明，对浅水漏洞，如果其出口位置较低，洞内流速也会很大，相应吸力也会很大，这一点在抢险时应特别注意，以免发生人身安全事故。

7.7 关于抢堵漏洞方法的认识

(1)抢堵漏洞,时间观念要强。由于漏洞在前期发展较慢,也是抢堵的最有利时机,因此要加强查险力度和前期抢堵工作。在抢堵过程中应尽量延缓漏洞的发展,其最为关键的是控制漏洞内的水流速度。"临堵"既可降低洞内流速也可降低洞内压力,故为根治措施,而"背导"则只能降低洞中流速,并使洞中压力增加,但其比较直观易采取措施,故为延缓漏洞发展的有效的临时措施。

(2)漏洞闭气加固实际上指漏洞处不再发生新的渗透变形,即应满足渗径要求。

(3)对于深水漏洞,一般洞内流速较大,由此产生的吸力也较大,在使用软帘堵漏时,应充分考虑吸力对其的影响。软帘的制作材料应有一定的强度,不能被巨大的吸力和压力所破坏;吸力还会使软帘到位困难而导致堵漏失败,但也应看到软帘一旦到位,吸力则会使软帘与四周结合紧密。如水充袋就是利用洞内的吸力将水充袋吸入洞内而达到堵漏的目的。

7.8 小结

漏洞发展的原型观测难度很大,且本次研究是结合 2000 年黄河防汛抢险堵漏演习进行的,影响因素更多。本次观测主要是探索观测方法、方案、技术可行性,虽在漏洞发展原型观测方面取得了初步进展,但是,无论从研究深度上还是广度上都有待进一步的深入,所取得的数据也很难满足全面分析漏洞发展机理的要求。因此,应组织有关单位对漏洞发展机理结合漏洞抢堵方案进行专项研究。

第八节　大型机械推运散土堵漏技术试验

黄河防总连续 5 年针对堤防深水漏洞的查堵进行了大规模的实战演习,探索出了一些方法,其中机动抢险队采用挖掘机、自卸车、推土机等大型机械进行联合作业抢堵深水漏洞的方法取得了较好的效果[6]。该方法是在塞堵、盖堵等辅助措施不能奏效的情况下将散土高强度推至漏洞进口处,闭气后再修筑前戗来完成抢堵漏洞的整个过程。

8.1 堵漏试验

8.1.1 准备工作

堤防深水漏洞具有以下特点:①漏洞进口位置难以查找,进口处塞堵或盖堵措施实施困难,即使洞口位置找到,但洞口处吸力较大,塞堵作业人员自身安全难以保证。另外,即使塞堵或盖堵到位,也会因塞堵或盖堵处水头差大,而较易形成新的渗透破坏。②漏洞发展速度快,抢护不及时或措施不当极易贻误战机,甚至发展为堤防决口。上述问题都在实战演习中得到了证实,因此深水漏洞的抢护是堤防抢险中的一大难题。下面以 2000 年黄河防总堵漏演习情况为例进行分析。演习场地在杨桥险工,利用 27 号～30 号丁坝修建围堤,建蓄水池 3 个。围堤参照黄河大堤标准修筑,堤顶宽 7m、高 5m,背河坡为 1∶2,设计干密度为 1.5g/cm³。其中,1、2 号围堤以粉质黏土为主,3 号围堤以壤土为主。由表 3-1可以看出,2000 年演习所用围堤土体黏料含量远高于 1999 年的,另外堤顶也比 1999 年的宽 3m,这些都为抢险机械的操作提供了便利条件。为模拟漏洞形成,在新修围堤中埋设不同深度(2.5~3.5m)、不同直径(50~150mm)的镀锌钢管共计 21 根。为收集资料,分析各种堵漏措施的效果,安排了观测工作,包括在堤身断面布设测压管以观测堤身浸润线变化,在蓄水池中设置水尺以观测池中水位变化,在有些洞子周围布设传感器,以便了解洞中流速、压力、洞径等的发展变化情况,采用摄像机及人工记录等方式对演习的整个过程进行实录,以便对所用措施和时间及堵漏效果进行分析,在演习结束后对典型漏洞进行现场开挖解剖分析,以便了解各种措施最终所发挥的作用。

8.1.2 试验过程

试验开始时,先由推土机将预设的镀锌钢管拉出,待漏洞形成后,由抢险队队员开始查漏、堵漏。一般在临河采取塞堵、盖堵措施,在背河修筑养水盆或反滤围井,最后再由黄河机动抢险队采用大型机械快速修筑前戗的办法进行加固。下面以 3 号池 1 号洞为例简述其堵漏过程。

该洞位于水下 2.5m 深处,洞径 150mm。该漏洞是 2000 年防汛演习中第一个抢堵的漏洞,也是最为惊险的一个。抢堵方案为先用水充袋在临河洞口处塞堵,其次铺设软帘、土工包压载,再用机械推散土闭气,最后修筑前戗。背河没有采取任何措施。洞径发展至 40cm,抢堵中几经周折反复,历时 39min 才闭气,共用水充袋一个、软帘 2 个、大土工包 3 个、吊兜 1 个、散土 16 车(约 160m³);动用了多台自卸车、两部推土机、两部挖掘机。演习结束后,6 月 30 日对该洞进行了剖析。结果表明,第一个软帘未到位,接着又抛投的两个大土工包也未到位;第二个软帘到位,且所抛的第三个大土工包也正好在软帘洞口处。在漏洞中背河堤肩下发现水充袋一个。背河洞口宽为 1.5m,呈三个台阶形。

6 月 30 日河南河务局又将 3 号池临河局部边坡改为 1:3,将漏洞埋深增加为 4m,并于 7 月 11 日专门进行了大型机械推运散土堵漏的现场试验。在漏洞形成后,临河、背河均不采取其他措施,只采取推土机推散土堵漏闭气。当闭气后再采用挖掘机将进口挖开使漏洞再次形成,然后再推土堵复。经 3 次反复试验,最后漏洞发展到 0.5m 左右,堤身断面也大为减小,导致决口。前后近 30 次的试验情况表明:在试验条件下,无论有无其他辅助措施以及辅助措施是否起作用,采用大型机械联合作业,将大量散土推至洞口均可保证堵漏试验成功。

8.2 散土堵漏的机理及相关问题探讨

漏洞堵复是人为改变了漏洞进口处的流态和洞内的流速、压力分布,而闭气加固则是为了保证漏洞处不再发生新的渗透破坏。采用散土堵漏的关键是将散土推至洞口的效率,若到位的土远比被水流带走的土多,则可堵复,否则将无法堵复。另外,散土在抢险条件下不可能压实,其抗渗性能较差,为保证闭气后不再发生新的渗透破坏,需要用大量的土方加固。由此可见,靠大型挖掘机、自卸车、推土机等联合作业用散土堵漏必须要解决好以下几个问题。

(1)适用条件。漏洞的大小和发展速度及水流条件要与所用机械的效率匹配,须特别注意的是,当漏洞较大时,要与其他措施配合,如临河采取软帘覆盖、背河用养水盆或反滤围井等均可延缓漏洞发展时间,这样就能达到更好的效果。

(2)漏洞位置。对漏洞的进口位置的判断应具有一定的准确性,对深水漏洞应开发出一套简单快捷的测试渗漏通道的方法,通过渗漏通道位置确定漏洞进口的大体位置。

(3)场地及机械操作。所用机械的操作要到位,场地及道路要适合机械操作的基本要求,同时要考虑在下雨天道路泥泞时,如何快速修建抢险道路。

(4)闭气加固。堵漏要一气呵成,闭气后要抓紧加固,以免再次发生渗透破坏出现新的险情而加大堵漏工程量,甚至导致堵漏失败。加固后要留专人观察,若发现渗水且有进一步发展的趋势,则须继续加固。

8.3 机械操作中应注意的问题

由于抢险现场具有人多、场面小、作业量大、时间短等特点,因此对机械操作手的操作要求较高。具体操作中应注意以下几点:①操作手对车况应熟悉,并确保机械时刻处于良好的临战工作状态,以避免抢险时出毛病;②应保持推土机两侧履带基本处于一个平面上,以避免失衡,在临河侧推土机行走路线要基本与堤轴线垂直;③临河堤坡湿水后较滑,易使推土机整体滑入水内,但一般只是表层土,因此应先将其表层土推掉;④推土机每次推土量可是平地的数倍,以适应堵漏对推土强度的要求;⑤应特别注意背河反馈信息,当某次推土起到明显作用时,要加大在该位置的推土量,必要时可削临河堤顶的土用于盖堵;⑥在保证安全的情况下,应尽量加大油门以提高效率;⑦推土机手应有自己的主见,对现场指挥的示意要有选择地服从。

采用大型机械联合作业将散土推至洞口堵漏的方法获得了成功,但在具体操作中还有许多因素制约,应根据现场情况采取相应的配套措施。目前,抢险由专业机动抢险队承担已成必然。因此,在加大专业机动抢险队的建设和培训力度的同时,还应开展机械抢险技术的研究并使其操作逐步规范化。

第九节　堵漏方法研究思路

下面提出几种新的堵漏方法、思路,分别介绍论述。

9.1 导渗器的堵漏

在背河漏洞出口位置直接将导渗堵漏器扣在上面,然后采用锚钉或其他装置将导渗堵漏器固定在地面上,使渗漏的水通过导渗堵漏器反滤层,将清水排出使土体颗粒留在导渗堵漏器内部,起到保护土体流失、限止漏洞继续发展的作用,随着时间的变化,经过漏洞的土颗粒逐步沉积在漏洞内,甚至产生淤堵。

9.2 水下爆破堵漏

在洞口附近利用炸药包的爆炸原理使洞口破坏,促使部分土体压密堵塞洞口。主要采取水底接触爆破法，该法是将药包直接放在坝坡漏洞表面附近进行爆破。爆破器材应具有防水性，一般选用胶质、乳化炸药（尤其是起爆药包）；采用非抗水药包时，必须有塑料袋密封包装，再加上适当配重；药包起爆通常采用导爆索和电力起爆系统。爆破深度按0.2～0.5m，范围按1.5～2.0m控制。药包为三角形结构。

9.3 水下高压喷射混凝土堵漏

水下高压喷射混凝土是利用高压灌浆泵或空压机产生的高压空气，将喷射的混合料输送到喷射口和一定流量的速凝剂等混合后，高速混合喷射到漏洞表面。

关键技术是此喷射混凝土在水下高压喷射时不易分散，而且凝固时间可在几分钟至几十秒之间调节，初凝固后不易被水流冲刷带走，所以它可以快速封堵漏水孔洞或裂缝。

9.4 反渗透堵漏

该技术是将导渗堵漏器固定在漏洞出口处，首先将出口水位抬高以便控制漏洞的发展，然后通过灌浆管加压，喷射特种浆液；使局部产生反向渗透，浆液经过渗漏通道移向漏洞的各个部位，在特定的设计时间内开始初凝固化变为固体，并且膨胀压密漏洞，使漏洞堵死。该技术方案适用于已发现集中渗漏出口而没有发现渗漏进口或进口在水下较深部位的情况。

9.5 液氮快速堵漏

液氮快速堵漏是利用液态氮的特殊物理性能，即超低温零下100℃，在施放到空气或水中时，会瞬间气化，使接触介质发生热量交换，从而使局部水域温度快速下降至0℃以下达到结冰的状态。利用这一特性，将液氮通过一种特殊装置快速准确充填到漏水通道内或漏洞口附近，使之局部快速结冰，使渗漏停止，以便采用其他措施加固堤防。

9.6 结语

(1)宋玉山指出❶：漏洞在各类险情中，是最危险的一种，但目前的抢险技术水平，对深水堵漏问题并不十分有把握。因此，堵塞漏洞技术的研究，是当前比堵口更为现实和迫切的问题，过硬的堵漏技术是防止大堤溃决的重要保障。

目前多数专家认为软帘铺盖（土工布或帆布篷）堵漏技术是最为有效的堵漏技术，但此项技术存在两个难点：一是漏洞在临堤坡有树木等障碍的堤段出现时或是3.5m以下的深水漏洞时，软帘很难快速准确地沿堤坡铺下去；二是因洞口难找而铺错位置，从而耽误堵漏时间，使漏洞扩大。本次现场模拟试验的结果已经证明上述观点。

(2)我们研究从背河快速堵漏的目的就在于克服上述缺点，不需要寻找洞口，什么地方漏就从什么地方堵，非常直观，所有的设备和材料都放置在抢险车上，也便于快速反应。尽管背河堤坡上有树木等障碍物也不影响，将设计装备好的约100m长的高压胶管可以很方便地通到背坡各处进行堵漏，在条件许可的情况下，上述两种方法结合将是比较完善

❶ 黄河防汛总指挥部办公室.黄河堤防堵口堵漏等技术座谈会专家意见汇编，1999年5月

可靠的堵漏方案。

(3)采取背河堵漏,本质是通过背河漏洞出水口,将导向管伸进洞内一般为 2~6m,进行高压喷射快凝材料,开始浆液在水流作用下会倒流,并在洞口附近凝固,并使漏洞逐渐变小,而且在很短时间内一般为 2~5min 达到闭气,使漏洞抢堵断流,此后,在高压作用下,浆液逐渐向前移动或反渗透到土体中,或使浆液沿薄弱区域渗透,从而达到堵漏加固堤防的作用。

本研究成果还可用于输、泄水建筑物与土坝结合部位渗水及漏洞的抢护,以及深基坑开挖渗漏处理和加固。

(4)黄河堤防深水堵漏难度较大,但是必须在技术上尽快解决这一难题。有关单位应组织建立专项深水堵漏模型室开展试验研究。

参考文献

[1] 黄淑阁,王军.堤防漏洞发生规律与抢堵特点研究.人民黄河,2000(5)
[2] 李晓玲,等.黄河大堤堤基砂性土渗透变形特性研究.人民黄河,1999(7)
[3] 刘杰.土的渗透稳定与渗流控制.北京:水利电力出版社,1992
[4] 汪自力,高骥,李莉.黄河大堤渗流动态有限元分析.人民黄河,1992(7)
[5] 宋玉山,等.鼠类对黄河大堤的危害及防治方法.人民黄河,1986(6)
[6] 王德智,汪自力,等.大型机械推运散土堵漏技术试验结果分析.人民黄河,2002(7)

第四章　黄河河道整治工程险情分析及抢护对策

小浪底水库是下游防洪体系中的一个重要工程[1]，水库建成后，下游防洪标准将得到大大提高，综合效益显著，但河道泥沙淤积并没有从根本上得到解决，下游“悬河”局面仍未改善，河势游荡不定和堤防强度不足的问题依然存在[2]。根据三门峡水库的经验，小浪底水库运用初期，“清水”下泄，下游河道将出现严重侧蚀和塌岸，河势将发生新的变化，有可能出现严重险情。因此，防洪工程需要继续建设和完善，现行河道整治工程随着河道冲淤变化需要不断整修加固[3]。

为减少河道整治工程出险后的被动局面，增强防洪工作主动性，本章广泛收集国内河道整治工程方面有关新技术、新材料、新结构及其在设计、施工、运用、管理等方面的资料，在此基础上，重点对以下几个问题进行较深入的分析和研究。①分析和实地查勘不同结构、不同型式的河道整治工程对水流状况的影响和控导河势的能力，总结河道整治工程试验成功的经验和失败的教训；②通过河道整治工程模型试验，分析河道整治工程出险机理；③提出几种适应黄河特点的少抢险或不抢险新型坝结构型式及今后河道整治工程在减少抢险方面的试验研究方向；④分析总结黄河下游河道整治工程险情抢护对策；⑤分析总结水下基础探测技术方法，探讨采用新技术预测、预报河道整治工程险情的可行性。

第一节　河道整治工程概述

1.1　河道整治建筑物类型

黄河下游修建河道整治建筑物已有着悠久的历史[4,5]，随着科学技术的发展和经验的积累，建筑材料、建筑物类型、结构型式也在不断发生着变化。传统的河道整治工程技术主要可为两大类：一类为坝式防护工程（也称为坝式护岸），是以丁坝群体为主，属主动防护的治理措施。该措施可用来控制水流和缩窄主流游荡范围，调整河势并保护河岸免受水流的直接冲刷；另一类被称为平顺式护岸工程，该措施不改变水流方向，起维持河道现状和抗御水流冲淘滩岸的作用。黄河上实用的整治建筑物往往为上述两种型式的联合体，一般以丁坝为主，垛为辅，必要时坝垛之间加修防护工程。

按照建筑物与水流相互作用方式及对水流状态影响程度又可分为三类：第一类是以实体抗冲材料为主体的非透水性建筑物，该建筑物多系用土、石、混凝土、金属等材料构成，仅容许水流绕流和漫溢，不允许水流穿过建筑物，它对水流起着挑流、堵塞、导流等较大的干扰作用，例如一般的抛石或砌石护岸、丁坝或垛、土工枕、模袋混凝土等构成的各种整治建筑物均属此类。这一类建筑物往往存在基础被淘刷影响工程自身稳定的问题。第二类为透水性建筑物，能局部改变水流的流态，降低岸边流速，起到缓流落淤的效果，使岸边的冲淤态势发生改变，以达到护岸和稳定岸坡的目的；例如杩杈、挂柳、钢筋混凝土框架坝垛、钢管网坝等即属此类。也有一些建筑物介于两者之间，如透水丁坝、透水桩坝等，既有控导作用，又有缓流落淤作用。第三类为新型导流式建筑物，如导流翼板、螺旋锚潜障、防护裙台等，是近年来成为研究专题的新型技术。传统河道整治建筑物主要依靠材料及结构的强度来抵抗水流的冲击，而新型导流建筑物则对岸边水流因势利导，变害为利。这类建筑物既能控导水流，又能利用本身结构特点及其周围的流场结构和水力特性，降低水流对建筑物及附近床面的作用强度。

1.2 河道整治工程新型结构型式的试验

为了逐步改变汛期传统坝岸工程频繁抢险的被动局面，适应河道整治工作的需要，广大治黄工作者在充分发挥传统结构优势的前提下，不断利用新材料、新技术和新工艺，对整治工程的结构型式进行创新和试验研究[6]。从1971年修建长垣周营的砖渣混凝土管桩桩坝开始统计，近30年来，黄河下游特别是高村以上游荡性河段上进行的新结构型式试验就有20多种，几乎每隔一两年就进行一次新结构试验。1985年以前，在黄河上研究试验的新型整治建筑物结构主要有[7]：柴排坝、深水桩柳进占坝、混凝土连续墙坝、混凝土杩杈坝、旋喷桩坝、钢筋混凝土框架坝垛、压力灌注桩护岸、土工织物结构试验坝等。这些工程有的因对黄河特性因素考虑不周及受当时施工技术条件等限制，没能成功，有的则因施工复杂、技术要求高而未能推广应用，但都有一定的效果，取得了经验，为以后新结构、新工艺、新材料工程的应用研究打下了一定的基础。

20世纪80年代中期，随着土工合成材料的广泛应用，给黄河下游新结构坝的试验研究带来了历史性的革新与突破。李祚谟、李希宁[8,9]、吉祥[10]等通过实践认为，根据黄河下游河道的特点，黄河下游整治工程的结构型式宜采用以土工织物作为防冲材料的柔性结构。特别是“八五”期间，“减少抢险的丁坝结构及施工技术研究”作为堤防工程新技术研究专题列入“八五”国家重点科研攻关项目[7]。胡一三、王恺忱等[11]也对如下新的结构型式进行了总结：透水桩坝、长管袋沉排系列结构、网护坝结构、潜坝、挤压块沉排结构、编织袋沉排结构、铅丝笼沉排结构、塑料编织袋护根结构等，这些结构型式，在设计、施工及工程结构投资方面各有利弊，还有待于通过试验进一步优化。与野外试验相应，张红武新近通过试验研究了铅丝笼土工布沉排坝和土工织物防护联坝两种新的结构型式，这两种新型坝体结构新颖，防护性能较好，可在实际工作中运用。黄科院在研究南水北调中线穿黄工程治河建筑物防护试验及“网罩护根”[12]防止根石走失途径试验成果基础上，同时考虑到目前几乎所有的不同于传统工程的新结构，在黄河上都难以推广这一现实，提出了能适应河床冲刷变形需要的“网罩护根”防止根石走失的新型工程结构型式。模型检验结果表明，由于坝体已被土工织物及网罩块石所防护，故漫顶后仍具有较好的控导效果，且该结构造价低，便于施工，与传统的工程结构结合得较为理想，因此具有很大的实用价值。显然这种新材料、新结构型式，充分考虑了河工建筑物的特殊性及工程运用环境变化（河床冲淤变化、水流强度变化、水流含沙量变化、水位升降变化）等因素，遵循了“抗冲刷、料耐久、易修筑、少出险、省投资”的原则[13]。

1.3 新型坝的现场试验及推广应用

1.3.1 编织袋装水泥土沉排坝

1985 年 5 月,河南黄河河务局在封邱大功控导工程 12 号坝进行了编织袋水泥土沉排坝试验[14],结构见图 4-1。它是由众多藕状条形编织袋缝制在一起,组成所需尺寸的排体,袋内装配合比为 1∶10 的水泥土。沉排以上土坝基采用铅丝石笼、散石护坡。该结构施工方法复杂,技术要求高,全为手工操作,因此施工进度较慢,工程质量也不易控制。

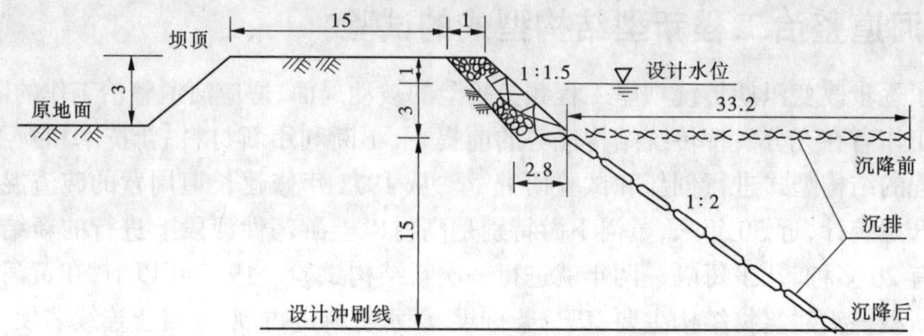

图 4-1 大功控导工程 12 号坝编织袋水泥土沉排断面(单位:m)

12 号坝自 1988～1994 年靠河以来没有出过大险,仅在靠河初期抢险用石 120m³。说明整个沉排起到了很好的防冲作用,达到了预期目的。

1.3.2 铅丝笼沉排坝

为探索旱地修坝的新途径,1990 年在中牟九堡、开封柳园口两工程处先后修建了以土工排布护底、铅丝笼压载的沉排坝。其结构及施工方法为:先用泥浆泵挖一深 4m 左右的基槽,槽内先铺放一层 400g/cm² 无纺布,再铺放一层编织布组合成防冲排布,上铺 0.3m 厚的秸料作垫层,最后压放铅丝石笼(见图 4-2)。两处工程建成后,靠河着溜,沉排下沉过程基本与原设计相符,但都出现了较严重的险情。

1.3.3 网罩护根坝

所谓网罩护根,就是充分利用已有的坝岸根石,在枯水位以上维持根石现状、枯水位以下自原有根石末端按稳定要求加抛部分根石,然后将新老根石用铅丝网片罩在一起,使松散根石结合成一个整体,从而提高根石抗御冲刷的能力。1991 年 9 月河南郑州马渡险工下首 85 号坝前新建散抛石垛采用了该项技术,经过连续几年的靠流冲刷,达到了设计预期目的。1992 年汛前山东东阿井圈险工 63 号坝也网护了一道坝,投资仅 2 万元。这两处工程自建成迄今已经多年洪水考验,效果良好。特别是"96·8"大洪水中,效果显著,其中在马渡险工,该垛上游及下游较远的丁坝均出现了较大险情,而该垛稳定无险。此外,由于网罩坝遭冲刷后根石坡度较缓,坝前冲深往往小于传统结构的丁坝,深坑位置也远离坝头,挑流作用有所增加,对下游坝垛亦有较大的掩护作用,促使始终靠大溜顶冲的

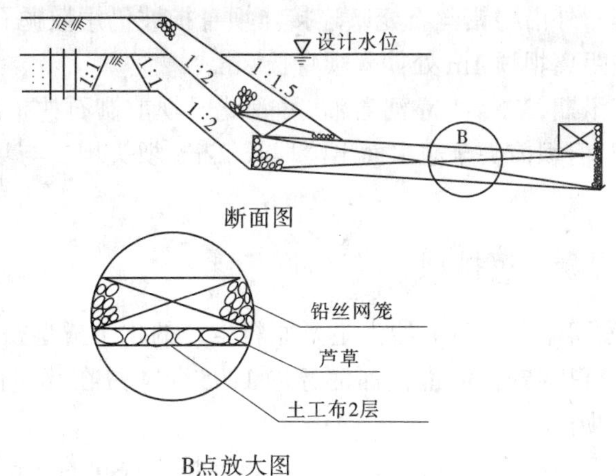

图 4-2 铅丝石笼沉排结构

马渡 85 号坝下游附近几道坝的抢险次数也大大减少。

最近,朱太顺、耿明全为便于推广网罩护根技术,提出了采用高强度的土工格栅材料制作网罩的方案,显然是很有意义的。同时也为以后施行"以网护石、以坝筑弯、以弯导流"提供了可能。

张红武等在"网罩护根"[12]防止根石走失途径研究成果及控导工程联坝过水、土工织物防护试验研究成果的基础上,提出了能适应大水漫顶需要的新结构(见图 4-3)。该坝体首先由土工布防护土胎,迎水面铺设范围 15～20m,背水面铺设 6～8m,其上再由块石进行裹护,为加强整体性,防止水流漫顶时冲刷和根石走失,块石上部罩护铅丝网,网沿系块石坠。

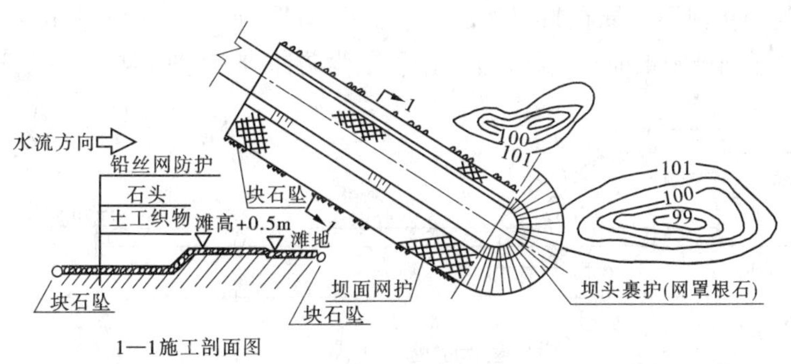

图 4-3 漫顶过水控导工程新结构型式及坝后冲坑形态

模型检验试验结果表明,由于坝体已被土工织物及网罩块石所防护,故洪水漫顶后该种结构的丁坝仍具有较好的控导效果,坝头冲坑距坝较远,有利于坝体的稳定。

1.3.4 柳石枕散石沉排坝

柳石枕散石沉排是利用土工织物结合传统筑坝材料修筑的又一种治河建筑物型式。1993 年汛前在郑州保合寨控导工程 31～37 号坝新建工程中首次采用。其结构设计为在坝基坡脚外滩面挖槽宽 10m,槽底铺土工织物排布,排布上压直径 1m 的柳石枕及厚

0.5m 的散石抛护，排布外沿与铅丝石笼坠连接。坝身护坡仍用散抛石，护坡石料与坝基之间铺放的土工布在距离坝顶 1m 处伸入坝身长 2m。

工程建成的当年汛期，37 号坝靠河着溜，尽管此时坝前柳石枕护底沉排仍可以发挥抵御水流淘刷的作用，但坝前头至迎水面出险段长 22m，坝头坦石与坝基被冲走，险情严重。

1.3.5 挤压块或混凝土沉排坝

近几年，黄委开发研制出以黄河沙为主要原料生产的化学成型挤压块。根据国内外铰链混凝土块土工布沉排结构，河南黄河河务局 1995 年 4 月在郑州保合寨控导工程 24 号坝修建了挤压沉排坝。

挤压块的块体中间留有两个直径 5cm 的孔，以便挤压块间的连接。块体纵横向采用 ϕ10mm 腈纶绳(每根绳的允许拉力为 1 500kg)连接。设计沉排坡脚外宽 10～28m，坝基护坡部分仍采用挤压块排砌。

由于该工程 1995 年汛前完成，未经靠河及洪水考验，成败与否尚不能定论。而在老田庵工程修建的两道挤压块沉排坝，在“96·8”洪水退水期间，由于排上压载重量不足和坝体内孔隙水压力过大(退水期间排水缓慢)，沉排和土工布被水流掀起后，抢险十分困难，在大量抛护根石后，坝体方告平安。

1.3.6 长管袋沉排坝

以上所述各种结构的护底沉排大多只适用于旱地施工，而长管袋沉排主要是为了研究水中进占施工方法而提出的一种工程结构型式。

1988 年，河南黄河河务局在封邱禅房控导工程 34 号坝[10]，利用充泥长管袋修建软体护底沉排坝，根据沉排护根原理，长管袋沉排下层为防冲排布(图 4-4)。

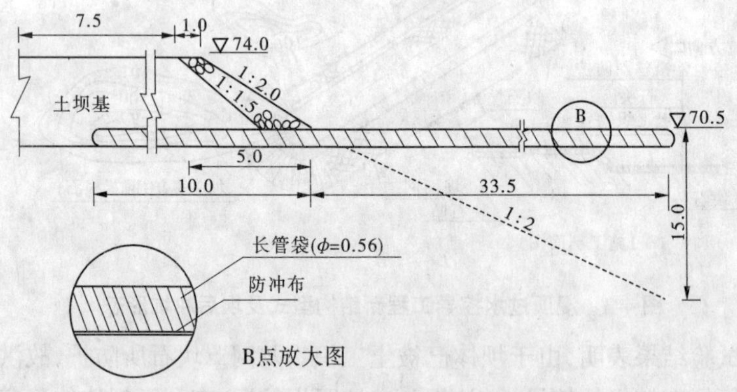

图 4-4 长管袋沉排坝结构(单位:m)

工程建成后，对沉排进行了探摸，未发现水平位移和走失，其沉排变形与黄科院张红武、汪家寅及江恩惠等的试验结果颇为相符，并且上面落淤厚 1.5～2m。

在总结禅房长管袋沉排试验坝成功经验的基础上，1990 年在原阳马庄工程下首进行了黄河下游又一种新的坝岸结构即潜坝的试验[15]。其结构特点仍是采用沉排护根基，同禅房34号长管袋沉排一样，先铺放防冲排布，然后在排布上用泥浆充填长管袋起压重作用。不同之处是禅房34号沉排坝只考虑坝前冲刷，而潜坝施工同时还考虑了坝顶漫溢后的坝后冲刷问题，因而沉排面积要大得多。潜坝坝体坐落在沉排之上，用铅丝笼及散抛石筑成，坝顶高程基本与当地滩面平。

该工程竣工后仅坝根（与老工程结合部）受水流顶冲下蛰出过险，潜坝坝身未发生任何险情。“92·8”洪水漫顶后，坝顶与坝后滩面分别淤高0.6～2.2m，但由于上游河道整治工程尚未配套完善，潜坝工程几年来靠河着溜机会不大，今后需要进一步加强观测，总结经验，提出推广改进方案。

1.3.7 褥垫式沉排坝和抽沙充填长管袋褥垫筑坝技术

为解决充沙长管袋沉排在水中铺放防冲排布时受气候及水流条件的限制，以及长管袋水下充填不易控制、易造成压载不均等问题，1992年在封邱禅房控导工程37号坝进行了褥垫式沉排护底试验。沉排由多个单元宽10～20m、长27～30m的两层土工布缝制的褥垫组成，底层为宽幅透水编织布，面层为折成“Ω”形缝在底层土工布上，褥垫内充填高浓度泥浆。工程完工的当年汛期靠流后，发生较大险情，主要原因是刚性护坡水泥土面板不能适应下部变形，下滑出险。1993年对排体进行了水下探摸，褥垫整体未发现断裂撕破现象，冲刷坑外移且褥垫变位不大。

在总结封邱禅房控导工程34号长管袋沉排试验坝和37号褥垫式沉排坝修建经验的基础上，河南黄河河务局于1998年6月采用泥浆泵岸边抽沙，充填长管袋褥垫，修建了马渡94号沉排丁坝。充沙长管袋褥垫沉排柔性好，能随时适应河床冲坑变形，以减免坝垛抢险。在1998年汛期经过2 700m^3/s和4 700m^3/s两次洪水顶冲，未出现根石下蛰、塌陷等险情。而与之相邻的93号坝，则两次出现根石下蛰险情。这表明，抽沙充填长管袋褥垫筑坝技术在黄河河道整治中将有较大的推广价值。

1.3.8 铰链式模袋混凝土沉排坝

模袋混凝土是使用新型机织化纤布作模型袋，内充具有一定流动度的混凝土或砂浆，在灌注压力的作用下，混凝土或砂浆中多余的水分从模袋内被挤出，形成高密度、高强度的固结体。

根据两层模袋布间的联结方式不同，它可分为两大类：一类是整体式混凝土模袋；另一类是相互关联的分离式混凝土模袋，因块与块间由模袋内预设好的高强绳索连接，类似铰接，故也称铰链式混凝土模袋。国内现使用较多的是整体式混凝土模袋，而铰链式混凝土模袋运用较少。黄委于1994年6月结合科技攻关项目，在河南郑州马渡险工26号坝及27号坝之间的护岸首次利用铰链式模袋混凝土修筑护岸工程下部沉排800m^2，以防止该处堤岸受水流淘刷不断坍塌后退，危及堤防安全。1999年5月淄博市黄河河务局在高青北杜控导工程6号坝及9号坝之间布置长242m的铰链式模袋混凝土沉排坝，采取水下施工方案首获成功。

1.4 透水桩坝的现场试验及推广应用

透水桩坝是另一种以混凝土为主要材料的新型河工结构型式，是河道整治工程结构中区别于传统实体坝的一种透水建筑物。其主要作用是减缓过坝流速,坝后落淤造滩,同时控制河道主流摆动,起到整治河道及防洪保安全的目的。

1.4.1 钢筋混凝土框架坝垛

钢筋混凝土框架坝垛[16]是内蒙古自治区1976年提出的结构型式。它为透水结构,上部为三角形框架,迎水面布置透水率为20%~35%的挡水板,下为沉排,框架为等腰三角形(见图4-5)。

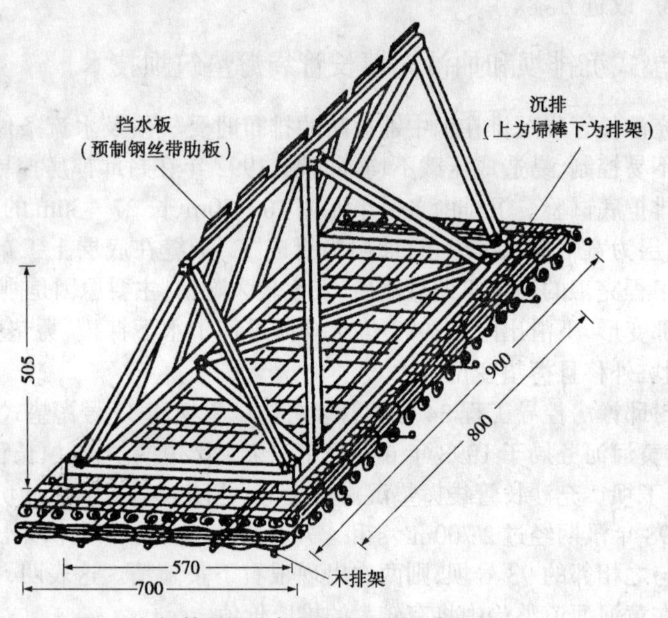

图4-5 钢筋混凝土框架坝垛结构(单位:cm)

钢筋混凝土框架坝垛确实对落淤防冲有一定效果,但也有明显的缺点,当水中漂浮物较多时,将会堵塞框架,造成壅水过高,甚至坝垛遭破坏。

1.4.2 钢管桩网坝

黄河内蒙古五原河段,长60km,河道宽1 500~2 500m,主槽宽80~200m。河道不稳定,溜势左右摆动剧烈,为防止坍岸,1988年在韩五河头险工段修了7道钢管桩网坝[17]。钢管桩网坝工程是以5根长度为7~9m、直径51~64mm的钢管作桩材,沿坝轴每隔5m打桩一根,将8号铅丝网片挂在桩上,上部用横梁将桩连成整体(见图4-6(a));桩入土深度不小于桩长的3/5,并在上游侧设两根4股8号铅丝拧成的拉绳,以防向下游倾倒;上游坝根处抛一排铅丝石笼,把网片下端固定在河底(见图4-6(b))。钢管桩网坝结构型式和钢筋混凝土框架坝类似,同样需要解决堵塞和结构稳定性问题。

1.4.3 鄄城苏泗庄桩坝

1979~1980年,山东黄河河务局在鄄城县苏泗庄险工段修建了两道(41号、42号)钢筋混凝土透水桩试验坝。从运行情况看,这两道坝具有一定的挑溜作用和较好的缓溜落

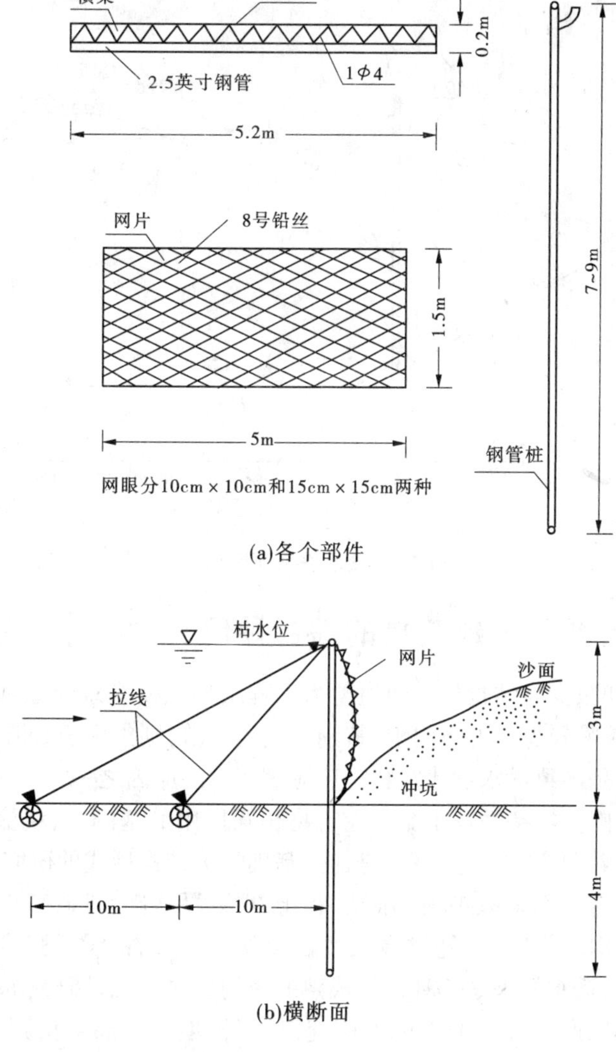

图 4-6　钢管桩网坝结构型式

淤作用,但倒桩、断桩较多,应从平面布置、结构和施工工艺等方面分析原因,提出改进措施。

1.4.4　郑州花园口桩坝

河南黄河河务局在总结苏泗庄透水桩坝经验的基础上,对透水桩坝的平面布置和结构进行了改进,于 1987 年在郑州花园口东大坝下延工程处修建透水桩坝一道。

花园口透水桩坝于 1988 年 5 月完工,当年便经受了汛期 6 次超过 5 000m^3/s 流量的洪水考验。自 1988 年至今,靠河靠溜几率 50%,没有发生断桩、倒桩现象,坝后缓溜落淤效果明显,坝前冲刷坑也不大,运行效果良好,达到设计要求,说明其抗冲刷效果良好。坝后冲淤形态见图 4-7。

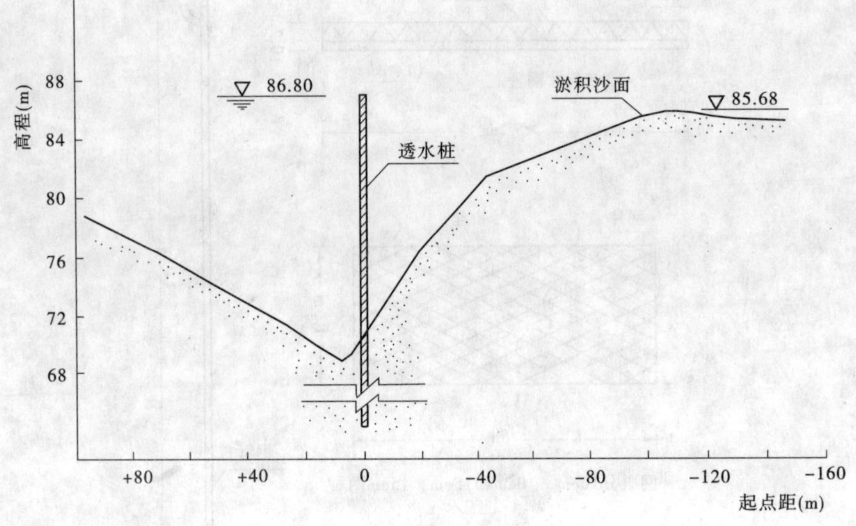

图 4-7 透水桩坝前后剖面

1.5 对不同新型河工建筑物的综合评价

在国内,防止和减少险情抢护的河道整治工程结构主要是绕流型和透水型两种建筑物,新型导流式建筑物较少。在黄河上,特别是黄河下游,则集中于绕流型建筑物,濮阳杩杈坝试验失败可能是导致透水性建筑物推广应用较少的原因之一。

在分析坝垛周围流场特性及水流和建筑物相互作用的基础上,绕流型建筑物新结构型式的试验研究沿着两个方向进行:一是加强基础防护结构型式的研究,以增强抵御水流冲刷的能力。对原有工程采取护根和固基措施,或做深基础,且改变散抛根石的结构型式。用沉桩方式做深基坝,桩长超过最大冲刷深度,桩体结构满足强度要求,无须抢险。工程运行情况表明,透水桩坝是一种比较成熟的结构型式。二是研究沉排护底形式,尽量避免近坝范围内河床产生较大幅度的冲刷变形;沉排坝的上部结构则与传统坝垛一样。沉排的种类很多,黄河上众多新型坝的试验结果表明,不管沉排压载采用何种材料以及压载与防冲排布以何种方式结合,至关重要的是排体要有一定程度的柔韧性,具备适应河床变形的能力。

从河工建筑物特性及对工程环境变化的适应能力分析可以看出,长管袋褥垫式沉排、铰链式模袋混凝土沉排、混凝土透水桩坝、网罩护根等四种结构具有一定优势。各种结构的特点分述如下:

(1)长管袋褥垫式沉排,是在缝织于反滤布上的高强机织反滤布长管袋中充填泥沙形成压载排体,既无压载体脱离反滤布之忧,又无反滤布被压载滑动破坏之虑,适应河床冲刷变形的能力较强,旱地和水中均可施工,利用黄河泥沙作为充填物,真正做到了就地取材,降低工程成本。用重量轻、柔性好的机织反滤布织成的长管袋,可以工厂化生产,便于运输,既能保证质量,又可确保工期。利用泥浆泵作为充填工具,使该项新技术在黄河上的推广有了良好的物质基础。在施工中应尽量缩短管袋暴露时间,防止日光暴晒,一定要处理好排布之间接缝，严格掌握护坡和沉排接合部位的施工质量。土工织物沉排护底工程适宜在水浅、流速较小的条件下施工，流速较大时，排体难以定位和稳定。该排压载全系反滤布长管袋维持，管袋布在含沙水流的长期冲刷下，强度是否会下降的问题还未深入研究，这关系到压载的失去和沉排的消失，而由此带来的险情是灾难性的。小浪底水库建成后，清水冲刷有可能造成排体裸露，加速排布老化问题，对此应研究对策。

(2)铰链式模袋混凝土沉排的排体柔性和整体性均较好，适应河床变形能力也较强，护底效果好。压载体由混凝土构成，基本上不存在老化问题。因此，由铰链式模袋混凝土沉排形成的护基形式也可视为一种永久性建筑物。此外，旱地和水中均可施工，采用的是工厂化生产的材料，施工效率高，质量有保证。但是这种沉排坝投资大，施工复杂，存在着混凝土配比及水下施工要求潜水工配合等问题，需专业队伍施工，施工场地条件要求较高。

(3)混凝土透水桩坝是一次修成，不需抢险，具有既能控导溜势、又不影响水流自然漫滩及滩槽的泥沙交换等特点，延缓了“二级悬河”发展趋势。但这种工程一次性投资大，施工较传统坝复杂，按目前施工水平只能在旱地施工，辅助工程投资增大。

(4)网罩护根与铅丝笼沉排坝有类似之处又有区别，相同之处是结构简单，施工方便快速，区别主要在用于网护的铅丝网或土工网仅罩住根石台的顶部和侧面，底部根石仍可随河床冲刷下蛰，以适应河床变形，而铅丝笼内块石则受铅丝笼6个面的约束，完全是一个整体，适应河床变形能力差。铅丝笼沉排主要适用于旱地新修坝，而网坝则比较适用于已建工程的根石加固。

在修建河道整治工程时，必须因地制宜，选择合适的工程结构型式。对某一处河道控导工程，也可考虑在迎流段及导流段修长管袋沉排坝，在直线出溜段修透水桩护岸或铰链式模袋混凝土沉排护岸。根据黄河下游河床特性及各类结构型式的施工特点，可灵活掌握工期，允许建设单位选择有利时机施工，既可保证质量，又可节省投资。针对小浪底水库修建后，河南河道险工及控导工程因河床刷深，根石走失而出现险情增多的情况，网罩护根和四面六边透水框架抢护技术对于减少工程出险程度、抢险次数有较大作用。

第二节　河道整治工程险情类别及险情分析

2.1　黄河下游河道工程险情分类

黄河下游多年平均输沙量为16亿t，其中约有4亿t的泥沙淤积在下游河道内，致使河床不断升高，并形成“悬河”或“多级悬河”，使洪水漫堤及堤防冲决的危险性逐年加大。为了加大河道的泄洪能力，减少游荡性河道主流的摆动幅度，经过长期的探索和试验研究，得出黄河下游河道整治工程、险工和控导工程相互配合，共同担负控导主流、理顺河势、减少游荡、护滩保堤的任务，以达到防洪减灾的目的[11]。所谓险工，即为了抵御水流对堤防的冲蚀作用，在堤防经常靠流位置修筑的坝垛工程；控导(护滩)工程，即为了控制河势流路，保护滩地免遭冲蚀坍塌而修筑的河道工程。

随着人民治黄事业的不断发展和治黄工作者的不懈努力，目前河道整治工程已初具规模，河势基本上得到了控制，这也是黄河五十年安澜的重要原因之一。但是黄河游荡性河段的整治工程距规划要求还相距甚远,存在着工程不配套、不完善现象,随着河道来水来沙条件变化,河势将会产生新的调整,“横河”、“斜河”等畸形河势仍时常发生,河势的变化不仅给防洪工作增加了难度,也使现有的河道工程险情不断增加,这是河道修防工作者面临而且要认真对待的课题[18]。

黄河下游河道工程险情按照工程类别可分为堤防险情、坝岸险情及涵闸险情,本文着重对堤防险情及坝岸险情进行分析。

2.2 险工及控导工程险情

险工及控导工程经常出现的险情有坍塌、滑动、漫溢、溃膛塌陷等[19]。

(1)坍塌险情。坍塌险情有护根坍塌、护坡坍塌、护坡与护根同时坍塌及部分老坝基与护根护坡整体坍塌等。这是坝垛的护根石被大溜冲失或坝垛的基础被主流严重淘刷时,坝垛失稳而导致的突发性险情。坍塌的速度取决于工程根基强弱,新修工程则多以猛墩猛蛰的形式出现,即突然发生大体积的坍塌险情。

(2)滑动险情。滑动险情主要发生在险工上,当坝较高,坡度较陡,基础较差时,坝岸在自重和外力作用下失去整体稳定,使坝体护坡、护根连同部分土胎沿弧形破裂面向河槽滑动。滑动情况可分为骤滑、缓滑两种:骤滑险情发展很快,易发生在水流集中冲刷处,抢护比较困难;缓滑险情发展较慢,发现后应及时采取措施抢护。

(3)漫溢险情。漫溢险情主要发生在控导护滩工程上,由于坝顶允许漫溢而又无抗冲材料防护,当过坝水流流速较大时,使土坝顶部造成冲刷破坏。

(4)溃膛塌陷险情。坝垛溃膛也叫淘膛后溃(或串塘后溃)。在中常洪水水位变动处,水流透过保护层及垫层,将坝体护坡后面土料淘出,蛰成深槽,导致过水行溜,进一步淘刷土体,使保护层及垫层失去依托而坍塌,严重时可造成整个坝垛溃塌。

险工及控导工程险情发生的原因主要有以下几方面:

(1)造成险情的因素。造成坝垛险情的因素很多:有规划设计方面的原因,如坝垛布局不当、标准不足、护根过浅等;有施工方面的原因,如坝基土质差、未压实、护根护坡坡度较陡、使用石块质量不足或粒径过小等;有管理方面的原因,如常年失修、观测不及时、抢护不力、反滤失效等;有水流方面的原因,如河势不稳、大溜顶冲、水位高、流速较大等;有地质方面的原因,如沙质河床、层淤层沙(称为“格子底”)等。坝垛险情是水流与坝垛相互作用时产生的,因而,最根本的原因是坝垛的结构型式和强度与水流特性是否相适应。

(2)丁坝附近的水流结构[13]。由于河道整治工程对水流流场的影响,丁坝附近流场具有复杂的水流结构(见图 4-8)。丁坝使上游水流受阻,过水断面减小,形成壅水收缩,使行进水流的流向和速度都发生较大变化。迎水面表层绕流速度呈“根部小、头部大”的分布,即坝根附近流速小、壅水明显,靠近坝头处流速大、壅水小,在流速梯度产生的剪切力作用下,在靠近坝根上游局部区域内形成一顺时针立轴回流区。冲向坝面的水流分为两部分:一部分平行坝面行进,绕坝头向下游运行,坝头附近流线集中,单宽流量增大;另一部分沿坝面折向坝垛底脚再绕坝头而行。至于二者之间的比重,试验中定性得出随距坝的距离和坝身部位不同而变化的规律,即前者与后者之比值,随距坝前远近而相应地由小变大;在坝头附近,沿坝面的下降水流与流速增大的纵向水流结合形成斜向河底的马蹄形螺旋流，螺旋流又分为两部分，一部分为流向大河的螺旋流A，另一部分则为沿坝面绕坝头流向下游的螺旋流B。螺旋流B至坝下游因坝后水流流速较小和水流间的剪切力作用而骤然扩散，在坝后形成尺度较大的漩涡体系和坝后回流区。丁坝绕流水流强度与来流方向密切相关，来流方向与坝垛轴线之间的夹角越小，沿坝面向下游运行部分的水流强度就越大，也就是说，坝的送溜作用就越强；夹角越大，则折向坝垛底脚及回流部分的强度就越大，螺旋流的旋转角速度也增大，在一定工程基础条件下，这几部分水流强度的大小及不同组合决定了坝垛险情的大小及表现形式。

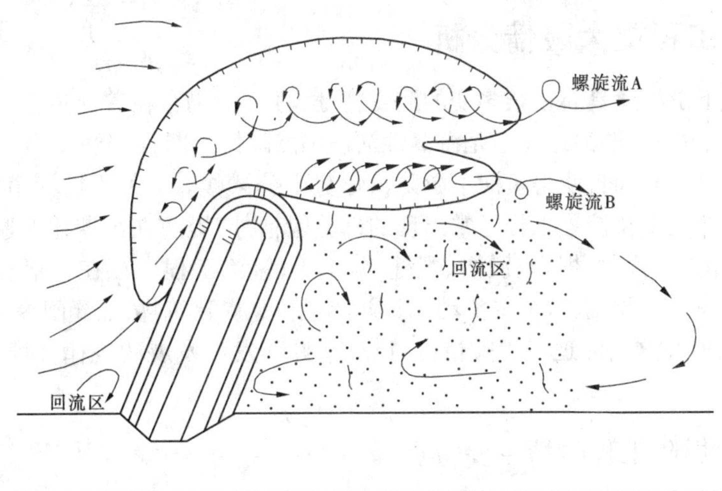

图4-8　丁坝附近水流流态及冲坑形态

(3)丁坝出险机理分析。根据大量的工程出险观测资料[20~23]和模型试验资料[24]可以看出，前面提到的马蹄形螺旋流决定了丁坝前冲刷坑的形态和大小，这是引起工程出险的决定性因素。螺旋流A为丁坝挑流所致，因其沿坝面向河心旋转，一方面可以冲揭坝坡坦石；另一方面还将坝根附近泥沙带向下游，在工程受水流顶冲处往往形成冲刷坑，从而对坝垛迎水面及上跨角危害较大。特别是当洪水较大且以较大入流角度顶冲工程时，对坝迎水面产生强烈冲击，威胁坝迎水面及上跨角的安全。螺旋流B一方面造成丁坝坝头附近床面的冲刷，且增大坝前漩涡体系的强度，使坝头冲坑进一步发展；另一方面在坝前头(丁坝轴线对应部位)向下区域水流边界层扩散分离引起尾流漩涡，尾流漩涡的每一个(列)都是一个低压中心，像真空吸尘器一样，使坝头附近床面泥沙阵发性外移运动，促进坝头冲刷的发展和冲坑扩大，加之螺旋流B的旋转影响而使坝坡面遭受水流抽吸和脉冲作用，使传统柳石丁坝基础根石松动而迅速散落(至冲刷坑内)或下蛰走失，造成坝垛裹护体脱坡下滑、坝体断裂而生险。

影响坝头冲坑范围和深度的因素比较复杂，除与来水流量大小有关外，还与来流方向(即水流与坝轴线的夹角)和坝形(包括坝坡坡度)、坝头防护措施和坝头河床地质组成等因素有关；上游来水流量增大(行进流速增大)，来流方向与坝轴线夹角增大，坝前马蹄形螺旋流强度增大，冲刷坑范围随之增大，同时冲刷坑最大深度位置随来流方向与坝轴线夹角的增大而逼近坝前。

当冲刷坑形成时,丁坝坝高相对增加,自重增大,稳定性明显减弱,特别是当冲刷坑逼近坝根时,会造成坝垛原有坡脚破坏,根石及坦石失稳,形成险情。在水流强度较弱时,坝前冲刷坑的发展比较缓慢,丁坝险情较轻,这时如抢险料物跟进及时,丁坝基础会迅速得到加固,险情不会扩大。上游来流的情况以及险情的发现是否及时,成为制约抢险成效的重要因素。但是,在实际工程中往往由于上游来流方向和主流顶冲位置上提下挫变化不定,冲刷坑发展迅速,险情发现滞后,抢险料物投入不及时,造成坝身土胎外露,土体迅速被水流带走,使险情恶化。

2.3 堤防工程重大险情分析

由于黄河下游河道具有复杂多变的演变特征,且目前仍存在着河道整治工程配套不够完善的问题,黄河下游河道尤其是游荡性河段仍然险情不断,甚至形成了“工程年年修,险情年年抢”的被动局面,使得黄河下游防洪形势十分严峻。黄河下游河道发生的险情,除前面所叙述的险工及控导工程经常出现的部分险情外,堤防在汛期还普遍存在的险情有漏洞、渗水、滑坡、管涌、坍塌、漫溢、裂缝、陷坑等;整治工程也存在有根石(或坦石)下蛰、坝根后溃、串水溃膛、猛墩下蛰滑动、坍塌等险情;穿堤建筑物,如涵闸等也存在特有的险情[19]。分析研究这些河道工程险情的特点,掌握其发生发展的规律,对于黄河防洪意义重大[25]。

2.3.1 历史堤防工程险情主要特点

表4-1为黄河下游河道不同洪峰流量下堤防工程险情统计。从中可以看出,洪峰流量越大,堤防出现各类险情的次数越多。1958年8月这场新中国成立以来流量最大的洪水,堤防出险次数最多,险情集中表现在渗水、塌坡、管涌、裂缝、陷坑等几个方面。类似这样的情况还有1949年(花园口流量为12 300m^3/s)和1954年(花园口流量为15 000m^3/s)洪水。这种形势主要由历史原因造成,黄河堤防工程堤身单薄,质量较差,汛期险象环生,险工与控导工程数量有限,且大多数属秸料修筑而成,对河势的控导作用非常有限,内部千疮百孔,抵御特大洪水的能力很低。1977年河道通过大规模整治之后,堤防工程险情明显减少,但控导工程和险工的出险几率则迅速上升。如1982年汛期(花园口流量为15 300m^3/s),河南河段共有29处工程229坝段出险,共抢险329坝次(见表4-2),而大堤的出险次数、渗水长度、管涌处数及裂缝长度远远少于1976年(花园口流量为9 210m^3/s)。整治工程修建后,其导溜作用避免了部分险工直接受溜顶

表4-1　　黄河下游河道不同洪峰流量下堤防工程险情统计

年份	花园口站		出险次数	渗水长度(m)	塌坡长度(m)	漏洞(个)	管涌(处)	裂缝长度(m)	陷坑(处)
	流量(m^3/s)	水位(m)							
1958	22 300	94.42	1 998	59 962	23 879	13	4 312	1 392	156
1976	9 210	93.42	1 700	102 519	75 131	3	2 925	3 778	34
1982	15 300	93.99	1 136	6 619	355	3	83	798	27
1996	7 600	94.73	170	40 383	0	0	8	5 280	3

冲,减少了主溜顶冲平工段长度,减轻了临堤防洪的压力。但因堤防险情分布较广,整治工程控导能力有限,堤防偎水,仍有可能造成堤身渗漏、背河管涌、坍塌、滑坡以及裂缝等险情,同时又增加了整治工程抢险的负担。

表 4-2 **黄河下游河南河道整治工程险情统计**

年份	险工出险			控导护滩工程出险				出险工程合计	
	处数	坝数	坝次	处数	坝数	坝次	漫顶处数	坝数	坝次
1976								406	755
1982	14			15				229	365
1991	6	21	77	26	135	382		156	459
1992	23	107	245	30	223	694		330	939
1993	10	50	229	26	241	681		291	910
1995	10	47	97	27	144	417		191	514
1996	7	26	54	69	486	2 209	287	512	2 263

2.3.2 河道工程险情特点

20 世纪 80 年代中后期以来,随河道来水来沙量逐年减少,甚至断流现象频频发生,河床边界条件不断恶化,主河槽严重萎缩,泄洪能力逐年下降,致使河道工程险情连年不断,防洪压力陡然增大。这种防洪形势不仅表现在中常洪水条件下,即使在中小洪水时也易造成重大险情。河道工程险情不仅发生在汛期,非汛期也时常出险。黄河下游高含沙水流具有明显的造床作用,其中洪水演进的异常现象对于河道工程防护丝毫不可放松,同样,低含沙或清水冲刷阶段同样可给河道工程造成险情或危害。现状河道工程险情特点主要是险情多、分布广、抢护困难等。

如 1985 年汛期,9 月 17 日花园口站流量为 8 100m^3/s,由于禅房主流下挫,顶冲 23 坝、24 坝、25 坝、26 坝,致使 4 道坝发生墩蛰,入水长度依次为 50m、63m、72m、110m,宽 6～8m,高 4～5m;1996 年汛期,仅河南段就有 76 处工程、512 坝发生险情,累计险情 2 263 坝次,重大险情基本上集中在控导工程上。从险情的时间分布上,有涨峰阶段、洪峰阶段和落峰时期,落水阶段出险几率最大(见图 4-9)。

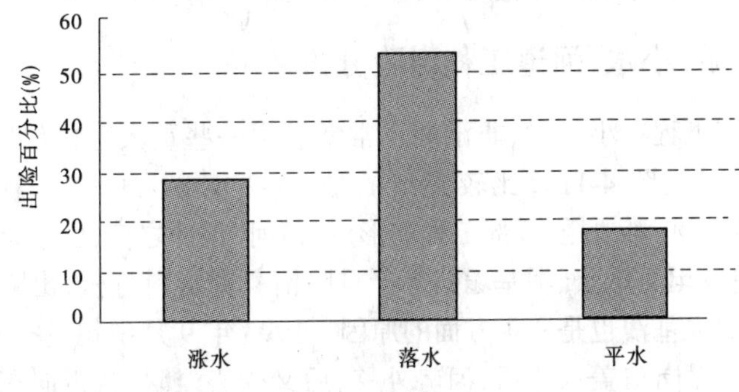

图 4-9 洪峰过程丁坝出险频率

也有许多险情出现在小流量洪水时期。出险工程多数为1970年以后修建的河道整治工程,还有一些工程过去未曾靠过河,没有经历抢险加固的过程,根基浅,抗御洪水冲击的能力有限。整治工程险情特征主要表现在根石走失、坝基坍塌、坝体裂缝以及漫顶过流和丁坝冲毁等。造成上述河道险情时的河势概况为以下几方面:首先是工程靠流造成基础淘刷;其次是工程上游河势变形,引起水流坐弯,形成局部的“横河”或“斜河”顶冲;此外,水位高也是引起工程漫顶过流、冲决坝体的重要原因。黄河下游河南省段整治工程重大险情及水流条件见表4-3。

2.3.3 高含沙水流对河道整治工程的影响

众所周知,黄河“善变”的特性,不仅反映在河道本身的冲淤变化,流路变化,同时,其来水来沙量也是千变万化的,这也是黄河治理难度较大的一个重要方面。黄河下游河道整治工程生险并非完全发生在大水年份,在一些典型水沙组合年份同样可引起重大险情,高含沙洪水就是其中的一种[26]。新中国成立以来,黄河下游先后在1959年、1970年、1973年、1977年和1992年多次出现高含沙洪水(见表4-4),这些洪水给河道工程造成的险情危害程度丝毫不亚于其他大水年份所造成的险情。这样的洪水具有突发性和洪水演进的异常性,因而也更具危险性。高含沙洪水对河床演变的影响主要表现在冲淤变化方面,主槽的剧烈冲刷(局部河段的“揭河底”现象)和滩地的大量淤积,在洪水传播方面,表现在洪峰与沙峰历时均较短,但水位表现却异常居高不下,而且持续时间较长,很容易形成堤防工程偎水出险,主流失控,有时出现发生“滚河”的危险局面。比如1976年洪水期间,高水位条件下就有长103km的堤防工程出现渗水现象。由于高含沙洪水的造床作用极强,这种洪水对控导工程安全威胁较大。如1982年洪水期间,仅河南河段就有花坡堤、北裹头、大张庄、常堤、禅房旧城、南小堤下延等工程不同程度地遭受冲刷破坏,造成较大险情;1992年洪水,河南黄河险工共出险23处(含沁河9处)、107道坝垛抢险245坝次,控导工程抢险30余处、223道坝抢险694坝次,抢险用料占全年的75%。

高含沙洪水,由于其水流条件以及洪水输移特性不同于一般洪水,高含沙洪水对河道又具备很强的造床作用,河道冲淤变幅较大,河势演变突发性强,是造成河道整治工程顶冲出险、堤防偎水靠流生险的重要原因。由于高含沙洪水对河道工程造成的险情更大,堤防与控导工程应以此作为重点防范对象。

2.3.4 黄河下游“小水”河道工程出险分析

黄河下游河道工程在小水时、非汛期也常常发生一些重大险情(见表4-5、表4-6、表4-7及图4-9、图4-10、图4-11),比较突出的是1993年8月中旬,当时花园口流量为2 000m³/s,由于受河心滩顶托,驾部工程前形成“横河”顶冲之势,由于该控导工程过去靠河机会较少,遂造成坦石墩蛰、坝基塌陷等严重险情。据资料分析,出险原因除水流因素外,护坦坡度陡、坝根基浅也是一个方面的原因。1993年9月中旬,花园口最大流量仅为1 620m³/s,大河出黑岗口盖坝之后,河势外移,后又受心滩阻挡,折向东南方向,形成“斜河”,顶冲黑岗口63号坝以下至高朱庄之间855m的平工段,造成高滩坍塌,直接威胁大堤安全。

表 4-3　**黄河下游河南段河道整治工程重大险情及相应河势条件统计**

工程名称	修建时间	出险时间（年·月·日）	花园口出险流量（m^3/s）	行洪宽度（m）	险情特征	河势概况
保合寨	1882 年	1952.9.30	1 870	100	大溜顶冲坝垛，大堤坍塌长度 45m，宽约 6m	河势坐弯形成“横河”，水流集中
九堡	1845 年	1953.8.10	3 660	300～400	根石蛰动	九堡上首对岸水流坐弯、主流顶冲九堡 15 号、16 号坝
海庄	老险工	1954.11.12	1 960	100	坝岸坍塌下蛰	水流坐弯后直冲险工
南裹头控导	枢纽	1964.9.23	6 000	400～600	工程坍塌，根石下蛰	主流顶冲
东大坝控导	老险工	1964.10	5 000	150	根石走失，坝岸坍塌	“斜河”顶冲
曹岗险工	1753 年	1981.8.26	6 219	300～400	根石走失，坝岸坍塌	河势上提，险工靠河
黑岗口险工	1737 年	1982.8.2	2 660～3 450	200～300	180m 长坦石平墩入水	河首先在大张庄工程坐弯，后折向东南，“斜河”顶冲黑岗口险工
郑州三坝	1722 年	1988.8	4 000	200	根石走失，坦石下蛰	河势变化大，“横河”顶冲严重
双井控导	1969 年	1988.8	5 000	350	根基淘刷，坝体坍塌	工程靠溜
驾部控导	1973～1991 年	1989.5	1 000	500	根石走失，坝体平墩	“斜河”淘刷，工程靠溜
驾部控导	1973～1991 年	1993.8	2 000	70	根石走失，坝岸下蛰	滩心顶托，“横河”顶冲
蔡集控导	1979	1995.9.3			根石走失，坦石下蛰	河势上提坐弯，塌滩

续表 4-3

工程名称	修建时间	出险时间（年·月·日）	花园口出险流量（m^3/s）	行洪宽度（m）	险情特征	河势概况
大玉兰 2 坝	1970	1996.8.13	5 250（小浪底）	300	坦石入水，土胎外露	工程临背偎水，河势上提，“横河”顶冲，滩地坍滩
驾部 8 护	1973	1996.8.6		200～300	护岸坍塌 130 余米，宽 5m	河心滩阻滞，水流北折，大溜顶冲
老田庵 23 坝	1996 年	1996.8.6～21	7 600～1 000	500～200	坝基坍塌，挤压块下蛰	洪峰回落时，水流包围工程背坡，相继河势上提，形成大溜顶冲
南上延新 2 坝		1996.8.7			坝顶漫水，护坡坍塌	大河水位上涨，迎水面遭大溜冲刷严重
李桥险工	1960 年	1996.6～8 月			坝基坍塌，根石下蛰	坝靠主流顶冲严重
韩胡同控导	1970 年	1996.8.12～16			联坝坍塌，坝体猛墩	河势上提，腹背受水，大溜顶冲
蔡集控导 32 坝～35 坝	2003 年新建 29 坝～35 坝	2003.9～10	800～2 000	300～400	坝基坍塌，根石下蛰	受洪水前期畸形河势持续上提的影响，长时间大溜顶冲，导致工程生产堤冲决
王庵工程－14 垛	2003.9 抢修	2004.6	2 450	200～300	坝基坍塌，根石下蛰	王庵上首连续塌滩坐弯

表 4-4　　　　花园口站历年典型洪水特性

时间(年·月·日)	1973.8.30	1976.8.27	1977.7.9	1977.8.8	1982.8.2	1992.8.16
洪峰流量(m^3/s)	5 020	9 210	8 100	10 800	15 300	6 260
水位(m)	94.18	93.22	92.90	93.19	93.99	94.33
最大含沙量(kg/m^3)	450	53	546	809	47.4	534

表 4-5　　　　游荡河段历年丁坝出险流量统计

流量(m^3/s)	<1 000	1000～2 000	2 000～3 000	3 000～4 000	4 000～5 000	5 000～6 000	>6 000	合计
出险坝次	23	97	28	43	56	16	25	288
百分数(%)	8.0	33.7	9.7	14.9	19.5	5.6	8.6	100
流量频率(%)	57.1	26.6	7.8	3.6	3.1	0.9	0.8	100

表 4-6　　　　洪峰过程丁坝出险情况

水势	涨水	落水	平水	合计
出险坝次	184	344	115	643
百分比(%)	28.6	53.5	17.9	100

表 4-7　　　　丁坝险情年内分布情况

月份	1	2	3	4	5	6	7	8	9	10	11	12	7～10
出险坝次	18	6	18	21	26	54	129	345	246	130	37	24	850
百分比(%)	1.7	0.6	1.7	2.0	2.5	5.1	12.2	32.7	23.3	12.3	3.5	2.3	80.5

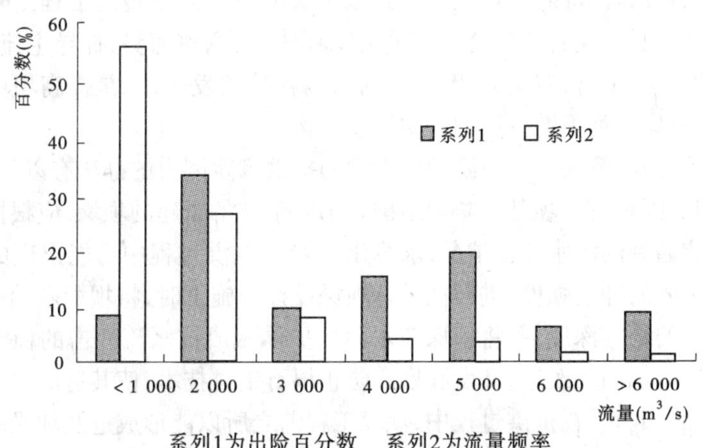

图 4-10　游荡河段历年丁坝出险流量统计

现状河道条件下，河道工程重大险情基本上集中在控导工程方面。图 4-10、图 4-11

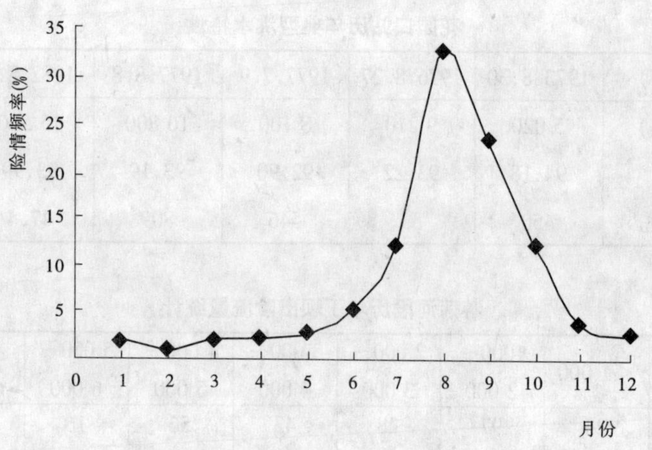

图 4-11　丁坝险情年内分布频率

表明，黄河河道工程险情不仅易在大水时期发生，小水时、非汛期也可能发生；在 1 000～2 000m³/s 流量下出险的频率最高，可达到 33.7%；但险情主要集中发生在 7 月、8 月、9 月、10 月份中。

中小水，这类险情发生的根本原因是水沙条件以及河道边界条件的变化，引起河道局部河势变形，常见的“横河”、“斜河”、“畸形河湾”等，使工程失去对河道的控导作用，引起一系列工程险情。险情多集中在控导护滩工程方面。

随着黄河下游河道大洪水出现机会的减少和中小水行河时间的增长，河道工程在中小水作用下出险的机会必然增加，中小水出险的主导条件是河势变化和由此引发的顶冲坝岸而形成。因此，加强对河道河势的控制和河势变化的预测，将是控制和预防此类险情发生的重要措施。

2.4　减少河道整治工程出险的基本途径

通过河道整治工程出险成因分析可以看出，减少黄河下游河道整治工程出险的基本途径有两条：一是合理规划，完善和配套河道整治工程体系，调整河势、控导主流，使水流能平稳顺畅地沿整治河道下行，避免或减少“横河”、“斜河”的发生；二是提高坝垛工程的抗洪御险能力，研究适应黄河下游特点的新型丁坝结构。

通过前面的分析可知，解决黄河下游坝垛工程的抗洪御险能力的办法有以下三点：

(1)深基做坝和加固现有丁坝基础防护结构。①对于准备新建的坝垛，应根据坝垛工程在运行过程中可能遇到的洪水冲击情况，求算出坝垛在抗洪过程中可能出现的最大冲刷坑深度和水流对坝面的冲击强度，进而在进行坝垛设计和施工时，将坝垛基础做到设计最大冲刷坑深度以下的稳定深度，并将坝垛迎水面裹护体做成抗水流冲击的稳定结构型式。②对已建丁坝进行加固和改造，开发和推广防止根石走失技术，使其适应水流特性。

(2)修建沉排护底坝。①在抗洪过程中，坝垛工程前之所以能形成危及坝垛基础安全的冲刷坑，主要是由于坝垛坐在可动性大、抗冲蚀能力弱的沙土软基上。②如果能在坝垛未抗击水流之前，在坝前一定河床范围内(可能形成危及坝基安全的冲刷坑范围内)铺设保护河床的排体，便可逼使冲刷坑外移，使河床冲坑不能对坝基安全构成威胁，不能造成坝垛基础根石下蛰走失，从而达到坝垛不抢险的目的。

(3)缓流落淤或新型导流式建筑物。河道整治工程出险主要取决于水流对其作用的性质和强度。传统丁坝结构虽然起到了控制水流和缩窄主流游荡范围的作用，但是对建筑物的强度要求很高，这种结构使坝头附近流线集中，并产生马蹄形螺旋流，使行进水流演变成对建筑物破坏性更大的水流结构。上面所述深基做坝或沉排护底都是属于防护措施，新的防护工程的构思是使建筑物既能控导水流，又尽量降低水流结构对建筑物本身的破坏性，这就是轻型框架式结构和新型导流式建筑物。虽然这种建筑物目前还不多成熟，但是体现了这种构思。轻型框架式结构起到了分散水流、削减能量、降低流速的作用，有缓流落淤的效果；新型导流式建筑物则是利用建筑物来控制和改造水流结构和动力特性，从而改变河床冲淤势态，减少出险几率。

2.5 小浪底水库运用初期下泄清水对下游河道工程的影响

目前小浪底水库已建成并投入运用，它将会对黄河下游的防洪发挥极其重要的作用，使下游河道堤防的防洪标准大大提高，但这并非说下游防洪就没有任何问题了[27]。

据三门峡水库的运用经验，小浪底水库运用初期下泄清水期间，黄河下游河床将发生严重的侧蚀现象，滩岸发生坍塌，河势变化加剧，从而使河道工程的出险几率增加。根据目前确定的小浪底水库的初期运用原则，下游河道汛期将经常处于 3 000m^3/s 左右的流量过程，加之下泄清水的影响，都将对现有河道整治工程产生一定的影响。因此，近期急需开展小浪底水库运用初期下泄清水对下游河道工程的适应性及合理性研究[28]。

2.5.1 2000 年游荡性河段河势演变情况

2000 年是小浪底水库蓄水运用后的第一年，水量偏枯，但下泄清水，河槽刷深，新滩增多，局部河段的河势发生了明显的变化。神堤至京广铁桥河段，河势很不规顺，主流呈现"之"字形三过伊洛河口断面，1999 年新建的张王庄工程已远离主流区，基本不靠河；枣树沟工程也靠流不紧，东安工程已发生脱河，距大河 400 多米。京广铁桥至武庄河段河势变化相对较小，近两年沿黄河公路桥形成的北南流向河势消失，工程靠河部位上提至公路桥以上，形势略有好转；武庄至大功河段现状流路与规划流路相差较远，许多河道整治工程仍不靠河，如三官庙、韦滩、大张庄、柳园口、大功等工程，主流基本居中。柳园口至东坝头河段，大功至古城的畸形河湾依然存在。由于曹岗险工导溜、送溜能力差，河出曹岗就基本成直河，欧坦前滩坎导流，大河直入常堤与贯台工程之间的空裆儿，呈入袖之势。该畸型河势自 1999 年汛前形成后，愈来愈严重，若不及时加以整治，将危及贯台工程安全。

2.5.2 游荡性河段河道整治存在的问题

20 世纪 50 年代，黄河下游开始了有计划、有步骤的河道整治，限制了主流摆动幅度，缩小了游荡范围。但是，近期特别是 2000 年的河势演变情况说明，目前游荡性河段河道整治还存在许多问题：

(1)部分工程不靠河或靠河几率低。在工程不配套、不完善的河段，由于控导工程迎溜、送溜形势不理想，工程导流能力较低，主流摆动频繁，极易出现部分工程不靠河或靠河几率低的现象。如黑岗口至柳园口河段,90 年代以后主流北移,北岸无工程制约,导致柳园口险工长期脱河,失去控导作用、影响本河段及以下几十公里长河段河势的稳定。

(2)"横河"、"斜河"或 S 形河湾等畸形河势经常发生。游荡性河段在小水的长期作用下极易形成"横河"、"斜河"或 S 形河湾,"横河"、"斜河"顶冲险工、威胁堤防安全的险情依然存在。如 1994 年 8 月 17 日以后,花园口流量 2 000m^3/s 左右,"横河"顶冲九堡下延工程,致使 137~141 号坝相继出险,137 号、138 号坝险情较大。

(3)现行河势与部分工程规划位置出入较大。目前对游荡性河段整治,主要采取改变游荡特性,转化为比较稳定的微弯型河型的整治原则,按照这一原则,过去部分工程规划位置与现行河势出入较大,短时间内河势演变达不到工程规划的位置,大大制约了河道整治的进程。

2.5.3 小浪底水库运用初期游荡性河段河道演变预测

国家"九五"攻关及黄河流域(片)防洪规划期间,黄科院开展了"黄河下游河道整治工程适应性分析"、"黄河小浪底至苏泗庄河段物理模型试验研究"及"黄河下游河道整治规划治导线检验与修订试验"工作。试验结果表明:小浪底水库投入运用后,工程控导条件较好的河段,如铁谢至大玉兰、花园口至武庄及东坝头以下河段,河床冲刷以下切为主,平面变形受到有效控制,经过长期调整,规划工程基本达到了控导河势的效果。但在工程控导能力较差的河段,如伊洛河口至花园口、九堡至大张庄河段,河势变化较大,河床下切与展宽并存,在 2 000~3 500m^3/s 中小流量的长期持续作用下,往往会造成滩地大面积坍塌和控导工程脱溜,河势朝不利方向发展。

从已经运行多年的汉江丹江口水库下游来看,黄家港至碾盘山河段,建库前为游荡性分汊河段,建库后下泄流量调平,洪峰大为削减,枯水流量加大,在相当长的河段内含沙量大幅降低,水流流路比较稳定,主槽普遍刷深,逐步形成了稳定的中枯水河槽,深泓逐渐固定,并且从上游逐渐向下游发展[29]。

黄河小浪底至苏泗庄河段物理模型试验研究结果表明,水库下泄清水,下游河道自上而下发生明显的沿程冲刷,平滩流量及过洪能力增加,河势向单一规顺方向发展,河床综合稳定性增大,游荡性削弱,但河型仍为游荡型。

马渡河段由于工程相互配套,河道相对稳定,且受主流顶冲,河床下切深度较大。而在其下游的黑石至大张庄河段,由于河道不稳定,河床遭受冲刷的同时,主流在 5 000m 宽的一个大扇面上游荡,从而限制了河床的下切深度,滩地不断冲失,河床愈行宽浅,水流散乱,河道游荡。总之,小浪底水库运用初期对冲刷下游河道,促使其减弱游荡强度,改善河型,是有利的;但是由于游荡性河段河势演变的复杂性、多变性、随机性和不均衡性,单纯依靠水库调节来治理游荡性河段是不够的,河势未得到有效控制的河段,仍将处于游荡不定的状态。因此,应加快黄河下游河道控导工程的建设,促使水流集中,增加河床下切深度,改善其防洪的不利局面。

目前,黄河下游游荡性河段河道整治工程布点工作已经基本完成,如何使这些工程尽快发挥作用,控制河势,以期达到河道的长期相对稳定,今后须进一步加强观测研究,特别是对于一些典型河段,如马庄河段、九堡河段、三官庙河段、柳园口河段、王庵河段等,这些河段的畸形河湾尚未得到改善,能否达到规划流路还难以预料,尤其在小浪底水库控制运用后,河床稳定需要的时间可能会更漫长。

2.6 黄河下游河道控导工程建设问题

"冲决"为历史上黄河下游三大决口形式之一,主要发生在河势没有被控制的情况下,突然变化,出现"横河"、"斜河",水流顶冲堤身造成的。因此,河道控导工程建设,是保障黄河下游防洪安全必不可少的重要措施之一。

经过几十年的建设,目前陶城铺以下河段的河势已基本得到控制,高村至陶城铺河段的河势已初步得到控制,高村至孟津白鹤 300km 长的河段只布设了一部分控导工程,河势游荡变化仍很剧烈。特别是高村至桃花峪河段,河长 206km,堤距宽 5～10km,最宽处达 24km,河槽宽 3～5km,是黄河下游冲淤变化最为剧烈的河段,历史上黄河下游的重大改道都发生在本河段。黄河在这一河段发生决口造成的淹没面积和损失最大。因此,该河段成为黄河下游防洪任务的重中之重。

人民治黄 50 多年来,黄河下游河道治理工程建设的重点一直是堤防的加高加固,特别是 1998 年长江、松花江发生大洪水后,国家用于大江大河堤防加高加固的投资力度进一步增加,就黄河下游河道的实际情况看,在投资有限的情况下,首先确保对堤防进行加高加固无疑是正确的,但面对小浪底水库已于 2001 年全部竣工并投入运用,下游河道的控导工程建设已显得迫在眉睫。

国内外工程实践证明,水库修建后都将对其下游河道的河势演变产生不同程度的影响,在多沙河流上修建的水库更是如此。小浪底水库改变了下游游荡性河道的来水来沙条件,河道断面形态将随之发生调整。这种调整,将会造成两方面的后果:一是使无控导工程的河段河道展宽,河势演变加剧;二是对一些河段已有控导工程的安全带来问题。为此,必须加紧研究并采取相应的防范对策[18]。

首先,要依据物理模型试验结果对原控导工程的规划进行修订。值得提出的是,在以往的研究中,有关单位曾对此开展了大量的物理模型试验和分析研究工作,但由于各方面条件的限制,河道初始地形采用的是较早些时期的实测大断面资料,小浪底水库的出库水沙条件也是较早时期的研究结果,与现实条件有些不同,这些因素在一定程度上削弱了试验结果的准确性和指导性。因此,当务之急是应用最新的河道初始地形和通过小浪底水库运用方式研究得出的最新出库水沙条件开展物理模型试验,并据此对控导工程原规划的适应性进行检验和修订。

其次,按照修订的控导工程规划,抓住小浪底水库投入运用初期的有利时机(若贻误时机,则由于河道展宽,滩地塌失,修建工程的难度和工程量都将大大增加),尽快使控导工程完善起来,特别是一些关键河段的控导工程(如赵口至黑岗口河段),否则,还有可能对其下游河道已经修建的控导工程产生破坏性影响。同时,应依据模型试验结果,对已建控导工程作必要的调整。

第三,完成了上述工作,也非一劳永逸,小浪底水库投入运用后,仍不能排除控导工程出险的可能性,因此仍需作出抢险预案,以策安全。

第三节　河道工程险情模型试验

从长期的治黄实践经验得知,游荡性河道通过“微弯型”整治方案,可以达到控导主流、稳定河槽、改善河道水流条件的目的。

模型水槽由两个弯曲段组成,进口和弯道中间由顺直段连接。模型的中部弯道段为局部动床段,其他段为定床。模型为正态,几何比尺为1:100。弯道半径相当于原型河道2km,丁坝设置在弯道局部动床段上。

由于黄河下游河道险情多集中在控导、险工、大堤等工程方面。因此,本项试验研究突出对单丁坝、双坝工程的冲刷和相应的防护技术措施进行探讨[30,31]。

3.1　模型设计

(1)水流运动相似。水流运动相似严格地说应含水流的流态及紊动相似等。但是在实际操作过程中,由于试验条件等因素所限,往往只能根据试验任务或目标要求,选择与所研究的主要问题关系密切的水流和泥沙运动在某些方面的相似。研究河道散抛石丁坝及附近床面冲刷时,须保证水流纵向运动、横向运动和垂向运动相似,这就要求模型必须做成正态。模型水流须遵循水流运动的重力、阻力及运动时间相似准则[13,32],即

水流运动重力相似　　$\lambda_V = \lambda_H^{1/2}$　　(4-1)

水流运动阻力相似　　$\lambda_n = \lambda_L^{1/6}$　　(4-2)

运动时间相似　　$\lambda_t = \dfrac{\lambda_L}{\lambda_V} = \lambda_L / \lambda_H^{1/2}$　　(4-3)

由水流连续方程得出水流流量比尺　　$\lambda_Q = \lambda_L \lambda_H^{3/2}$　　(4-4)

比降相似　　$\lambda_J = \dfrac{\lambda_H}{\lambda_L}$　　(4-5)

(2)泥沙运动相似。模型主要研究河床冲刷问题,模型应满足河床冲刷相似、抢护材料抗冲相似等条件,以便研究坝头冲刷出险及堤防坍塌出险的对策问题等。

模型床沙冲刷相似须满足如下泥沙起动相似条件:

$$\lambda_{\tau 0} = \lambda_\tau \text{ 或 } \lambda_{V0} = \lambda_V \tag{4-6}$$

根石起动相似条件,原则也可以采用。

河岸冲刷相似,涉及问题较多,须通过预备试验确立。

(3)根石起动相似条件。黄河下游河道工程根石走失,是河道防汛抢险长期存在的重要问题,且又是难以解决的问题,因此根石运动的模拟试验研究具有十分重要的应用价值。

根石块体尺寸的选择,是在已知水流的作用下块石可能发生的滚动或滑动的临界条件下得出的,此时水流动水压力与石块浮重产生的摩阻力相等,即

$$C\left(\frac{\pi d^2}{4}\right)\gamma \frac{V^2}{2g} = \mu\left(\frac{\pi d^3}{6}\right)(\gamma_s - \gamma) \tag{4-7}$$

式中:d 为块石的等值粒径;γ_s 为块石容重;γ 为水的容重;V 为作用在石块上的流速;C

为块石的形状系数；μ 为摩擦系数。

在葛路特(Groat)早期的试验结果中 $\mu=0.2, C=0.73, S=\gamma_s/\gamma$。

$$V_c = 0.43\sqrt{2g(S-1)d} \tag{4-8}$$

而苏联伊斯巴什的室内试验结果以及西德哈通等人的试验结果为

$$V_c = (0.86-1.2)\sqrt{2g(S-1)d} \tag{4-9}$$

引入单宽流量及冲坑水深之后的块石起动流速的临界粒径为

$$d = \frac{(\frac{q}{h})^3}{27.4\sqrt{h}} = \frac{V^3}{27.4\sqrt{h}} \tag{4-10}$$

河道工程坍塌出险时，进行抛石裹护，这些散抛石大多分散于坝坡位置，因此位于斜坡底部的块石的起动流速可采用张瑞瑾教授公式：

$$V_0 = 5.45kh^{0.14}d^{0.36} \tag{4-11}$$

其中 $k=\sqrt{\dfrac{m^2-m_0^2}{m^2+1}}$。

式中：V_0 为块石的起动流速，m/s；k 为系数；h 为水深，m；d 为块石粒径；m 为根石边坡系数；m_0 为块石稳定边坡系数，当取块石内摩擦角为45°时，$m_0=1$。

在正态模型试验中，采用小石子作为模型块石，$\lambda_k=1$，式(4-7)～式(4-11)均可以求出 $\lambda_d=\lambda_H$，况且此次试验重点研究坝坡及其底部的根石，故采用式(4-11)比较合适。

消杀水流试验模型几何比尺选定为1:80，有关模型比尺数据详见表4-8和表4-9。

表4-8　冲刷及抢护试验模型基本比尺(整体模型)

比尺	水平比尺 λ_L	垂直比尺 λ_H	流速比尺 λ_V	流量比尺 λ_Q	运动相似 λ_t	糙率相似 λ_n	泥沙起动相似 λ_{V_c}
数值	100	100	10	10^5	10	2.15	10
依据	委托任务要求场地状况	试验要求	重力相似 $\lambda_V=\lambda_H^{1/2}$	连续方程 $\lambda_Q=\lambda_L\lambda_H\lambda_V$	运动相似 $\lambda_t=\lambda_L/\lambda_H$	阻力相似 $\lambda_n=\dfrac{1}{\lambda_V}\lambda_H^{2/3}\lambda_J^{1/2}$	$\lambda_{V_c}=\lambda_V$

表4-9　消杀水流试验模型基本比尺(局部模型)

比尺	水平比尺 λ_L	垂直比尺 λ_H	流速比尺 λ_V	流量比尺 λ_Q	运动相似 λ_t	糙率相似 λ_n	泥沙起动相似 λ_{V_c}
数值	80	80	8.94	57 243.3	8.94	2.08	8.94
依据	委托任务要求场地状况	试验要求	重力相似 $\lambda_V=\lambda_H^{1/2}$	连续方程 $\lambda_Q=\lambda_L\lambda_H\lambda_V$	运动相似 $\lambda_t=\lambda_L/\lambda_H$	阻力相似 $\lambda_n=\dfrac{1}{\lambda_V}\lambda_H^{2/3}\lambda_J^{1/2}$	$\lambda_{V_c}=\lambda_V$

3.2 模拟试验条件

3.2.1 工程条件

根据游荡性河道工程的特性,经过概化而确定的工程条件如下。

单丁坝:坝身长100m,形状为直线的圆头型,边坡为1:1,坝基为砂性壤土且以散抛石裹护,块石粒径20~60cm,重量为20~75kg。

群坝:限于试验场地,以两个丁坝组合作为群坝工程试验,群坝间距以下式计算:

$$L = \frac{2}{3}S\cos\alpha + \frac{2}{3}S\sin\alpha \frac{6\cot(\alpha - \beta) - 1}{\cot(\alpha - \beta) + 6} \tag{4-12}$$

式中:α 为坝的方位角,一般为30°;β 为来流方向与坝轴线夹角;S 为丁坝长度。

堤防工程结合黄河大堤的实际情况,以顺堤行洪为主要出险特征进行抢险模拟。本次试验选择堤防干密度为1.50g/cm^3,土质为砂壤土。

3.2.2 水流条件

用工程前的单宽流量以及流向作为试验模拟条件。

单宽流量试验范围为10~15m^2/s,相应主槽的水深、流速范围见表4-10,相应原型流量一般为1 000 ~5 000m^3/s,水流与工程夹角选择30°~90°。

表4-10 预备试验各级流量水流要素统计

Q(m^3/s)	水深(m)	断面平均流速(m/s)	Fr	水面比降(‰)
2 000	7.9	0.06	0.068	2
3 000	9.4	0.08	0.08	2
5 000	8.5	0.15	0.16	2
6 000	12.0	0.125	0.36	2.5
7 000	13.0	0.13	0.36	2.5

3.2.3 模型沙选择

试验选用塑料沙作为模型沙,而后应用煤灰进行了模拟对比试验,并利用预备试验对塑料沙的起动流速作了系统的观测,试验结果见图4-12,从试验结果可以看出,试验水深H=10cm时,塑料沙起动流速为8cm/s;当H=1cm时,塑料沙起动流速为7.2~7.6cm/s,基本满足原型河道水深1m时的床沙起动相似,而煤灰作为床沙时按黄科院早期研究成果进行选定,中径为0.033~0.038mm,起动流速为10~12cm/s,能满足泥沙起动相似。根据以往的试验报告,该煤灰用来进行丁坝冲刷试验,基本上是可行的。

3.3 预备试验

为了保证试验的可靠性,在正式试验前,首先进行了预备试验。在制作的定床河槽

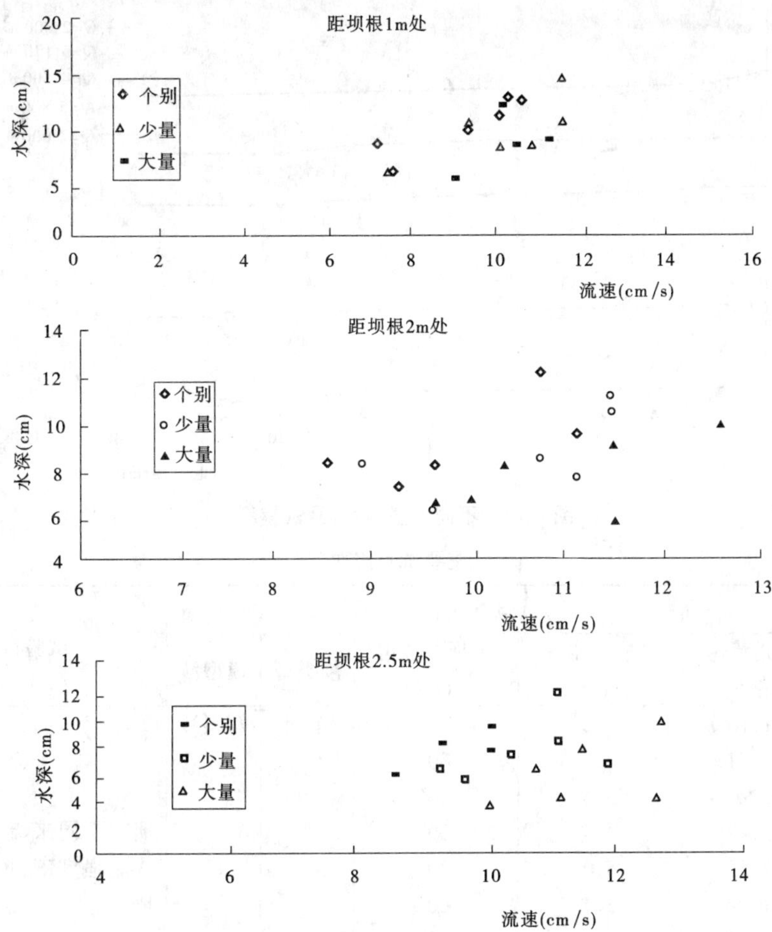

图 4-12　丁坝上游起动流速与水深关系(塑料沙)

中,施放不同级流量,对水流流态、水位进行观测分析,得到各级流量条件下的水力要素(见表 4-10),沿程各断面流速的横向分布及河势、流态如图 4-13 所示,沿程水面线如图 4-14 所示。

由流速分布图 4-13、水面线图 4-14 和表 4-10 中各水力要素特征值经与原型观测资料对比分析后,可以判断水流运动基本满足相似要求。试验共进行了 28 组次,详见表 4-11。

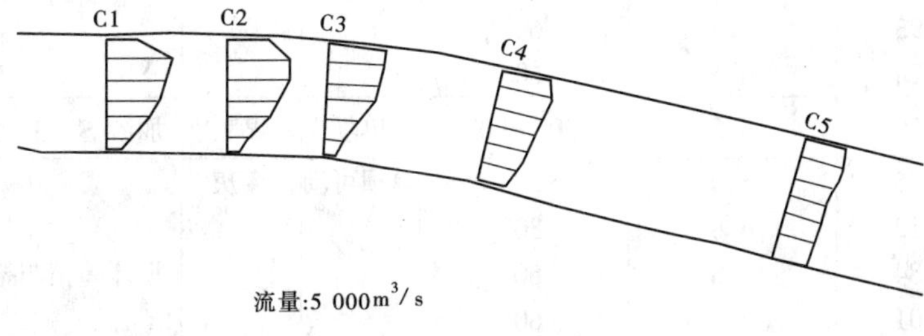

图 4-13　试验水槽横向流速分布

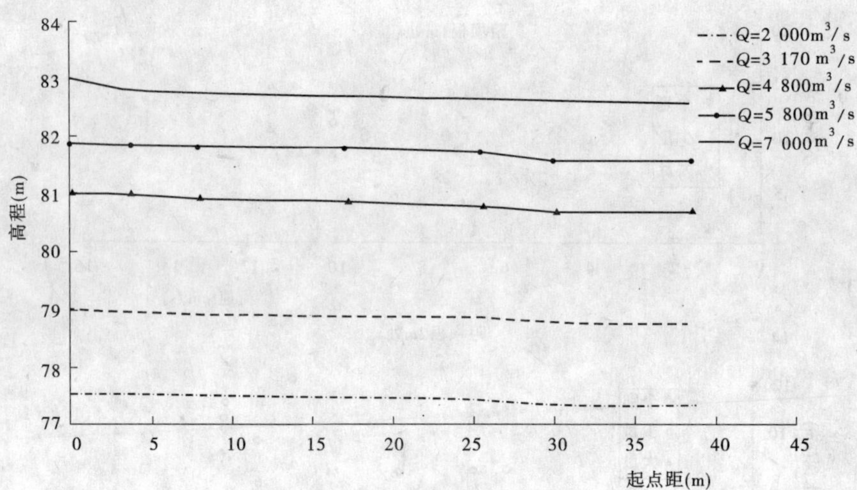

图 4-14　不同流量级水面线(模型)

表 4-11　　主要试验组次

组次	试验条件					试验目的
	行进流速(m/s)	冲刷前水深(m)	丁坝方位角(θ)	坝类型	模型沙	
1	1.16	2.2	30°	单坝	塑料沙	研究不同来流方向,不同水流强度下,单坝坝前冲刷
2	1.74	2.9	30°			
3	2.20	3.4	30°			
4	2.49	4.0	30°			
5	2.53	5.0	30°			
6	1.02	2.4	60°			
7	2.08	3.6	60°			
8	2.52	5.0	60°			
9	2.53	5.0	90°			
10	1.02	3.0	60°	单坝	塑料沙	根石走失及根石稳定坡度量测
11	2.20	4.8	60°			
12	0.90	2.7	60°	双坝	塑料沙	不同水流强度下,群坝前冲刷
13	1.74	4.4	60°			
14	1.90	6.5	60°			
15	1.14	2.0	60°	双坝	煤灰	
16	1.93	4.5	60°			
17	2.20	6.5	60°			
18	2.20	6.5	30°～90°	单坝	煤灰	加沙 $S=3\sim35kg/m^3$
19	1.55	5.0	30°	单坝可动	煤灰	坝体险情与抢护试验
20	2.12	6.8	30°			
21	1.84	4.5	60°			
22	2.01	5.7	60°			
23	2.22	6.5	60°	单坝		

续表 4-11

组次	试验条件					试验目的
	行进流速(m/s)	冲刷前水深(m)	丁坝方位角(θ)	坝类型	模型沙	
24	$V_{坝头}=1.68$	15	45°	单坝	定床	消杀水流速度为零时抢护体厚度和坡度量测(比尺1:80)
25	3.35	15	45°			
26	3.91	15	45°			
27	4.47	15	45°			
28	假堤水深 $h=6\sim10$m, $V=2.4\sim3.04$m/s					大堤冲刷和渗漏观测(比尺1:80)

3.4 单坝试验

为便于观测,首先进行清水冲刷试验。

3.4.1 丁坝对水流影响

3.4.1.1 丁坝上、下游的流态

河道边界条件是决定水流形态的主要因素,丁坝深入河槽后,过流宽度缩窄,必然改变水流运动状态。图 4-15 为单坝试验时丁坝上、下游的流态示意图。

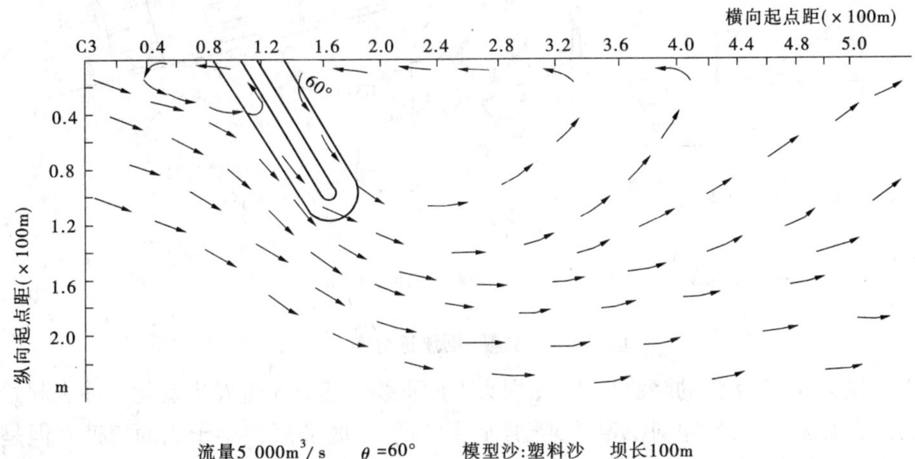

图 4-15 单坝附近水流流态示意

坝周围水流基本上可分为三个区域,即主流区、上回流区和下回流区。由于丁坝上游来流直接冲击丁坝迎水面,在垂直方向上产生下压水流和上翻水团,使得坝前壅水。上回流范围和强度,随坝的着溜长度和坝的方位角(即水流流向与坝轴线夹角)的不同而不同。试验观测到当坝的方位角为30°时,坝上游出现较小范围回流,随着角度的增大回流范围和强度在增加,当 $\theta=90°$时,坝上回流范围最大,经试验量测岸边逆向水流上溯距离约为坝长的1.2倍,宽度约为坝长的2/3。下回流区是水流经过坝时的离解现象造成的,绕坝水流与未被阻截的水流汇合,流速加大,两股水流相互作用,在坝头附近沿水流方向形成

一较大漩涡高速水流带,由此形成了坝的主冲刷坑。高速水流带的扩散水流与坝后静水区间的流速递度产生的剪切力导致坝后逆时针立轴大回流区。回流区的流速滞缓,此处明显出现泥沙淤积,并伴随着近岸的回流向上游运动,靠近联坝处有清晰可辨的沙波出现。试验观察到,坝下回流长度随坝的方位角变化而改变较小,但回流强度随坝的方位角增大而明显增大。经过多次试验统计,坝下回流长度为坝上的 3~5 倍。

3.4.1.2 **流速分布情况**

当坝长为 1.0m,坝方位角 $\theta=60°$时,单坝上下游各断面流速分布情况如图 4-16 所示。同没有布置丁坝时各断面流速分布情况相比,水流行进丁坝速度有所变小,同时因水流绕过坝头,其方向朝对岸偏转。在丁坝轴线对应的断面上流速分布发生剧烈的变化,坝头向外流速迅速增加并达到最大值,然后逐渐减小。最大流速出现在坝下游 C2 断面以下 200m 处的 C2+2 断面位置。坝下 800m 处的 C4 断面在未布置丁坝时,该断面流速由于弯道环流作用左岸大于右岸,同有坝时相比,C4 断面由于坝的挑流作用,右岸流速大于左岸,丁坝的影响范围大致至坝下 1.75km 处的 C5 断面。

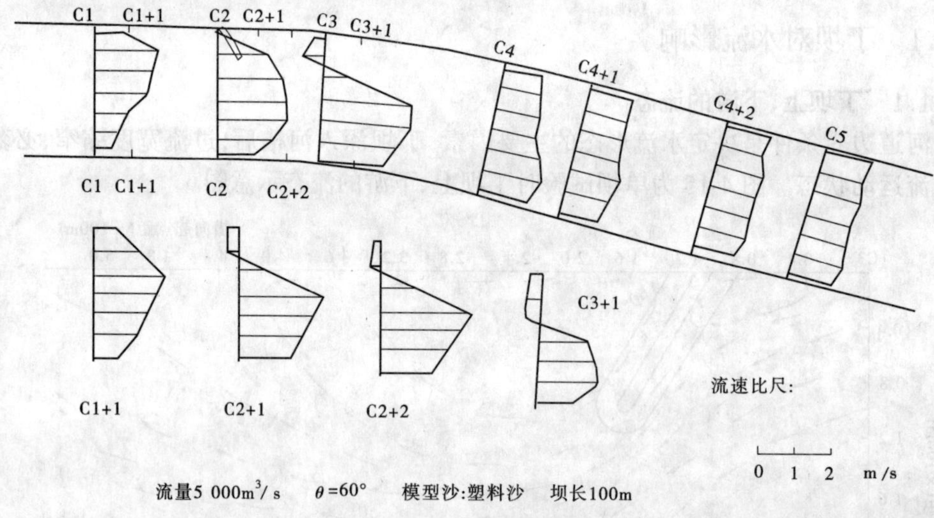

图 4-16 河道平面流速分布

在丁坝坝头,由于水流的绕流作用,在坝头附近垂线流速分布也发生变化。冲刷起始时自水面向河底流速增大,当冲刷稳定后,随着水深的增大,底部流速小于表面流速。但是坝头附近流态比较复杂,底部流速与表面流速呈交替增大或减小,即表现出所谓的间歇流态。

3.4.2 坝前局部冲刷

3.4.2.1 **冲刷过程**

试验观测到,坝前冲刷坑一般在开始放水后的前 30min(相当于原型 5h)内发展较快,放水 40min(约为原型时间 6.6h)时,实测冲深值可至最大冲深的 80%以上,其后虽然持续放水,冲坑深度发展缓慢,大约放水 20h(约为原型 200h)后,冲刷坑基本稳定。坝前冲刷坑的形态及范围与来流方向、流速大小、坝型、坝的方位角及坝前河床土质等特性密切相关。在试验条件下冲刷坑深度发展过程见图 4-17。

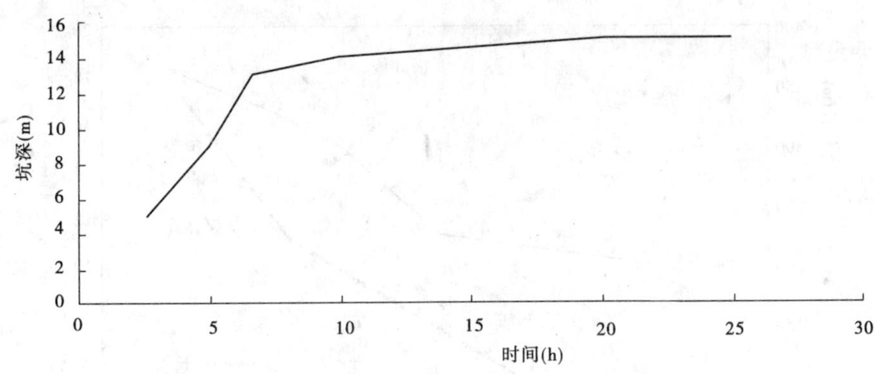

图 4-17　入流角 30°,单宽流量 10.05m²/s 冲坑深度变化

3.4.2.2　冲刷坑的形态和范围

通过对不同来流方向,不同水流强度和不同床沙组成等条件下多组次冲刷试验观测资料分析,发现河床冲刷起始于丁坝迎水面距坝根一般 1/3～1/2 坝长处,首先在坝的上跨角出现冲坑,随即再向上、下游及横向发展,待冲刷稳定后,最深点一般位于坝轴线前侧下方。冲刷坑范围和深度随来流方向和水流强度的不同而异。表 4-12 为坝的方位角相同、单宽流量不同,以及同一单宽流量、不同坝的方位角时,冲坑范围、最大冲刷水深及最深点距坝头的距离等。可以看出,坝前冲刷范围和大小不仅随来流强度的增大而增大,而且随来流方位角增大而增大。在水流与坝轴线的夹角相同时,随着单宽流量的增加,冲刷坑的范围与深度也在不断增大。图 4-18 清楚地表明了这种关系。当来流与坝正交时,在同一水流强度下坝前不仅冲刷范围最大,最大冲刷坑水深也较 $\theta=30°$时增大约 30%。这即意味着对于黄河原型丁坝受主流顶冲时,不仅坝前局部冲坑水深大,而且最大冲刷水深所在的部位距坝头也较近,这对于护岸丁坝坝头安全显然是不利的。图 4-19 中三图分别为同一单宽流量下,坝方位角分别为 30°、60°、90°时坝前冲坑形态。由图可知,稳定后冲坑最深部位在紧靠坝头附近及坝轴线稍下处,因这一部位的流速较大,水流紊动强烈,底部流速相对较大,因而此部位河床淘刷较深。这与黄河下游丁坝原型观测统计资料[4]是一致的。

表 4-12　　不同入流角丁坝冲坑形态及冲深统计

水流与坝轴夹角 θ	30°					60°	90°
单宽流量(m²/s)	2.53	5.06	7.49	10.05	12.50	12.50	12.50
冲坑范围长×宽(m×m)	80×20	100×36	160×60	220×90	350×120	400×150	440×160
最大冲坑水深(m)	10.25	11.3	14.43	16.45	18.1	20.8	23.8
冲坑最深点距坝头(m)	30	35	40	45	50	40	5
冲坑最深位置	坝轴线下游					坝轴线上游	

3.4.2.3　最大冲刷水深影响因素

影响坝前局部冲刷坑最大冲刷水深的因素十分复杂,主要有一为水流条件,如坝前行进流速 V、水深 h 和坝的方位角;二为坝类型,如迎水面坡度系数 m,坝靠流长度;三为河

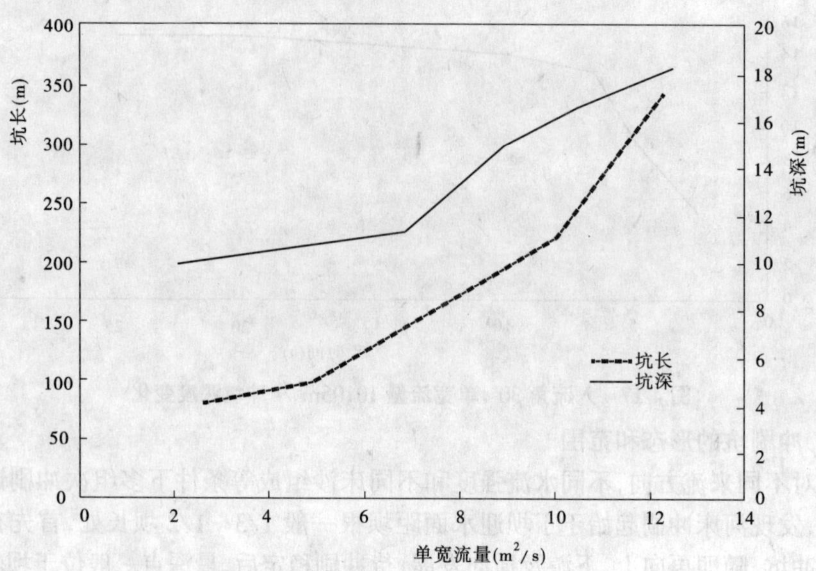

图 4-18 入流角 30°,单宽流量与冲坑关系

床抗冲能力,如床沙粒径 d 和比重 γ'。有关坝前最大冲刷水深的计算公式也较多,采用较适合于黄河实际情况的波尔达柯夫公式和张红武[24]公式对试验成果进行验算。其结果见表 4-13。

波尔达柯夫公式:
$$H = h_0 + \frac{2.8V^2}{\sqrt{1+m^2}} \cdot \sin^2\alpha \tag{4-13}$$

张红武公式:
$$H = \frac{1}{\sqrt{1+m^2}(1+1\,000S_V^{5/3})} \cdot \left[\frac{Vh\sqrt{D_{50}}\sin\alpha}{(\frac{\gamma_s-\gamma'}{\gamma}g)^{2/9}\cdot\gamma^{5/9}}\right]^{\frac{6}{7}} \tag{4-14}$$

式中:H 为最大冲刷水深;m 为坝迎水面坡度系数;h_0 为坝前行进水深;V 为坝前行进流速;α 为坝方位角;D_{50} 为河床中值粒径;S_V 为体积比含沙量;γ_s 为床沙比重,γ' 为水的比重。采用式(4-14)计算时,取 $S_V=0$, $m=1$, $D_{50}=0.35$mm, $\gamma_s=1.05$t/m^3, $\gamma=1\times10^{-6}$m^2/s。

表 4-13　　不同入流角条件下观测值与计算值比较情况

坝的方位角(θ°)		30°					60°	90°
行进单宽(m²/s)		2.53	5.06	7.49	10.05	12.50	12.50	12.50
行进流速(m/s)		1.16	1.74	2.2	2.49	2.53	2.52	2.53
行进水深(m)		2.2	2.9	3.4	4.0	5.0	6.0	5.8
最大冲刷水深(m)	观测值	8.28	11.3	14.43	16.45	18.1	20.8	23.8
	式(4-13)计算	2.87	4.40	5.8	7.1	8.2	15.43	18.47
	式(4-14)计算	9.36	15.37	20.5	25.2	29.6	43.8	48.5

当表 4-13 中坝的方位角为 30°时,坝前最大冲刷水深与行进流速、单宽流量的关系分

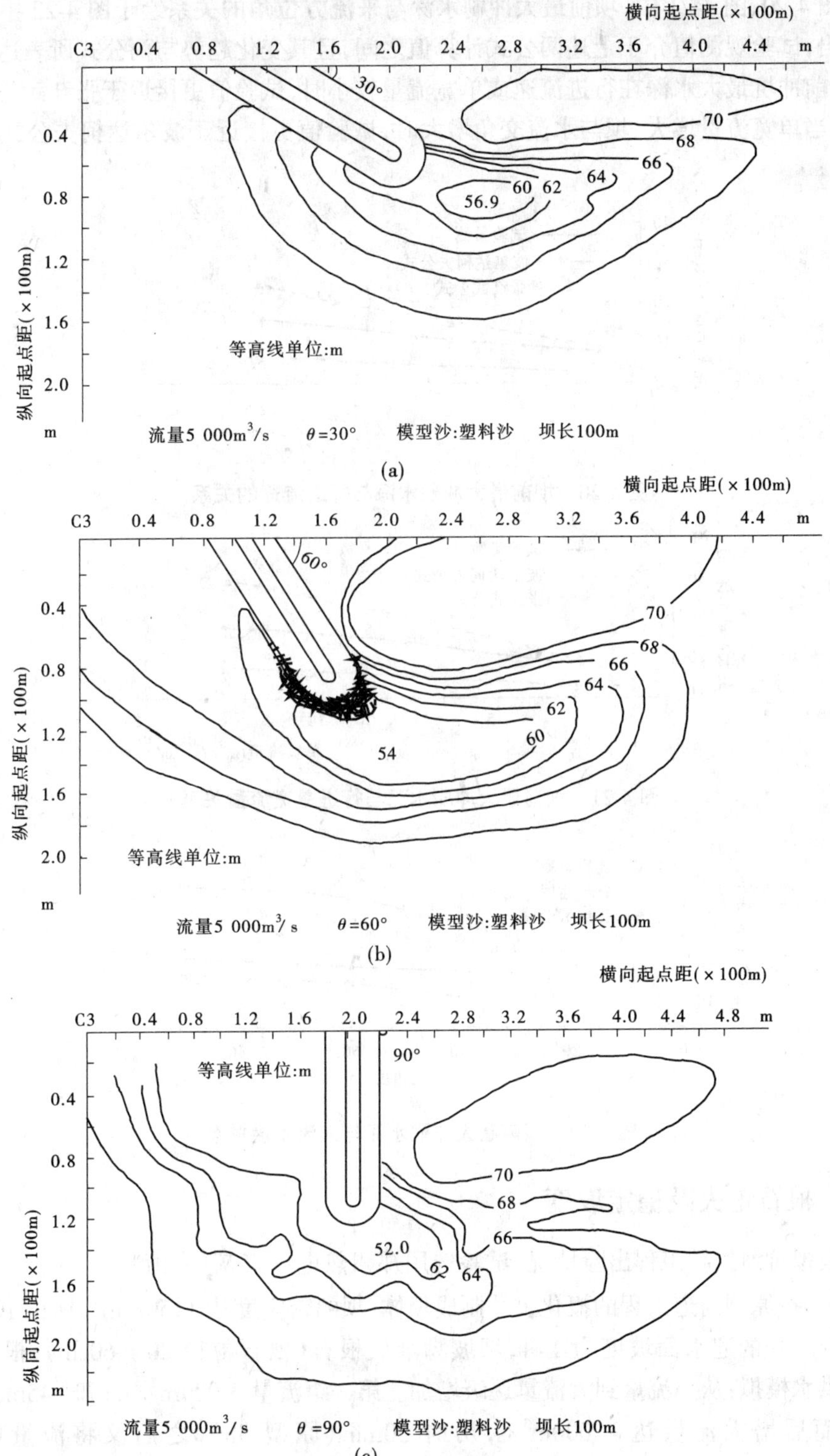

(a)

(b)

(c)

图 4-19 坝前冲刷地形

别绘于图 4-20、图 4-21 中，坝前最大冲刷水深与来流方位角的关系绘于图 4-22 中。由图可以看出，试验观测值介于上述两公式计算值之间，且其变化趋势与两公式所表达的趋势一致，坝前冲坑最大水深在行进流速或单宽流量较小时，试验值更接近于张红武公式计算结果，而当单宽流量增大、坝与水流交角增大时，试验值更接近于波尔达柯夫公式计算结果。

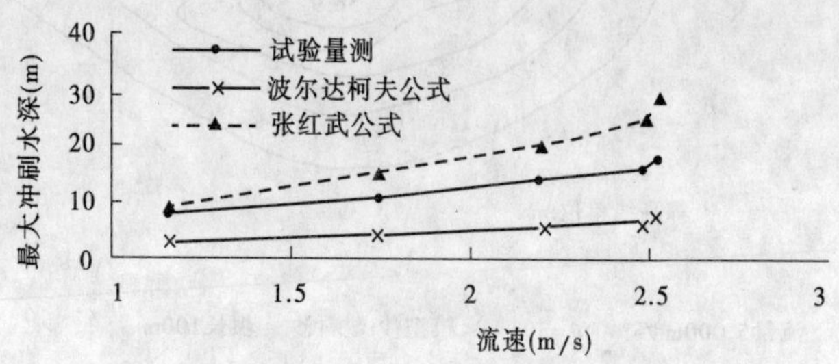

图 4-20　坝前最大冲刷水深与行进流速的关系

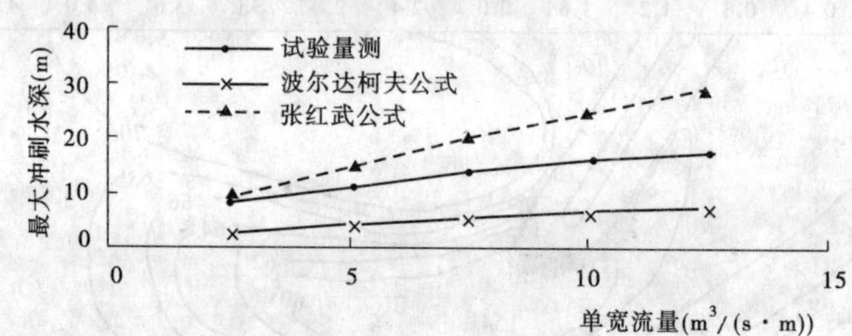

图 4-21　坝前最大冲刷水深与行进单宽流量关系

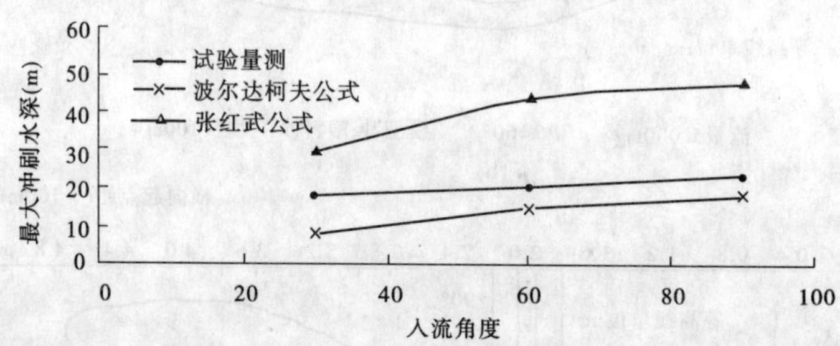

图 4-22　坝前最大冲刷水深与入流角度关系

3.4.3　根石走失及稳定坡度

为模拟黄河控导工程出险情况，试验选用郑州热电厂煤灰（中值粒径 $D_{50}=0.033\sim0.038$mm）按原型河道工程的概化尺寸制成坝体，坝的密实度达 1.50t/m³，坝长 100m，坝方位角 60°，坝的迎水面坡度为 1:1，坝坡脚堆放根石（根石粒径 20～60cm），根石坡度 1:1.5。洪水模拟：从小流量到大流量逐级增加。第一组流量 3 000m³/s，历时 45min（原型 7.5h），而后增大流量达 4 000m³/s，历时 30min（原型 5h），之后又将流量增大至 5 000m³/s，历时 1h（原型 10h）。

试验选用粒径为 2～6mm 天然石子，模拟粒径为 20～60cm 的原型块石，冲刷试验前先将根石坡度筑为 1:1,经过冲刷后观测根石的走失情况及根石的稳定坡度[33,34]。试验结果表明,在水流作用下,随着坝头附近河床淘刷,坝脚根石特别是坝上跨角和坝前头的根石开始出现蛰动和走失,待冲刷坑稳定后,位移根石量也随之减少。经过多组次试验,冲刷稳定后根石坡度量测发现,上跨角和坝前头部位的水下根石剖面多呈上陡(1:1～1:1.9)下缓(1:2～1:4)的规律(见图 4-23)。模型在放水试验过程中出现的主要险情,一是坝体坍塌下蛰。由于水流淘刷形成坝前冲刷,根石深度不够,根石下移,坝体发生横向裂缝,出现的裂缝长约 40m,紧接着大量护坡石滑入水中。随着流量加大,裂缝逐渐增加,最大裂缝宽约 1.2cm。试验中采用抛块石和模袋控制住险情。二是回流淘刷坝下跨角,试验中采用抛块石抢护。三是由于坝背水面回流和波浪作用,使坝出现坍塌现象,随流量增大,在坝下跨角出现较大范围坍塌。试验采用抛投模袋使坍塌险情得到抑制。

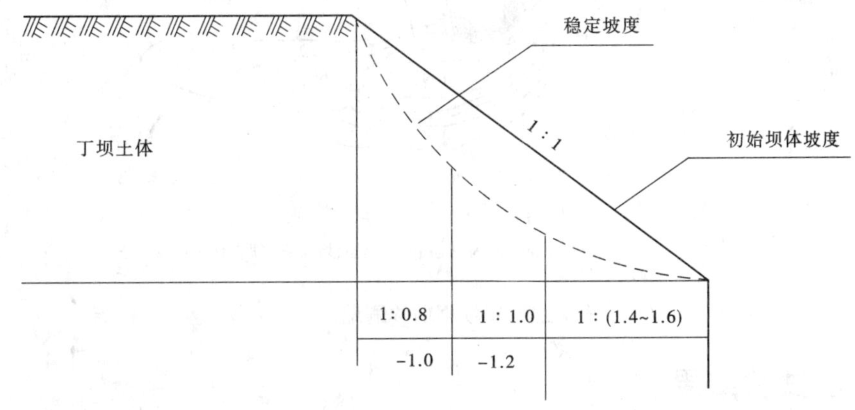

图 4-23　坝头护体各段坡度变化试验结果

能使河道工程险情得以稳定的抛投块石数量,即抛石量,一般反映了险情轻重。冲坑越深,险情越大,抛石量越大。根据黄河下游河道险情特点及出险时的水流特性,河道工程出险时,多是由于水流集中冲刷所致。抛石量过多,一方面造成经济上浪费,另一方面会造成冲坑浅,单宽流量集中,反而会恶化水流条件甚至引出其他险情的发生。相反,如果抛石量不足,使险情不能及时有效地得以控制,进而演变成更大的险情。因此,确定险情抢护时的抛石量,对于防洪抢险有重要意义。

对于已建多年的老工程来说,由于根基相对较深,坝体土胎稳定,险情特点多属于护坦的坍塌或下蛰,对于这类险情,应视坦石坍塌位置、体积等因素以及水力条件,估算抛石位置和方量。对于新修河道整治工程来说,根石的稳定坡度在 1:1.2～1:1.5 之间,从试验所抛石子落点位置分布看,一般有 10%～15%抛石偏离抛投区,按照冲坑深度与流速、水深等水力条件,以及根石、护坦的稳定坡度和范围,可以基本上估算出抛掷根石的数量。

3.4.4　不同模型沙坝前冲刷比较

本模型床沙粒径是以满足黄河床沙起动流速相似为依据,所选择的两种模型沙,一种为塑料沙,中值粒径 $D_{50}=0.35$mm;另一种为郑州电厂粉煤灰,中值粒径 $D_{50}=0.033$～0.038mm。在同一水流条件(来流单宽 $q=12.5\text{m}^2/\text{s}$,来流角度 60°)下,对两种模型沙进行冲刷比较试验,其结果见图 4-19(b)和图 4-24。由于二者特性不同,塑料沙容重较小,可动性大,冲刷坑呈动态平衡状态,在坑中塑料沙参与漩涡一起运动,当停水后落入坑内,形成比较圆滑的冲坑形状,冲坑坡度缓,冲刷范围相对较大。而郑州火电厂粉煤灰,容重相对塑料沙大,其黏性固结度相对较大,冲坑形状与塑料沙冲坑相比,坡度陡,冲刷范围和冲深也相对较小。

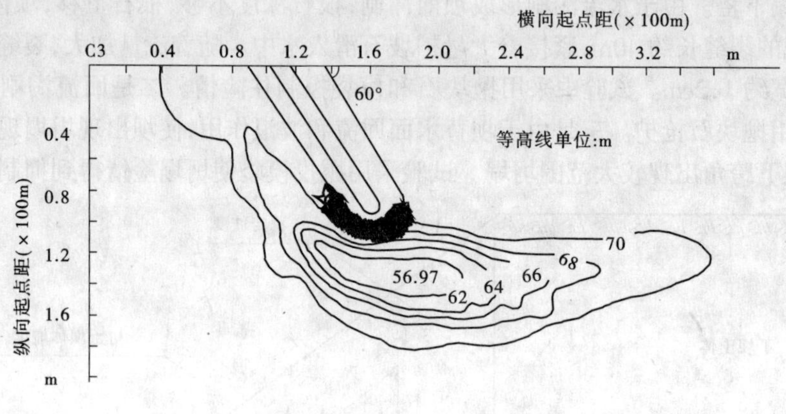

流量5 000m³/s θ=60° 模型沙:煤灰 坝长100m

图 4-24 单坝坝前冲刷地形

3.5 群坝试验结果

对坝长为 80m 和 100m,坝方位角 60°,坝间距为 100m 的双坝进行了不同水流强度冲刷试验。

3.5.1 水流流态

图 4-25 为单宽流量 $12.5m^2/s$ 时双坝坝前水流流态。由图可知,第一道坝迎水面坝根流速较小,壅水明显同单坝一样在其上游产生一逆时针方向回流,绕坝水流受第二道坝

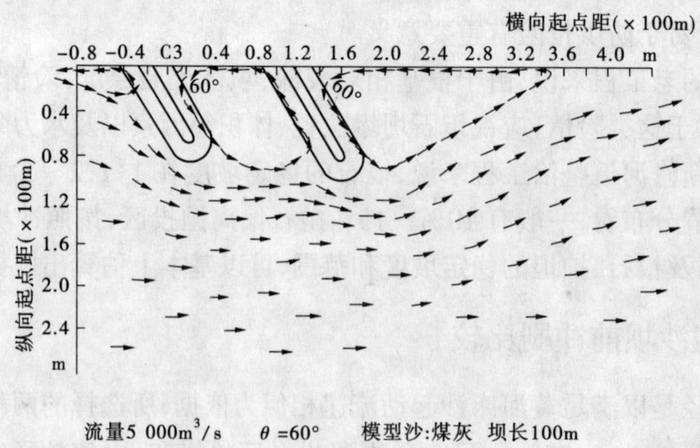

流量5 000m³/s θ=60° 模型沙:煤灰 坝长100m

图 4-25 双坝附近水流流态示意

壅水影响，在两坝裆之间产生较大强度（回流流速约为1m/s）的回流，此回流淘刷联坝和坝的下跨角。第二道坝和单坝情形类似，由于受第一道坝的挑流作用，下游无壅水，在坝头下游形成水面跌落，经量测坝下回流流速一般为0.7～0.9m/s。

3.5.2 冲刷情况

图4-26为冲刷稳定后双坝坝前冲坑形态。由于该组试验床沙为塑料沙，可动性大，冲刷范围相对较大，但主冲刷坑仍位于坝迎水面距坝根1/3～1/2坝长处，最深点在坝轴线前侧下方，第一道坝最大冲刷深度为17.23m，由于受坝裆间回流影响。坝下跨角受到淘刷，同时联坝处有轻微冲刷。第二道坝着溜轻，坝下最大冲坑明显较第一道坝浅。

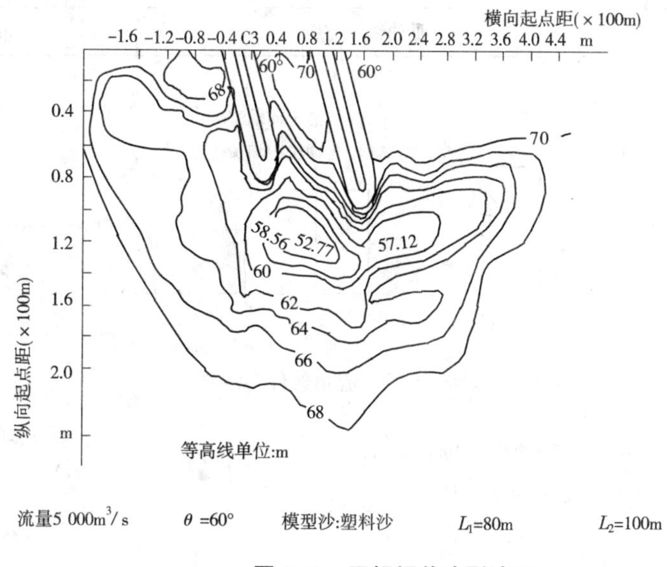

图4-26 双坝坝前冲刷地形

上述试验可以看出，对于群坝，水流负担虽然可分散于各坝之上，但若各坝的坝长、方位角、坝裆间距选择不当，即会在各坝裆间产生较大回流强度，淘刷联坝及下跨角，加重坝的险情。

3.6 浑水条件下丁坝坝头冲刷试验

黄河是一条高含沙水流河道，汛期最大含沙量有时每立方米可达数百千克，为了更切实际地模拟丁坝坝头冲坑的形成和变化机理，在不同入流角条件下进行了不同含沙量的浑水冲刷试验是很有意义的。试验组次及结果见表4-14，图4-27、图4-28。

由表4-14及表4-12相比较可以看出，在浑水条件下，丁坝坝前冲刷情况与清水条件下的冲刷情况略有不同，表现在冲坑的大小、范围，尤其是对冲坑的范围影响较为明显，而最大冲深除水流与坝轴夹角为30°时影响较大外，随着入流角及单宽流量的增大，冲坑深度并没有因含沙量的增大而发生明显变化，总的变化趋势是浑水比清水冲刷范围和最大冲刷水深略小。因此，以清水作为丁坝冲刷试验应属于不利的水流条件，对于研究丁坝的冲刷及险情防护是较为安全的。

表 4-14　　　　　　　　　　不同含沙量丁坝冲刷情况统计

水流与坝轴夹角 θ	30°					60°	90°
含沙量(kg/m³)	5	10	15	25	35	35	35
单宽流量(m²/s)	2.53	5.06	7.49	10.05	12.5	12.50	12.50
冲坑范围长×宽(m×m)	70×15	80×30	140×50	205×80	335×110	370×130	40×150
最大冲深(m)	10.13	11.18	14.20	16.34	18.0	20.60	23.5
冲坑距坝头(m)	30	35	40	45	50	40	5
冲坑最深位置	坝轴线下游					坝轴线上游	

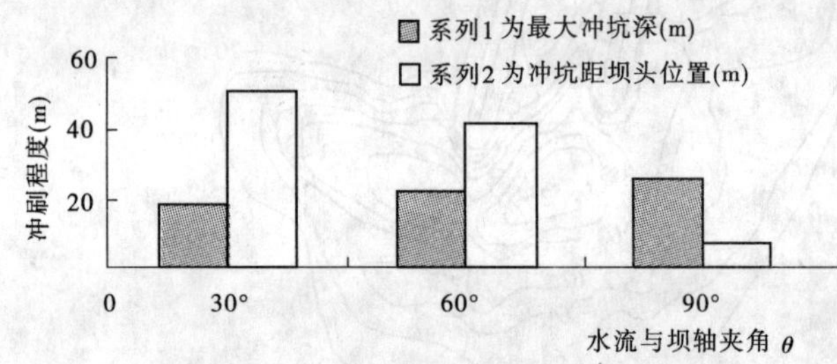

图 4-27　丁坝在不同入流角条件下冲坑

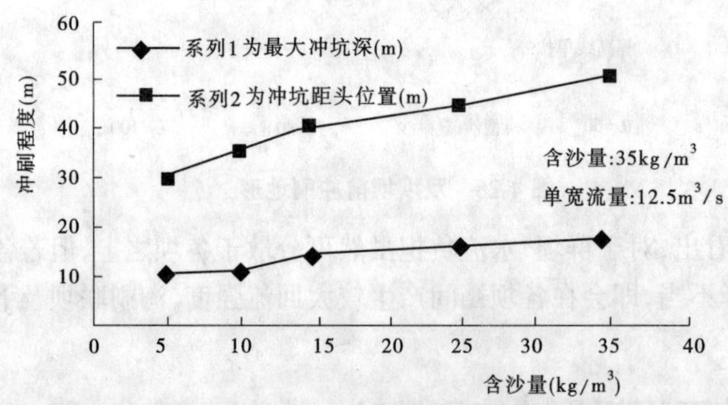

图 4-28　丁坝(入流角为 30°)冲刷程度与含沙量的关系

第四节　河道整治工程险情抢护试验

黄河下游河道整治工程主要包括险工及控导(护滩)工程,工程的结构型式以丁坝居多,垛次之,鉴于丁坝本身的对水流影响较大,控导作用明显,同时出险几率大,其险情特点又具有广泛的代表性。因此,本节仅选择丁坝为试验研究对象,对于不同水流条件下,不同长度的丁坝、不同护坦坡度以及不同工程质量状况,通过分析试验研究成果和以往的抢护经验,提出相应险情条件下的抢护对策。

4.1 工程险情抢护对策

4.1.1 抢护原则

坝垛坍塌险情应本着“抢早、抢小、快速加固”的原则进行抢护[19]，常用的传统抢护方法有：①塌陷险情的抢护。一般采用抛石、抛笼的方法进行加固，即利用机械或人工将块石或铅丝笼抛投到出险部位，加固坝垛护脚，提高坝体的抗冲性和稳定性，并将坝垛恢复到出险前的设计状况。②滑塌险情的抢护。一般的坦石滑塌宜用抛石、抛笼方法抢护。当坝身滑塌坝基外露时，可先采用柳石枕、块石抢护滑塌部位，防止直线淘刷土坝基础，然后采用柳石枕、铅丝笼固根，加深加大基础，提高坝体稳定性。③墩蛰险情的抢护。应先采用柳石搂厢、柳石枕、草袋加高加固坍塌部位，防止水流直接淘刷土坝基，然后用铅丝笼或柳石枕固根，加深加大基础，提高坝体稳定性。

4.1.2 溃膛抢护方法

4.1.2.1 抛石抢护法

此法适用于险情较轻的散抛石坝，即坦石塌陷范围不大，深度较小且坝顶未发生变形(见图 4-29)，用块石直接抛于塌陷部位，并略高于原坝坡，一是消杀水势，增加石料厚度；二是防止上部坦石下塌，险情扩大。

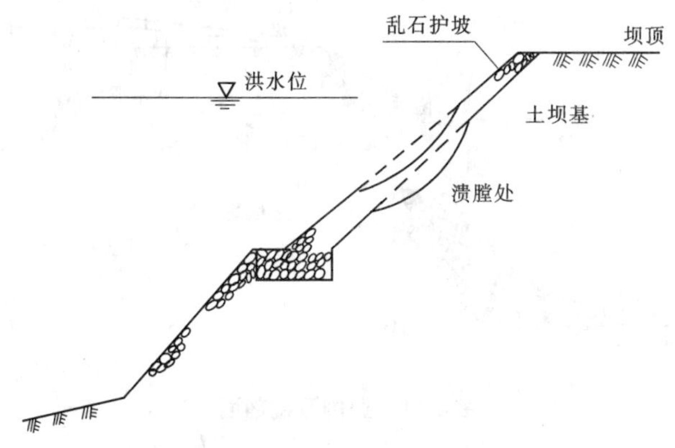

图 4-29 抛石抢护示意

4.1.2.2 抛土袋抢护法

若险情较重，坦石滑塌入水，土坝基裸露，可采用土工编织袋、麻袋、草袋装土等进行抢护。即先将溃膛处挖开，然后用无纺土工布铺在开挖的溃膛底部及边坡上作为反滤层，用土工编织袋、草袋或麻袋装土，每个土袋充填度 70%～80%，用尼龙绳或细铅丝扎口，在开挖体内顺坡上垒，层层交错排列，宽度 1～2m，坡度 1∶1.0，直至达到计划高度为止。在垒筑土袋时应将土袋与土坝基之间空隙用土填实，使坝与土袋紧密结合。袋外抛石或石笼恢复原坝坡。

抛土袋护根最好从船上抛投，或在岸上用滑板滑入水中，或用吊车放入水中部，层层压叠。流速较大时，可将几个土袋用绳索捆扎后投入水中，或将多个土袋装入预先编织好的大型网兜内，投放入水。抛投土袋所形成的边坡掌握在1:1.0～1:1.5(见图4-30)。

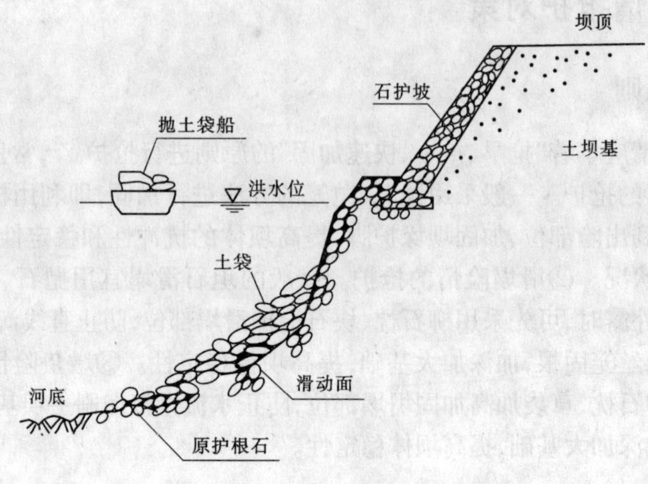

图4-30 抛土袋护根

4.1.2.3 坝基淘刷抢护—抛柳(秸)石枕

当坝基淘刷、土胎外露、险情较严重时，仅抛块石抢护速度慢、耗资大，这时可采用抛柳石枕进行抢护。枕长一般5～10m，直径0.8～1.0m，柳、石体积比2:1，也可按流速大小或出险部位调整比例。抛柳石枕抢护见图4-31。

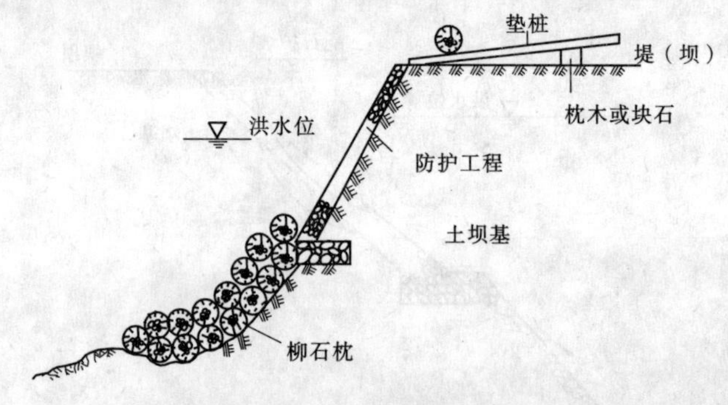

图4-31 抛柳石枕剖面

具体做法如下：

(1)在出险部位临近水面的坝顶选好抛枕位置，平整场地，在场地后部上游一侧打拉桩数根，再在抛枕的位置铺设垫桩一排，垫桩长2.5m，间距0.5～0.7m，两垫桩间放一条捆枕绳，捆枕绳一般为麻绳或铅丝，垫桩小头朝外。

(2)铺放柳石。以直径1.0m的枕为例。先顺枕轴线方向铺柳枝(苇料、田菁或其他长形软料)，宽约1m，柳枝根梢要压茬搭接，铺放均匀，压实后厚度0.15～0.20m。柳枝铺好后排放石料，石料排成中间宽、上下窄，直径约0.6m的圆柱体，大块石小头朝里、大头朝外排紧，并用小块石填满空隙或缺口，两端各留0.4～0.5m不排石，以盘扎枕头。在排石达0.3m高时，可将中间拴有"+"字木棍或条形块石的龙筋绳放在石中排紧，以免筋绳滑动。待块石铺好后，再在顶部盖柳，方法同前。如石料短缺，也可用黏土块、编织袋(麻袋)装土代替。

(3)捆枕。将枕下的捆枕绳依次捆紧,多余绳头顺枕轴线互相连接,必要时还可在枕的两旁各用绳索一条,将捆枕绳相互连系。捆枕时要用绞棍或其他方法捆紧,以确保柳石枕在滚落过程中不折断、不漏石。

(4)推枕。推枕前先将龙筋绳活扣拴于坝顶的拉桩上,并派专人掌握绳的松紧度。推枕时要将人员均匀分配在枕后,切忌人不要骑在垫桩上,推枕令一下,同时行动,合力推枕,使枕平稳地滚落入水。

需要推枕维护的出险部位多受大溜顶冲,水深流急。根石坍塌后,断面形态各异,枕入水后难以平稳下沉到适当位置,这时应加强水下探测,除及时放松龙筋绳外,还可用底钩绳控制枕到预定位置。底钩绳应随捆枕绳一同铺放,间距为2.5~3m,强度介于龙筋绳与捆枕绳之间。

如果河床淘刷严重,应在枕前加抛第二层、第三层枕,直至高出水面1.0m为止,然后在枕前加抛散石或铅丝笼固脚,枕上用散石抛至坝顶。

4.1.2.4 抛土袋枕

土袋枕是由编织布缝制而成的大型土袋,装土成形后形状类似柳石枕。由于空袋可预先缝制且便于仓储,当发现险情后可迅速运往出险地点装土抛投,因此土袋枕具有以下特点:一是运输方便,操作简单,抢险速度快;二是船抛、岸抛、人工抛、机械抛均可,适用范围广;三是对土质没有特殊要求,用其代替抛石投资省;四是用其替代柳石枕,施工方便、迅速,且有利于保护生态环境。

操作方法如下:

(1)缝制土袋,土袋由幅宽2.5~3m的编织布缝制而成,长3~5m,宽、高均为0.6~0.7m,顶面不封口以便于装土(为了在抢险中提高工效,可在土袋外每间隔0.5~0.7m缝制穿绳套孔一对,并穿好捆枕绳(也可配备打包机),土袋缝制好后存放备用。

(2)装土。将缝制好的土袋放在抛投架上,没有抛投架也可直接放在靠近坝垛出险部位的坝顶,开口部位朝上,装入土料并压实,以增加土袋枕抗冲性。

(3)捆枕。土袋装好土料后,盖上顶盖,用手提式缝包机封口,然后用捆枕绳扎紧,防止推枕时土袋扭曲撕裂或折断。

(4)推枕。用抛投架或人工推枕。人工推土袋枕方法同推柳石枕。

当险情发展较快,来不及缝制土袋枕时,可制作简易土袋枕进行抢护。具体做法是,在出险部位临近水面的坝顶平整出操作场地。选好抛投方向,并确定放枕轴线和抛枕长度,每间隔0.5~0.7m垂直枕轴线铺放一条捆枕绳,将裁好的编织布沿轴线铺于地上,然后上土并压实;将平行轴线的两边对折,用缝包机先缝两端,再缝中间,然后用捆枕绳捆绑好后推入水中。

4.2 四面六边透水框架群治河护岸技术

4.2.1 四面六边透水框架群治河护岸技术概况

利用四面六边透水框架群治河护岸,是已故著名水利专家、水利部西北水科所原总工程师韩瀛观教授于20世纪80年代后期提出的一种治河新型结构型式,90年代初期,在水利部科教司专项基金的资助下,韩瀛观教授直接领导西北水科所河道整治技术研究小组就这一结构进行了系统的模拟试验和原型工程应用研究。模拟试验在水槽内进行,历时五年时间,于1995年结束。主要研究了利用四面六边透水框架群淤滩刷槽治理多沙游荡性河流的可行性;利用透水框架群构筑多沙河流河道整治工程时各种可能的平面布置形式;不同水流泥沙及河床边界条件下,利用框架群构筑堤岸护坡、护脚、护滩工程时构件群的布防形式;四面六边透水框架构件群的水力学特性及减速落淤特性,提出了框架杆件尺寸的设计原则;利用该种构件加固防护已有实体坝垛,以及用该技术防治堤岸崩塌的可行性。原型工程的试验研究开始于1995年,在韩瀛观教授的指导下,首先在长江江西省河段实施了试验,随后在黄委河务局和陕西省水利厅的支持下,陕西渭河下游的试验工程也全面展开。通过四年多的应用实践,尤其是长江江西省河段十余处工程经历了1998年大洪水的考验后,使得该技术日趋发展和完善。通过几年来的原型试验研究,基本解决了框架杆件材料选型、框架成型组装、施工定位投放等工艺问题,同时也总结出了能适应我国南方和北方河流的设计、施工、管理等方面的经验。

4.2.2 四面六边透水框架群在渭河治理中的应用

4.2.2.1 渭河下游吊桥河段存在的主要问题及整治目标

渭河潼关吊桥河段位于潼关县吊桥村,南岸是高崖坎,北岸是三河汇流区的广阔滩地。1971年以来由于受河床高程抬升的影响,该河段由历史上的顺直型开始向弯曲型发展。1990年以来,河曲发育加剧。主槽加速向南逼进,河湾顶冲点直逼渭河南岸的高崖坎,使得高崖坎每到汛期便崩塌后退,到1997年,高崖坎崩塌离西潼公路仅80多米,同时也对西太铁路构成威胁。根据黄委批准的1997年治导控制线并结合该河段的现状,吊桥河段的整治目标是控制塌岸、淤临造滩、规顺河势,促使渭河平顺入黄。经黄委会河务局组织有关专家进行技术论证,决定在该段进行四面六边透水框架群治河护岸技术试验工程。

4.2.2.2 平面布置方案的优化设计

由于吊桥试验示范工程是该项技术在多沙河流上首次应用,为了从技术上和经济上进行优化,针对五个不同的平面设计方案进行了模型试验。平面设计方案的选择以前期专题试验研究所提供的结论为依据,同时考虑了吊桥河段的特点。这五种平面布置方案分别为:①坝肩位于塌岸陡坝坝根部的沿程透水丁坝群护岸形式;②上游带状防护与下游透水丁坝群相结合的防护形式;③全河段带状防护形式;④半封闭带状防护形式;⑤顺坝与隔堤相间的防护形式。模型试验结果表明,这五种平面布置形式均能防止塌岸的继续发生,在高崖坎与规划治导线之间的防护区域内,五种不同布置形式所产生的流速衰减率基本上在46%~58.2%之间,全河段带状防护形式的平面布置方案效果最好,但用的框架数量较多。顺坝与隔堤相间的防护形式用框架数量最少,治理效果在这五个方案内居中,最后确定以该方案作为实施方案。

4.2.2.3 构件尺寸及框架群的设计

通过对渭河下游河段水沙特点及河相参数的分析,并考虑到施工时的可操作性,初步确定三种框架型号作为框架群的基本构件。K—1 型框架杆件边长 1.2m,K—2 型边长 1.5m,K—3 型边长 2.0m,杆件断面为 10cm×10cm,杆件材料选用 C20 钢筋混凝土。

4.2.2.4 工程施工及河道整治效果

吊桥试验示范工程经过公开招标、施工、监理,确保了工程质量、进度和投资的有效控制。框架杆件预制于 1999 年 4 月下旬开始,定位投放于 6 月中旬开始。该河段于 7 月 17～18 日经历了第一场洪水,洪峰流量 1 300m^3/s,最大含沙量 431kg/m^3。

根据原型观测设计,在施工前、竣工后及 1999 年汛后分别进行三次河道地形测量,同时还在汛前汛后进行淤积测量。从整体看,本次治理工作达到了预期效果,塌岸已经得到控制,原塌岸陡坎临河一侧的主槽已经淤积成片,主流已移近规划治导线附近。初步估算工程运行第一个汛期,整个防护区淤积总量可望达到 10 万 m^3。由于河道主流北移,使得下游河湾逐渐下挫,原渭河上挑入黄的情况也得到逐步改善。

通过在渭河吊桥河段实施试验工程,该技术应用于河道整治,其潜力是较大的。但对任何河道整治技术的研究与应用,应该充分体现各种技术措施配套使用优势互补原则,尽量避免实际应用中由于工程形式单一,而造成工程效益低下的负面影响。

4.2.3 木架附重四面体在黄河塌岸防护中的应用[35]

与混凝土四面六边透水框架结构类似,“木架附重四面体”是由铅丝或塑料绳将直径 10～15cm 的 6 根等长(2.5～3.0m)圆木捆扎成等边三角形框架,再在 4 个支角处捆上附重物(见图 4-32)。附重物的重量视河水流速的大小而定,一般应超过木杆浮力的 1.5 倍,方可稳沉河底。附重物可用塑料编织袋盛土、石子或水泥灰土,也可用长形片石或预制混凝土块等,总之以就地取材、便于操作为宜。每个木架附重四面体的造价包括用工、用料及其运输、投放等费用,总计 30～50 元。

木架附重四面体的投放可视需要及所处地形条件,在岸边就地捆制,随捆随推进入水下,也可在船上或冰上捆放。投放规模,视水流势态可密置、可疏放、可单排、可叠置、可快放、可慢放,总之以稳落河底、不露出水面为好。如作为透水丁坝挑流,则须船载投放,略成行成排,逐步加长加密。

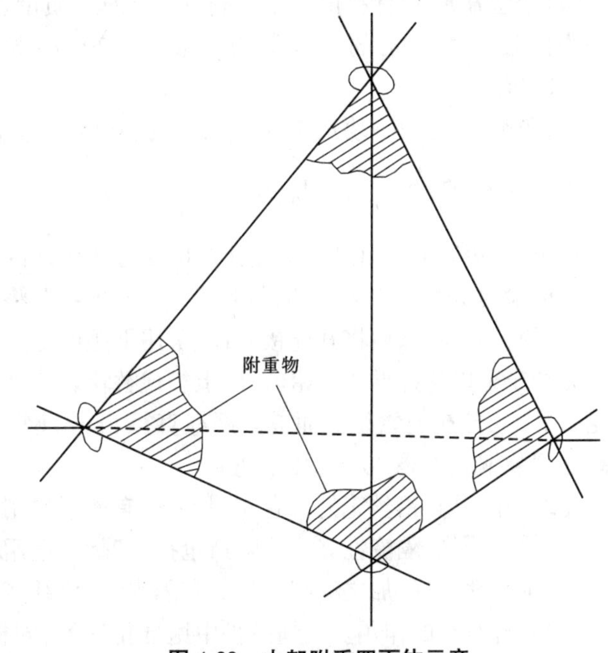

图 4-32 木架附重四面体示意

木架附重四面体的重心在下,沉放河底后,受水流冲刷,可能翻动,但不远移。成群排放,透水挂淤,增大河床糙率,减缓底部流速和因弯道造成的环向流速,故能快速而有效地防止塌岸，经多次使用，效果显著。例如，1992 年，宁夏永宁县东升村的黄河西岸（左岸）塌岸，毁田近百公顷，临河的几十户居民危在旦夕，已有 4 户房毁人迁，于是在 1993 年 2 月下旬，紧急投放木架附重四面体 1 400 多个，当即制止了 360m 长的严重塌岸，并出现了岸边河水流速减缓和局部淤积。随后用船载该框架连续投放 4 200 多个，在塌岸段的上、中、下端各形成一处透水丁坝，到 7 月下旬河水主流东移约 1km，原塌岸严重的急弯段得到缓解，新淤滩地近 $70hm^2$。1993 年夏，宁夏平罗县通伏乡黄河西岸（左岸）出现严重塌岸长 1.5km，投放木架附重四面体近 5 000 个，快速而有效地制止了塌岸，仅投资 20 余万元。

实践证明，在防止黄河塌岸中，用木架附重四面体做透水丁坝理顺流向，其效果优于不透水丁坝，且施工不受场地、季节限制，就地取材，安全简便，较之常用的草土埽工、铅丝笼装石、混凝土四面体等防冲措施，施工快速、简便且所需费用较少，实为整治黄河塌岸和导流的一项经济、安全的措施。

4.3 土工合成材料替代传统抢险材料试验

4.3.1 土工合成材料在河道工程抢险中的应用

土工合成材料与传统材料在防汛抢险中相比，具有以下优越性[36~40]：

（1）整体性强，且每块软体排尺寸，根据险情可大可小。

（2）抢险速度快，一块长 12m、宽 10m 的软体排从放排到装好压载，仅需 1h。

（3）适应性强，软体排沉放后，能与不同情况的河床或岸坡较好结合，并能随河底的淘刷变化而自行调整，紧贴床面起护底防冲作用。

（4）储运方便，软体排的加工预制、拼接简单，质量容易保证，能折叠、重量轻、体积小。如一块长 12m、宽 10m 的软体排，总重量小于 30kg。抢护 300m 坍岸的全部材料，用一辆卡车可以运到工地。

（5）造价低，铺放一块长 12m、宽 10m 的软体排，保护面积 $100m^2$，只需 500 元左右。

4.3.2 化纤笼的作用与优点

自 1997 年黄河下游开始应用化纤网笼替代传统的铅丝石笼，进行河道整治工程抢险试验。抢险时先将网片半铺坝顶外沿，再在网片上将块石排垒成 1m×1m×2m（高×宽×长）的长方体，然后将其连接封口，采用下抛的方式将化纤网笼抛入水中。

化纤笼是以化纤绳代替铅丝，以土袋代替块石改进而来的。化纤笼使用聚丙烯（又名丙纶）强力丝拧成绳索编织而成。网绳直径 5mm，网眼 18cm×18cm，网重 2.5kg。一个化纤笼网装编织土袋 30 个，装土 $2m^3$。

化纤笼除具有铅丝笼的所有作用外，还有如下作用和优点：

（1）着底严稳，隔流性好。从险情抢护情况看，运用化纤笼填筑的笼堆着底严稳，控制面积大，抗溜性能好，加之编织土袋具有隔水性，化纤笼也充分显示了这一特性。

（2）起柳石枕的作用。险情抢护中抛推化纤笼，同样起到了柳石枕闭气、抗冲、护底、护坡的作用。

(3)制作容易便捷。从实际运用上看,制作化纤笼比制作铅丝笼和柳石枕容易得多。这主要是由于土料可就地取用,土袋容易制作,单个土袋重量轻,运输方便。编织土袋在堆砌上也较堆石稳定,易安放。化纤笼在实际运用操作上,比铺绳、排柳、裹石、捆扎制枕以及铅丝笼的锁口等操作过程都要相应简便得多。同时,在抢险过程中,还能够充分地抢时间,夺战机。

(4)经济实用。化纤笼网与铅丝笼片的平面展开图大体一致。一个铅丝网片用铅丝10kg,用块石 $2m^3$,制成一个铅丝笼需投资255元。而一个化纤笼网运装 $2m^3$ 土料,每笼需编织袋30个,制作一个化纤笼需投资113元。每个化纤笼比铅丝笼少投资142元。

化纤在水下比铅丝耐腐、耐磨,决定了化纤笼耐用的特点。另外,化纤笼网比铅丝网片还有易运易管的优点。

化纤笼作为防汛抢险新材料在阶段性试验中已显示了许多优点,但还有一定的缺陷须进一步改进。如在较缓的坦坡上推抛入河不利索(铅丝笼也有此缺点);可利用黄委引进美国的大型长臂挖掘机,在堤顶吊抛网兜至出险部位,一次抛投到位,并将牵拉绳拴在桩上,根据网兜下沉情况适时松绳。在推之入水时,因其质地软,没有铅丝笼易推。在乱石坦上推抛时,与块石相撞局部笼绳有被砸断现象。另外,化纤制品应置于水下,避免阳光直射,否则易老化。

4.3.3 化纤网笼替代铅丝笼用于河道整治工程根石加固试验

1997年,焦作市河务局将化纤笼装块石替代铅丝笼分别用于黄河驾部、大玉兰、开仪三处控导工程的根石加固。

装笼及抛投方法与铅丝笼相同,在每道靠河丁坝的迎水面每间隔10m抛一化纤笼墩,笼墩之间抛投散石。分别选择乱石坝和平扣坝两种坦坡界面作比较,在驾部控导工程抢护中共抛化纤笼200个,由于网笼直接抛入水中,无法具体检验其损坏情况。但据对32个化纤笼的实际观测,网笼入水前仍保持着较好的整体性。分析认为,只要网笼入水前整体性保持较好,入水后,在水的浮力作用下,不会发生大的变化。试验情况见表4-15。

表4-15　　化纤网笼抛投试验统计

坝号	笼墩编号	抛笼数量	网笼平均体积(m^3)	坦石结构	落差(m)	坦石坡度	备注
15号坝	1	4	1.82	散抛石	2.84	1:0.88	抛网笼顺利入水
	2	4	1.91	散抛石	2.84	1:0.88	抛网笼顺利入水
	3、4	4×2	1.84	散抛石	2.83	1:0.92	抛网笼顺利入水
	5	4	1.95	散抛石	2.87	1:0.91	抛网笼顺利入水
16号坝	1	3	1.87	散抛石	2.90	1:0.90	抛网笼顺利入水
	2	4	1.76	散抛石	2.96	1:0.98	抛网笼顺利入水
	3	1	1.85	平扣	4.40	1:1.50	抛网笼顺利入水
18号坝	1	2	1.80	平扣	4.50	1:1.50	下落至距水面1.5m停止
	2	2	1.88	平扣	4.50	1:1.50	下落至距水面1.5m停止

从抛投情况来看,当坦石坡度小于1:2的情况下,无论散抛还是平扣坦面,网笼均能顺利入水,当坡度达1:1.5时,有时网笼会停滞在坦面上,这主要取决于下抛时的初速度。

由于目前工程仍然靠流,无法准确检测网笼在水下的情况,仅能做定性分析:1997、1998两年黄河均发生了中小洪水,最大洪峰流量分别为4 020m^3/s和4 700m^3/s,驾部控导工程两年出险次数分别为102次和45次,但用化纤笼加固过的坝岸均未发生较大险情,由此看来,化纤网笼完全可起到铅丝笼的作用。

4.3.4 化纤网与编织袋配合用于塌陷险情的抢护

1997年7月29日,驾部控导工程24号坝迎水面和拐头迎水面,因长时间受大溜冲刷(当时大河流量为153m^3/s,实测坝前水深6m,流速约1.5m/s),坝体根石严重走失,坦石裂缝、脱落,长度达75m。若不及时抢护,将会导致重大险情的发生。武陟县黄河河务局及时采用化纤网配合编织袋装土的方法抢护,在出险部位的上首抛投化纤笼墩,同铅丝笼墩一样,起到了抗流挑流、改变流向的作用,同时在坦石坍塌较严重的地方推抛化纤网,抗流护胎,以不致淘刷坝胎土体,然后抛石固根,控制了险情发展。

为检测化纤网在水下的稳定性,能否在水中发生滚动或滑动,在抛笼时有意识地在几个笼上系上绳,留在外面,观察一个月,均未发现笼体在水下有滑动现象。经理论计算分析,化纤网在流速大于2m/s时可能会出现平移。在实际抢险时,河流底部流速大于2m/s的机遇并不多,即使在流速大于2m/s的情况下,也可像抛柳石枕那样,采用加尼龙筋绳的方法使之稳定。

4.3.5 化纤网与编织袋配合代替柳石枕抢护墩蛰险情

1998年3月16日,黄河驾部控导工程29号坝,因回流淘刷,根石走失,拐头迎水面及坝头部位长21.0m、平均宽5.0m、深4.0m平墩猛蛰入水,土胎外露。若不及时抢护,将有溃坝的危险。如通知群众送柳料,最快也得4h,会贻误抢险时机。决定采用化纤网代替柳石埽体,在迎水面推2m宽化纤笼体(内装编织土袋)进占闭气,然后在膛内填黏土,笼外抛散石还坡,使险情化险为夷。

1998年3月18日,该工程30号坝因受大溜顶冲(当时大河流量846m^3/s),迎水面22m长直线段根石大量走失,坦石下蛰,土体外露,如不及时抢护将导致更大的险情。武防二局采用抛化纤笼抢出水面,抛石固根还坦控制了险情。通过本次抢险充分表明,化纤笼代替柳石枕,既有利于缓流落淤,又易于有效闭气,保护坝内土体。

4.3.6 化纤网编织土袋代替秸料埽用于河道整治工程的水中进占

河道整治工程水中进占施工的关键,在于占体的稳定和闭气,以保证埽后土体能够跟上占体的进度,确保土料不被水流带走。要做到这一点,必须根据水深和流速,保证占体有足够的宽度和重量,同时在埽体的迎水面要及时推枕护脚、闭气,几种作业方法必须同步进行。若采用化纤笼进占,即可减少作业种类,不必使用搂厢船,直接在岸边向水中推进,闭气迅速。网笼在坝体中可永久发挥作用,不会出现由于埽体的变质腐烂引起坝体蛰陷或坝基土被水流挟带走,导致坝体平墩猛蛰等险情。

实践证明,化纤网与编织袋配合代替秸料埽用于河道整治工程水中进占和黄河上堤防溃决堵口工程,在技术上可行,经济上合理,操作方法简单适用。

4.3.7 采用长管袋褥垫护坡抢护坝垛坍塌险情

坝垛坍塌是黄河上常见的险情,坝垛根石走失、下蛰,并伴随坝坡坦石脱坡下滑,需要护根、护坡同时进行。根据利用6英寸泥浆泵直接从黄河滩地或河床抽吸泥沙充填土工反滤布长管袋褥垫进行水中进占筑坝的经验,利用充沙土工反滤布长管袋褥垫成功地进行了坝垛坡面和根基出险的抢护(见图4-33、图4-34)。

图4-33 长管袋褥垫护坡抢险示意

枣树沟1号坝抢险。1999年9月25日,因1号坝附近水流顶冲,河势大幅度上提,河水在枣树沟工程上首坐弯,造成枣树沟1号坝根部的未裹护段土坝坡出险,当时大河流量1 100m^3/s左右,河面宽80m,流速2.0m/s,水深10.0m以上,在漩涡、螺旋流的作用下,河湾内土坝坡塌失速度很快,利用石料抢险仅能护根,不能护坡,再加上工程地处黄河嫩滩区,柳料收集非常困难,遂决定利用4块长37m、宽25m的土工反滤布长管袋褥垫进行充沙抢险。根据险情和水情选择褥垫—拴绳滚排成捆—打桩挂排—充填压载施工方法。利用泥浆泵抽吸工程背河滩地及坝裆的泥沙充填褥垫管袋,或汽车运土倒置在褥垫管袋口处并将土同泥浆直接装填入褥垫管袋内,同时还利用人工将装土的塑料编织袋也抛投入褥垫管袋内,高强机织土工反滤布长管袋褥垫在泥水、土和土袋自重的作用下迅速沿坝坡下滚展开,贴附于坝坡和河床面上,在锦纶绳牵拉作用下,虽然坝前漩涡、螺旋流密布,但褥垫仍按设计状态平顺的下沉,最终充沙土工反滤布长管袋褥垫准确地铺设于设定的抢险位置,迅速控制了险情。

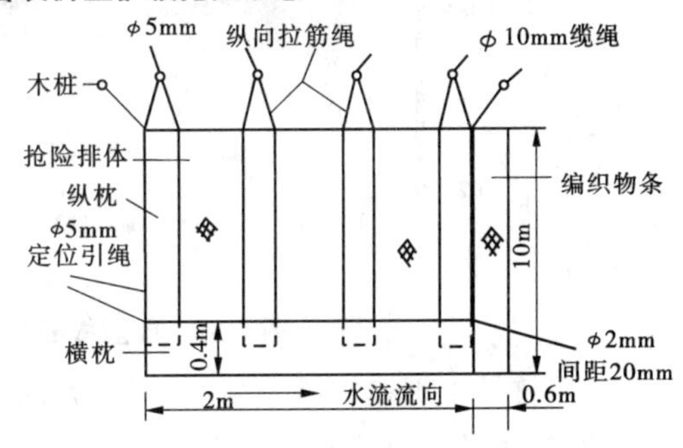

图4-34 抢险用软体排结构

第五节　治河工程险情预测及预报新技术

5.1　利用 X－STAR 水下剖面仪探测坝基根石走失技术

黄河上传统的治河工程施工方式分旱地施工和水中进占施工，但无论是采用哪种施工方式，新修坝、垛、护岸均非一次做到设计深度，工程靠流后由于黄河的水流流速高、含沙量大、冲击力强，坝前被冲刷成坑，裹护部分随即下蛰，需要及时抢护加固，尤其是旱工，靠流后易发生大墩大蛰险情，若不及时抢护易造成工程破坏，甚至垮坝，并可能危及堤防安全。黄河上每道坝都须经过多次抢险，待坝前抢护的根石达到一定深度，并具有一定的坡度时，基础才能稳定。因此，及时掌握根石的深度及相应的坡度，并做好防汛抢险的料物准备，才能减少抢险被动，保证工程安全。根石深度，黄河河工谚语有“够不够，三丈六”的经验说法。根据实测资料分析，当根石深度达到 11～15m，坡度达到 1∶1.3～1∶1.5 时才能基本稳定(见图 4-35)。

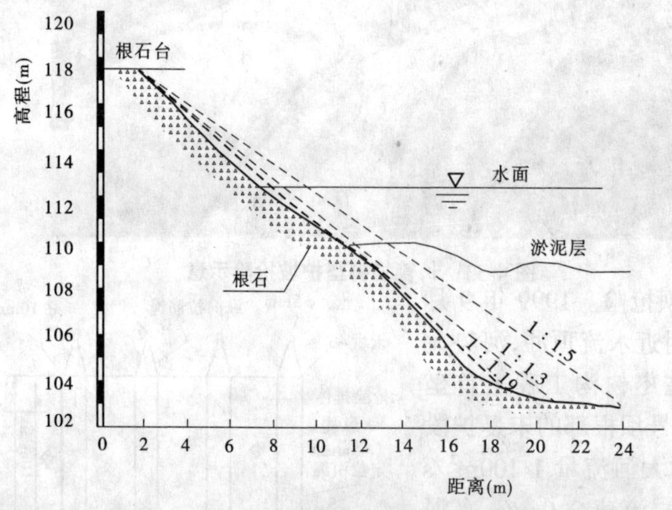

图 4-35　典型根石与淤泥层剖面

根石的完整是丁坝稳定最重要的条件，及时发现根石变动的部位、数量，及时予以补充抢护，不仅对防洪安全具有重要意义，而且还可节省大量的抢险费用。因此，根石探测是防汛抢险、确保坝垛安全的最重要工作之一。

由于高浓度的浑水和淤泥层的存在，河道整治工程水下根石走失探测的难度是相当大的。长期以来，水下根石状况全靠人工探摸估计[19]，其范围小、速度慢、精度差、危险性大。对此，曾列入国家“八五”科技攻关项目[7]，经多个部门协作攻关，先后试用过各种机械和电测技术、声纳测量技术、地质雷达探测技术等，均未取得满意成果。最近通过引进美国的 X－STAR 水下剖面仪，成功地解决了黄河上长期以来没有解决的重大难题，为防汛抢险工作争取了主动。

引进的 X－STAR 水下剖面仪由 SUN SPARC 工作站、bottom 软件、打印机、SB-0512 拖鱼和水下电缆等组成。仪器组成及工作原理见图 4-36。

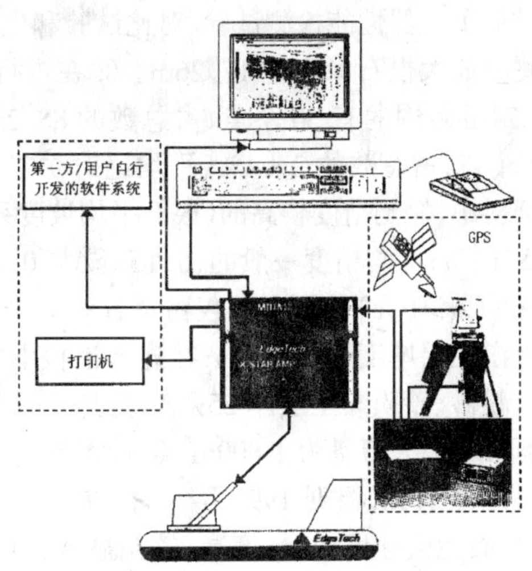

图 4-36　X－STAR 水下剖面仪工作原理

仪器整个探测过程全部通过运行在 SUN SPARC 工作站中 Unix 操作系统环境下开发的 bottom 软件控制完成。探测开始时首先运行 bottom 软件,并根据拖鱼型号和测试条件,选择一定频带宽度的数字信号。探测过程中信号通过 DSP 数字信号处理装置记忆并送到 D/A(数/模)转换器,生成高精度模拟信号。然后经功率放大器放大,并通过拖鱼中的发射阵列向水下发射声波信号。信号在传播过程中如果遇到泥沙、根石等波阻抗界面,则产生向上的反射信号,反射信号被拖鱼中接收阵列采集放大,并 A/D(模/数)转换后再送回 DSP,DSP 根据记忆信号对接收信号进行处理。处理后的反射信号能够清楚地反映地层变化。由于整个过程在水中连续进行,依据各点测试信号即可在显示器上绘出水下地层剖面图像。X－STAR 水下剖面仪能精确地测量水下发射与定向接收,减少了其他信号的干扰。反射系数反映了反射界面的地球物理特征,据此可以达到了解反射界面性质的目的。

仪器主要性能指标(按仪器说明书)如下:

脉冲类型:调频,脉冲幅度加权和相位加权

频率范围:500Hz～12kHz

频带宽度:0.5～2.5kHz(160ms～300jules)

1～4kHz(160ms～300jules)

1～8kHz(80ms～150jules)

2～12kHz(20ms～100jules)

纵向分辨率:40cm(0.5～2.5kHz)

30cm(1～4kHz)

12cm(1～8kHz)

8cm(2～12kHz)

穿透深度:灰质胶结岩 30m/泥沙层 200m。

应用 X－STAR 水下剖面仪进行根石探测,不论水流条件如何,只要船能行走,仪器就能够探测,不受恶劣的水流条件限制,能够提供可靠的资料,为防汛抢险决策提供支持。

项目实施以来，先后进行了仪器性能检测试验、对比试验和生产性试验。通过对试验成果的分析表明：①已探测的最大根石深度达 17.26m。②在进行的 34 个定点对比探测数据中，绝对误差在 0～0.21m 范围的有 30 个点，占总数的 88.24%；0.3m 的 3 个点，占总数的 8.82%；0.5m 的 1 个点，占总数的 2.94%；平均绝对误差仅为 0.13m。③在可对比的 74 个剖面根石坡度资料中，探测精度较高的（根石平均坡度系数绝对误差 $\Delta \leqslant 0.15$）达 63 个剖面，占总数的 85.14%；探测精度一般的（$0.15 \leqslant \Delta \leqslant 0.2$）有 10 个剖面，占总数的 13.51%；探测精度较差的（$\Delta > 0.2$）1 个剖面，仅占总数的 1.35%。④在黄河河道整治工程根石探测中，最大穿透淤泥层厚度达 11.50m；在连云港核电站取排水隧洞区域探测中，连续穿透淤泥层厚 5m，粉砂、砂质黏土层厚 25m，砂层厚 7m，总厚达 37m。⑤在试验期间，最大含沙量为 278kg/m^3，最大流量为 1 800m^3/s，最大流速约 4m/s。

该仪器采用 GPS 实时定位系统，根据 1999 年 9 月，在焦作进行生产性探测试验结果，其具有适应性强、探测根石走失速度快、精度高、效益显著、节省人力等优点。能够解决河道整治工程根石探测中穿透淤泥层的难题，探测成果满足根石探测的需要，在黄河防洪工作中将会发挥重大作用。

5.2 利用声发射技术预报堤坝隐患及险情

黄河堤防多建在沙基上，堤基条件差；堤身质量不佳，隐患众多；河道主流摆动不定，险工及控导工程常受主流直接顶冲，根石走失而发生坍塌。这是造成黄河堤坝因渗透破坏和冲刷溃决的主要原因。对于这些险情的抢护一定要“抢早、抢小”，即堤坝出现险情要及早发现，在险情较小的情况下及时抢护，把险情消灭在萌芽之中。抢晚了，险情发展大了，不仅耗费大量的人力、物力，而且会使险情变得复杂，抢护难度大，甚至导致抢险失败。因此，险情监测在抢险中占有重要地位。

险情监测首先应对河势[41]进行监测，在河势稳定的条件下，主要是对堤坝本身隐患、堤坝渗透变形、坝垛基础变化等险情进行监测。

本次研究提出利用声发射检测技术，可以对工程运行状态进行实时监测和控制，超前预测到险情及险情变化。这一新型应用研究成果，为防汛抢险提供了科学依据。

5.2.1 声发射检测技术概况

任何材料在受力的状态下都有可能产生变形甚至断裂。在材料变形和裂断时会发出一定的声音，但材料断裂前多数都存在裂纹萌生和逐渐扩展的过程，它所发出的声波既微弱又常不在人耳可听到的音频范围内，所以只有仪器才能“听到”。通过仪器监测材料因受力产生塑性变形、萌生裂纹及裂纹扩展所产生的声波来判断缺陷的产生、缺陷的位置及缺陷的危害程度的方法，即声发射检测。

声发射检测与常规超声波检测有些相似，它们都是通过对声波的分析来进行判断。不同的是超声波检测是通过向被检测体发射超声脉冲，再观察缺陷反射的回波来分析判断；声发射检测是直接检测被检体自身因变形、裂纹扩展所产生的声波来分析判断，只有当被检体缺陷本身发生声波时才能被声发射仪器监测记录到。利用超声波检查只有当发射的波束对准了缺陷，缺陷才显示出来，如要检查材料的整个区域则需全面进行二维扫查;利用声发射检测只需把少量传感器固定在被检体上,就能得到被检体的整个信息,能查出是否有处于活性的缺陷并能判断缺陷位置。超声波只可以检查出被检体处于静态时的缺陷,但该缺陷在受力状态下是否有危险,超声波是无能为力的;而声发射则恰恰适用于实时动态监控检测,能够发现缺陷是否在扩展。与超声波检测相比,在检查缺陷的危害程度上,声发射检测有着明显的优势。但声发射检测技术也有其缺点,即它只能在材料受力发生变形时才能进行监测,不能提供静态下材料缺陷的任何情况。

声发射监测所用的仪器包括从非常简单的压电转换器到复杂的缺陷定位系统。例如,利用带有电子频率滤波器的压电转换器和带有灯光信号显示器的放大器,可以组成一个简单的空泡腐蚀监测器;利用多路转换器和带有计算机数据处理系统的三角技术,可以制成复杂的缺陷定位系统,以确定开裂正在进行过程中的缺陷位置。这种监测技术应用领域非常广泛,在美国和日本等国家,已成为一种对运行中的设备在线检查其结构完整性的非破坏性监测技术,也可以用于压力容器的安全性和寿命评价、焊接过程的质量控制等方面[42]。

5.2.2 利用声发射技术预测堤坝险情的可行性

当土中结构发生变化时,也会产生声发射现象,声波经土体传播至导波棒,然后由固定于导波棒上的换能器将声波转换为电信号,由同轴屏蔽电缆送给前置放大器进行第一次信号放大,其输出信号经滤波器滤掉工作频率以外的信号,而后再经主放大器放大,超过门槛阀值电平的信号作为有效信号,形成多种参数,最后由计算机处理后显示参数变化图并由磁盘存录下来。

钱家欢、方涤华、朱正亚、徐炳锋通过室内试验得出流土过程中与"临界坡降"、"破坏坡降"相应时的声发射信号突增[43],即流土破坏前有声发射信号前兆,因此可以用声发射技术检测土体的渗透变形。

美国的 R. M. Koerner[44]对土的声发射特性及监测做了一系列研究工作。通过无侧限压缩、压缩试验、三轴试验、模型试验、边坡稳定野外观测等,结合声发射信号的接收,得出含水量、不均匀系数、周围压力、塑性指数等参数对土体声发射的影响规律,并探讨了用声发射技术确定地下水位及渗流位置。

在混凝土的检测中主要用于裂缝的发生、发展及位置的确定;在岩体检测中,研究岩石的损伤机理和断裂特性,测定岩体地应力,检测矿井和洞室的安全,以及预报岩爆的产生等。目前,有关研究单位正在进行将此技术应用到地质灾害、堤防监测、深基坑开挖[45]等安全预报方面。

为检测堤坝渗透破坏,首先需讨论一下堤坝渗透破坏过程:堤坝破坏可分为突发性与缓发性两大类,前者可视为后者的发展与扩展,因而可着重分析后者。由于各种原因,堤坝本身不可能是绝对均一的,它的内部往往存在抗水性较差的"软弱"部分,也就是隐患。如人为或动植物造成的洞穴隐患;因含砂量较高、砂粒较粗造成的堤坝缝隙或孔洞,等等。

一般堤坝缓发性破坏过程可概括为如下四个阶段:

(1)浸润发展阶段:当隐患部位与水接触之后,便发生较快的浸润和渗漏,"软弱"部分的范围逐渐扩展,渗水则带动固相物发生移动。在浸润阶段中渗漏很弱,且发展速度相当缓慢。

(2)渗漏发展阶段:当渗漏带走了一定数量固相物之后,就会使渗漏道路变得畅通起来,从而渗漏速度加快,带走固相物的速度亦随之加决,“软弱带”便形成漏洞或管涌险情。

(3)塌陷发生阶段:当漏洞或管涌险情扩展到一定程度时,洞壁便发生内向塌陷,使空洞扩展加速,塌陷物则被水流带走。

(4)崩塌发展阶段:空洞继续扩大,加之浸润使空洞上方发生急剧崩塌,最后便形成溃堤决口。

由上述可见,缓发性决堤是一个先缓后急的发展过程。如果在它处于缓慢发展的第一阶段即被发现,并且及时采取正确的抢护措施制止其发展,则可避免发展为决堤。即使发展到了第二阶段,如果能准确地测知渗漏在堤防内的位置、发展状态与趋势,正确地组织抢救,则多数也不至于发展为决堤。但当发展到第三阶段时,就不易控制了,不过只要坝内侧水面与缝洞底部高差不大,也还可抢救,最危险的是对堤坝内部的渗透变形与发展状况一无所知,直至堤坝顶部出现塌陷迹象时才发现,那么决堤就很难避免了。例如1998年长江大水期间,九江大堤溃决发展过程就是如此。

结合堤坝渗透情况,可得出如下认识:

(1)穿通堤坝的隐患具有的危险性最大,因为它不再存在最缓慢的第一发展阶段,这类隐患多发生于低位穿堤管道、延深较大的穿堤裂隙等情况。

(2)洞穴类隐患如果过水,则会直接发生内向塌陷,而发展为第三阶段,速度快,因而危险性极大,如鼠洞、獾狐洞以及腐烂植物所形成的空洞等。不过,尚未发现贯穿于全坝的生物洞穴,必须经过相当一段缓发时间过程才会出现漏洞险情。

(3)水位与隐患部位高差愈大,压力愈大,因而渗漏速度愈快,隐患发展速度也就愈快。因此,应力求在水位较低时即将隐患查出,这时阻止它发展的难度较小。

(4)由于险工或控导工程根石走失导致坝基底部出现空洞失去承载力而发生坝基崩塌的情况,其发展过程极为迅速,一旦发生就很难制止,因而最好采取预防措施加以避免。

根据上述分析,认为选择以下目标进行监测比较恰当:

一是堤防的浸润及渗漏状态。当堤身着水后,便可对堤防内部隐患进行全面监测,监测浸润发展过程、范围及发展趋势,使隐患还在浸润发展阶段即被发现,便于及时整治;当渗漏险情已处于塌陷发展阶段时,监测塌陷严重部位及发展速度,可指导抢救工作的进行。这种监测可以在很大程度上解决不易探测的“微细”隐患,最好是当隐患还处于低级阶段时就能发现和处理。

二是根石分布状态。通过在洪水期间对坝基进行观测,发现根石走失严重的地段,以便对之加以补充,免致出现内部坍塌的严重局面。

实验室的研究表明,流土破坏前存在明显的声发射信号,因此可以利用声发射技术现场监测流土破坏[43]。在上述两个目标状态下(包括渗漏发展阶段和根石走失情况),可监测到较强的声发射信号,进而达到预报黄河堤防安全的目的。

本研究成果将有可能对黄河下游堤防进行全面的动态监测,今后应按下述目标进一步开展试验研究:①通过常规监测,对堤防质量作出比较性评估,发现较严重隐患的形成并监测其发展趋势;②通过洪水期间的监测,可能发现许多平时难以发现的隐患;③通过汛期期间的险情预报，及时指出堤防出险部位及发展趋势；④对出现险情的坝段进行密集监测，及时提供严重渗漏及塌陷部位、发展趋势及速度；⑤对穿堤建筑物周围加以监测，及时提供界面附近渗漏的发展状态；⑥对已加固堤段进行监测，评价其加固效果；⑦在洪水期间监测坝垛根石走失情况[46,47]（特别是新做的控导工程），以便发现根石走失严重的地段，并能做到及时加以补充，提高其抗洪能力，变被动抢险为主动防护。

5.3 黄河下游治河工程安全实时监测关键技术[52]

5.3.1 目的及意义

随着国家经济社会的发展对黄河防汛措施和手段的要求越来越高，新的治水思路特别是水利现代化和黄河“堤防不决口、河道不断流、水质不超标、河床不抬高”目标也赋予防洪工程管理更艰巨的历史使命。要实现目标必须依靠现代化科学技术实现黄河工程管理的现代化。“数字工管”工程建设是黄河工程管理迈向现代化的必然要求[48]，也是“数字黄河”的重要组成部分，它的建设必将极大地提高工程管理的工作效率，使黄河工程管理水平和手段发生实质性的变化。黄河下游治河工程安全实时监测系统的建立，可以进一步完善黄河下游非工程防洪措施。

黄河下游治河工程主要包括堤防、险工和控导工程。控导工程是控导河势、保村护滩、防止“横河”、“斜河”发生致堤防冲决的重要整治工程措施，其安全稳定性主要取决于坝垛的稳定。而坝垛多采用传统的土石结构、散石护坡，其散石裹护体、尤其是水面以下根石部分，在水流的冲刷下极易发生根石走失或下蛰，造成坝体大面积的坍塌等险情，也就是说，险情危害性大小主要取决于坝垛根石的稳定程度。特别是新修坝垛，无论采用旱工施工，还是水中进占施工，受施工条件的限制，均不能一次性做到稳定深度，工程靠流后由于黄河的水流流速高、冲刷力强，坝被冲刷成坑，裹护部分随即下蛰，需要及时抢护加固，每道坝都必须经过冲刷出险、抢险加固、再出险、再加固这样反复的过程，待坝前抢护的根石达到一定深度，并具有一定的坡度时，基础才能基本稳定[19]。因此，对工程进行实时监测，及时发现坝垛险情是确保黄河防洪安全的关键，也是保证黄河大堤不决口的关键。

目前，国内比较成熟的工程基础安全监测系统[49]，主要是针对大型的水库、大坝、涵闸等工程，其工程整体性好，基础相对稳定，随机发生位移的几率和范围相对较小；而对黄河控导（险工）工程的稳定性监测不太适用。本项目拟借鉴国内外安全监测的成果，研究能充分适应黄河情况的安全监测系统，改变目前人工查险方式，适应黄河河道工程数量多、人员少、位置分散的管理特点，实现对控导工程数字化的管理。

5.3.2 研究的目标

就是以高新技术为支撑，借鉴国内外先进的管理技术和管理手段，建成具有一定实用性、先进性、可靠性、开放性的现代化工程管理体系。通过该项目的实施，县级河务局可以在值班室机房内的控制计算机实时监视工程状况及根石变化情况，及时判断出险情况，发出报警信号，为制订防洪预案、组织防汛抢险提供及时准确的信息。同时，通过黄河内部网络把上述信息传送到市局、省局及黄委,为上级部门统一调度指挥抗洪抢险提供科学依据。

5.3.3 技术措施

5.3.3.1 险工、控导工程破坏模式和破坏部位

与土石坝、岩土边坡相比较,险工、控导工程的破坏有其独特性。首先,后者直接承受水流冲击,它的破坏往往是由于地基土被冲刷、导致块石护根体坍塌,此种破坏其破裂面不一定呈圆弧面,具体形状有待确定,且破坏带有突然性。而前者不存在水流冲刷问题,其破坏面往往呈圆弧状,或沿已有的不连续界面如节理面破坏,且带有蠕变特性,表面发生较大变形或破坏过程比险工、控导工程受水流冲刷破坏过程慢得多。其次,险工和控导工程最可能的破坏部位主要在坝头和上跨角部位,迎水面较长,靠流较紧时或下游回流较大时,迎水面和背水面一定范围内也可能发生破坏。险工、控导工程的稳定主要与河流水力条件、河床地质条件、工程结构条件等因素有关。总之,应对险工和控导工程的破坏模式和破坏部位进行充分研究、确定,以有利于安全监测的实施。

5.3.3.2 根石变形监测方案

在控导工程常年靠河几率较大的坝垛安设先进的监测设备,对水面以下根石状况进行实时监测,当根石发生一定程度的走失或下蛰,而水面以上坦石又未发生坍塌险情时,即可发出报警信号,使得能够及时进行抢险加固,防止险情扩大,真正达到"抢早、抢小"的目的。目前考虑采取的研究手段是利用声发射、变形位移、图像识别等技术预测及预报险情[73],就是通过利用先进监测技术对工程运行状态进行实时监测和控制,超前预测到险情及险情变化,为防汛抢险提供科学依据。

根据险工和控导工程具体运用和出险情况,监测坝头部分深部变形与位移,主要采用TDR测试电缆配合固定式倾斜计,根据第一款研究结果将传感器布置于破坏区。

TDR时域反射法是监测岩土边坡和堤坝稳定的一种新型和廉价的方法。TDR时域反射仪与雷达相似,它每200μs向埋设于边坡内的测试电缆激发一次超速脉冲电压,遇到电缆断裂或变形处,阻抗特性发生变化,脉冲即被反射,反射信号在电缆特性曲线上显示一个脉冲峰尖,边坡相对位移大小、变形速率及变形位置能立即精确地确定下来。

配合固定式倾斜计、数据采集仪,TDR可以确定边坡移动的位置、大小和移动方向,还可以选择有线和无线通信方式实现远程数据传输。

5.3.4 原阳县双井控导工程险情监测实例简介

原阳县黄河河务局本着积极探索"数字黄河"建设的思路,于2002年9月组织有关技术人员进行联合攻关,历时10个月,终于在2003年7月研制出"双井控导工程工情险情信息采集系统",并在双井控导工程安装调试成功,目前已投入试运行[51]。

5.3.4.1 采集系统

(1)基本功能。该系统由工业控制机、传感器、红外摄像机等部分组成。能实时监测河势及工程靠河情况;自动测量工程水位和整编水位资料,利用三维画面显示水位在每道坝垛的相对位置;自动测量河面宽度,通过微机进行图像拼接并绘制河势图;利用图像识

别技术全天候监测控导工程坝岸险情;利用位移传感器监测坝岸根石走失情况。一旦发生根石走失、坦石下蛰等险情,该系统可在2s内自动报警,并三维显示工程出险部位、尺寸。系统能够对工情、险情信息实时保存后自动生成抢护方案。

(2)系统软件环境。操作系统使用Windows2000 Server,软件开发采用Delphi6.0,数据库采用SQL Server 2000。系统建有在线数据库、原始测值数据库和应用数据库,并可以实现各个数据库之间数据的自动交换及处理;还能提供不同数据库平台之间数据的转换和连接,并具备数据库访问等级、访问记录等安全管理措施。系统数据通信符合TCP/IP协议标准,能够方便地与其他系统进行数据通信,实现数据共享。

(3)系统建设现状。作为"双井控导工程工情险情信息采集系统"建设的第一步,原阳县黄河河务局选定双井控导工程第17坝和18坝做试验。监测设备布设如图4-37。基本内容有:架设2台红外摄像机全天候监测17坝背水面和18坝迎水面的出险情况;一台长焦距摄像机测量河宽;一台数字一体机监视周围河势;一台超声波水位计测量临河水位;8台位移传感器监测根石走失情况。

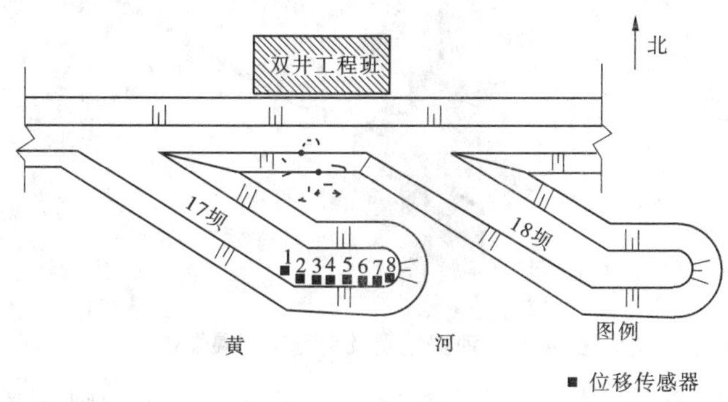

图4-37　双井控导工程监测设备平面布设

5.3.4.2　根石走失监测

在17坝迎水面埋设8台位移传感器监测根石走失情况(见图4-38),间距3m(见图4-39)。位移传感器通过管内拉线与某一具体根石相连。根石走失时,通过拉线引起位移传感器联动而报警。根石走失报警距离可任意设定,默认值为10cm。

图4-38　根石走失监测位移传感器

图4-39　17坝埋设的8台位移传感器(间距3m)

5.3.4.3 **河宽测量**

在河边架设一台长焦距摄像机,运用图像识别技术自动测量河面宽度。架设一台数字一体机,通过云台遥移监视周围河势情况(见图 4-40)。

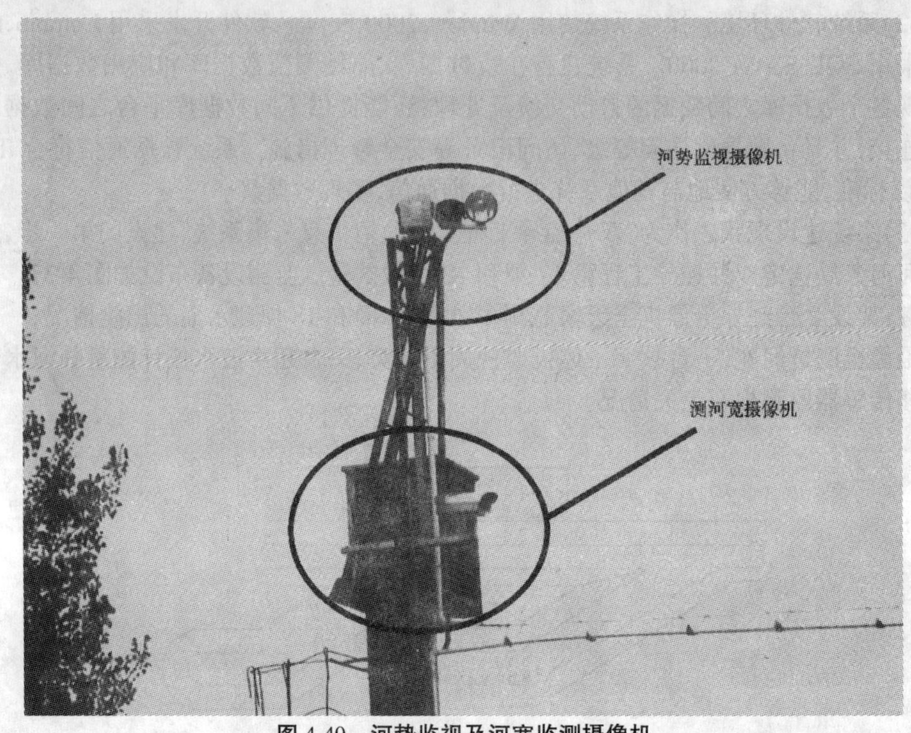

图 4-40　河势监视及河宽监测摄像机

坝岸险情监测是通过安装两台红外摄像机(见图 4-41),运用图像识别技术自动判断坝岸坦石下蛰、墩蛰等险情。可全天候进行监测。系统报警反应时间≤2s,坦石下蛰 10cm 自动用声光报警。水位是通过安装在河边的超声波水位传感器(见图 4-42)测量的。

5.3.5 小结

黄河控导工程具有控导主流、护滩保堤等作用,由于黄河含沙量大,河势游荡多变,"横河"、"斜河"时有发生,控导工程易发生根石走失、坦石下蛰等险情,对新修坝岸,由于根基较浅,受大溜顶冲后极易发生猛墩猛蛰等大险、恶险,一旦抢护不及时,存在跑坝危险。长期以来,工程管理人员为实现超前发现坝岸险情、以做到对险情"抢早、抢小"之目的,常年不断探索靠河工程河势、工情、水情、险情等项目先进实用的监测手段。尤其是险工、控导工程根石走失监测,至今没有一种切实有效的解决办法。原阳县黄河河务局积极响应关于进行"数字黄河"建设的号召,率先研发出双井控导工程安全监测系统,难能可贵。

经试运行和有关部门查询证明,该项目突出"数字黄河"思想,紧扣工程安全监测主题,设计合理,功能齐全,安全可靠,具有一定的先进性和实用性,且易学易用、操作简单,具有很高的实用和推广价值,适用于黄河险工控导工程工情、险情、水情信息的自动化管理。

图 4-41　坝岸红外监测摄像机

图 4-42　水位监测设备

可以看出,该系统利用现代先进的传感器技术、电子技术、计算机网络与通信技术、图像识别技术,增加了工程安全监测的科技含量,实现了对黄河控导工程的远程监测、监视,及时获取工程工情险情信息,为防汛指挥决策提供数据支持。

但也存在一些问题,该系统中软件开发标准都与"数字黄河"有关标准不符,为信息的传递、共享留有隐患,不便于技术普及和推广应用,须进一步改进。

第六节 结论与建议

黄河下游河道防汛抢险经过数千年的实践,积累了大量的经验,对于河道堤防、险工及其他河道整治工程险情抢护,均有相应的技术措施和方案。然而,由于对险情的产生和发展过程缺乏科学的监测,对各种险情的抢护往往是被动的,抢护材料和技术也不能满足治黄发展的要求,对黄河大洪水的控制能力还有限。因此,对黄河下游河道工程险情的形成、发生、发展,以及抢护对策的研究很有必要。通过调查分析多年来黄河下游河道堤防、险工、控导工程的险情类型、原因和模拟试验研究丁坝冲刷与水流条件之间的关系;试验研究河道工程出险时的防护技术措施和抢险对策,得到以下几方面的结论和认识:

(1)自20世纪80年代以来,国内出现了不少利用新材料、新技术和新工艺开发的新型河道整治工程。这些新型工程几乎都在黄河上(含支流)做过试验。有的虽因对黄河特性考虑欠周全及受施工技术条件等限制,未能推广应用,但都有一定效果,取得了经验,为进一步研究新型治河工程打下了良好基础。目前,在河道整治工程新结构型式的试验研究和推广应用方面,黄河上的经验是比较丰富的。

(2)以实体材料抵抗水流冲刷的这一类河道整治建筑物,常因基础淘刷影响工程自身稳定,传统的丁坝由于其基础无法一次成型并达到最大冲刷深度,需经多次抢险才能够稳定。随着施工技术和工程材料的进步,在坝基上用沉桩方式修建连续而封闭的混凝土墙坝也可考虑作为一种实体型不抢险坝方案。

在黄河上应用得比较多的长管袋褥垫排,还有一些方面需要进一步试验研究。如压载可否再减轻些,能否改用水泥土,使在管袋破裂后,压载仍能起作用;聚丙烯土工布抗老化问题也是受关注的问题。虽然工程中开始使用经抗老化处理的聚丙烯土工布,但其抗老化性能提高的程度难以估测,效果令人担心。如将聚丙烯材料改为聚酯(涤纶)或聚酰胺(锦纶)材料虽增加成本,但效果却大不相同。模型试验表明,沉排护底虽然使冲刷坑外移,但最大冲刷深度却有所增加。因此对已修工程,应制定详细的观测细则,有专人观测运行情况,为结构设计和施工技术的进一步完善提供依据。同时要进一步开展新结构坝型出险时的抢险对策研究,要有新的技术储备。

(3)通过调查分析,进一步了解到黄河下游河道工程(包括堤防、险工、控导工程)出险的基本规律和现状河道工程险情的特点。即现状河道条件下,河道工程重大险情基本上集中在控导工程上面;从险情的时间分布上,有涨峰阶段、洪峰阶段和落峰阶段;更为严重的是黄河河道工程险情不仅在特大型洪水条件下发生,而且在高含沙洪水、中小洪水甚至非汛期均有可能发生;在1 000～2 000m^3/s流量下出险的频率最高,可达到33.7%。河道整治工程不配套、不完善是重大险情发生的重要因素之一。此外,根石探测技术、预测预报技术以及防汛抢险技术手段落后也是黄河防洪亟待解决的重要问题。

(4)丁坝坝头冲坑模型试验表明,水流在经过丁坝所在断面时,由于边界条件的变化使水流流态、流场也相应发生变化;冲坑位置位于坝头最大流速分布区,冲坑范围主要在下回流区与最大流速分布区的交界处之间;冲坑深度主要与水流条件中的水深、流速、入流角、床沙组成等因素有关。冲坑深度与单宽流量的大小成正比,入流角越大(0～90°),

冲坑越深;浑水条件下冲坑的深度与范围比清水略有减小,而冲坑的位置与清水条件下冲刷情况基本一致。

(5)通过分析险情的类型、出险原因,提出了对不同的水流条件、工程条件下所需采用相应的抢险技术措施,包括抢护方法、抢护设备、抢护材料、抛投位置及料物用量等。在抢护材料方面,主要采用块石、铅丝笼、柳枕、模袋、化纤网兜等土工合成材料;抢险抛石材料用量可以通过实际探摸测量并依据丁坝稳定坡度及裹护体最小厚度计算得出。近年来采用的新技术、新材料,包括土工合成材料等在抢险中已取得实效,今后将进一步深入试验研究,使其完善。

(6)建议采用 X-STAR 水下剖面仪在非汛期对险工根石进行全面探测分析,并建立电子档案为防汛预案提供科学依据。同时应利用先进的声发射技术,加强预测、预报堤坝险情方面的研究,把险情消灭在萌芽状态之中,使河务管理真正做到主动防护、主动抢险,以保证黄河堤防的安全。

参考文献

[1] 胡一三.黄河下游的防洪体系.人民黄河,1996(8)

[2] 李国英.论黄河长治久安.人民黄河,2001(7)

[3] 蔡为武.治黄的根本措施是下游河道整治.人民黄河,1995(1)

[4] 胡一三.中国江河防洪丛书·黄河卷.北京:中国水利水电出版社,1996

[5] 胡一三.黄河防洪.郑州:黄河水利出版社,1996

[6] 刘建明,张东方,张建中.黄河下游河道整治工程新技术研究与应用.人民黄河,2000(11)

[7] 陈效国,李丕武,等.堤防工程新技术.郑州:黄河水利出版社,1998

[8] 李祚谟,李希宁.土工织物加筋土在黄河险工砌石坝加高中的应用.人民黄河,1995(11)

[9] 李祚谟.应用塑料编织袋续建桑庄工程实验.人民黄河,1986(1)

[10] 吉祥.试用土工织物长管袋沉排修筑丁坝的施工工艺.人民黄河,1989(2)

[11] 胡一三,等.黄河下游游荡性河道整治.郑州:黄河水利出版社,1998

[12] 马荣曾,张红武.黄河坝岸网罩护根试验研究.人民黄河,1995(2)

[13] 张俊华,许雨新,等.河道整治及堤防管理.郑州:黄河水利出版社,1999

[14] 段纯.大功化纤编织袋沉排坝的设计与施工.人民黄河,1986(1)

[15] 任瑞伍.黄河下游马庄潜坝试验及其应用效果.人民黄河,1996(6)

[16] 石秉直.预制钢筋混凝土杆件框架式坝垛简介.人民黄河,1986(3)

[17] 郝培明.钢管桩网坝工程的应用.人民黄河,1989(6)

[18] 李国英.治水辩证法.北京:中国水利水电出版社,2001

[19] 罗庆君.防汛抢险技术.郑州:黄河水利出版社,2000

[20] 耿明全,张超,等.黄河下游游荡性河段坝垛险情分析.人民黄河,1999(7)

[21] 王有福.1993 年黄河驾部控导险情分析.人民黄河,1994(6)

[22] 申建华,赵应福.黄河下游河道工程险情分析与防守预筹.人民黄河,1994(7)

[23] 温小国,史纪安.黄河驾部控导 19 坝 1989 年 5 月 27 日险情分析.人民黄河,1992(11)

[24] 张红武,汪家寅.黄河丁坝冲刷及根石走失试验研究.见:第四届中日河工坝工会议论文集.东京:东京出版社,1998

[25] 张宝森,郭全明.黄河河道整治工程险情分析.地质灾害与环境保护,1997(1)

[26] 刘红宾,刘晓岩.黄河下游高含沙洪水减灾措施分析.人民黄河,1995(8)
[27] 熊治平.三峡建库对上荆江河道影响的初步分析.武汉水利电力大学学报,1996(2)
[28] 彭瑞善,李慧梅.小浪底水库修建后已有河道整治适应性研究.人民黄河,1996(10)
[29] 谢鉴衡,丁君松,王运辉.河床演变及整治.北京:水利电力出版社,1987
[30] 应强.淹没丁坝附近的水流流态.河海大学学报,1995(4)
[31] 冯永忠,常福田.错口丁坝在水流中的相互作用.河海大学学报,1996(1)
[32] 谢鉴衡.河流模拟.北京:水利水电出版社,1990
[33] 侯元有.河道整治工程根石走失的力学分析研究.人民黄河,2000(4)
[34] 麦远检.岸坡稳定的安全度与可靠度.水运工程,1996(8)
[35] 吴尚贤.木架附重四面体在黄河塌岸防护中的应用.人民黄河,1998(6)
[36] 包承钢.堤防工程土工合成材料应用技术.北京:中国水利水电出版社,1999
[37] 董哲仁.堤防除险加固实用技术.北京:中国水利水电出版社,1998
[38] 刘宗耀,等.土工合成材料工程应用手册(第二版).北京:中国建筑工业出版社,2000
[39] SembenelliP, et a1. Bovilla. A Product of Dam History. GeotechnicalFabfics Report. 1998
[40] 陆士强,刘祖德.土工合成材料应用原理.北京:水利电力出版社,1984
[41] 杨小柳.实时洪水预报方法综述.水文,1996(4)
[42] 吴荫顺,等.腐蚀试验方法与防腐蚀检测技术.北京:化学工业出版社,1966
[43] 钱家欢,方涤华,朱正亚,徐炳锋.声发射技术及其在工作中的应用.见:中国建筑学会地基基础学术委员会论文集.1989
[44] Koemer, R. M. McCabe, W. M. , Lond, A. E. jr. Acoustic Enission Behaviour and Monitoring of Soils. Acoustic Emission in Geotechnical Engineening Practice, ASTM STP 750, V. P. Drntrich and R. E. Gray, Eds. American Society for Testing and Materials. 1981
[45] 夏才初,李永盛.地下工程测试理论与监测技术.上海:同济大学出版社,1998
[46] H-J.kohler(德国),A.bdzuijen(荷兰).滤层渗透性对波浪侵蚀作用下抛石护岸稳定性的影响.见:第五届国际土工合成材料学术会议论文集(新加坡).1994
[47] 毛佩郁,毛昶熙.抛石护岸防冲的几个问题.水利水运科学研究,1999(2)
[48] 张宝森,卢杜田,崔建中.黄河工程管理现代化建设探讨.国土资源科技管理 .2004(3)
[49] 王仁钟,李君纯,刘嘉炘等.中国水利大坝的安全与管理.见:1999 年大坝安全及监测国际研讨会论文集.北京:中国书籍出版社,1999
[50] 张宝森.堤防工程及穿堤建筑物土石接合部安全监测技术发展.地球物理学进展,2003(3)
[51] 耿新杰,樊好奇,等.黄河险工控导工程工情险情实时监测系统研究.人民黄河,2004(7)
[52] 张振谦,张宝森,等.黄河下游治河工程安全实时监测关键技术研究.工程地球物理学报,2004(3)

第五章　土工合成材料在黄河下游抢险中的应用

第一节　土工合成材料发展概况

1.1　土工合成材料的定义

土工合成材料是一种新颖岩土工程材料。它是以合成纤维、塑料以及合成橡胶为原料,制成各种类型的产品,置于土体内部、表面或各层介质之间,发挥其工程效用。

土工合成材料在早期曾被称为“土工织物”(geotextile)和“土工膜”(geonlembrane)。随着工程需要,这类材料不断有新的品种出现,例如土工格栅、土工网和土工模袋等,原来的名称已不能准确地涵盖全部产品,便称之为“土工织物、土工膜和相关产品(related product)”。显然,这样的名称不宜作为一种技术名词或学术名词。为此,1994 年在新加坡召开的第五届国际土工合成材料学术会议上,正式确定这类材料的名称为“土工合成材料”(geosynthetics)。

土工合成材料的原材料是高分子聚合物(polymer)。它们是由煤、石油、天然气或石灰石中提炼出来的化学物质制成,再进一步加工成纤维或合成材料片材,最后制成各种产品。制造土工合成材料的聚合物主要有聚乙烯(PE)、聚酯(PER)、聚酰胺(PA)、聚丙烯(PP)和聚氯乙烯(PVC)等。

土工合成材料的品种甚多,例如土工织物、土工薄膜、特殊土工合成材料和复合土工合成材料等。

1.2　土工合成材料的功能和应用范围

任何一种材料或产品都有它一定的应用范围,而应用范围又是由其功能决定的。土工合成材料在水利工程及其他有关工程中的应用,归纳起来有反滤、排水、防护、加筋、隔离等几种功能。此外,还可与其他材料复合组成不透水织物用于防渗。土工膜的功能则主要是防渗。

1.2.1　反滤功能

土工织物具有良好的透水性能,又有适当小的孔隙,因而既可满足水流通过的要求,又可防止基土颗粒过量流失而造成的管涌和流土破坏。利用土工织物的这种功能,在实际工程中可以用它来代替传统的砂砾反滤层,例如堤坝护坡的反滤层(垫层)、坝后排水反滤层、涵闸出口护坡反滤层和减压排水井的反滤等。

1.2.2 排水功能

土工织物具有良好的垂直和水平排水能力，而且可以调节，因此它可有效地作为排水设施把土中的水分汇集起来排出。例如，挡土墙的排水、坝体内垂直和水平排水以及作为加速土体固结的排水等。土工织物的排水功能往往与反滤功能相结合，起两方面的作用。

1.2.3 防护功能

利用土工织物良好的力学性质与透水性，可用于防止水流冲蚀和保护基土不受外界作用破坏。例如堤坝护坡垫层、河岸护底、海岸或防潮堤保护、防止坡底冲刷、防汛抢险等。

1.2.4 加筋功能

将土工织物埋入土中可借织物与土体界面的摩擦力，限制土体侧向位移，等效于施加侧压力增量，从而使土体强度有所提高，承载力增大；加筋使应力扩散，有助于调整地基沉降。例如堤坝等各种结构物的软土地基或强度不足的地基加固，在冻土和稀泥土上修筑临时道路，防止沥青混凝土路面裂缝，修筑加筋土墙，稳定边坡，防止冻融或其他作用造成的滑坡等。

1.2.5 隔离功能

土工织物的隔离作用是把材料分隔开，以防止相互混杂，或为某种目的作为同一材料的分隔层。通过隔离层，引起应力扩散作用，使地基沉降量得到一定程度的均匀化；隔离提供排水面，加速地基固结，使承载力提高；隔离可能防止翻浆等现象，例如土石坝、堤防、路堤等不同材料的各界面之间的分隔层等。

1.2.6 防渗功能

土工织物可用一些防水材料，如乙烯树脂、合成橡胶、聚氨酯或塑料等浸渍或涂刷后成为不透水的织物，这样它就和土工膜一样可用于各种防渗结构中，而且，在力学和水力学性质上往往具有更多的优点。不透水织物和土工膜已广泛应用于堤坝、水库、水池、渠道、屋面和地下洞室等防渗防水工程，还可在满足结构刚度的条件下充气或充水作为挡水结构物。

应该说明的是，土工织物在实际应用中往往同时起两种或两种以上的作用，例如排水反滤及隔离作用，防冲与反滤作用经常是联系在一起的。这种功能的划分是以上述土工织物在实际应用中所起的主要作用而言，不是指它的单一作用。

1.3 土工合成材料工程发展简史

土工合成材料作为一种新的土建工程建筑材料的历史不长，即使自 1930 年首次由美国杜邦公司制成现代聚酰胺(尼龙)合成纤维，1940 年成为商品以来，也只有 60 多年的历史。但由于合成纤维发展速度很快，在很短时间内不仅在民用上风靡全球，而且很快就超出民用范围，扩大到工业、土建工程和军事等部门，发展成为一种新型的土建工程材料。

土工合成材料最早用于土建工程的确切年代尚待考证。但土工薄膜的应用则可追溯到20世纪30年代,先用于游泳池和灌溉渠道防渗,然后发展到土石坝、水闸及其他土建工程。至于将合成纤维材料真正应用于土建工程,则是从20世纪50年代末期开始的。

1957年,荷兰用尼龙有纺织物做成充砂管袋用于护岸和堵口工程。

1958年,美国在佛罗里达州大西洋海岸防护工程中,将聚氯乙烯有纺织物代替传统的砂砾石滤层置于土与块石之间作护坡垫层,经过27年的运用,情况仍然良好。

1959年,在日本伊势湾修复围堤沉排时,采用维尼纶编织布替代沉排。5年后检查未发现腐蚀现象,强度也没有明显下降。

1962年,美国杜邦公司开发纺黏法长纤维无纺布以取代短纤维无纺布,作为滤层和导水体应用于道路和护岸等土木工程。

1967年,英国、日本应用土工格栅修建加筋土堤,并予以推广。

总之,从20世纪50年代末期开始至60年代期间,有纺和无纺土工织物在土建工程(特别是水利工程)中成功地用作反滤、排水及隔离材料,推动了土工合成材料的应用,形成了产品市场,品种和质量都得到进一步的发展和提高。

20世纪70年代,由于纺黏法无纺布的大量生产,使土工织物的应用有了新的发展。其特点首先是应用范围日益广泛,在水利水电、海港、公路、铁路、建筑和国防等各个领域中都得到应用;其次,像美国陆军工程师兵团水力学研究室等科研、教学单位都针对土工合成材料的应用开展了系统的试验和理论研究工作,大大促进了土工合成材料科学的发展。例如,1970年法国修建的法拉克罗斯(Viacros)土坝,就在上游块石护坡底层和下游坝趾排水体周围铺设了土工织物;以后,几乎每座土石坝出于不同原因都使用了土工织物,土工织物在法国得到了广泛应用。

1977年,在法国巴黎召开了首届国际土工织物会议(International Conference on theuse of Fabrics in Geotechnics)。1982年在美国拉斯维加斯召开第二届国际土工织物会议,1984年在美国丹佛召开国际土工薄膜会议,1986年在维也纳召开第三届国际土工织物会议,1990年在荷兰海牙召开第四届国际土工织物、土工薄膜和相关产品会议,1994年在新加坡召开第五届国际土工合成材料会议以及1998年在美国亚特兰大召开第六届国际土工合成材料会议。1983年成立国际土工织物学会(International Geotextile Society,简称IGS)。以上会议的召开及国际土工织物学会的成立,大大促进了土工合成材料的迅速发展。土工合成材料工程逐渐形成一门以岩土力学和工程力学为基础,与高分子聚合物及纺织工业生产相联系,应用于土建各个领域的新的边缘学科。

从1978年开始,在坝高达80m的土坝中也采用土工织物排水和反滤系统,如原西德的佛朗奥(Frauancu)坝和南非的斯特里基多姆(Strijdom)坝。

20世纪80年代以后,土工合成材料的应用又有了新的飞跃,产品型式不断革新,各种复合型、组合型土工合成材料不断涌现。据统计,1985年国外生产土工织物的大公司就接近40家,其中美国的杜邦公司、法国的罗纳普朗克公司等都在国际上享有盛名,前者年产土工织物4.6万t,可提供24种不同性能和用途的土工织物。到1984年,全世界使用土工合成材料的工程超过10万项,铺设土工织物面积超过3亿m^2。

土工合成材料在我国的应用开始于20世纪60年代中期,首先是把塑料薄膜用于灌溉渠道防渗,较早的工程有山东打渔张灌区、河南人民胜利渠、陕西人民引渭工程等,主要是聚氯乙烯(个别为聚乙烯),以后推广到蓄水池、水库和闸坝工程。1965年,桓仁水电站用沥青聚氯乙烯热压膜锚固并粘贴于混凝土支墩坝上游面,防治裂缝漏水获得成功,是我国采用土工合成材料处理混凝土坝裂缝的首例。同年,河北省子牙新河献渠枢纽工程,采用黏土夹塑料薄膜构筑进洪闸上游铺盖的防渗结构。此后,宁夏、陕西、北京、河北、山东、辽宁、黑龙江等地也都在中小型(后来推广到大型)水库及土石坝(包括补强除险工程)中使用土工膜或复合土工膜防渗,并取得了良好效果。

我国在土工织物应用方面起步较晚,但发展速度很快。1974年,在江苏省长江嘶马护岸工程中,首先使用由聚丙烯扁丝编织布为排体,结合聚氯乙烯绳网和混凝土块压重组成软体沉排,防止河岸冲刷。

20世纪80年代以后,土工织物的应用日渐增多,尤其是针刺型土工织物在水利工程中的应用,发展更为迅速。仅1984~1986年3年时间,云南麦子河水库、江苏昆山暗管排水、内蒙古的翰嘎利水库、天津鸭淀水库、黑龙江的引嫩工程、河北的庙宫、山东省牟山水库、广北 引黄平原水库等,都用其做反滤排水,效果良好。不久,无纺土工织物的应用范围很快扩展到储灰坝、尾矿坝、港口码头、海岸护坡及储油罐等地基处理领域。一大批生产针刺无纺织物的工厂也应运而生,纷纷建成投产。

此外,土工排水板、土工网、土工格栅和土工模袋等土工合成材料在我国也得到长足发展。土工合成材料的应用领域已扩大到高速公路、铁路、飞机场、电厂、井灌、民用建筑等几乎所有土建工程行业。

及至20世纪90年代末期,由于土工合成材料所具有的功能和特性及其在工程实践中的卓越成效,引起了全国有关部门的充分重视,土工合成材料开始在一些国家大型重点工程中得以应用。如三峡工程、秦山核电工程、长江口整治工程、治黄工程、治淮工程、京杭大运河、大型引黄平原水库工程和江河防汛抢险等,并获得了较大的经济效益和社会效益。国内有关科研机构、大专院校、设计部门结合工程实际建立专项研究课题,进行长期系统的科学研究,培养出一批专攻土工合成材料工程技术的硕士研究生、博士研究生。

据初步统计,到1995年,我国应用土工织物的工程项目累计超过1万个,使用土工织物近5亿m^2。

1995年,在1984年成立的全国土工合成材料技术协作网的基础上,成立了中国土工合成材料工程协会。1996年,在上海召开了第四届全国土工合成材料学术讨论会暨第一届国际土工合成材料展览会,有力地推动了土工合成材料工程技术的发展。1986~2000年,在该学术团体的组织下,相继召开了五届全国性的学术讨论会。在此期间,于1989年成立国际土工织物学会中国委员会。这些学术活动有效地促进了我国土工合成材料应用技术的发展。

随着其优良的性能逐渐被认识和改进,在黄河防洪工程建设、抢险和维护管理中也开始逐步推广和应用土工合成材料。1993年山东黄河河务局应用土工织物在济南泺口险工结合63号砌石坝岸拆改,修建了土工织物加筋土试验坝,经过一年的现场观测和几年的运行,证明是可行的。1988年,封丘县黄河禅房控导工程第34号坝,利用充土工长管袋软排体护底,经受了1988年汛期5 000m^3/s洪水的考验,效果良好。土工合成材料的性能结构决定了其在工程中的独特用途和推广价值，尤其是在1998年“三江大水”中，土工合成材料在抢险中发挥了巨大作用。

1998年末至1999年初，在我国国家领导人关注下，国家有关部门用最快的速度制定并颁布了第一个土工合成材料应用技术国家标准《土工合成材料应用技术规范》(GB 50290—98)以及水利部发布的《水利水电工程土工合成材料应用技术规范》(SL/T 225—98)和《土工合成材料测试规程》(SL/T 235—1999)、铁道部发布的《铁路路基土工合成材料应用技术规范》(TB 10118—99)、交通部发布的《公路土工合成材料应用技术规范》(JTJ/T 019—98)和《水运工程土工织物应用技术规程》(JTJ/T 239—98)等6个专门规范及规程。这些规范及规程科学地总结了国内外土工合成材料工程技术的经验教训，为今后土建工程领域内全面推广应用该项技术提供了依据，成为我国土工合成材料工程技术发展的里程碑。从此，工程设计、施工部门把土工合成材料技术正式列入了工程设计、施工议程。

土工合成材料是非常有生命力的工程材料，目前国内发展的总趋势是产品系列化、合成型、复合型，因此土工合成材料有着广阔的应用和发展前景。

第二节 土工合成材料试验

2.1 土工合成材料的特性试验

在本次试验研究中，从国内20多个生产厂家分别选取了20种不同的土工合成材料进行试验，即物理力学性能试验、抗剪强度特性试验、反滤特性试验等[1~10]。

本次试验特别提出了土颗粒在运动状态下的反滤准则研究，这是一个新的研究课题。并进行了以下模拟试验：室内试验开展了土工织物的加速淤堵试验、土工织物在泥浆中的过滤特性试验、长管袋充填试验、背河漏洞控制试验、水槽漏洞抢护试验；现场试验开展了流土抢护试验、不同水深堵漏试验、土工管袋充填试验、土工织物网笼抛投试验等。其试验目的是为了正确选用适合黄河防汛抢险的土工合成材料。

2.1.1 试验材料

试验材料：选用邢台针刺无纺土工织物产品三种，简称邢1号、邢2号、邢3号；常州产品四种，简称常1号、常2号、常3号、常4号；湖北应城产品两种，湖1号、湖2号；仪征无纺布厂生产的涤纶长丝纺黏针刺无纺土工织物产品两种，简称南1号、南2号；聚丙烯单丝和多丝有纺土工织物（厂家称机织土工布），简称机1号（江阴）、机2号（青岛麻纺厂）、机3号（洛阳石化）；高强经编土工布（浙江锦达）两种，1-3号、1-4号；其他为聚乙(丙)烯土工网、涤纶纤维、玻璃纤维、聚丙烯类土工格栅等。

2.1.2 物理、力学性能试验

2.1.2.1 同类型的国产土工合成材料性能试验

物理、力学性能试验按有关规范进行，其结果见表5-1～表5-3。

表 5-1　　　　　　　　**针刺无纺土工织物的力学试验成果**

试验项目名称		土工织物试样								
		邢1号	邢2号	邢3号	常1号	常2号	常3号	常4号	湖1号	湖2号
单位面积质量(g/m^2)		244	400	400	358	415	329	313	390	441
厚度(mm)		2.61	3.25	3.06	2.42	3.34	2.73	2.19	3.46	3.82
抗拉强度(kN/m)	径向	7.20	14.68	17.02	10.48	12.72	12.90	8.84	6.18	13.00
	纬向	7.04	19.04	19.82	18.96	28.58	17.84	22.12	10.56	10.08
伸长率(%)	径向	76.5	86.7	69.6	82.7	120.6	113.6	97.6	99.4	92.8
	纬向	71.2	85.3	67.6	75.2	84.2	101.4	92.4	77.8	78.2
撕裂强度(N)	径向		364.7	365.0	320.8	449.2	342.4	385.2	172.9	296.9
	纬向		537.4	459.9	616.7	877.8	492.3	519.5	229.2	604.6
顶破强度(kN)		2.01	3.33	3.39	2.61	3.43	2.20	2.17	2.11	2.76
穿透孔径(mm)		20.1	11.5	10.6	14.9	9.7	12.9	11.7	8.0	6.6

表 5-2　　　　　　　　**针刺无纺土工织物的有效孔径**　　　　　　　　(单位:mm)

有效孔径	土工织物试样							
	邢2号	邢3号	常1号	常2号	常3号	常4号	湖1号	湖2号
O_{98}	0.110	0.105	0.115	0.115	0.120	0.110	0.100	0.107
O_{95}	0.098	0.100	0.090	0.105	0.104	0.088	0.074	0.086
O_{90}	0.084	0.058	0.050	0.090	0.090	0.074	0.050	0.074
O_{50}	0.048			0.072	0.066			

表 5-3　　　　　　　　**针刺无纺土工织物不同垂直荷载下的渗透系数**

产品编号	不同垂直荷载下的渗透系数($\times10^{-2}$cm/s)					
	0.5(kPa)	16(kPa)	50(kPa)	100(kPa)	150(kPa)	200(kPa)
邢2号	5.32	4.38	2.87	2.38	2.05	1.74
邢3号	4.39	3.46	2.62	1.91	1.64	1.33
常1号	3.49	3.09	2.55	2.11	1.97	1.71
常2号	4.12	3.33	2.16	1.87	1.51	1.28
常3号	4.00	2.81	2.09	1.58	1.38	1.18
常4号	3.35	2.47	1.85	1.44	1.25	0.92
湖1号	3.78	3.14	2.12	1.40	1.30	1.24
湖2号	4.17	3.28	2.57	1.79	1.46	1.23

(1)针刺无纺土工织物的力学试验成果见表 5-1。应该说明的是，表 5-1 中的抗拉强度是窄条拉伸试验，其抗拉强度一般偏小。

(2)表 5-2 中，有效孔径反映土工织物阻挡土颗粒性能和透水性能。而实际工程中对土工织物的孔径要求是不同的，如土工织物用于保护层、反滤层、排水层，对有效孔径的要求就不一样。由于黄河泥沙较细，要求土工织物的有效孔径要适当，以保护泥沙在水流冲刷作用下不被带走，即细颗粒土不穿过土工织物的孔径被带走。比较表 5-2 和图 5-1 中等效孔径 O_{95}，常 2 号大于邢 2 号、邢 3 号。但从另一方面讲，常 1 号却比较小，这表明生产厂家完全可以根据工程的具体要求生产不同孔径的产品。

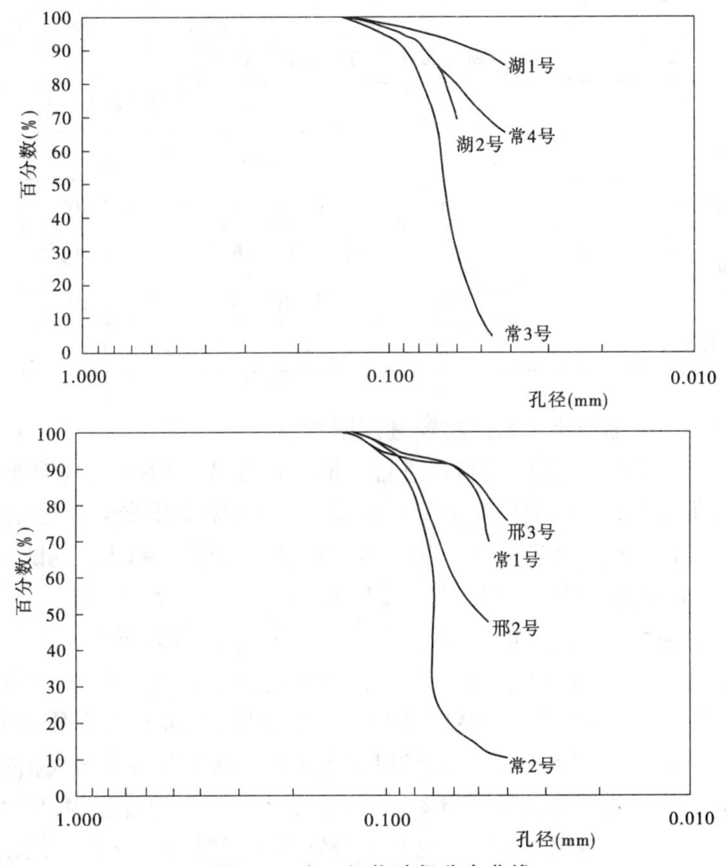

图 5-1　土工织物孔径分布曲线

(3)土工织物的渗透特性，是用渗透系数 k 来表示的，根据工程应用的要求，须进行垂直、平行于土工织物面方向的渗透试验。本次试验仅对垂直方向承受压力条件下的渗透特性进行试验。

对于针刺无纺土工织物在压力作用下，其厚度及孔径都会发生变化，即土工织物的渗透性和土颗粒穿过的能力都随压力的增大而减小。在压力作用下，土工织物渗透性的变化，可以由加压渗透试验测定。试验成果见表 5-3，八种试样的垂直渗透系数都大于 10^{-3} cm/s，比被保护土体的渗透系数大得多。

(4)机织土工布水力学性能指标见表 5-4。一般来说，机织土工布的垂直渗透系数 k、

等效孔径 O_{95} 均比较小。

(5)产品原材料不同,导致土工织物在性能上差异较大,常州产品是聚丙烯材料,邢台、湖北是涤纶材料。所以,常州产品抗撕裂强度、伸长率均较大,邢台产品抗拉强度纵横向值比较接近。

不同的生产工艺也导致土工织物在性能上差异较大,相同材料的常 1 号和常 2 号,尽管 1 号单位面积质量较 2 号小,但等效孔径 O_{95} 却比 2 号小得多。另外邢台、湖北产品同为涤纶材料,但性质却相差很大。

试验结果表明,同类型的国产土工合成材料性能差别很大,因此对每批产品进行检查是必要的。

表 5-4　　机织土工布水力学性能指标

项目		单位	检测结果		
			2kPa	20kPa	200kPa
垂直渗透系数		cm/s	6.24×10^{-5}	4.42×10^{-5}	3.66×10^{-5}
水平渗透系数	一层	cm/s	5.27×10^{-1}	4.85×10^{-2}	2.15×10^{-2}
	二层	cm/s	5.88×10^{-1}	4.64×10^{-2}	3.71×10^{-2}
等效孔径 O_{95}		mm	0.061		

2.1.2.2　不同类型的国产土工合成材料性能试验

选用不同类型的国产土工合成材料进行了抗拉强度、延伸率等物理性能方面的试验。试验材料有:针刺无纺土工织物(TW)、有纺机织土工布、涤纶纤维经编土工格栅(ZH)、玻璃纤维土工格栅(JJ)、聚丙烯双向土工格栅(ST)和聚乙烯土工网(TS)。试验得出的主要技术指标见表 5-5。经综合研究分析得出以下认识:

(1)极限抗拉强度从大到小的排序为:有纺机织土工布、玻璃纤维土工格栅、经编土工格栅、双向土工格栅、无纺土工织物和土工网。极限抗拉强度最大相差 10 倍左右。

(2)极限延伸率从小到大排序为:玻璃纤维土工格栅、双向土工格栅、经编土工格栅、有纺机织土工布、土工网、无纺土工织有纺机织土工布。极限延伸率最大相差 40 倍左右。

(3)综合极限抗拉强度和极限延伸率,抗拉模量从大到小的排序为:玻璃纤维土工格栅、经编土工格栅。有纺机织土工布、双向土工格栅,土工网和无纺土工织物。

2.1.2.3　防汛编织袋性能试验

本次试验是 2000 年汛前针对山东、河南黄河防汛抢险物资库存的编织袋进行抽检。其结果见表 5-6。

(1)从检测结果来看:8 组样品的单位面积质量均小于 $100g/m^2$,其防汛标准值为≥$100g/m^2$,标准规定允许有 -5% 的误差,即最低标准值为≥$95g/m^2$,但多数没有达到防汛标准值。

(2)从力学特性指标检测结果看:除漳卫南德威塑料包装公司生产的产品其强度指标明显偏低外,其余产品均能满足防汛标准的要求。

(3)从水力特性指标检测结果看:8 组产品的等效孔径、渗透系数及摩擦系数均能满

表 5-5　　**土工合成材料的技术指标**

产品名称及类型		无纺土工织物	有纺机织土工布	经编土工格栅	玻璃纤维土工格栅	双向土工格栅	土工网
产地		天津	江阴	浙江	江苏	山东	天津
规格				TGS—2	CCBIO12	TGDG25	CE131
原材料		丙纶		涤纶纤维	玻璃纤维	聚丙烯	聚乙烯
刺破强度(kN)		0.43	0.60				
CBR 顶破强度(kN)		2.05	3.72				
单位面积质量(g/m^2)		398	245	560	643	415	673
纵向	极限抗拉强度(kN/m)	13.7	60.1	55.2	40.3	19.1	9.4
	极限延伸率(%)	78.4	31.3	23.6	1.9	33.2	29.6
	2%延伸率抗拉强度(kN/m)	<0.5	5.0	9.8		6.5	1.1
	5%延伸率抗拉强度(kN/m)	<0.5	10.0	17.8		12.2	3.3
横向	极限抗拉强度(kN/m)	10.1	49.3	52.6	62.4	20.0	5.1
	极限延伸率(%)	106.7	23.5	27.3	2.7	15.2	44.1
	2%延伸率抗拉强度(kN/m)	<0.5	4.0	9.5	59.7	5.1	1.1
	5%延伸率抗拉强度(kN/m)	<0.5	9.0	13.1		10.5	1.8
网孔尺寸(mm)		<0.115	<0.071	27×25	25×25	40×50	20×20

表 5-6　　**黄河防汛抢险物资库存编织袋物理力学指标抽检成果**

测试项目			单位	河南黄河河务局					山东黄河河务局			防汛标准值	国家标准
				黄委实业公司	常州	漳卫南	泰州	驻马店	常州	温州	漳卫南		
物理特性	单位面积质量		g/m^2	99	92	91	93	92	88	88	85	≥100	≥100
	厚度(2.0kPa)		mm	0.6	0.6	0.71	0.64	0.28	0.57	0.48	0.66	/	/
	经纬密度		根/英寸	12×10	12×12	11×10	12×12	12×12	12×13	12×12	11×10	≥13×12	/
力学特性	抗拉强度	纵向	N/cm	104	146	67	147	160	138	123	60	≥110	≥150
		横向	N/cm	151	125	87	108	200	126	95	71	≥110	≥105~150
	延伸率	纵向	%	24	20	32	19	20	17	22	26	/	≤25
		横向	%	15	21	28	17	17	18	18	26	/	≤25
	缝合部位	强度	N/cm	64	89	50	75	91	54	56	41	/	≥50%抗拉强度
		延伸率	%	64	69	88	61	65	51	67	71	/	/
	CBR 顶破强度		N	1 788	1 402	1 087	1 625	1 568	1 413	1 318	1 092	≥1 500	≥1 200
	摩擦系数		/	0.37	0.38	0.33	0.36	0.30	0.35	0.37	0.39	≥0.30	/
水力特性	渗透系数		cm/s	1.26×10^{-3}	1.82×10^{-3}	2.08×10^{-3}	1.68×10^{-3}	6.10×10^{-4}	1.72×10^{-3}	9.8×10^{-4}	2.53×10^{-3}	$10^{-1}\sim10^{-2}$	$10^{-1}\sim10^{-4}$
	等效孔径 O_{95}		mm	0.107	0.047	0.037	0.064	0.134	0.087	0.034	0.052	/	0.07~0.5

注:经纬密度防汛标准值允许误差为±1 根/英寸。

足防汛标准及有关国家标准要求。

(4)土工合成材料在防汛抢险中主要作用是排水反滤和防渗,同时兼有隔离和加筋等作用,虽然这些材料一般不承受多大的附加荷载,但却不可避免地要经受施工应力的作用。而对用于防汛抢险的编织型土工合成材料,主要是用来制作土袋沉枕,当在枕袋内充填砂和土料时,要求编织袋不仅要满足孔径的要求,而且材料本身和缝合部位亦应具有足够的抗拉和顶破强度。当枕袋内充填粗料(块石、砾石和卵石)时,还要求编织袋有较高的抗刺破和顶破强度。若枕袋尚需压实时,则要注意编织袋的抗胀破强度要求等。

2.1.3 抗剪强度特性试验

在研究中选取黄河堤防三种具有代表性的典型土料,即粉质黏土、粉质壤土、砂壤土或极细砂。试样制备采用击实法,控制干密度在 1.50~1.60g/cm^3 之间,试样制备的含水率为 18%左右,土的基本性能见表 5-7、图 5-2、图 5-3。本次试验主要进行了饱和试样的直接剪切摩擦试验和三轴试验,探讨了土工合成材料与土壤之间、土工合成材料之间和土工合成材料在土壤中间等情况的抗剪强度特性。

表 5-7　　土的基本性能指标

土样编号	抗剪强度		颗粒组成(%)				土样名称
	φ (°)	C (kPa)	>0.1mm	0.1~0.05mm	0.05~0.005mm	<0.005mm	
1号	21.0	75.0	0	6	61	33	粉质黏土
2号			13	18	52	19	中粉质壤土
3号	21.0	11.0	34	36	18	12	轻壤土
4号	28.8	0	60	30	7	3	极细砂
5号	26.0	40.0	0	10	76	14	轻粉质壤土

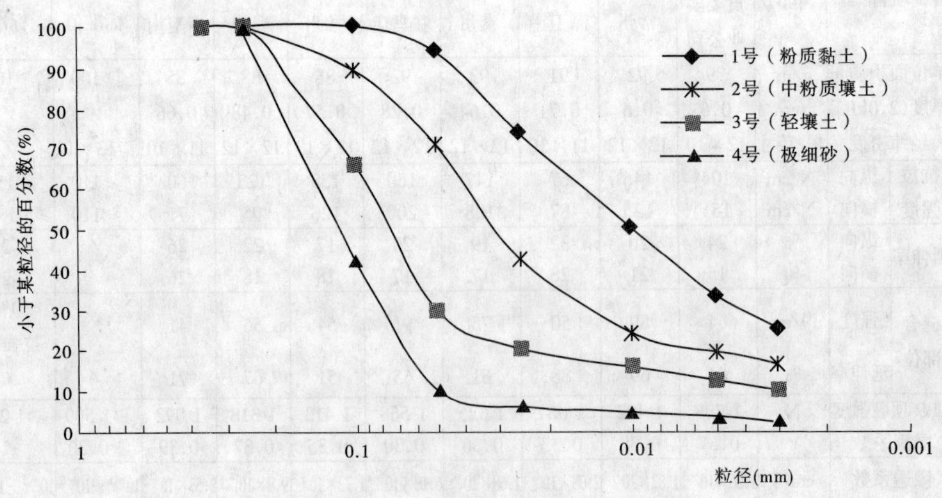

图 5-2　典型土样的颗粒级配曲线

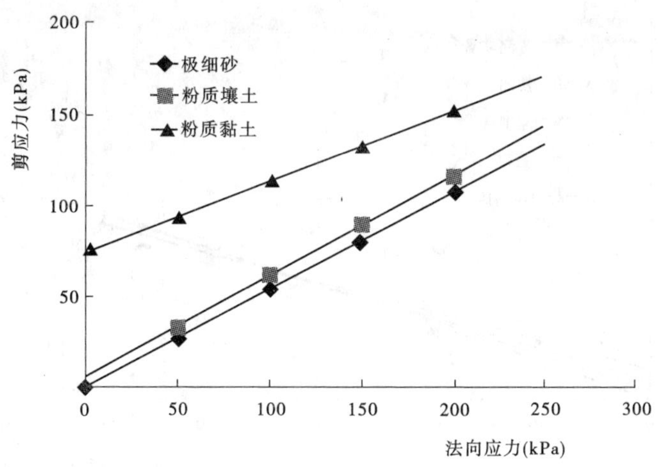

图 5-3　典型土壤(饱和快剪)界面强度线

2.1.3.1　直接剪切摩擦试验成果分析

直接剪切摩擦试验成果见表 5-8、图 5-4～图 5-9。

表 5-8　　直接剪切摩擦试验成果

名称	粉质黏土		粉质壤土		极细砂		针刺无纺		编织有纺	
	C	φ	C	φ	C	φ	C	φ	C	φ
针刺无纺			0	30.2	0	27.5	0	23.4	0	14.0*,10.8
机织有纺	10	19	0	32.8	0	31.3			52	13.4*,11.0
编织有纺			0	29.9	0	29.5			0	14.4

注: 本表为饱和试样的直接剪切摩擦试验成果;单位:C 为 kPa,φ 为度,* 为干态。

(1)土工合成材料与土之间的黏聚力一般很小,不同材料的摩擦角相差很大;极细砂的黏聚力为 0,摩擦角在 30° 左右,黏土的黏聚力为 10kPa,摩擦角为 20°左右。

(2)对于颗粒小于织物孔隙的土,以及疏松的中等颗粒的土,织物与土的摩擦角接近土体本身的内摩擦角。

(3)无纺布和机织布本身或与编织布之间的摩擦角比土的内摩擦角均小得多,通常湿摩擦在 10°左右。

2.1.3.2　三轴试验

试验土样为轻粉质壤土,土样的颗粒级配详见表 5-7 中的 5 号土样;试样制备采用击实法,试样干密度为 1.52g/cm^3,含水率为 18%,试样直径 61.8mm,高 125mm,分五层击实。土工织物为机 2 号(青岛麻纺厂),采用水平铺设,分一、三、五层,用抽气法饱和,饱和度达 99%以上。

为定量地表示加筋土的强度增长效果,采用相同周围压力条件下,加筋试样在破坏时的主应力差$(\sigma_1-\sigma_3)fR$ 与未加筋试样在破坏时的主应力差$(\sigma_1-\sigma_3)f$ 的相对增长值来定义加筋效益系数 IR。三轴试验成果见表 5-9。

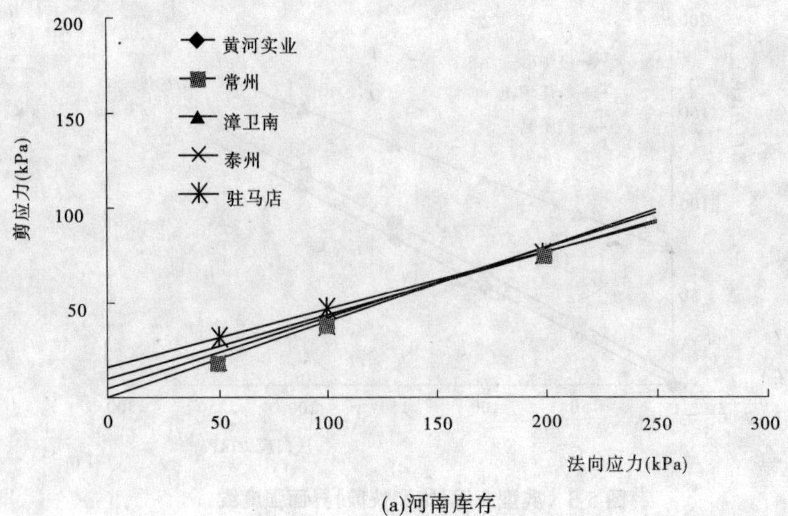

(a)河南库存

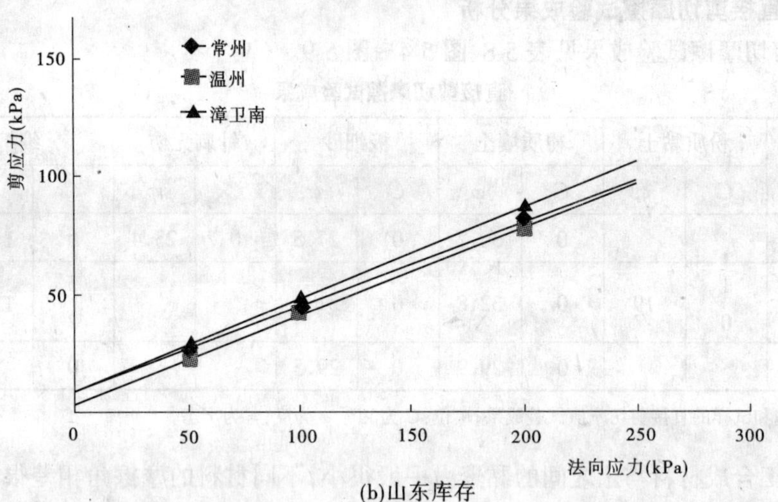

(b)山东库存

图 5-4　防汛编织袋界面强度线

$$IR = [(\sigma_1 - \sigma_3)fR - (\sigma_1 - \sigma_3)f] / (\sigma_1 - \sigma_3)f \tag{5-1}$$

(1)在完全不排水条件下加荷,一方面土工织物本身的抗拉作用使筋体的强度提高;另一方面在土工织物内及附近的土体中出现高孔压,土与土工织物界面的抗剪强度下降,所以当筋层布置较少时,加筋体的总强度不但不提高,反而可能下降。在完全排水条件下加荷,则一方面土工织物本身的抗拉作用使加筋体的强度提高,另一方面由于筋材形成的拱作用使筋材之间的土得到压缩,从而也增加了加筋体的抗剪强度。

(2)随加筋间距的减小,加筋土的应力—应变关系逐渐从非线性过渡到线性。土工织物在小应变时所起的作用较小,大应变时其作用才较明显,故在实际工程中宜将土工织物铺设在大应变区。

(3)黏聚力(C 和 C')随加筋层数的增加而一直增加,内摩擦角(φ 和 φ)则最终趋于一定值。

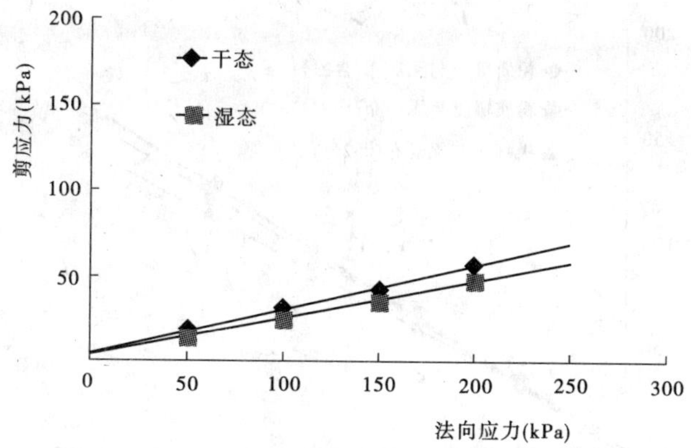

图 5-5　无纺布与编织布(常州)界面强度线

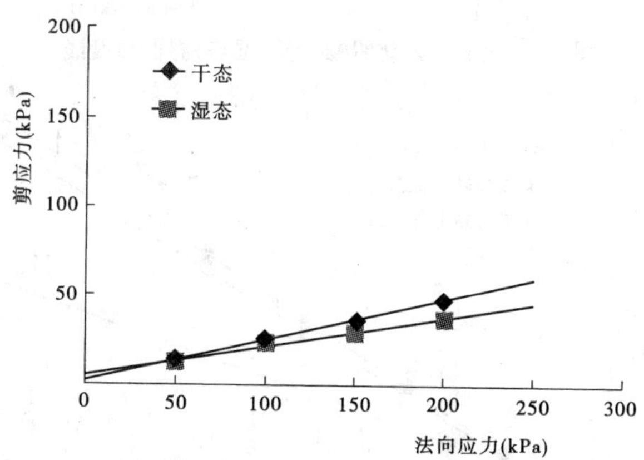

图 5-6　机织布与编织布(常州)界面强度线

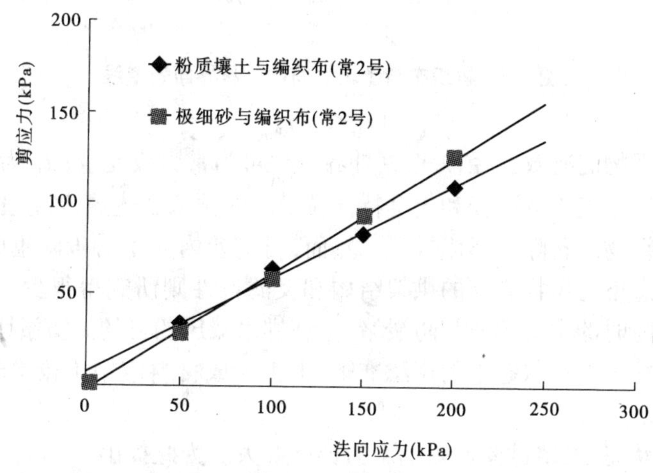

图 5-7　编织布与土壤之间(饱快)界面强度线

2.1.4　反滤特性试验

综合分析现有土工织物滤层设计准则可以得出以下通式:

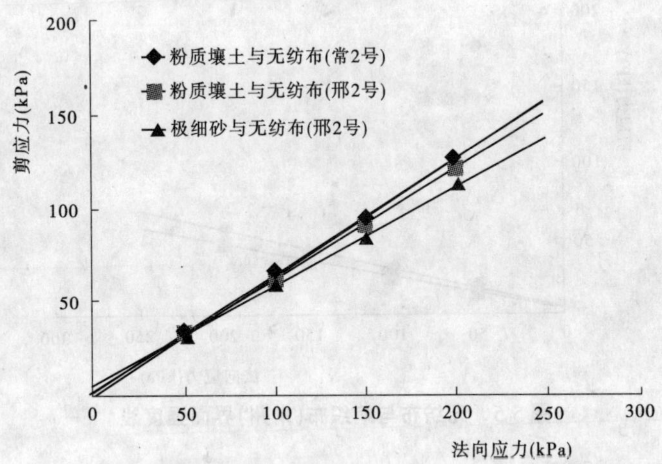

图 5-8　土壤与无纺织物之间(湿态)界面强度线

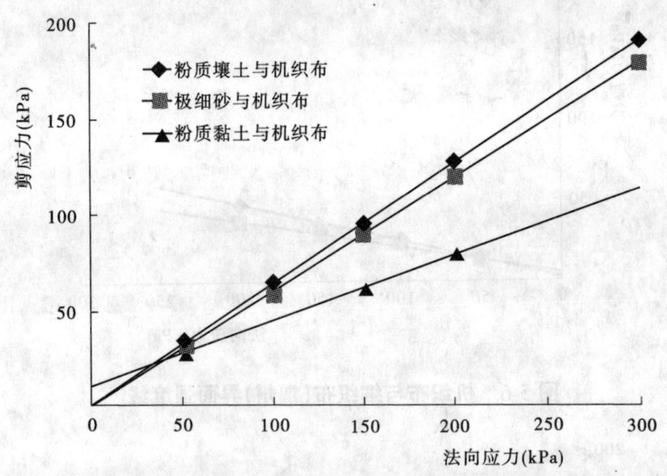

图 5-9　机织布与土壤之间(饱快)界面强度线

$$O_e < \lambda d_n \tag{5-2}$$

式中：O_e 为土工织物的有效孔径；λ 根据外界条件可为常数或变量；d_n 为土壤特征粒径。

设计准则是以土工织物孔径和土壤特征粒径间的关系表述的，要在土壤中建立滤层，就需要土颗粒在织物的孔隙间形成拱架。然而，目前业内人士对抢险也即对于土壤在渗流或结构破坏状态下与织物界面的拱架结构和反滤特性则研究得很少。实践证明，应用土工合成材料抢险时的主要矛盾是防淤堵，达到排水减压的目的。防淤堵问题非常复杂，研究抢险即土颗粒在运动状态下的反滤准则，土工合成材料应用于抢险时的适应性或选型是一个新课题。

为模拟抢险状态，淤堵试验原则上水力梯度要大。为此提出：

(1)从保土性来讲，最终需要保护那一类的土颗粒，用于抢险的织物允许通过 10%～20%的细颗粒，因此尽可能选择较大孔径的织物以满足较大的透水性，即 O_{95} 在 0.1mm 以上，甚至达到 0.5mm 左右。从保土机理分析，土体颗粒很小时，不只是重力起作用，而且水的黏滞力也起很大的作用。

表 5-9　　三轴试验成果

加筋层数 （N）	高径比 h/D	σ_3 （kPa）	$(\sigma_1-\sigma_3)f$ （kPa）	uf （kPa）	IR （%）	C （kPa）	φ （°）	C′ （kPa）	φ' （°）
未加筋	2.02	100 200 300 400	290 460 620 780	0 30 70 100		40	26	10	33
一层加筋	1.01	100 200 300 400	290 480 640 800	28 56 100 140	0 4 3 3	40	26.5	30	35
三层加筋	0.67	100 200 300 400	340 510 700 900	40 90 150 180	17 11 13 15	50	27.5	40	39
三层加筋不等距	0.34～1.01	100 200 300 400	280 420 580 700	40 100 156 220	−3 −9 −6 −10	40	25	10	40
五层加筋	0.40	100 200 300 400	570 700 810 950	60 130 200 280	97 52 31 22	140	23.5	100	41

（2）从透水性上来讲，以透水性越大越好，渗透系数大于 10^{-2}cm/s。

（3）在选择土工织物时，不但要考虑织物的等效孔径、渗透系数，而且要考虑织物的开孔率。若开孔率过小，即容易产生淤堵，参考国外有关资料提出用于抢险的织物的开孔率应在 30%以上。

根据以上分析进行了以下两种模拟试验：

2.1.4.1　加速堵滤试验

加速堵滤试验主要模拟抢险过程中使用典型土工织物时的适应性。在基本建设工程中，土工织物反滤层设计较为完善，一般不会发生系统的淤堵现象。但在抢险过程中，土工织物反滤层与土（或一道缝、一条裂隙）之间为松散接触，细颗粒土壤很容易被水流冲刷，水流特性变得复杂紊乱，反滤系统容易造成淤堵。

第 1 组试验：土样为轻壤土，土样颗粒级配详见表 5-7 中的 3 号样；不均匀系数 C_u = 27.9>5 属非匀粒土，但曲率系数 C_c = 7.74 不在 1～3 范围内，表明土粒大小的连续性较差，则属级配不良土样。土样属黄河大堤典型样品，用做淤堵试验具有一定的代表性。采用土工织物为高强机织土工布，$O_{95}/d_{85}=0.071/0.17=0.42$，其性能指标见表5-5。试验成果见图5-10。

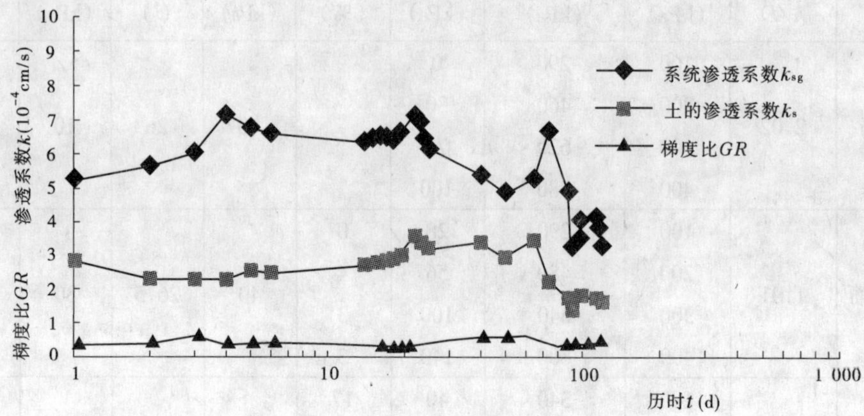

图5-10　机织土工布垂直淤堵试验

第2组试验：工况Ⅰ，试件构成为机织土工布一层，土料二层；下层土为轻壤土（表5-7中的3号土样），高度10cm，干密度$1.50g/cm^3$，上层土为黏土（表5-7中的1号土样），高度10cm，干密度$1.20g/cm^3$（即泥浆），机织土工布与3号土样接触。其中$O_{95}/d_{85}=0.71/0.17=0.42$，试验成果见图5-11～图5-12。

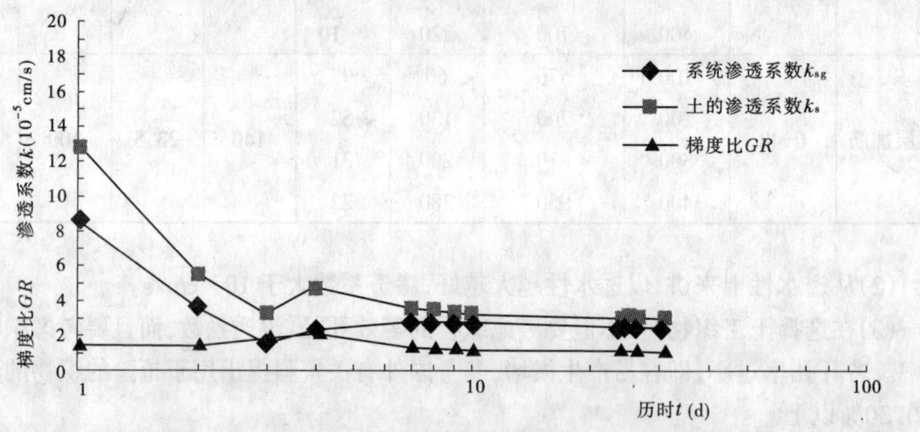

图5-11　机织土工布垂直淤堵试验工况Ⅰ(水头2.8m)

工况Ⅱ，试件构成为机织土工布一层，土样一层，土样为轻壤土（表5-7中的3号土样）和黏土（表5-7中的1号土样）按2∶1混合，混合后的颗粒组成为大于0.1mm的土颗粒占24%、0.1～0.05mm的占24%、0.05～0.005mm的占28%及小于0.005mm的占24%，土样定名为重壤土。装样高度为20cm，干密度约$1.50g/cm^2$。其中$O_{95}/d_{85}=0.071/0.12=0.59$，试验成果见图5-13。试验后不同部位的土样颗粒级配变化情况见表5-10和图5-14、图5-15。

第3组试验：试验土样为粉质黏土，土样的颗粒级配详见表5-7中的1号样；黏粒含量为33%，土样属黄河大堤典型样品，淤堵试验土样具有一定的代表性。

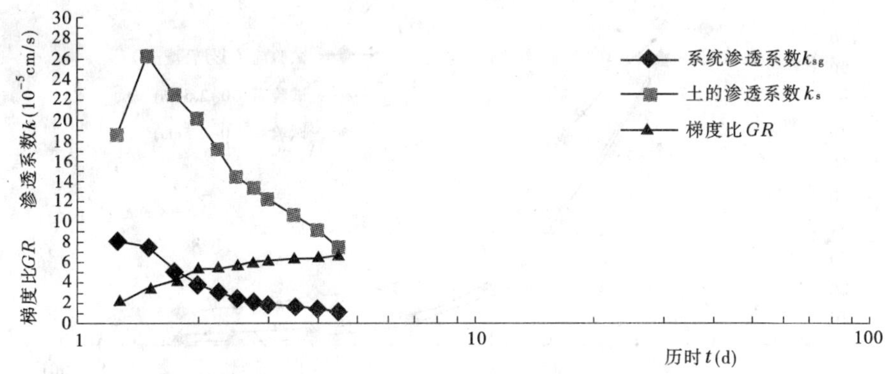

图 5-12　机织土工布垂直淤堵试验工况Ⅰ(水头 12m)

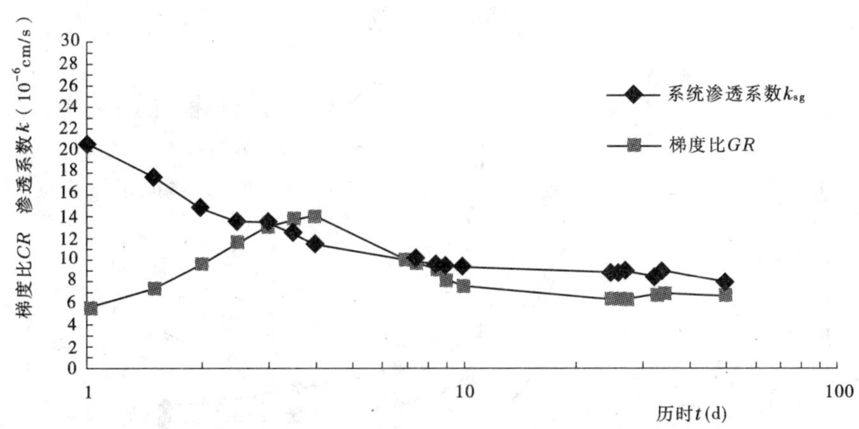

图 5-13　机织土工布垂直淤堵试验工况Ⅱ(水头 2.8m)

表 5-10　　试验后不同部位的土样颗粒级配变化情况

试样编号	取样部位(cm)	颗粒组成(%)				土样定名	备注
		>0.1mm	0.1～0.05mm	0.05～0.005mm	<0.005mm		
1号	/	34	36	18	12	轻壤土	试验前
A号	0～2.5	54	26	13	7	重砂壤土	第二组试验后
2号	2.5～5.0	61	22	12	5	轻砂壤土	(工况 I)
5号	0～2.5	58	25	16	1	极细砂	第一组试验后
6号	0～2.5	60	22	14	4	轻砂壤土	试验后

所用土工织物为涤纶长丝纺黏针刺无纺布(南 2 号),其 $O_e=0.20$mm。$O_{95}/d_{85}=0.20/0.035=5.71$。试验结果详见图 5-16。

从以上试验得出:

(1)从图 5-10 机织土工布垂直向淤堵试验可以看出,采用梯度比试验,24h 后梯度比已基本稳定,渗透系数也趋向稳定,说明机织布没有淤堵。

(2)图 5-11～图 5-12 机织土工布垂直向淤堵试验表明:土样结构为二层时,土工布的

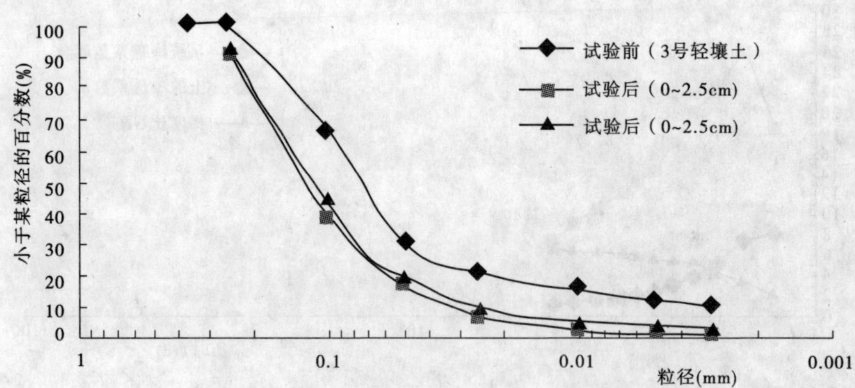

图 5-14　淤堵试验后土样的颗粒级配曲线变化

（第一组试验）

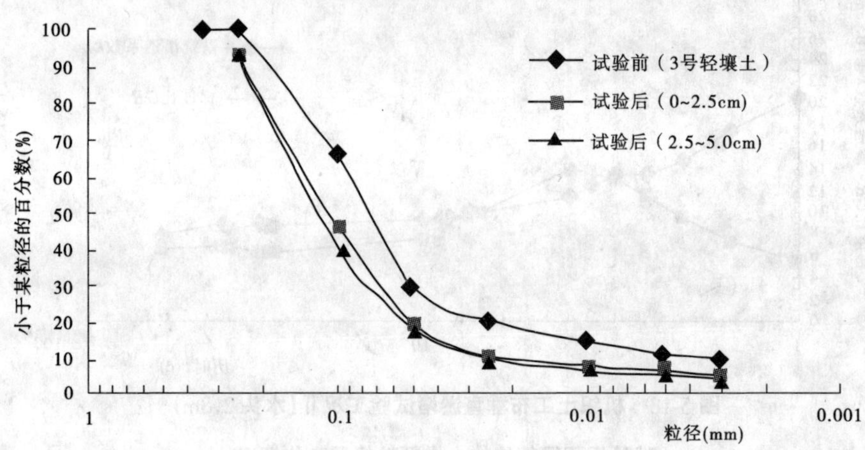

图 5-15　淤堵试验后土样的颗粒级配曲线变化

（第二组试验工况Ⅰ）

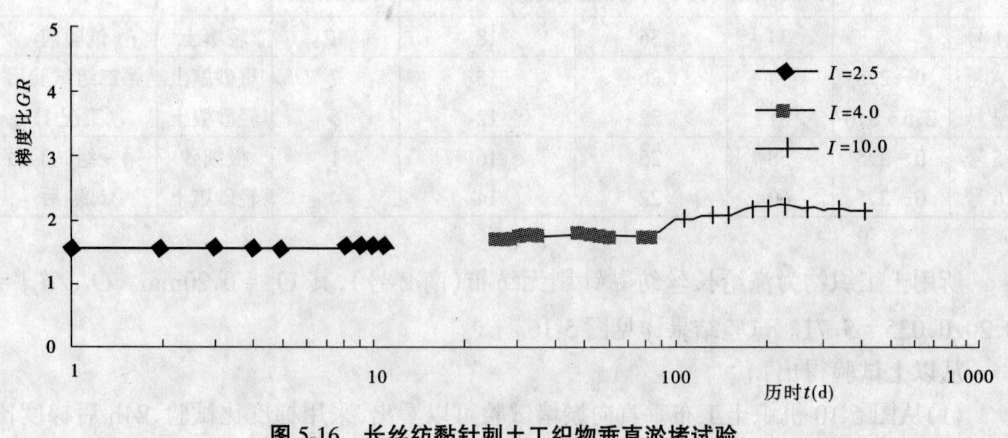

图 5-16　长丝纺黏针刺土工织物垂直淤堵试验

（$O_e = 0.20$mm）

淤堵情况较为复杂,在低水头作用下不发生淤堵,但在高水头作用下发生了淤堵,说明水力条件起了决定性作用。

(3)图5-13机织土工布垂直向淤堵试验表明:机织布(孔径较小)在低水头情况下,当土样的颗粒级配发生一定改变时,也会产生不同程度的淤堵。

(4)从图5-16试验结果分析,孔径较大,在大、小水力梯度下,GR 值始终小于3,而且土和织物试样系统的渗透系数一直保持在 $7.0\times10^{-4}\sim3.0\times10^{-4}$cm/s范围内,判断该土工织物结构不会发生淤堵,适合作这种粉质黏土的滤层。

因此,对于土工布的淤堵试验,取样的代表性非常重要,模拟实际结构状况同样非常重要。

2.1.4.2 **土工织物在泥浆中的过滤特性**

为了模拟抢险过程,研究土工织物在临界悬液土壤环境下作为滤层的特性,采用渗透仪对不同土工织物与悬液过滤的局部研究,以分析土工织物用于抢险时的适用性。

(1)试验材料及试验工况。试验材料试样见表5-11。土样的颗粒级配详见表5-7中的2号土样,即 $O_{95}/d_{85}=0.12/0.085=1.41$。

表5-11 **试验材料**

组合过滤体	海绵体	紧包在PVC排水管的花管段外部
	针刺无纺布	紧接着海绵体的外部包扎,$O_{95}=0.12$mm
	滤　布	排水管最外层,直接与钻孔壁相接
土　　样	中粉质壤土,$d_{85}=0.085$mm,试样制成泥浆状,比重为1.1	

模拟条件:①试验用的组合过滤体按绑扎前后两种情况进行试验;②试样泥浆比重为1.1;③试验水头为10m,水头一次施加。

试验工况分为以下四种:①绑扎组合过滤体,接触滤布的为清水;②未绑扎组合过滤体,接触滤布的为清水;③绑扎组合过滤体,接触滤布的为泥浆;④未绑扎组合过滤体,接触滤布的为泥浆。

(2)试验成果分析。

①绑扎状态和未绑扎状态的组合过滤体在清水条件下的渗透状况,试验在稳定渗流条件下进行,结果见表5-12。

表5-12 **组合过滤体在清水条件下的渗透性能**

工况	过滤体	水力条件 Δh(m)	试样厚度 δ(cm)	渗透系数 k_n(cm/s)	备　注
1	未绑扎状态	0.063	2.5	1.34×10^{-1}	试验结果均为4组平行试验的平均值
2	绑扎状态	0.156	1.0	2.82×10^{-2}	

②未绑扎状态的组合过滤体,在接触滤布为泥浆条件下的渗透状况见表5-13。在该工况下,试验初始,渗水为浑水,流量相对较大,1min后,渗水开始变清,5min后,渗水从

表观上看基本变清，流量减小，历时 11min 后，渗水流量及流速接近稳定，渗水为清水，28min 后，渗透达到稳定；渗出泥浆颗粒较细，约占 10%，约 90% 以上的土颗粒被阻塞于滤布上，组合过滤体内仅有极少土颗粒。

表 5-13　　组合过滤体在泥浆条件下的渗透性能

工况	过滤体	初始水力条件			初始渗透系数 (cm/s)	结束水力条件			结束渗透系数 (cm/s)
		综合坡降	流量 (cm^3/s)	流速 (cm/s)		综合坡降	流量 (cm^3/s)	流速 (cm/s)	
3	未绑扎状态	400	31.46	4.58×10^{-1}	1.27×10^{-3}	285.7	24.66	3.59×10^{-1}	8.81×10^{-4}
4	绑扎状态	1 000	5.37	7.82×10^{-2}	7.45×10^{-4}	500	2.12	3.09×10^{-2}	2.91×10^{-5}

③绑扎状态的组合过滤体，在接触滤布为泥浆条件下的渗透状况见表 5-13。在该工况下，试验初始，渗水为浑水，流量较大，8min 后，水流开始变清，至 10min，渗水基本变清，且渗透流速接近稳定，15min 后，渗透达到稳定；渗出泥浆颗粒较细，约占 5%，约 95% 以上的土颗粒阻塞于滤布上，且有 1cm 厚的泥浆沉淀层，过滤体内有少许土颗粒。

④由于渗透系数的表达是以达西定律为基础的，因此必须保证水的流态为层流。本次试验为了保证流态处于层流状态，采用了控制流速的方法，流速控制在界限流速 $V\leqslant$ 0.3～0.5cm/s 范围内，因而，本试验所反映的渗透系数符合达西定律的稳定渗流结果。第 1、2 种工况为清水状态，组合过滤体的渗透系数较大，其透水性能较好；第 3、4 种工况为泥浆状态，组合过滤体的渗透系数显著降低，这是由于泥浆细颗粒未能透过组合过滤体，首先附着于滤布上，越积越多，进而阻隔细颗粒渗过组合过滤体，形成淤堵现象。而且，组合过滤体的绑扎与未绑扎情况也对其整体渗透性能有很大影响，二者的渗透系数相差近 30 倍。

从以上试验分析可得出以下初步结论：

(1)土工织物作滤层时，水从被保护土中流过过滤体，水在流动过程中有可能将土颗粒封闭织物表面的孔口或堵塞在织物内部，出现淤堵现象，表现为渗透流量过度减小；过滤体的淤堵主要取决于水力条件、过滤体的孔径分布和土的颗粒级配。如果土颗粒均匀且大于过滤体外层滤布的孔径，或者虽不均匀，但在水流作用下能形成稳定的反滤拱架结构，则一般不会产生有害的淤堵。

(2)从加速淤堵试验结果分析，当土工织物的等效孔径较小($O_{95}\leqslant d_{85}$)时，在水力比降小于临界比降的情况下，所选择的土工织物是能防止淤堵的；但当水力比降远大于临界比降的情况下，反滤失效淤堵较严重。当土工织物的等效孔径较大($O_{95}=5d_{85}$)时，即使在较大的水力比降 $i=10$ 左右时，土体结构系统也不会发生淤堵。

2.2　堵漏试验及效果分析

2.2.1　室内模拟临河软帘盖堵试验

利用软帘盖堵堤防漏洞是黄河上漏洞抢险的措施之一。从软帘结构型式上大致可分为单层软帘、管袋式软帘、打褶型软帘等。从堵漏效果看，覆盖浅水漏洞一般效果较好，而截堵深水漏洞则成功率较低。分析原因，浅水漏洞水深小，水压力低，软帘覆盖后易截断水流；而深水漏洞由于水深大，在较大的水压力作用下，易发生接触冲刷，最终导致漏洞扩大而造成堵漏失败。为从机理上分析不同结构型式软帘堵漏成败的原因，进行了室内物理模型试验。

2.2.1.1 **堤防模拟**

室内试验采用1∶10的正态比尺模拟黄河大堤，由此确定的其他比尺见表5-14。为模拟实际堤防情况，筑堤材料采用天然土，经颗分试验分析得出：0.25～0.1mm粒径的颗粒占总量的34%；0.1～0.05mm占38%；0.05～0.005mm占12%；小于0.005mm的黏性颗粒仅占7%，得出该土质为重砂壤土(相当于大堤较差的土质)。为便于观察试验过程，试验在玻璃水槽中进行。

表 5-14　**模型主要比尺**

比尺	数值	公式	依据
水平比尺 λ_L	10		试验目的及场地条件
垂直比尺 λ_H	10		
流速比尺 λ_V	3.16	$\lambda_V=\sqrt{\lambda_H}$	水流重力相似条件
水流运动时间比尺 λ_{t1}	3.16	$\lambda_{t1}=\lambda_L/\lambda_V$	水流运动时间相似

模拟的大堤剖面见图5-17，漏洞直径为10mm。

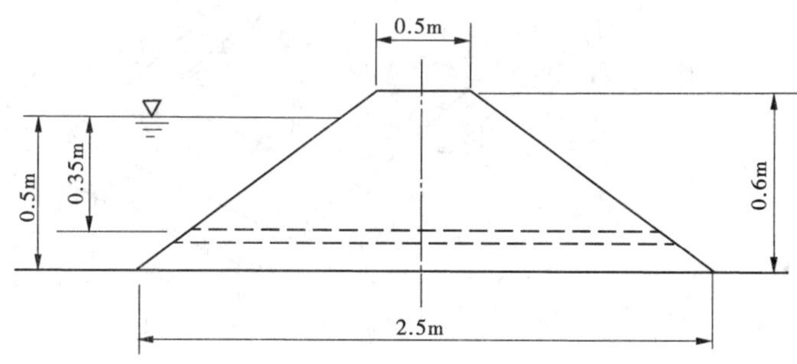

图 5-17　**模拟的大堤剖面**

为保证模拟大堤的压实质量，对模型实施分层压实，并对上、中、下三层进行环刀取样，对其湿密度、含水率和干密度进行了测量，使之与原型尽量保持一致。所筑模型堤防的湿密度为1.7～1.9g/cm^3，含水率16%，干密度1.6～1.7g/cm^3，其主要指标与实际情况基本一致。

2.2.1.2 **软帘结构型式**

试验采用的软帘结构型式有4种，即单层软帘、管袋式软帘—充泥浆的管袋式软帘、充固结浆的管袋型软帘及单层打褶型软帘。各软帘的结构型式、尺寸见图5-18～图5-20。充固结泥浆的管袋式软帘其结构型式同图5-19，所不同的是管袋下层可透浆。打褶形软帘见图5-20，它是在单层软帘的基础上沿长度方向打成褶，这样可有较多的伸展余地适应凹凸不平的堤坡。为防止软帘周边进水，沿软帘的周边做上帷幕，帷幕设有配重。

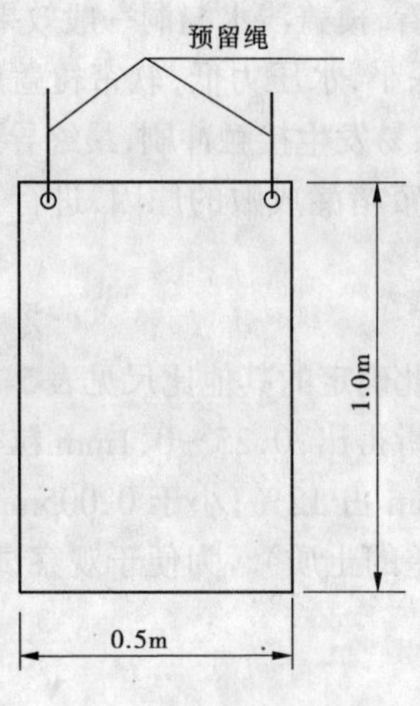

图 5-18　单层软帘

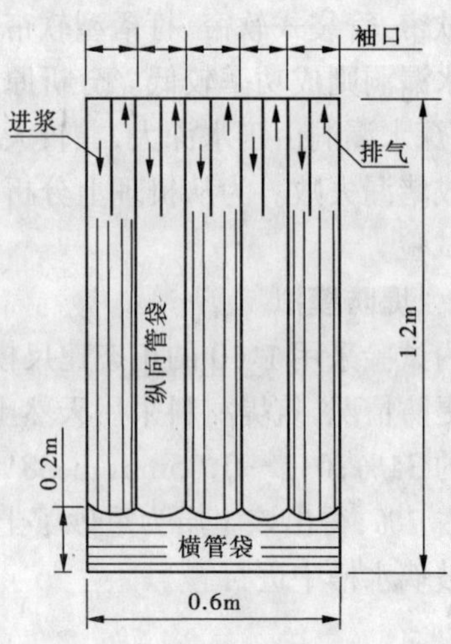

图 5-19　管袋式软帘

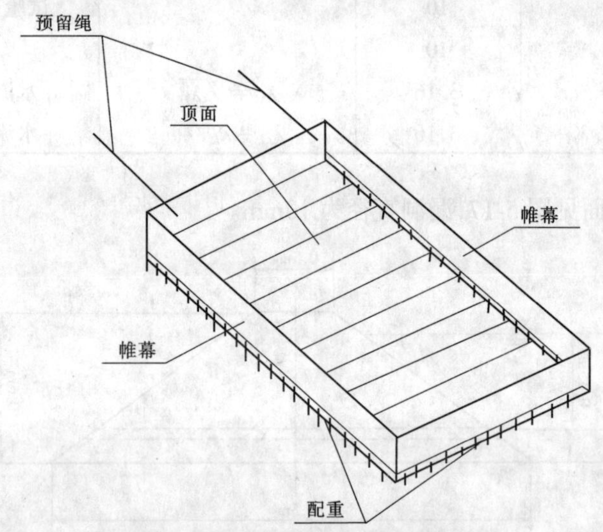

图 5-20　打褶软帘仰视立体图

2.2.1.3　软帘堵漏试验结果及分析

坝前为静水，漏洞内流速采用电子示踪流速仪测量，洞径变化采用电阻应变传感仪量测，整个试验过程由数码相机摄像。

模拟试验以检验不同软帘的覆盖效果为主。试验结果见表 5-15。

表 5-15　　软帘覆盖堵漏效果试验

组次	软帘结构	堵漏方法	试验结果
1	单层	覆盖＋压袋	不闭气
2	管袋 1	充泥浆	失败
3	管袋 2	充固结浆	失败
4	打褶	覆盖＋压袋	不闭气
5	单层	覆盖＋压土	成功

由以上试验得出，每种软帘都有其各自的优、缺点，相比而言，只要材料选择适当，利用单层软帘堵漏较为有效。

2.2.2 采用土工合成材料在背河控制漏洞发展试验

2.2.2.1 试验材料及工况

该试验是模拟堤防已经产生漏洞的情况下，采用土工合成材料控制漏洞发展过程的试验，图 5-21 是漏洞发展过程控制试验模型示意图。仪器直径 187.5mm，长度 250mm 的透明圆筒。本次试验选择了两种土样，即粉质壤土和砂壤土，土的颗粒级配曲线见图 5-22。配制土样的含水率为 15.8%，干密度为 1.50g/cm^3，上游边坡 1∶1；沿圆筒中轴线，在土样上开直径为 10mm 的孔洞；选取了三种土工合成材料，即等效孔径为 0.2mm 的

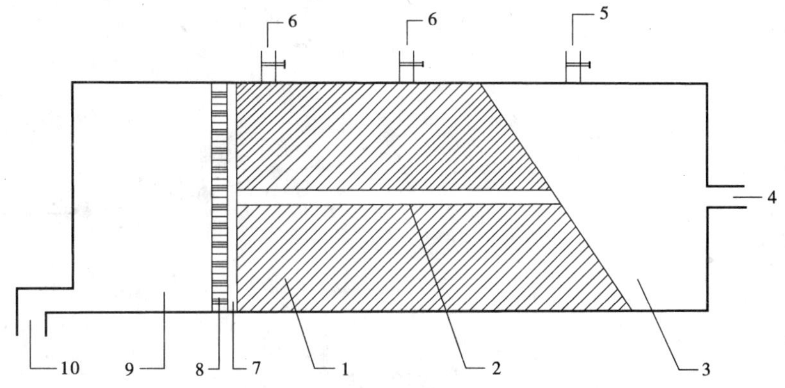

图 5-21 漏洞发展过程控制试验模型

1—土样（上游边坡 1∶1）；2—漏洞（ϕ10mm）；3—上游水室；4—进水口；5—排气孔；6—测压管；7—土工合成材料；8—多孔排水板；9—下游水室；10—出水口（测流量）

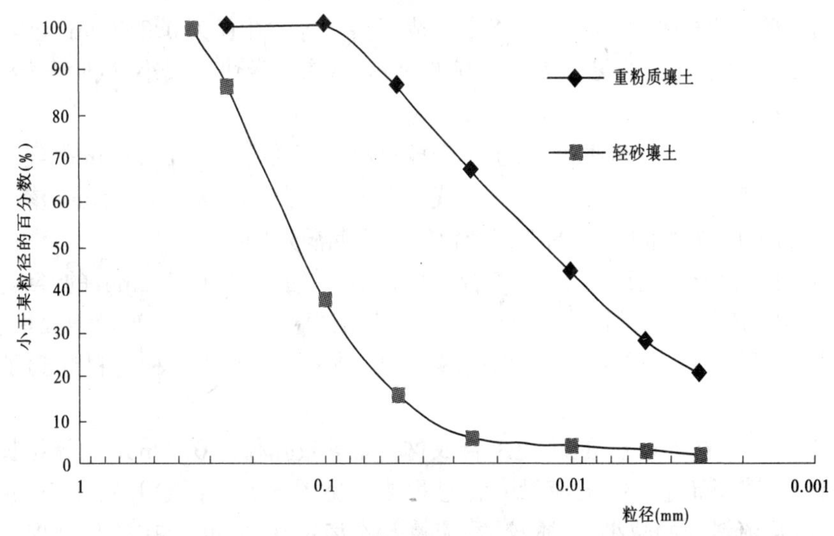

图 5-22 漏洞发展过程控制试验土样的颗粒级配曲线

涤纶长丝纺黏针刺无纺土工织物、等效孔径为0.352mm的经编土工布(TB -1)和等效孔径为1.80mm的经编土工布(TB6040)。

在试验过程中,直接升高作用水头到3m,由于土样没有饱和,直接测试流量和观察渗水和土样变化情况,并绘制流量过程曲线,按流量变化分析判断淤堵情况即漏洞变化情况。

2.2.2.2 **试验情况**

第1组试验:土样为重粉质壤土,土工合成材料是等效孔径为0.2mm的涤纶长丝纺黏针刺无纺土工织物、布样重9.25g。流量变化曲线见图5-23。可以看出,渗透流量变化不大。试验过程中,土样没有破坏,漏洞无扩展,说明土工布没淤堵。

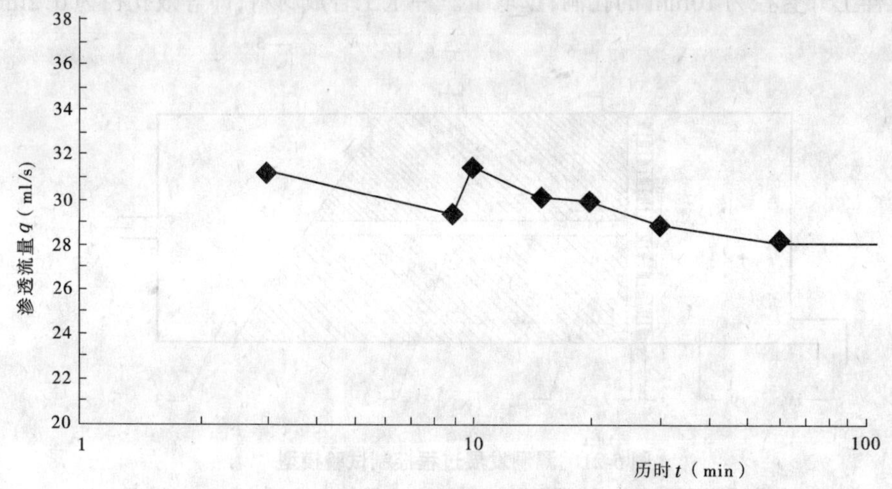

图5-23 控制漏洞发展过程模拟试验

(第1组试验工况:水头2.0m、0.2mm纺黏针刺无纺布、重粉质壤土)

第2组试验:土样为重粉质壤土,土工合成材料是等效孔径为0.352mm经编土工布,布样重8.28g,流量变化曲线见图5-24。试验过程中,渗流量快速减小,试验开始3min后渗水变清,30min后基本稳定在0.18ml/s。

第3组试验:土样为重粉质壤土,土工合成材料是等效孔径为1.80mm的经编土工布(TB6040),试样布重为9.57g,流量变化曲线见图5-25。从图分析,开始5min渗流量开始增大,10min后流量增大很快,说明土工布没能阻止漏洞发展。

第4组试验:土样为轻砂壤土,土工合成材料是等效孔径为0.352mm的经编土工布,试样布重8.28g,流量变化过程曲线见图5-26。该组试验,开始3min流量增大很快,3min后流量减小,水质变清;试验结束时,流量减小到4.8ml/s。说明这种材料起到了较好的反滤作用。

第5组试验:土样为轻砂壤土,土工合成材料是等效孔径为0.20mm的涤纶长丝纺黏针刺无纺土工织物,布重9.25g,流量变化过程曲线见图5-27。试验开始2.5min流量增加很快,3min后流量开始减小,水质较清,流量基本稳定在20ml/s,在试验过程中漏出的土颗粒很少。说明这种材料起到了较好的反滤作用。

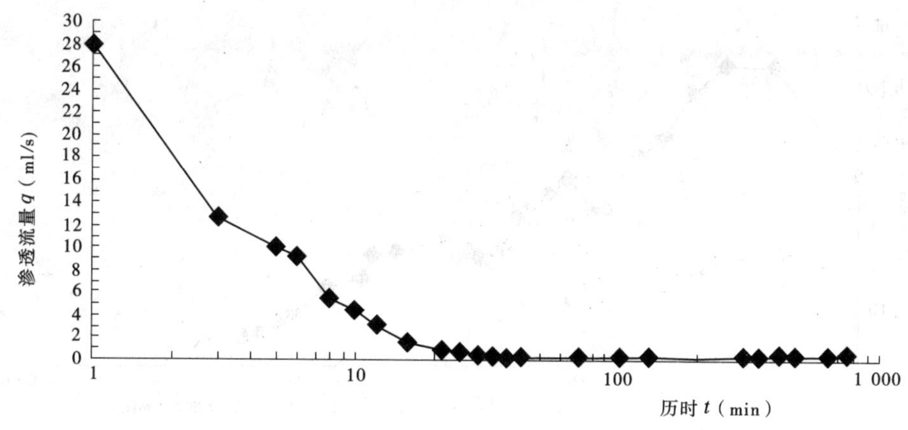

图 5-24　控制漏洞发展过程模拟试验

（第 2 组试验工况：水头 2.0m、孔径为 0.352mm 经编土工布、重粉质壤土）

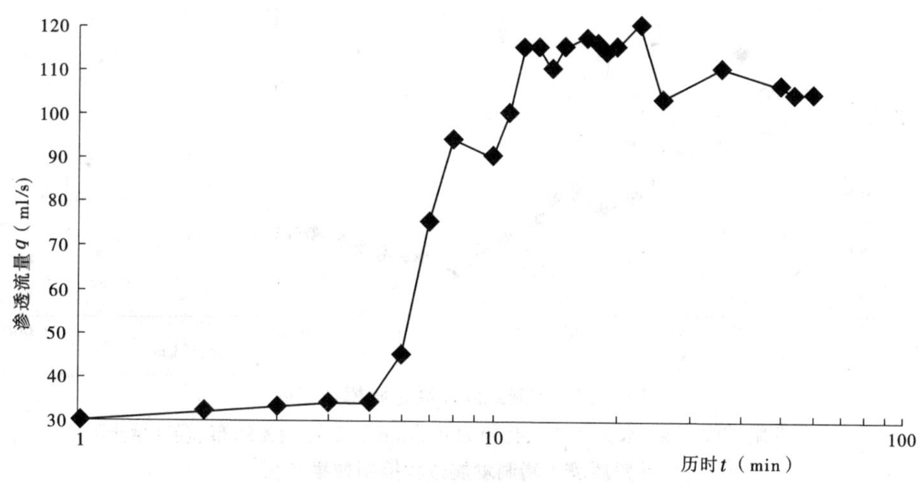

图 5-25　控制漏洞发展过程模拟试验

（第 3 组试验工况：水头 2.0m、孔径为 1.80mm 经编土工布、重粉质壤土）

2.2.2.3　试验分析

试验采用土工合成材料控制漏洞发展过程，观测其通过织物的渗流量变化，进入织物或通过织物的土颗粒情况，土样漏洞的变化等来分析和选择适合漏洞抢险的土工合成材料。

土工织物用于漏洞抢险时，从漏洞中流出的水或挟泥水通过织物，在适合的孔径下，将部分土颗粒留下，并逐步淤积，表现为渗漏量逐步减小。若织物孔径过小，虽然能保护土颗粒不被带走，但也有可能使土颗粒封闭织物表面的孔口或堵塞在织物内部，出现淤堵现象，表现为渗流量减小很快，这种情况下将在织物上产生过大的渗透压力，对漏洞抢险是非常危险的。根据上述试验对有关参数进行了计算分析见表 5-16、表 5-17。

综合上述分析，所选等效孔径为 0.352mm 的经编土工布较适合黄河上粉质壤土和砂壤土情况下的漏洞抢险。

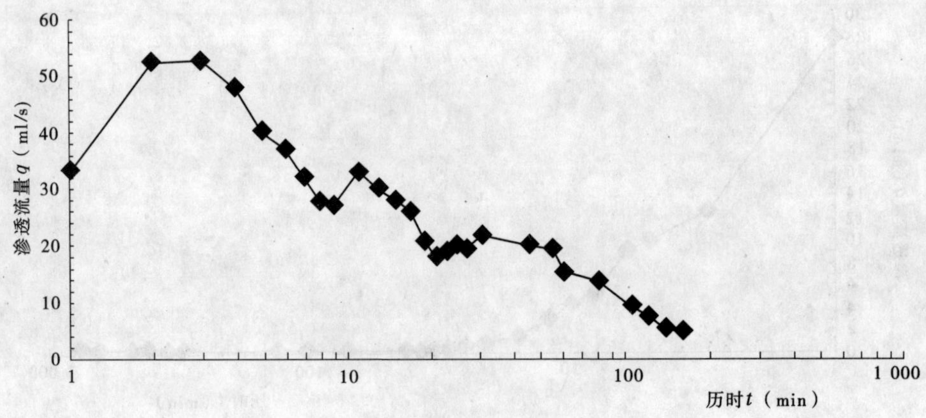

图 5-26　控制漏洞发展过程模拟试验

（第 4 组试验工况：水头 2.0m、孔径为 0.352mm 经编土工布、轻砂壤土）

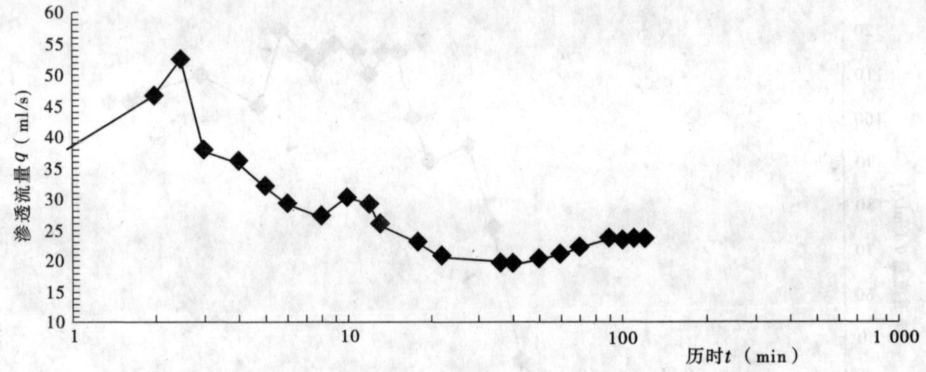

图 5-27　控制漏洞发展过程模拟试验

（第 5 组试验工况：水头 2.0m、孔径为 0.2mm 纺黏针刺无纺布、轻砂壤土）

表 5-16　**重粉质壤土漏洞发展过程控制效果分析**

试验编号	产品名称	等效孔径 O_{95}(mm)	计算参数					效果评价
			C_u	d_{85}	d_{50}	O_{95}/d_{85}	O_{95}/d_{50}	
1号	针刺无纺布	0.20	12.6	0.050	0.012	4.00	16.7	一般
2号	经编土工布	0.352	12.6	0.050	0.012	7.04	29.3	良好
3号	经编土工布	1.80	12.6	0.050	0.012	36.00	150	较差

表 5-17　**轻砂壤土漏洞发展过程控制效果分析**

试验编号	产品名称	等效孔径 O_{95}	计算参数					效果评价
			C_u	d_{85}	d_{50}	O_{95}/d_{85}	O_{95}/d_{50}	
4号	经编土工布	0.352	4.32	0.25	0.12	1.41	2.93	良好
5号	针刺无纺布	0.20	4.32	0.25	0.12	0.80	1.67	良好

2.3 渗水、管涌(流土)现场抢险试验

为研究土工合成材料用于渗水、管涌(流土)抢险的效果,进行了现场模拟抢险试验。

2.3.1 试验设计

根据已有研究成果,黄河大堤土质组成情况和渗流变形试验结果,渗流破坏的主要形式是流土,因此模拟流土的抢险设计依据以下公式。

(1)对非黏性土,上升渗流,采用扎马林公式,临界坡降 J_F 为

$$J_F = (\rho_s/\rho_\omega - 1)(1 - n) + \beta n \quad (5\text{-}3)$$

式中:ρ_s、ρ_ω 分别为土粒干密度和水的密度;n 为孔隙率;β 为系数,粗砂和中砂可取 $\beta=0.5$,细砂可取 $\beta=0$。

(2)当渗流在土坝坡面逸出,不计土的黏聚力时,坝坡的坡角要满足下式才不致发生流土。

$$\tan\theta \leqslant 0.5\tan\varphi \quad (5\text{-}4)$$

式中:φ 为土的内摩擦角;θ 为坝面坡角。

模拟水头平均按2.0m,渗径平均按2.0m,模拟平均坡降均按 $J=1$。在2号池选择1处、在3号池选择2处,分别模拟两合土、砂壤土、黏土的渗水流土破坏抢险试验,现场模拟试验平面布置见图3-1。

2.3.2 渗水流土抢险现场试验分析

2.3.2.1 现场试验

流土渗透压力测试结果见表5-18。

表5-18 流土渗透压力测试结果

观测日期	观测时间(时:分)	测点编号					备 注
		E1	F2	E2	G1	G2	
6月9日		0	0				kPa
6月13日		−0.1	−0.2	0	0	0	
6月14日		−0.2	0.1	−0.9	0	−0.4	
6月18日	15:48 16:38 16:44 16:47	0 −0.6 −0.2 −0.2	−0.2 3.0 −1.2 −2.6		0	0.4	6月18日,3号池进行流土试验;16:02打开阀门;16:47发生渗水
6月24日 6月25日 6月26日 6月27日	09:50				0 8.1 5.4 8.7	−0.6 9.7 4.8 8.5	6月24日,2号池进行流土试验;9:50打开阀门;11:00发生渗水

3 号池 E 区流土试验:6 月 18 日 16:02 打开流土试验阀门,16:47 开始发生渗水,局部产生漏水,并形成 Φ30mm 左右的漏洞,17:10 开始组织人力抢护,17:30 抢护完成。

3 号 F 区流土试验:6 月 18 日 17:40 打开流土试验阀门,18:10 开始局部渗水,并且流量较大;抢护方法同上,18:48 抢护完成后,水流逐步变清。

2 号池流土试验:6 月 24 日 9:50 打开流土试验阀门,11:00 堤坡发生渗水,抢护方法同上,抢护完成后渗出的水较清,6 月 26 日 18:00 试验停止,6 月 28 日对此试验区进行了解剖,土体基本上饱和,含水率很大,土体软弱。

在试验过程中对流量和渗透压力进行了观测。

2.3.2.2 试验分析

三个试验区,分别选用等效孔径为 0.1mm 和 0.2mm 的涤纶长丝纺黏针刺无纺土工织物,在抢护阶段,稍有浑水渗出,抢护完成后均为清水渗出。2 号池连续进行了 56h 的试验,开始渗出水量为 9.25ml/s、10min 后为 8.3ml/s,试验结束时渗出流量为 10.2ml/s。

在试验过程中,试验区始终有渗水流出,局部土体因浸湿软化,顶部出现一些裂缝,但没有发生坍塌和滑坡等险情。试验所选压重可以满足要求,若去掉压重,土工织物会鼓起。织物表面有少量土颗粒,在表面可以看出有明显的流水,可推断排水效果较好。

总体分析,采用上述试验方案抢护黄河堤防渗水流土险情,在技术上是可行的。在抢护初期稍有浑水渗出,抢护后均一直出渗清水。试验中,织物表面有少量土颗粒,并可明显看出流水,排水效果较好。说明上述方法抢护黄河堤防渗水流土险情是可行的。

2.4 土工充沙长管袋抢险试验

2.4.1 试验目的

随着土工合成材料的快速发展,土工长管袋技术已经应用到水中筑坝、防洪抢险等工程项目中。但从使用情况来看,还存在一些问题,特别是土工合成材料的选型方面。目前黄河上使用的土工长管袋普遍采用等效孔径为 0.08mm 左右的机织布制成,在实际充填过程中冲填效率较低,固结速度慢。如果将过去的土工长管袋设计应用到抢险方面,将很难满足快速抢险的要求,本次试验研究的目的就是选择适合抢险过程中充填速度快、固结效率高的土工长管袋类型及充填工艺。

2.4.2 室内模型试验

根据上述分析,选择了 4 种规格的产品制成长管袋在室内进行模型试验;试验情况见表 5-19、表 5-20。试验所用图样及在试验过程中从管袋漏出的土颗粒级配曲线见图 5-28~图 5-30。

从上述试验情况得出,用于防汛抢险的土工管袋材料选用等效孔径为 0.1~0.2mm 的高强机织土工布或编织土工布较为合适,可满足于充填各种土壤的泥浆。在充填工艺上选用 0.2~0.3kg/cm^2 的压力连续充填方式将可达到最佳充填效果,以便满足快速抢险的要求。

表 5-19 土工管袋充填试验对比

管袋编号	2—1 号	2—2 号	2—3 号	2—4 号
材料名称	长丝纺黏针刺无纺布	多丝有纺机织布	经编土工布	经编土工布
生产厂家	南京仪征无纺布厂	洛阳石化	浙江锦达	浙江锦达
等效孔径(mm)	0.20	0.10	0.35	1.8
管袋周长(cm)	10	10	10	10
管袋长度(cm)	60	60	60	60
管袋重量(g)	26.44	20.59	28.59	29.66
充填土壤名称	轻砂壤土(中牟堤段淤背区土样)			
泥浆配制(含泥量)	20%～50%			
充填压力(kPa)	20			
充满时间(min)				充不满
累计充填时间(min)	2	4	7	3
漏浆情况	少量黏颗粒漏出	基本不漏浆(稍浑)	漏浆较多	泥浆全部漏出
管袋+泥浆重(g)	1 005(4min) 961(19min) 935(563min) 705(风干 8d)	1 015(3min) 1 005(162min) 985(541min) 825(风干 8d)	1 045(2min) 920(90min) 914(465min) 733(风干 8d)	
充填效率	充填速度较快,效率一般,排水固结较快	充填速度很快,效率较高,排水固结较快	充填速度较快,效率一般,排水固结较快	

表 5-20 土工管袋充填试验对比

管袋编号		1—1 号	1—2 号	1—3 号	1—4 号
材料名称		长丝纺黏针刺无纺布	多丝有纺机织布	经编土工布	经编土工布
生产厂家		仪征无纺布厂	洛阳石化	浙江锦达	浙江锦达
等效孔径(mm)		0.20	0.10	0.35	1.8
管袋周长(cm)		10	10	10	10
管袋长度(cm)		60	60	60	60
管袋重量(g)		26.44	20.59	28.59	29.66
充填土壤名称		重粉质壤土			
泥浆比重(g/cm^3)		1.2～1.3			
充填压力(kPa)		20			
漏浆情况		基本不漏浆	基本不漏浆	漏浆严重估计 30%	泥浆全部漏出
管袋+泥浆重(g)	开始	646	572	452	
	风干 6d	569	530	391	
	风干 17d	497	520	377	
充填效率		充填速度较快,效率一般,排水固结较慢	充填速度很快,效率较高,排水固结较快	充填速度较慢,效率较差,排水固结一般	

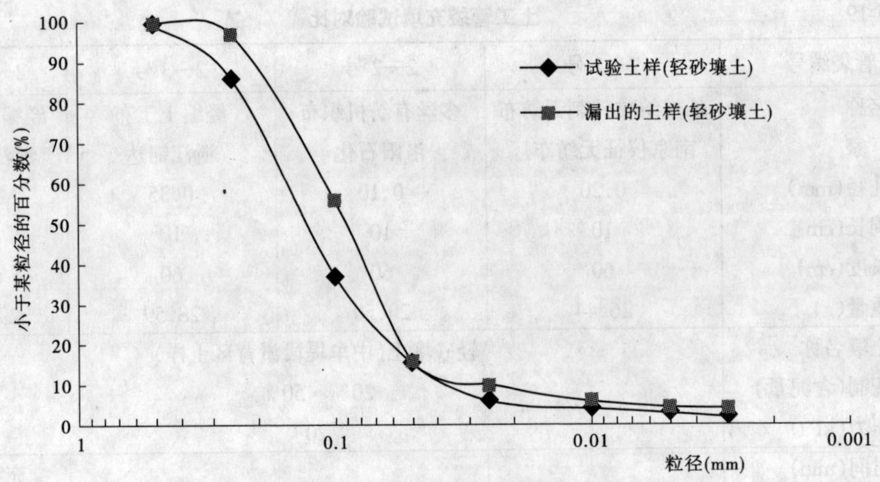

图 5-28　土工管袋充填试验土样的颗粒级配曲线

(2—3 号　孔径为 0.352mm 经编土工布)

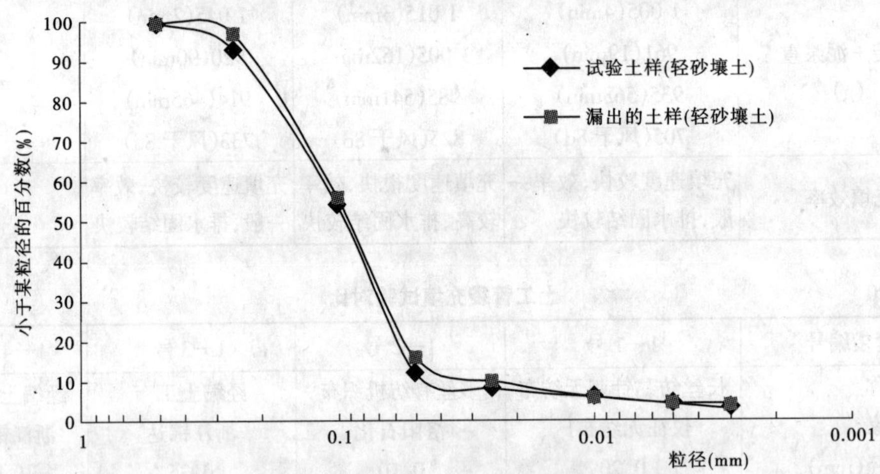

图 5-29　土工管袋充填试验土样的颗粒级配曲线

(2—2 号　孔径为 0.10mm 有纺机织土工布)

2.4.3　现场管袋充填试验

2.4.3.1　土工长管袋的设计

(1)材料选择。本次试验在室内试验的基础上,主要选择两种规格不同孔径的材料,一是高强机织土工布,等效孔径为 0.085～0.10mm、渗透系数 $k>10^{-2}$ cm/s,抗拉强度 60kN/m;二是高强经编土工布,等效孔径为 0.20～0.35mm、渗透系数 $k>10^{-1}$ cm/s,抗拉强度 60kN/m;三是防老化编织土工布,等效孔径为 0.1～0.2mm、渗透系数 $k>10^{-2}$ cm/s,抗拉强度 30kN/m。

(2)土工管袋的结构尺寸。分别采用上述土工合成材料,缝制成圆形或长方形;长度 10m、宽度 2m;直径分别为 0.6m。土工管袋的设计尺寸如图 5-31 所示。

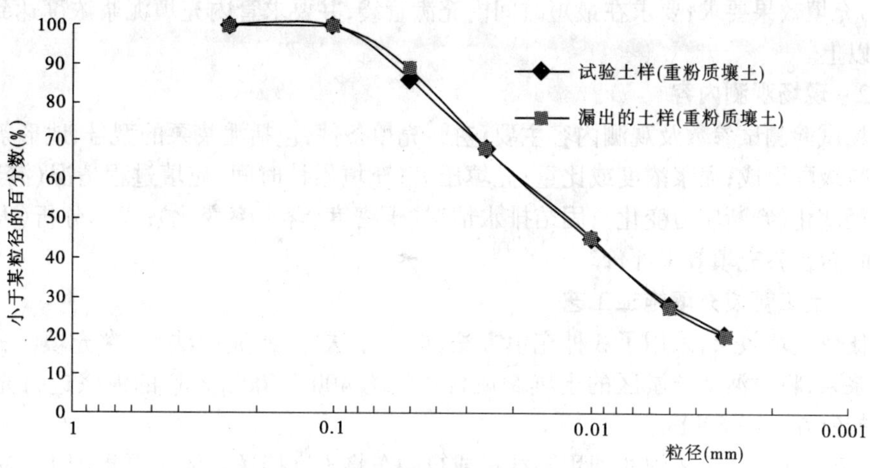

图 5-30　土工管袋充填试验土样的颗粒级配曲线

(1—3号　孔径为0.352mm经编土工布)

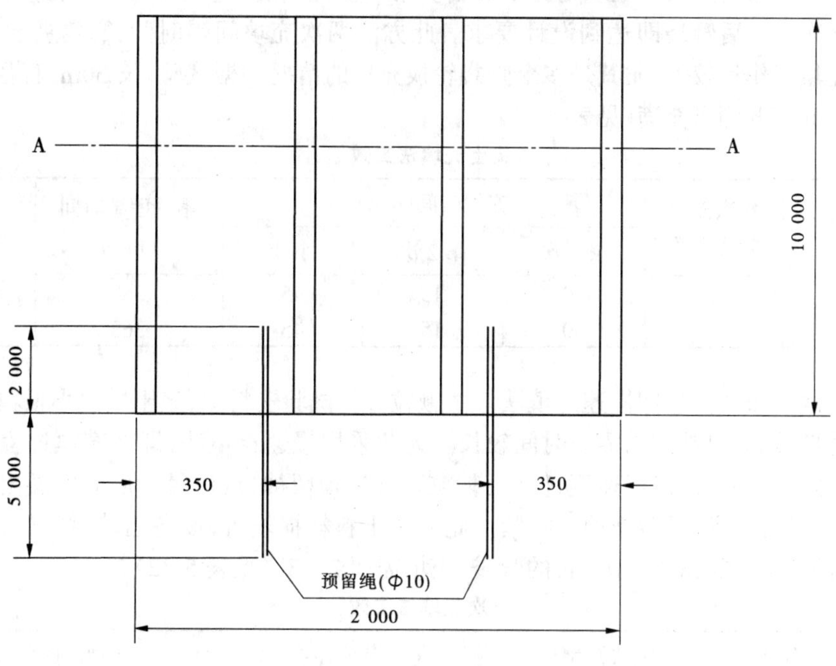

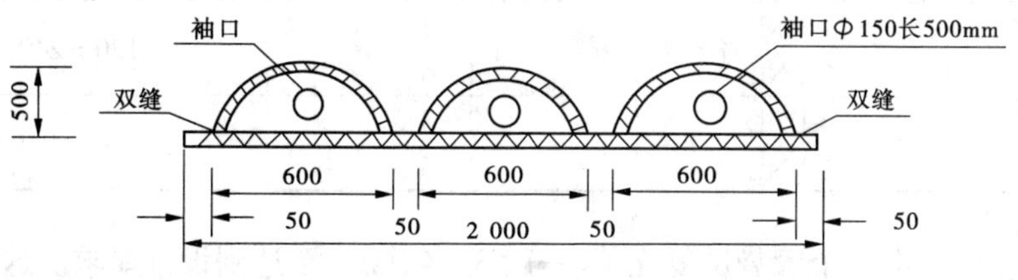

A—A剖面图

图 5-31　土工管袋结构尺寸(单位:mm)

(3)充填效果要求：要求在最短时间内充满管袋，并要求管内充填泥浆浓度达到1 300 kg/m³ 以上。

2.4.3.2　**现场观测内容**

现场试验测试参数及观测内容主要包括：充填条件，包括泥浆泵的型号、地形条件等；土的颗粒级配组成；泥浆浓度或比重；充填压力；充填累计时间；充填过程情况（漏浆等）；管袋直径变化（判断应力变化）；固结排水情况（干密度、含水率变化）；成本分析（人工/工日、机械/台班）；充填效果评价。

2.4.3.3　**土工管袋充填施工工艺**

为比较充填效果，采用了3种充填方法，即集土法、一次充填法、多次充填法；选择6英寸泥浆泵，将黄河堤防淤区的土壤制成含沙量为400～700kg/m³ 的泥浆进行充填，充填压力控制在30～60kPa。

(1)集土法。集土充填法即用装载机或自卸车将土直接送到泥浆泵周围1～3m的范围，水枪冲后立即被泵抽走，这样泥浆的含沙量可达到1 000～1 100kg/m³，这种方法管袋本身不留出口，水自然从土工织物孔中溢出。第一次充满后，间隔6h以上再进行第二次充填，第二次充填后管袋即达到设计要求。此方法两次充填间隔时间长，需要机械台班少，适合充填工作量较大，尤其是多个管袋轮换充填的情况。据试验，长30m、直径1m的管袋，需要6～7h即可充满（见表5-21）。

表5-21　**集土充填法工效**

泥浆泵型号	每次充填管袋个数	充填时间(min)			累计固结时间(min)	合计
		第1次	第2次	小计		
4 PNL	1	30	15	45	360	405
6 PNL	2	30	15	45	360	405

(2)一次充填法。也即慢速充填法。由颗粒分析试验资料知，该土质中小颗粒含量较高，固结速度慢，靠自然固结需要时间较长。为此采用慢速充填法，即在充填过程中让袋中泥浆流速小于沙粒的沉降速度，使粉、黏粒顺管袋预留袖口（口径10cm）中溢出。一次充填即达到设计要求，然后把袖口扎紧。此方法土料耗损较大，设备运转时间长，适合工作量较小的情况。据试验，30m长的管袋，充填需要2～3h（见表5-22）。

表5-22　**一次充填法工效**

管袋长度(m)	泥浆泵型号	每次充填管袋个数	充填时间(min)
30	4 PNL	2～3	120～240
	6 PNL	4～6	
60	4 PNL	2～3	240～480
	6 PNL	4～6	

(3)多次充填法。即一个管袋反复充填（一般3～4次）直至达到设计要求。这种方法效率较低，根据现场统计，充填30m长的管袋大约需要19h（见表5-23）。

2.4.3.4　**土工管袋充填效果分析**

土工管袋充填效果主要取决于以下几方面因素：一是土工管袋材料本身的反滤排水

特性,主要技术指标为等效孔径、渗透系数、材料类型、材料结构等;二是充填泥浆的物理性能,主要技术指标为颗粒级配组成、黏土颗粒的含量等;三是充填施工工艺,主要技术指标为充浆设备、充浆浓度、充填方式、充填压力。前两者是充填效果的内在因素,通过试验设计可确定最佳参数;后者是影响充填效果的外在因素,可通过充填施工工艺的控制,达到最佳充填效果。

表 5-23　　多次充填法工效

泥浆泵型号	每次充填管袋个数	充填时间(min)					累计固结时间(min)	合计
		第 1 次	第 2 次	第 3 次	第 4 次	小计		
4 PNL	1	30	15	10	5	60	1 080	1 140
6 PNL	2	30	15	10	5	60	1 080	1 140

(1)在枣树沟充沙长管袋护岸工程现场充填试验中观测到:采用等效孔径 O_{95} 为 0.078mm 的机织布制作的土工布管袋,管袋中的土体排水固结很慢,需要充填 2~3 次才能充填完毕,充填效果很差,难以满足快速抢险的要求。经观察分析,一是因等效孔径 O_{95}(0.078mm)较小;二是在浸泡和压力作用下,涤纶纤维和纱线趋于膨胀,使其孔隙变小。因此,即使很细的土颗粒也不会从土工管袋中流出来。

(2)在中牟赵口险工现场充填试验中,采用等效孔径 O_{95} 为 0.20mm 的编织土工布管袋,土体排水固结较快,充填 1 次浓浆就能达到充填设计要求,充填效果较好,可以满足快速抢险的要求。但编织布的强度较低,较难满足充填压力要求。因此,应选择采用等效孔径 O_{95} 为 0.10~0.20mm 的机织或经编土工布制作土工管袋,或采用厚度为 20cm 的土工模袋。

(3)土工管袋的脱水过程有两方面,即充填时的机械脱水和充填后长时间的自然脱水,才能完成土体的固结。对于防汛抢险用的充沙长管袋的固结,应以控制充填时的机械脱水为主。所以应控制充填压力 20~40kPa,充填时间控制在充填满后约延迟 2min,充填方法以集土法为佳。

第三节　土工合成材料的选型

3.1　黄河堤防土壤分析

研究土工合成材料在黄河防汛抢险中的应用,必然要首先研究黄河堤防土壤特性。自 20 世纪 50 年代以来,有关部门不断组织进行了黄河堤防地质勘探,对地质试验资料进行广泛收集和系统整理,绘制了大量的纵横地质剖面图和众多土样的试验指标,形成了较为系统完善的地质研究报告,资料十分丰富且比较翔实[11]。但是,黄河下游大堤、涵闸的地质勘探试验经历近 40 年,勘探的单位较多,依据的标准不完全一致,对土壤的分类定名也不尽相同。本课题研究中,对以往资料进行了系统分析,将堤身和堤基的土壤大体分为 6 类:人工填土、细砂(含砂土)、粉砂(含粉土)、砂壤土、壤土和黏土。

3.1.1 黄河堤防土壤分布

黄河下游为黄河冲积平原，新老冲积扇相互叠置，有更新世晚期、全新世早晚期，形成年代与堤防工程关系密切。从岩层分布情况，由下而上，基本上可划分为太古界（前震旦系），古、中生界（震旦系、寒武系、奥陶系、石灰系、二叠系），新生界（第四系）。其中第四系的全新统 a/Q_4 岩性分布情况，黄河冲积层分布在最上部、河床多为砂性土，河漫滩及背河洼地多为黏性土，有的成双层结构。土壤颗粒组成从上游到下游，由粗到细分布。土壤的分布，南岸郑州邙山至兰考东坝头堤段的堤身填土以砂壤土为主，堤基多为粉土、细砂、壤土，有的堤段夹有薄层黏土。东坝头至梁山东平湖堤段的堤身多为砂壤土及轻壤土，堤基为壤土、砂壤土。济南市宋庄至博兴王旺庄堤身多为壤土，堤基为壤土、砂壤土。王旺庄至垦利堤段的堤身多为砂壤土、粉土，堤基多为砂壤土、薄层壤土。北岸孟县中曹坡至濮阳北坝头堤段的堤身多为砂壤土，堤基为砂壤土与中厚层壤土；北坝头至台前张庄堤段的堤身为砂壤土、壤土各半，堤基夹有薄层黏土与壤土互层；阳谷陶城铺至济南鹊山堤段的堤身为壤土及砂壤土，堤基为砂壤土及薄层黏土；鹊山至滨州堤段的堤身为壤土及少量盐渍土，堤基为砂壤土、壤土互层；北镇至垦利四段堤段的堤身为壤土及盐渍土，堤基为砂壤土夹薄层黏土、盐渍土的透镜体互层，在靠近地面黏性土常有裂隙存在。

堤身土质，在堤防地质剖面图上标以人工填土，也就是堤防临背河取土修筑而成。据典型断面分析，主要是浅黄色壤土、砂壤土、粉砂土，并有少量细砂和黏土。如荆隆宫堤段的土壤组成为，壤土占 72.8%，砂壤土占 10%，粉砂占 9%，黏土占 6.7%，细砂占 1.5%。近堤顶为干硬状态，随深度增加，含水率逐渐增大，稍湿到湿，硬塑到可塑。又如南北庄堤段的堤身填土以淡黄色壤土为主，含有棕红色土团，各类土壤分布比例为：壤土占 64%，黏土占 15.6%，砂壤土占 15%，粉砂占 5%，细砂占 0.4%，黏土多为包边盖顶。

堤基土质变化也很大，在地表 10m 以内多为砂壤土、粉砂、细砂及黏土互层，还有一些堤基表层或距地表很近的范围内有比较厚的粉砂和细砂层。河南堤段堤基与山东堤段堤基相比，土层分布有一定差别，河南堤段无论南岸还是北岸，一般深 10～15m 以下都有深厚的砂层，而山东堤段，从 30m 深的钻孔资料来看，还没有发现深厚的强透水砂层，但表层混埋较浅的粉砂、细砂层比河南堤段多。据勘探试验资料分析统计，在地基 0～10m、10～20m 深的范围内，各种土壤所占比重见表 5-24。

表 5-24　**黄河大堤堤基的各类土壤比例**

深　度	0～10m			10～20m		
土壤名称	砂　土	砂壤土	壤土黏土	砂　土	砂壤土	壤土黏土
河南堤段(%)	31	28	41	70	5	25
山东堤段(%)	12	30	58	38	30	32

根据土力学试验资料以及重点堤段：白马泉至御坝、九堡、荆隆宫、南北庄、瓦屋寨、高村的大堤地质断面，其土壤特性指标的变化都有一定的幅度，现将其主要物理力学指标的变化范围归纳见表 5-25。

表 5-25　　黄河大堤土壤主要物理力学指标

土壤名称	堤段	干密度 (g/cm³)	抗剪强度		渗透系数 k (cm/s)
			C(kg/cm²)	φ(°)	
细砂	河南	1.47～1.75	0～0.1	28.4°～36.5°	$4\times10^{-5}\sim1\times10^{-3}$
	山东	1.45～1.59	0～0.1	28.6°～36.9°	2.5×10^{-3}
粉砂	河南	1.46～1.69	0.01～0.14	25.6°～34.6°	$9.2\times10^{-4}\sim2.2\times10^{-5}$
	山东	1.37～1.69	0.015～0.15	21.8°～35.7°	$4.6\times10^{-4}\sim4.2\times10^{-5}$
粉土	河南	1.35～1.65	0.04～0.22	27.5°～35.7°	$6.8\times10^{-4}\sim5.4\times10^{-5}$
	山东	1.38～1.67	0.015～0.18	26.1°～37.9°	$1.5\times10^{-4}\sim2.9\times10^{-5}$
砂壤土	河南	1.31～1.68	0.01～0.27	19.3°～35.6°	$6\times10^{-4}\sim1.3\times10^{-7}$
	山东	1.30～1.69	0.02～0.52	19.2°～36.7°	$1.2\times10^{-3}\sim1.2\times10^{-7}$
壤土	河南	1.28～1.67	0.01～0.46	7.4°～35.7°	$6\times10^{-4}\sim5\times10^{-8}$
	山东	1.29～1.75	0.01～0.75	7.7°～35.4°	$7.6\times10^{-4}\sim15\times10^{-8}$
黏土	河南	1.12～1.68	0.02～0.65	1.1°～24.2°	$8.5\times10^{-4}\sim6.8\times10^{-9}$
	山东	1.12～1.64	0.05～0.98	1.1°～22.3°	$9.8\times10^{-4}\sim6.2\times10^{-9}$

3.1.2　大堤土壤颗粒组成特征

在反滤排水设计时，被保护土壤的特性习惯采用小于某粒径的土质量占总质量的百分数，如 d_{10}、d_{15}、d_{60}、d_{85}、d_{90}、d_{95} 和不均匀系数 d_{60}/d_{10} 等加以表征，在一定程度上反映土壤的内部结构。按细粒含量充填骨架孔隙的概念，采用不同粒级所组成的颗粒滤层，阻拦被保护土颗粒不被水流冲失，同时又不被细颗粒泥沙堵塞。根据 145 个纵横地质剖面，26 座涵闸和 21 处堤段，2 000 多个土样的试验资料进行土壤分类，概化归纳为细砂、粉砂(土)、砂壤土、壤土、黏土 5 种土壤，按其颗粒组成点绘成土壤颗粒级配曲线图，得出各种土壤的颗粒分析成果，见表 5-26。

表 5-26　　黄河大堤土壤颗粒级配成果

土壤类别	特征粒径(mm)				
	d_{15}	d_{50}	d_{85}	d_{90}	C_u
细砂	0.055	0.16	0.24	0.30	<6
粉砂	0.034	0.12	0.17	0.18	<6
砂壤土	0.009	0.036	0.08	0.09	<6
壤土	0.004	0.021	0.056	0.075	>6
黏土	0.004	0.007 4	0.034	0.044	<6

3.1.3　典型剖面土壤特性分析

为了更清楚地了解大堤土壤结构的分布情况及其土壤物理性能，选取南北庄、瓦屋寨、赵口、柳园口、杨桥大堤断面的各土层及抽沙区、淤背区机淤土分析其物理力学指标，分别见表 5-27～表 5-30，颗粒级配曲线见图 5-32～图 5-36。

表 5-27　**南北庄堤段土壤特性**

地层编号	土壤类别	颗粒级配(%)					不均匀系数 C_u	特征粒径(mm)						渗透系数 k(cm/s)
		砂粒(mm)			粉粒(mm)	黏粒(mm)								
		0.5~0.25	0.25~0.1	0.1~0.05	0.05~0.005	<0.005		d_{10}	d_{15}	d_{50}	d_{60}	d_{75}	d_{85}	
A_{1-1}	壤土	1	4	18	59	18	16.1	0.002 2	0.021 2	0.023 2	0.035 5	0.042 2	0.056	7.45×10^{-5}
	砂壤土		2	28	62	8	2.80	0.015 6	0.021	0.035 3	0.044 3	0.063	0.080	4.1×10^{-5}
A_2－①	壤土		3	22	54	21	4.10	0.008 2	0.014 7	0.024	0.034	0.069	0.092	7.03×10^{-7}
	砂壤土		8	33	53	6	3.86	0.014	0.016 5	0.040	0.054 1	0.063	0.082	6.2×10^{-5}
A_2－②	砂壤土	6.3	41.8	25	19.6	7.3	8.30	0.015	0.036 2	0.103 4	0.125	0.18	0.189	1.66×10^{-4}
	粉砂	4.3	44.3	34.4	14.6	2.4	3.30	0.036	0.051	0.106	0.12	0.148	0.175	9.06×10^{-5}
A_2－③	细砂	11	69	12	6	2	2.80	0.064	0.085	0.166	0.181	0.209	0.234	6.29×10^{-4}
	壤土		1	8	56	35	9.10	0.001 52	0.001 9	0.009 4	0.013 8	0.015	0.020	1.29×10^{-6}

注:(1)A_{1-1}为堤身填土,以淡黄色壤土为主,属中等压实含有棕红色土团,堤表坚硬,向下部含水率逐渐增加。壤土占64%,其余为砂壤土、粉土、黏土细砂。

(2)A_2－①层为堤基土,为淡黄色砂壤土与壤土互层,并有黏土、粉砂、细砂薄层或透镜体,其中砂壤土占54%,壤土占29%。

(3)A_2－②层粉砂占49%,细砂占41%,其余为砂壤土、黏土、壤土。

(4)A_2－③层为黏性土夹粉砂,细砂层透水性较强。

表 5-28　　　　**瓦屋寨堤段土壤特性**

地层编号	土壤类别	颗粒级配(%)					不均匀系数 C_u	特征粒径(mm)						渗透系数 k(cm/s)
		砂粒(mm)			粉粒(mm)	黏粒(mm)								
		0.5～0.25	0.25～0.1	0.1～0.05	0.05～0.005	<0.005		d_{10}	d_{15}	d_{50}	d_{60}	d_{75}	d_{85}	
$A_{1\text{-}1}$	黏土		0.33	6.33	57.67	35.67	12.0	0.001	0.002	0.009	0.012	0.020	0.030	1.24×10^{-6}
	壤土			19.0	65.5	15.5	7.30	0.003	0.005	0.021	0.022	0.041	0.056	5.12×10^{-6}
$A_{1\text{-}2}$	黏土		0.25	4.62	55.5	39.63	2.50	0.004	0.005	0.007	0.01	0.017	0.026	1.18×10^{-6}
A_2－①	砂壤土													
A_2－②	黏土			9.75	57.0	33.25			0.002	0.011		0.026	0.038	
A_2－③	壤土		0.33	10.5	75.33	13.83	6.25	0.004	0.006	0.021	0.025	0.035	0.044	1.61×10^{-5}
A_2－④	壤土		1	8	71	20	9.00	0.002	0.002	0.012	0.018	0.023	0.031	3.5×10^{-6}
	砂壤土		6.69	34.25	53.38	5.69	3.80	0.012	0.015	0.044	0.046	0.062	0.070	2.89×10^{-4}
A_2－⑤	粉砂	4.21	55.6	24.2	13.8	2.1	3.36	0.041	0.046	0.112	0.138	0.146	0.173	7.42×10^{-4}
	细砂	4.25	73.0	13.75	6.5	2.5	3.30	0.053	0.080	0.160	0.175	0.190	0.220	2.47×10^{-4}
A_2－⑥	黏土	1.2	1.5	9.5	47.4	40.4			0.002	0.008		0.025	0.039	2.52×10^{-8}
	壤土	0.2	5.6	22.3	52.5	19.4	6.60	0.005	0.006	0.029	0.033	0.053	0.070	8.2×10^{-7}
	砂壤土		4.5	25.0	65	5.5	3.30	0.011	0.017	0.024	0.036	0.038	0.051	

注:(1)$A_{1\text{-}1}$、$A_{1\text{-}2}$为堤身上、下部。

(2)A_2－①、A_2－②层为临河滩筑堤后淤积物,其中 A_2－①层厚 2m,土质疏松,A_2－②层厚 2～3m,红色黏土,A_2－③层厚 2.8～2.9m,A_2－④层厚 1～1.4m,中密程度,A_2－⑤层厚 3.8～6.55m,中等密实,A_2－⑥层厚 3m 为黏土与重壤土。

(3)按年代划分,$H=47.0$m 以下为黏土、壤土,属第四系晚更新统沉积,$H=47.0$m 以上属全新世沉积。

表 5-29　　　　　　　　　　　　　　　　**黄河大堤土样的物理性质**

取样堤段	取样编号	取样深度(m)	颗粒组成(%) 0.5~0.25 mm	0.25~0.1 mm	0.1~0.05 mm	0.05~0.005mm	<0.005 mm	土壤定名	有效粒径 d_{10}	控制粒径 d_{30}	平均粒径 d_{50}	限制粒径 d_{60}	限制粒径 d_{85}	不均匀系数 C_u	曲率系数 C_c	土粒级配	含水率 ω (%)	湿密度 ρ (g/cm³)	干密度 ρ' (g/cm³)
柳园口	1—1	8.05~8.25			2	63	35	粉质黏土		0.004	0.008	0.011	0.024				35.5	1.873	1.38
85+750	1—2	10.05~11.25			2	87	11	轻粉质壤土	0.004 8	0.012	0.018	0.022	0.034	4.58	1.36	不良	30.6	1.983	1.48
	1—3	12.05~12.25			9	78	13	轻粉质壤土	0.003	0.017	0.028	0.031	0.042	10.33	3.11	不良	30.2	1.928	1.48
	1—4	15.05~15.25		18	57	18	7	重砂壤土	0.009	0.048	0.070	0.075	0.106	8.33	3.41	不良	23.8	1.986	1.60
	1—5	25.05~25.25	19	60	12	7	2	细砂土	0.042	0.12	0.160	0.180	0.270	4.28	1.90	不良	16.0	2.093	1.80
	2—1	7.55~7.75			9	83	8	重粉质壤土	0.009	0.021	0.029	0.032	0.042	3.56	1.53	不良	28.6	1.926	1.50
	2—2	9.05~9.25			35	56	9	重粉质壤土	0.005 7	0.021	0.037	0.044	0.070	7.72	1.76	良好	25.8	1.927	1.53
	2—3	11.05~11.25			5	54	41	粉质黏土		0.003 1	0.006 4	0.009	0.022				33.8	1.840	1.38
	2—4	13.05~13.25	1	46	32	18	3	轻砂壤土	0.031	0.063	0.094	0.110	0.190	3.55	1.16	不良	21.2	2.010	1.66
	2—5	19.05~19.25	17	56	17	8	2	极细砂	0.040	0.105	0.140	0.170	0.260	4.25	1.62	不良	21.7	1.995	1.57
	3—1	9.05~9.25			25	69	6	重粉质壤土	0.011	0.028	0.037	0.040	0.060	3.64	1.78	不良	25.0	1.962	1.57
	3—2	14.05~14.25	1	43	29	24	3	轻砂壤土	0.028	0.054	0.088	0.110	0.190	3.93	0.95	不良	17.6	1.981	1.69
	3—3	18.05~18.25	3	54	35	5	3	极细砂	0.054	0.081	0.110	0.130	0.200	2.41	0.93	不良	20.4	2.058	1.71
杨桥	1—1	1.55~1.75		7	60	24	9	重砂壤土	0.007	0.046	0.062	0.068	0.086	9.71	4.45	不良	21.4	1.834	1.51
32+300	1—2	3.05~3.25		7	25	56	12	轻粉质壤土	0.003 5	0.014	0.030	0.040	0.074	11.43	1.40	良好	14.3	1.733	1.52
	1—3	4.05~4.25	5	24	27	39	15	中壤土	0.002	0.022	0.044	0.058	0.120	29.00	4.17	不良	13.7	2.013	1.77
	1—4	6.05~6.25			7	74	19	中粉质壤土		0.01	0.019	0.023	0.040				22.4	1.923	1.57
	1—5	15.05~15.25			3	69	28	重粉质壤土		0.005 4	0.011	0.014	0.028				33.7	1.893	1.42
	1—6	20.05~20.25			35	46	19	中粉质壤土		0.016	0.034	0.044	0.070				19.2	2.071	1.74
	1—7	26.05~26.25			30	49	21	重粉质壤土		0.012	0.030	0.039	0.068				23.7	2.008	1.62

续表 5-29

取样堤段	取样编号	取样深度(m)	颗粒组成(%)					土壤定名	有效粒径 d_{10}	控制粒径 d_{30}	平均粒径 d_{50}	限制粒径 d_{60}	限制粒径 d_{85}	不均匀系数 C_u	曲率系数 C_c	土粒级配	含水率 ω (%)	湿密度 ρ (g/cm³)	干密度 ρ' (g/cm³)
			0.5~0.25 mm	0.25~0.1 mm	0.1~0.05 mm	0.05~0.005mm	<0.005 mm												
杨桥	2—1	2.55~2.75			31	58	11	轻粉质壤土	0.004 3	0.024	0.037	0.041	0.068	9.53	3.27	不良	7.1	1.603	1.52
32+300	2—2	7.55~7.75			27	63	10	轻粉质壤土	0.004 9	0.022	0.032	0.040	0.062	8.16	2.47	良好	24.5	1.975	1.59
	2—3	11.05~11.25			42	47	11	轻粉质壤土	0.003 8	0.022	0.041	0.051	0.072	13.42	2.5	良好	23.8	2.038	1.65
	2—4	15.05~15.25			11	62	27	重粉质壤土		0.006	0.014	0.019	0.041				24.5	2.008	1.61
	2—5	20.05~20.25			2	53	45	粉质壤土		0.002 8	0.006 1	0.009 1	0.018				25.5	1.956	1.56
赵口闸	1—1	2.05~2.25	3	36	28	27	6	重砂壤土	0.011	0.047	0.070	0.080	0.160	7.27	2.76	良好	15.6	1.896	1.64
42+400	1—2	6.05~6.25			39	55	6	重粉质砂壤土	0.010	0.030	0.041	0.050	0.071	5.00	1.80	良好	23.7	1.991	1.61
	1—3	8.05~8.25		19	51	24	6	重砂壤土	0.021	0.050	0.067	0.073	0.110	3.48	1.63	不良	19.4	2.041	1.71
	1—4	14.08~14.25			20	74	6	重粉质砂壤土	0.010	0.027	0.032	0.038	0.056	3.80	1.92	不良	28.8	1.946	1.51
	1—5	17.05~17.25			4	72	14	轻粉质壤土	0.003 0	0.010	0.014	0.017	0.032	5.67	1.96	良好	28.6	1.950	1.52
	1—6	20.05~20.25			16	77	7	重粉质砂壤土	0.008 4	0.023	0.031	0.035	0.051	4.17	1.80	不良	21.2	1.980	1.63
	2—1	1.05~1.25			29	54	17	中粉质壤土		0.017	0.030	0.039	0.068				17.0	1.840	1.57
	2—2	2.55~2.75			7	56	37	粉质黏土		0.003 4	0.008 2	0.012	0.032				23.9	1.860	1.50
	2—3	4.05~4.25			42	50	8	重粉质砂壤土	0.007 0	0.022	0.041	0.051	0.074	7.29	1.36	良好	14.9	1.713	1.49
	2—4	8.05~8.25			40	51	9	重粉质砂壤土	0.007 0	0.028	0.041	0.050	0.072	7.14	2.24	良好	23.8	1.964	1.59
	2—5	12.55~12.75			29	62	9	重粉质砂壤土	0.007 5	0.028	0.037	0.041		5.47	2.55	良好	23.2	1.964	1.59
	2—6	17.55~17.75			4	73	23	重粉质壤土		0.007	0.013	0.016	0.030				28.6	1.889	1.47

表 5-30 抽沙区和淤背区机淤土样的物理性质

取样堤段	颗粒组成(%)					土壤定名	有效粒径 d_{10}	控制粒径 d_{30}	平均粒径 d_{50}	限制粒径 d_{60}	限制粒径 d_{85}	不均匀系数 C_u	曲率系数 C_c	土粒级配
	>0.25 mm	0.25～0.1mm	0.1～0.05mm	0.05～0.005mm	<0.005 mm									
九堡下延工程(滩)			17	74	9	重粉质砂壤土	0.008 2	0.025	0.032	0.036	0.051	4.39	2.12	不良
九堡下延工程(河底)			1	88	11	轻粉质壤土	0.004	0.012	0.019	0.022	0.034	5.50	1.64	良好
孤柏嘴			21	71	8	重粉质砂壤土	0.009	0.024	0.032	0.038	0.056	4.22	1.68	不良
孤柏嘴(老滩)			24	68	8	重粉质砂壤土	0.01	0.027	0.034	0.039	0.06	3.90	1.87	不良
枣树沟(老滩)			2	87	11	轻粉质壤土	0.004 4	0.014	0.022	0.027	0.037	6.43	1.73	良好
枣树沟(嫩滩)			33	61	6	重粉质砂壤土	0.01	0.03	0.039	0.044	0.068	4.40	2.05	不良
保合寨控导(老滩)			17	74	9	重粉质砂壤土	0.008 5	0.025	0.032	0.037	0.051	4.35	1.99	不良
保合寨控导(嫩滩)			6	80	14	轻粉质壤土	0.002	0.011	0.018	0.021	0.037	10.50	2.88	良好
桃花峪(老滩)			17	72	11	轻粉质壤土	0.004 2	0.023	0.031	0.037	0.052	8.81	3.40	不良
桃花峪(嫩滩)			7	83	10	轻粉质壤土	0.005	0.021	0.029	0.031	0.041	6.20	2.84	良好
赵口	5	28	33	35	9	重砂壤土	0.007	0.030	0.050	0.08	0.170	11.43	1.60	良好
32+300 中牟淤背			3	69	28	重粉质壤土		0.005 6	0.012	0.016	0.030			
42+400 赵口闸淤背			25	67	8	重粉质砂壤土	0.008 5	0.027	0.035	0.040	0.064	4.71	2.14	不良
46+995 中牟淤背			31	44	25	重粉质壤土		0.007	0.027	0.038	0.072			
84+330 开郊局淤背			35	56	9	重粉质砂壤土	0.006	0.025	0.038	0.044	0.072	7.33	3.06	不良
85+250 开郊局淤背			20	71	9	重粉质砂壤土	0.007	0.019	0.030	0.034	0.057	4.86	1.52	不良
192+850 开郊局淤背	6	74	13	6	1	细砂	0.01	0.120	0.150	0.17	0.210	17.0	8.47	不良

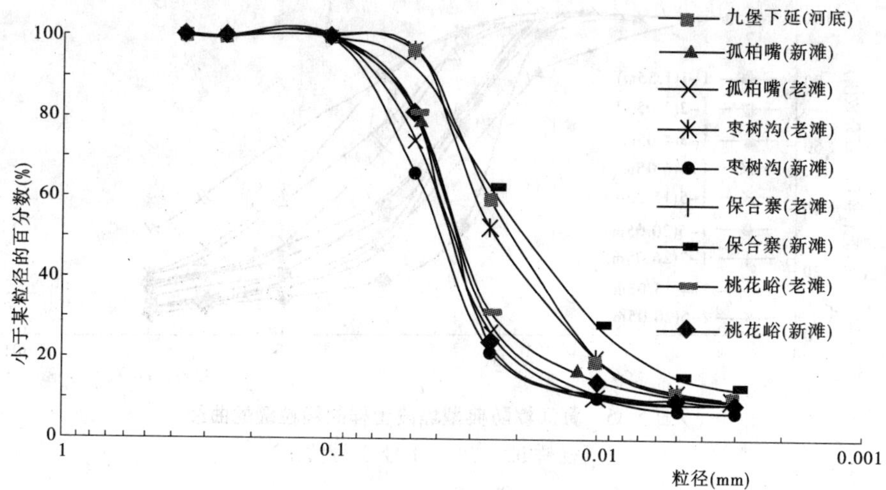

图 5-32 黄河滩地典型土样的颗粒级配曲线

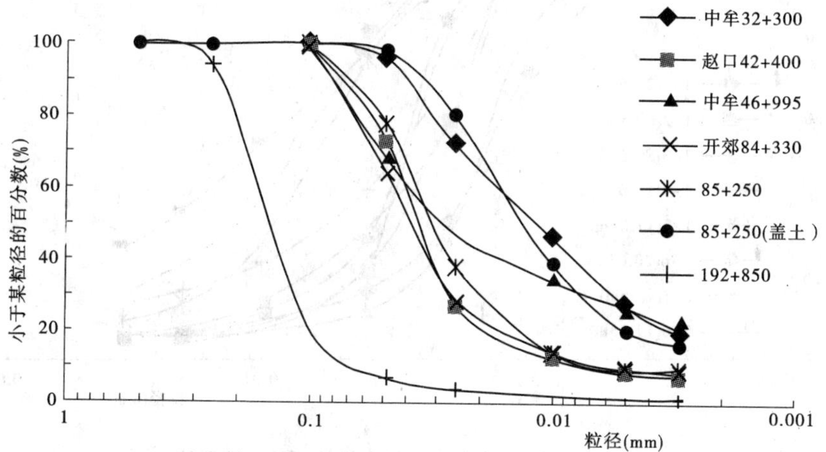

图 5-33 黄河淤背区典型土样的颗粒级配曲线

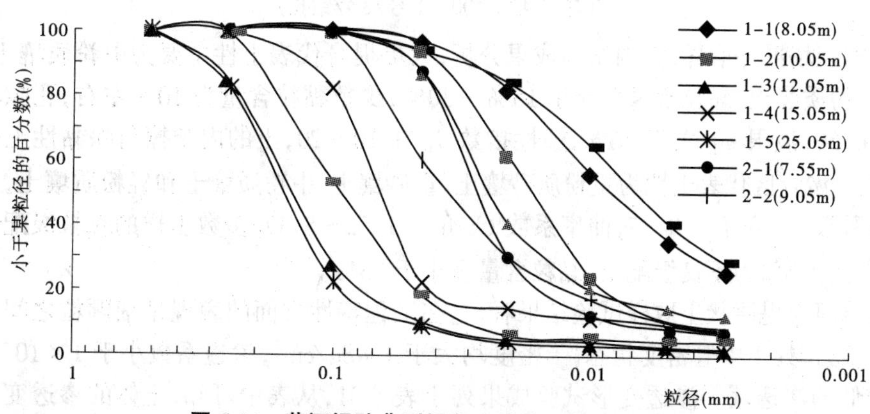

图 5-34 黄河堤防典型堤段土样的颗粒级配曲线

（柳园口 85+750 1号/2号钻孔）

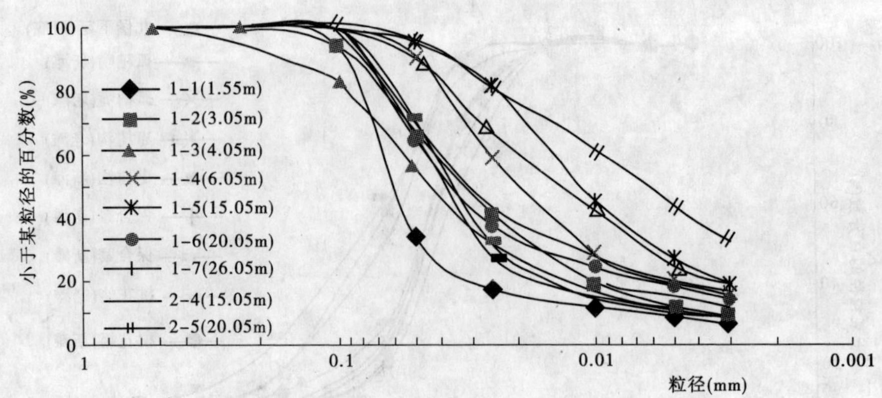

图 5-35　黄河堤防典型堤段土样的颗粒级配曲线

（杨桥 32+300　1 号/2 号钻孔）

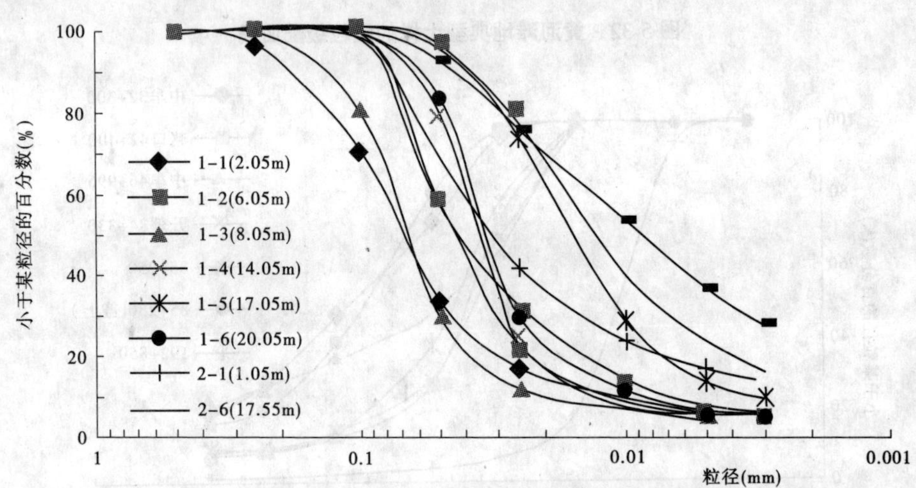

图 5-36　黄河堤防典型堤段土样的颗粒级配曲线

（赵口 42+400　1 号/2 号钻孔）

根据现场勘探取样，室内试验成果分析，大堤堤身代表土性主要为中粉质壤土、重粉质壤土、粉质黏土，黏粒含量多介于 15%～30%，少数黏粒含量为 10%左右，孔隙率介于 0.40～0.50，液限 ω_L 大于 26%，塑性指数 I_p 在 10～20，土的内摩擦角除黏性土外均在 20°以上。淤背区代表土性为重粉质砂壤土、重砂壤土、中粉质壤土和轻粉质壤土，土样的不均匀系数 C_u 介于 3.9～7，曲率系数 C_c 介于 1.52～8.47，多数土样的颗粒级配曲线较陡，分布范围窄，为不良级配土，黏粒含量多小于 15%。

从黄河大堤原状土取样试验结果看，它在工程特性方面的表现是细颗粒之间具有一定的黏聚力，处于中等密度状态，干密度均大于 1.48g/cm^3，渗透系数小于 1×10^{-4} cm/s，具有较低的渗透性。渗透变形试验成果列于表 5-31，从表中可知，土体的渗透变形大部分属于流土破坏形式。

表 5-31　　　　　　　　　　　　黄河大堤渗透变形试验成果

土壤定名	干密度 (g/cm^3)	孔隙率	等效粒径 (mm)	平均孔隙直径 (mm)	渗透系数 (cm/s)	临界破坏坡降 J_{kp}	渗透破坏形式
轻砂壤土	1.65	0.39	0.034	0.008 5	5.20×10^{-5}	1.27	流土
轻砂壤土	1.64	0.38	0.038	0.009 1	2.71×10^{-5}	2.35	流土
粉砂	1.56	0.42	0.039	0.011 1	2.70×10^{-4}	0.65	流土
极细砂	1.57	0.41	0.048	0.013 1	1.90×10^{-4}	1.41	流土
轻砂壤土	1.60	0.40	0.039	0.010 2	1.93×10^{-4}	0.92	流土
细砂	1.66	0.38	0.048	0.011 5	1.30×10^{-4}	1.35	流土
轻砂壤土	1.58	0.41	0.030	0.008 2	4.00×10^{-5}	2.85	流土
中砂	1.58	0.40	0.079	0.020 7	7.20×10^{-3}	0.83	流土
粉砂	1.58	0.42	0.040	0.011 4	8.10×10^{-4}	0.94	流土
轻砂壤土	1.58	0.41	0.032	0.008 7	1.33×10^{-4}	2.37	流土
轻砂壤土	1.53	0.43	0.040	0.011 8	5.20×10^{-4}	0.86	流土
粉砂	1.58	0.42	0.040	0.011 4	7.90×10^{-4}	0.94	流土

3.2　土工织物的反滤准则[13～20]

目前生产的土工织物等效孔径通常为0.03～0.6mm,针刺型土工织物等效孔径一般为0.05～0.20mm,但随压力的增加而渗透系数逐渐减小。对被保护土壤的特性,常采用土壤特征粒径,并发展到考虑土壤不均匀系数($C_u=d_{60}/d_{10}$)或相对密度、水力坡降等因素,比较系统地进行分析计算。对于水流特性,主要取决于水流流经被保护土的流态。背水堤坡的渗水一般属层流。临水坡则因受风浪起伏作用,波峰时颗粒将承受正向压力,波谷时颗粒承受负压作用,水流方向经常变化不能形成单向层流。根据上述特点,在特定水流条件下,土工织物滤层和颗粒滤层有着相同的目的、要求和对象。

3.2.1　国外反滤应用准则

国外部分学者、机构提出的有关反滤设计准则列于表 5-32。各国提出的反滤设计准则,由于试验方法不统一,所得结果也不尽相同,常用的简化准则为:

(1)保土防止管涌

$$O_e < d_{85}$$

$$O_e < ad_{90} \text{ 且 } O_e < bd_{50}$$

黏性土:$a=1,b=10,O_e<0.1$mm。

非黏性土:$C_u<5,a=1,b=2.5;C_u>5,a=1\sim2,b=10$。

(2)防止淤堵:$O_e>d_{15}$且 $O_e>0.05$mm。

(3)保证透水性:$k_g>Ck_s$。非黏性土,$C=5\sim10$;黏性土,$C=100$。

表 5-32　**土工织物反滤层保土、透水性设计准则**

编号	名　称	土工织物类　别	被保护土类别		保土准则（防止管涌）	保证透水准则（防淤堵）	说　明
1	太沙基与皮克		无黏性土		$O_e<d_{85}$	$O_e>d_{15}$	O_e 为土工织物等效孔径
2	荷兰	有纺织物			$O_{90}<d_{90}$		
		无纺织物			$O_{90}<1.8d_{90}$		
3	美国陆军工程师团				$O_e<d_{85}$	$GR=i_1/i_2<3$	GR 为梯度比，i_1、i_2 为土工织物、土料的渗透坡降
4	Zitsener	机织型	砂土		$O_e<2.7d_{50}$		
5	Ogink	机织型	砂土		$O_e<d_{90}$		
		非机织型			$O_e<1.8d_{90}$		
6	肖伯(Schober)				$O_e=Bd_{50}$	$k_g>k_s$	$B=f(C_u)$
7	希顿(R.G.Heerten)		非黏性土	$C_u>5$	$O_{90}<10d_{50}$ $O_{90}<d_{90}$	静载条件	
				$C_u<5$	$O_{90}<2.5d_{50}$		
			黏性土		$O_{90}<d_{90}$ $O_{90}<10d_{50}$	静载条件	
8	美国科罗拉多大学				$O_{95}<2d_{85}'$	$O_{95}>d_{15}$	
9	基劳德(Giroud)	针刺型	松散土	$1<C_u<3$	$O_e<C_ud_{50}$	$k_g>0.1k_s$	
				$C_u>3$	$O_e<9/C_ud_{50}$		
			中等密实	$1<C_u<3$	$O_e<1.5C_ud_{50}$		
				$C_u>3$	$O_e<13.5/C_ud_{50}$		
			密实土	$1<C_u<3$	$O_e<2C_ud_{50}$	$K_g>0.1K_s$	
				$C_u>3$	$O_e<18/C_ud_{50}$		
		机织型		$1<C_u<3$	$Oe<C_ud_{50}$		
				$C_u>3$	$O_e<9/C_ud_{50}$		
10	Loudiere	机织型和非机织型	非黏性土	$C_u>4$	$O_e<d_{85}$	$k_g>100k_s$	
				$C_u<4$	$O_e<0.8d_{85}$		
			黏性土	$C_u>4$	$O_e<d_{85}$ $O_e\geqslant50\mu m$	$k_g>100k_s$	
				$C_u<4$	$O_e<0.8d_{85}$ $O_e\geqslant50\mu m$		
11	CFGG	机织型和非机织型	松散土	$C_u>4$	$O_e<0.8\gamma\delta d_{85}$	$k_g/T_g>105k_s$	γ 为水力坡降参数，δ 为土工织物功能参数
				$C_u<4$	$O_e<0.6\gamma\delta d_{85}$		
			密实土	$C_u>4$	$O_e<1.25\gamma\delta d_{85}$		
				$C_u<4$	$O_e<\gamma\delta d_{85}$		
			黏性土		$O_e\geqslant50\mu m$		
12	Leflaive Puig					$k_g>5k_s$	
13	Cedergren	机织型和非机织型			$O_e\leqslant d_{85}b$		

为使被土工织物保护的堤身、堤基土中细颗粒不停留在土工织物孔隙中，避免发生淤堵，土工织物的渗透系数与被保护堤身、堤基土的渗透系数相比，非黏性土大5~10倍，黏性土大100倍左右。

3.2.2 我国反滤应用准则

根据水利行业标准《水利水电工程土工合成材料应用技术规范》(SI/T 225—98)反滤材料应满足以下要求：

(1)保土性。防止被保护土流失，引起渗透变形。应以土工织物等效孔径与被保护土的特征粒径之间的关系表达。等效孔径应符合式(5-5)。

$$O_{95} \leqslant nd_{85} \tag{5-5}$$

式中：O_{95}为土工织物的等效孔径，mm；d_{85}为被保护土的特征粒径，即土中小于该粒径的土质量占总质量的85%，采用试样最小的d_{85}，mm；n为与被保护土的类型、级配、织物品种有关的经验系数，按表5-33选用。

表5-33 **系数 n 选用**

被保护土细粒($d\leqslant0.075$mm)含量(%)	土的不均匀系数或土工织物品种		n值
≤50	$C_u\leqslant2, C_u\geqslant8$		1
	$2<C_u\leqslant4$		$0.5C_u$
	$4<C_u<8$		$8/C_u$
>50	有纺织物	$O_{95}\leqslant0.3$mm	1
	无纺织物		1.8

注：预计所埋土工织物连同其下土粒可能移动时，n值应采用0.5。

(2)透水性。保证渗透水通畅排除。土工织物透水性应符合：①被保护土级配良好、水力梯度低和预计不致发生淤堵(净砂、中粗砂等)时，$k_g\geqslant k_s$；②排水失效导致土体结构破坏，修理费用高，水力梯度高，流态复杂时，$k_g\geqslant10k_s$。其中k_g、k_s分别为土工织物、被保护土的渗透系数。

(3)土工织物防淤堵性。当被保护土级配良好，水力梯度低，流态稳定，修理费用小及不发生淤堵时，其孔径应符合

$$O_{95} \geqslant 3d_{15} \tag{5-6}$$

式中：d_{15}为被保护土的特征粒径，即土体中小于该粒径的土质量占土总质量的15%，mm。

当被保护土易发生管涌，具有分散性，水力梯度大，流态复杂，修理费用大时，若被保护土的渗透系数$k_s\geqslant10^{-5}$cm/s，则$GR\leqslant3$(GR为梯度比，试验方法见有关规程)；若被保护土的渗透系数$k_s<10^{-5}$cm/s，应以现场土料进行长期淤堵试验，观察其淤堵情况，试验方法见有关规程。

(4)以反滤准则校核选用土工织物。

保土性：按$O_{95}\leqslant nd_{85}$验算。

透水性：由式(5-7)和式(5-8)计算土工织物提供的透水率ψ_a和要求的透水率ψ_r，按$\psi_a\geqslant F_s\psi_r$判定。

$$\psi_a = k_v / \delta \tag{5-7}$$

$$\psi_r = q / (\Delta h A) \tag{5-8}$$

式中：k_v 为土工织物的垂直渗透系数，cm/s；δ 为土工织物厚度，cm；q 为估计的来流量，cm^3/s；Δh 为土工织物两侧水头差，cm；A 为土工织物过水面积，cm^2。

防淤堵性：按 $O_{95} \geqslant 3d_{15}$ 或 $GR \leqslant 3$ 的规定校核。

上述反滤准则是根据水利部水利水电技术标准制定的，经广泛调查研究，系统总结了我国有关领域的工程实践经验，并参考了有关国家标准、行业标准和国外先进经验，作为工程建设或除险加固的应用准则是可行的。但防汛抢险有其特殊性，采用该准则存在诸多问题，应通过大量的试验及抢险实践建立适应防汛抢险的设计准则。

根据近年来我国应用土工织物抢险的经验，利用土工织物作反滤层，发生淤堵的情况较少，但有的工程却发生了淤堵现象。因此，在满足保土性的条件下，应尽可能选用较大的孔径。若被保护土料为 $C_u < 2$ 或 $C_u > 6$ 的少黏性土或松散土体，容易发生淤堵现象，选择土工织物孔径要严格些。如果按上述方法难以选定合适土工织物时，可在土工织物与被保护土料间增铺一层砂料或秸料，以改善反滤效果。

3.2.3 适应黄河防汛抢险的反滤准则

依据前述室内试验、现场试验结果及土工合成材料在防汛抢险中的应用实践，提出适用于黄河防洪抢险的土工合成材料反滤应用准则为：

$$O_{95} = nd_{85} \tag{5-9}$$

$$k_g \geqslant 100k_s \tag{5-10}$$

$$POA \geqslant 30\% \tag{5-11}$$

式中：O_{95} 为土工合成材料等效孔径，mm；d_{85} 为被保护土壤特征粒径，mm；n 为经验系数；k_g 为土工织物的渗透系数，cm/s；k_s 为被保护土的渗透系数，cm/s；POA 为土工织物的开孔率。

n 的取值按土壤工程特性和险情类别确定，一般宜采用 2～10；土壤为粉质黏土时，n 取 7～10；土壤为粉质壤土时，n 取 4～6；土壤为砂壤土时，n 取 2～3。当险情较严重时，宜采用大值。

上述反滤准则，对表 5-27～表 5-30 中不同土壤类型抢险时，所选土工合成材料等效孔径的计算结果见表 5-34。采用表 5-34 中土壤的不均匀系数 C_u 和土工合成材料的等效孔径 O_{95} 参数绘制成图 5-37。

表 5-34　　土工合成材料等效孔径计算

取样堤段	取样编号	土壤定名	黏粒含量	C_u	d_{85}(mm)	O_{95}(mm)
南北庄堤　段	A_{1-1}	壤土	18	16.10	0.056	0.28
		砂壤土	8	2.80	0.08	0.16
	A_2－①	壤土	21	4.10	0.092	0.46
		砂壤土	6	3.86	0.082	0.16
	A_2－②	砂壤土	7.3	8.30	0.189	0.38
		粉砂	2.4	3.30	0.175	0.35
	A_2－③	细砂	2	2.80	0.234	0.46
		壤土	35	9.10	0.02	0.10

续表 5-34

取样堤段	取样编号	土壤定名	黏粒含量	C_u	d_{85}(mm)	O_{95}(mm)
瓦屋寨堤段	A_{1-1}	黏土	35.67	12.00	0.03	0.30
		壤土	15.5	7.30	0.056	0.28
	A_{1-2}	黏土	39.63	2.50	0.026	0.26
	A_2 - ②	黏土	33.25	3.00	0.038	0.38
	A_2 - ③	壤土	13.83	6.25	0.044	0.22
	A_2 - ④	壤土	20	9.00	0.031	0.16
		砂壤土	5.69	3.80	0.07	0.14
	A_2 - ⑤	粉砂	2.1	3.36	0.173	0.34
		细砂	2.5	3.30	0.22	0.44
	A_2 - ⑥	黏土	40.4		0.039	0.39
		壤土	19.4	6.60	0.07	0.35
		砂壤土	5.5	3.30	0.051	0.10
柳园口 85+750	1—1	粉质黏土	35		0.024	0.24
	1—2	轻粉质壤土	11	4.58	0.034	0.17
	1—3	轻粉质壤土	13	10.33	0.042	0.21
	1—4	重砂壤土	7	8.33	0.106	0.21
	1—5	细砂土	2	4.28	0.270	0.54
	2—1	重粉质壤土	8	3.56	0.042	0.21
	2—2	重粉质壤土	9	7.72	0.070	0.35
	2—3	粉质黏土	41		0.022	0.22
	2—4	轻砂壤土	3	3.55	0.19	0.38
	2—5	极细砂	2	4.25	0.26	0.52
	3—1	重粉质壤土	6	3.64	0.060	0.30
	3—2	轻砂壤土	3	3.93	0.190	0.38
	3—3	极细砂	3	2.41	0.20	0.40
杨桥 32+300	1—1	重砂壤土	9	9.71	0.086	0.17
	1—2	轻粉质壤土	12	11.43	0.074	0.37
	1—3	中壤土	15	29.00	0.12	0.24
	1—4	中粉质壤土	19		0.040	0.20
	1—5	重粉质壤土	28		0.028	0.14
	1—6	中粉质壤土	19		0.070	0.35
	1—7	重粉质壤土	21		0.068	0.34
	2—1	轻粉质壤土	11	9.53	0.068	0.34
	2—2	轻粉质壤土	10	8.16	0.062	0.31
	2—3	轻粉质壤土	11	13.42	0.072	0.36
	2—4	重粉质壤土	27		0.041	0.21
	2—5	粉质壤土	45		0.018	0.18

续表 5-34

取样堤段	取样编号	土壤定名	黏粒含量	C_u	d_{85}(mm)	O_{95}(mm)
赵口闸 42+400	1—1	重砂壤土	6	7.27	0.16	0.32
	1—2	重粉质砂壤土	6	5.00	0.071	0.14
	1—3	重砂壤土	6	3.48	0.11	0.22
	1—4	重粉质砂壤土	6	3.80	0.056	0.11
	1—5	轻粉质壤土	14	5.67	0.032	0.16
	1—6	重粉质砂壤土	7	4.17	0.051	0.10
	2—1	中粉质壤土	17		0.068	0.34
	2—2	粉质黏土	37		0.032	0.32
	2—3	重粉质砂壤土	8	7.29	0.074	0.15
	2—4	重粉质砂壤土	9	7.14	0.072	0.14
	2—6	重粉质壤土	23	5.47	0.300	0.30

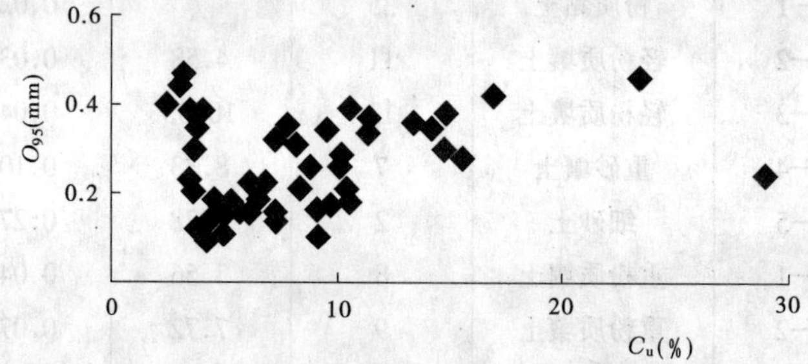

图 5-37 不均匀系数 C_u 和等效孔径 O_{95} 关系

从图 5-38 可以看出:适用于黄河堤防土壤特性的土工合成材料,其等效孔径 O_{95} 在 0.10～0.50mm 范围内,主要分布在 0.10～0.40mm 之间。

3.3 土工合成材料的选择

不同的险情使用不同的土工合成材料,不同的土壤特性对土工合成材料又要求不同。因此,防汛抢险使用的土工合成材料与其他用途的材料有区别,应根据各类险情的特点,事先选型储备,编号入库,专库或专架存放,标明品种、类别、规格、型号、用途和使用方法。土工合成材料制品主要包括以下几种类型。

3.3.1 防汛编织袋

1 号编织袋:是透水性很好的袋,织物孔径较大,为 5mm×5mm,尺寸可为:40cm×30cm 和 50cm×40cm,袋近立方体形,可装砂石料,用于反滤导渗,削减渗透动水压力。

2 号编织袋:单位面积重为 100g/m^2,尺寸可采用 95cm×55cm,渗透系数大于 10^{-2} cm/s,干摩擦系数 0.40,湿摩擦系数 0.30。可用于堤防背水抢险,例如透水压重防止流土、管涌孔周边围井、背水坡透水支撑体、背水坡内帮等。

3 号编织袋:单位面积重为 100g/m^2,尺寸可采用 95cm×55cm,不透水或透水性极小的织造土工织物,上覆 0.05mm 的 PE 膜,干摩擦系数 0.3,湿摩擦系数 0.25。一般用在堤防临水坡，阻止水渗入堤内。例如堵漏洞进水口、临水坡帮戗、防漫溢子堤、防浪布土袋压重等场合。

1号、2号、3号袋子都应采用封包机封袋口，一般不要绑扎，以免影响排垒。

土工织物编织袋的稳定性与摩擦系数性能直接相关，摩擦系数愈大则稳定性愈好，目前所采用的普通防汛编织袋的摩擦系数经测试仅为0.32左右，远比麻袋的摩擦系数（干态情况下测定0.4）小。麻袋的抗摩擦系数比较大，一般能满足抢险需要，但其价格要比编织袋高得多，抢险费用高，很不经济。南科院与常州通达塑料机械厂在目前防汛袋的基础上联合开发了低价高摩擦土工织物防汛袋，在防汛袋单位面积质量不变的条件下，其他项目指标亦相仿。摩擦系数从原来的干态0.31～0.33提高到0.40以上，湿态由0.27～0.29提高到0.32～0.35。经水利部上海勘测设计研究院检测站进行全面测试，与南科院所测的结果进行对比，除等效孔径差值较大外，其余几乎完全一致，说明产品质量相当稳定。在抢险中，对于编织袋有摩擦系数要求的，宜选用高摩擦土工织物编织袋。

3.3.2 软式透水管

软式透水管型号为SH50～SH200cm（或更大直径），其渗透系数大于1×10^{-1}cm/s，用于背水坡排水或背水堤脚导渗，以替代排水盲沟材料。排水沟端的软式排水管的头部处理，使用时可用钢丝钳剪断管一端数圈钢丝，系好外包滤布封底，汛后可以回收。按同样方法绑扎软式排水管的一端，插入管涌孔内用于反滤排水，也可用于"牛皮包"险情的处理。

3.3.3 织造土工织物复合膜

复合土工膜或织造布涂塑适用于：做软体排布盖堵漏洞，防风浪布，铺在裂缝上，防雨水流入裂缝内，渗水险情的临河坡截渗。

3.3.4 非织造土工织物布、经编土工布

一般要求织物有较大的孔径，而且还必须有一定的厚度，以便有足够的渗径，满足排水保土的要求。对于非织造土工织物布来说，孔径为0.1～0.2mm，厚度为3～20mm，适用于：①抢护管涌、流土险情的反滤层。②背水坡或坡脚散浸的反滤层。对于经编土工布来说，孔径为0.3～0.5mm，厚度在3mm以上，适用于抢护漏洞险情的背河反滤。③经编土工布、高强机织土工布或编织土工布，其等效孔径O_{95}一般采用0.1～0.3mm，当满足反滤要求的情况下，加筋后的排体可满足强度要求，适用于险工护岸排体。④高强机织布、经编土工布制作大土工包直接装散土，用于坝岸坍塌、堵漏洞等。规格一般为3～5m^3，也可制成8～10m^3的大型土工包，其等效孔径O_{95}一般应小于0.2mm。

在通常抢险紧急情况下，一般很难准确选用适合出险部位土壤特性的土工织物滤层，可优先采用较大孔径的土工织物，铺一层可能其抢护效果并不理想，但是可继续铺第2层、第3层等，也可取得较好的抢护效果。

3.3.5 土工网

土工网即高分子塑料挤出网，类似窗纱。用途类似于非织造土工织物，但主要用于漏

洞险情的背河反滤。

3.3.6 PVC复合材料

3.3.6.1 水充(水布)袋土工合成材料选择

水充袋现场抢险试验中,所选材料为高强机织布或帆布,在应用中取得了良好的堵漏效果,但材质较硬,存在入水不易的缺点。为此,通过室内检测及现场试验选择较柔软的合成材料。

(1)试验材料。红色牛筋布涂 PVC,幅宽 1.5m,单价 6~8 元/m;蓝色尼龙绸涂 PVC,幅宽 1.5m,单价 3.6~4.0 元/m;黄色牛筋布涂 P_U,幅宽 1.5m,单价 5 元/m。黏合材料均采用"伟名牌"黏合剂。

(2)抗拉强度、加压透水试验。土工合成材料抗拉强度、加压透水试验成果分别见表 5-35及表 5-36。

表 5-35　　土工合成材料抗拉强度试验

产品类型		破坏形式	蓝色尼龙绸布 单面挂胶 PVC	黄色牛筋布 无胶	红色牛筋布 单面挂胶 PVC
纵向	拉力(N)	布断	540	870	750
		胶断	20		50
	极限抗拉强度(kN/m)	布断	10.8	17.4	15.0
		胶断	0.4		1.0
	极限伸长率(%)	布断	37	44	34
		胶断	52		70
横向	拉力(N)	布断	380	450	1 010
		胶断	10		30
	极限抗拉强度(kN/m)	布断	7.6	9.0	20.2
		胶断	0.2		0.6
	极限伸长率(%)	布断	40	38	44
		胶断	72		72

注:试样宽度 5cm。

表 5-36　　土工合成材料加压透水试验

试样名称	压力(MPa)	试样直径(mm)	膨胀高度(mm)	耐压性能
蓝色尼龙绸布单面挂胶 PVC	0.6	30	9.5	能耐 60m 水头压力,不透气、不透水
黄色牛筋布无胶				加很小压力即开始透水透气
红色牛筋布单面挂胶 PVC	0.6	30	8.0	能耐 60m 水头压力,不透气、不透水

(3)水充(水布)袋材料选型。水充袋设计,根据黄河堤防出现漏洞的实际情况,漏洞

水深大多在2～6m,水充袋直径一般为0.3～1.2m,根据加压透水试验分析来看,红色牛筋布(单面挂胶PVC)和蓝色尼龙绸布(单面挂胶PVC)两种布耐水压强度在60m水头压力作用下,均不透水、不透气,完全能满足水充袋的强度要求,但从膨胀高度来看,红色牛筋布(单面挂胶PVC)抗涨破能力较强。在2001年河南黄河河务局组织的防汛抢险演习中,采用红色牛筋布(单面挂胶PVC)材料制作的水充袋,用于堤防堵漏现场试验,试验结果表明:该水充袋下水方便,堵漏效果良好。因此,建议选用红色牛筋布(单面挂胶PVC)作为水充袋制作材料比较理想。

3.3.6.2 充气充水袋枕

PVC复合土工膜具有较大的强度、不透水性,利用其加工制成的充气充水袋枕可用于风浪险情抢护。

3.3.7 土工绳索

土工绳索主要为锦纶绳,充沙土工反滤布长管袋褥垫和土工反滤布长管沙袋的牵引绳以ϕ10.0～14.0mm为宜,长度采用现场截取,土工反滤布管沙袋扎口绳采用ϕ3.0～4.0mm为宜,土工反滤布缝合线以ϕ1.0～1.5mm为宜。

土工网兜配合编织土袋或柳石料,用于坝岸坍塌、堵漏洞等。土工网兜制作时,锦纶绳编网以ϕ1.0～2.0cm为宜,加筋绳以ϕ2.0～3.0cm为宜。

3.3.8 土工织物主要指标选择

从以上试验、理论计算及实践经验,推荐适应黄河下游抢险的土工合成材料性能指标见表5-37～表5-40。

表5-37　　机织土工布性能指标

物资名称	单位面积质量(g/m²)	厚度(mm)	抗拉强度(kN/m)		延伸率(%)		垂直渗透系数(cm/s)	等效孔径(mm)	开孔率(%)
			纵向	横向	纵向	横向			
经编土工布	200～250	0.6	>60	>50	<30	<25	$>10^{-2}$	0.20～0.35	>30
机织布	200～250	0.6	>60	>50	<30	<25	$>10^{-3}$	0.10～0.20	>30
用途	适应于制作充沙长管袋、土工包等护岸抢险								

表5-38　　非织造土工织物的参考指标

物资名称	单位面积质量(g/m²)	厚度(mm)	抗拉强度(kN/m)		延伸率(%)		垂直渗透系数(cm/s)	等效孔径(mm)	开孔率(%)
			纵向	横向	纵向	横向			
非织造布	300～500	≥3.0	>12	>12	<80	<80	$>10^{-2}$	0.1～0.50	>30
用途	适应于背河堤坡渗水(等效孔径0.10～0.20mm)、管涌抢险和漏洞排水减压(0.30～0.50mm)								

表 5-39　　　　　　　　　　　　**复合土工膜的参考指标**

物资名称	单位面积质量 (g/m^2)	膜厚 (mm)	抗拉强度 (kN/m)		延伸率 (%)		垂直渗透系数 (cm/s)	顶破强度 (N)	耐静水压 (MPa)
			纵向	横向	纵向	横向			
复合土工膜	300～350	>0.1	>3.4	>2.4	<15	<8	$<10^{-7}$	600	0.4
用途	适应于临河截渗抢险、风浪抢险、裂缝抢险等								

表 5-40　　　　　　　　　　　　**编织袋、编织布的参考指标**

物资名称	尺寸	重量	经纬密度（平方英寸）	经向拉强 (kN/5cm)	纬向拉强 (kN/5cm)	渗透系数 (cm/s)	摩擦系数
编织袋	55×95 cm/条	100±5 g/条	12×12 根	≥0.9	≥0.8	$\geqslant 10^{-3}$	≥0.25
双面覆膜彩条编织布	4×100 m/件	120±5 g/m^2	10×10 根	≥0.8	≥0.7	每 $1m^2$ 覆膜 20g 不透水	

第四节　土工合成材料在防汛抢险中的应用

4.1　防漫溢抢险

洪水位超过堤顶高程，或风浪漫过堤顶的现象称为漫溢。一般土堤是不允许堤顶过水的，一旦发生漫溢险情，极易造成溃堤后果。因此，当洪水位（风浪）有可能超越堤顶时，为防止漫溢溃决，应迅速进行加高抢护。

4.1.1　应用土工合成材料抢护漫溢险情

应用土工合成材料抢护漫溢险情，主要是利用编织袋代替麻袋抢险，常用的方法是修筑子堤。如编织袋及土混合子堤、编织袋与土工织物软体排子堤、土工织物与土子堤等。具体方法与一般麻袋相同（见图 5-38～图 5-41）。

4.1.2　抢险实例

(1)安徽省天长县三荡湖圩堤洪水漫顶抢险。1991 年汛期，天长县东接高邮湖大堤的三荡湖圩堤用编织袋装土筑了一条长约 7km、高 0.2～1.0m 的子堤，挡住了洪水，防止了风浪淘刷。

(2)1998 年，长江、嫩江、松花江在洪水期，利用袋土做防洪子堤取得了巨大成功。长江流域的堤防筑子堤 620km，嫩江、松花江流域堤防筑子堤 800km，子堤高达 2.2m，实际挡水的有数万米，挡水高度 1.6～1.7m。

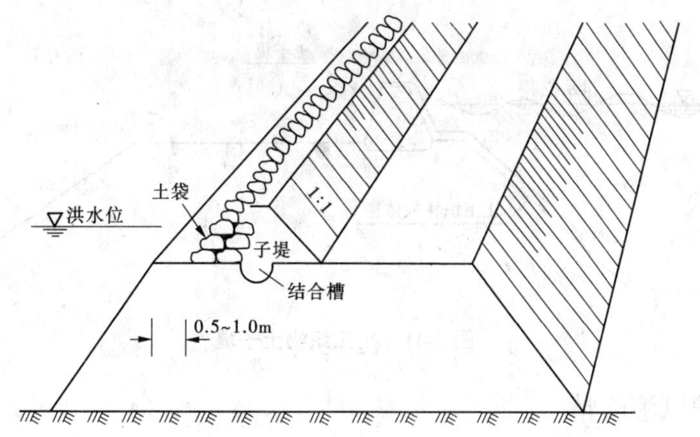

图 5-38　土工编织袋与土混合子堤

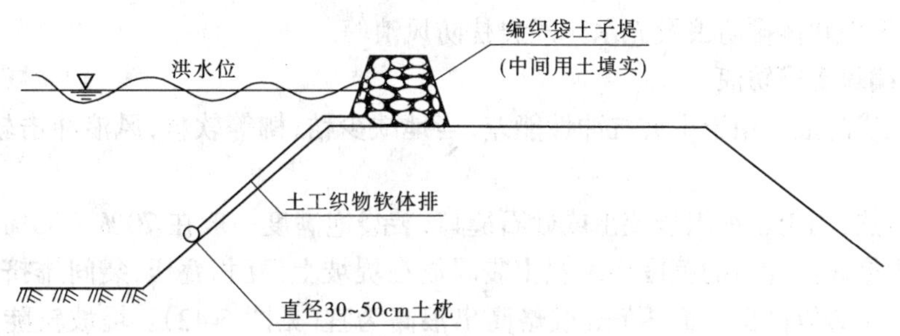

图 5-39　土工编织袋、软体排与土混合子堤

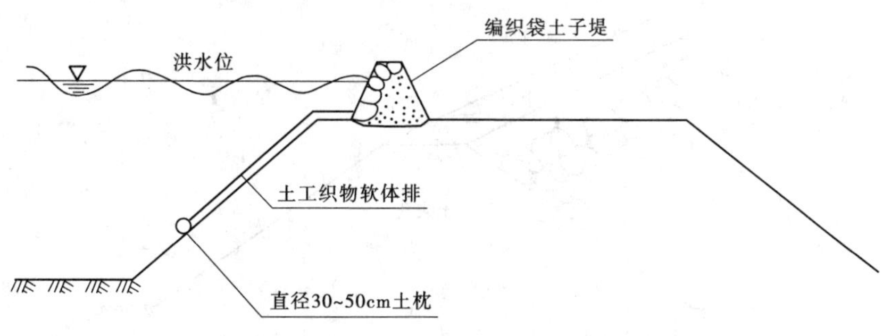

图 5-40　编织袋土子堤

4.2　风浪抢险

汛期江河涨水以后，堤坝前水深增加，水面加宽。当风速大、风向与吹程一致时，形成冲击力强的风浪。堤防临水坡在风浪一涌一退地连续冲击下，伴随着波浪往返爬坡运动，会产生负压，使堤防土料或护坡被水流冲击淘刷，遭受破坏。轻者把堤防临水坡冲刷成陡坎，重者造成坍塌、滑坡、漫水等险情，使堤身遭受严重破坏，以致溃决成灾。

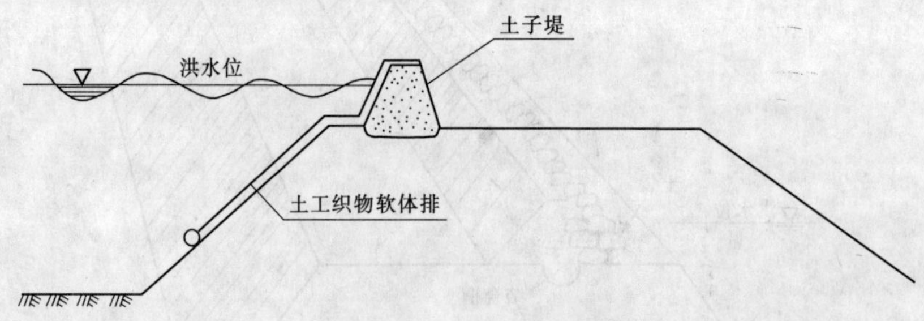

图 5-41　土工织物土子堤

4.2.1　抢护风浪险情

防风浪的抢护,一是消杀风浪,削减风浪的冲击力和负压力,再是增强堤坡的抗冲能力。应用土工合成材料抢护风浪险情主要有以下几种方法:编织土袋防浪、土工织物(膜)防浪、土工织物软体排防浪及充水充气袋枕防风浪等。

4.2.1.1　编织土袋防浪

编织土袋防浪适用于土坡抗冲性能差,当地缺少秸、柳等软料,风浪冲击较严重的堤段。

具体做法:用土工编织袋装土或砂石缝口,装袋饱满度一般在 70%～80%,以利于搭接密实。根据风浪冲击的范围将编织土袋码放在堤坡上,互相叠压,袋间排挤严密,上下错缝。一般土袋以高出水面 1.0m 或略高出浪高为宜(见图 5-42)。堤坡较陡时,则需在最下一层土袋底部打一排木桩,以防止土袋向下滑动;也可抛投土袋进行缓坡。为防止风浪淘刷堤坡,可在编织土袋下面先铺设土工织物反滤层。

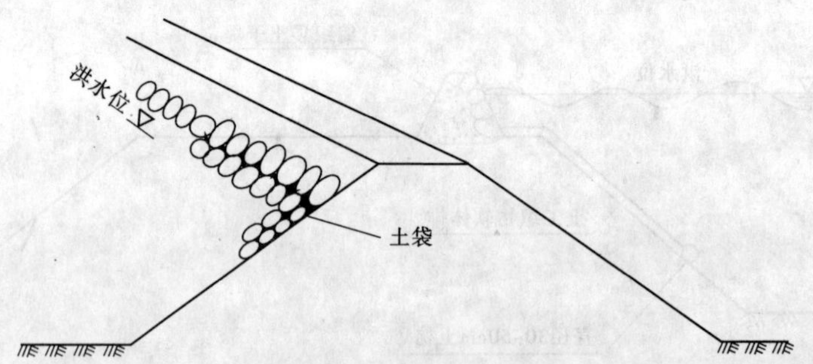

图 5-42　土工编织袋防浪

4.2.1.2　土工织物(膜)防浪

用土工织物或土工膜铺设在堤坡上,以抵抗波浪对堤防的破坏作用。使用这种材料,造价低、抢险工艺简单、便于推广。

在土工膜铺设前,应清除铺设范围内堤坡上的块石、树枝、杂草和土块等,以免土工织物损伤。当土工膜尺寸不够时,可进行拼接。宽度方向上的拼接应粘接或焊接,长度方向可搭接,搭接长度 0.5～1.0m,并压牢固以免被风浪掀起。

铺设土工膜时,其上沿一般应高出洪水位 1.5～2.0m,或论风浪爬高而定。土工膜用平头钉固定(也可用编织土袋压重固定),平头钉间距为2m×2m(见图5-43)。

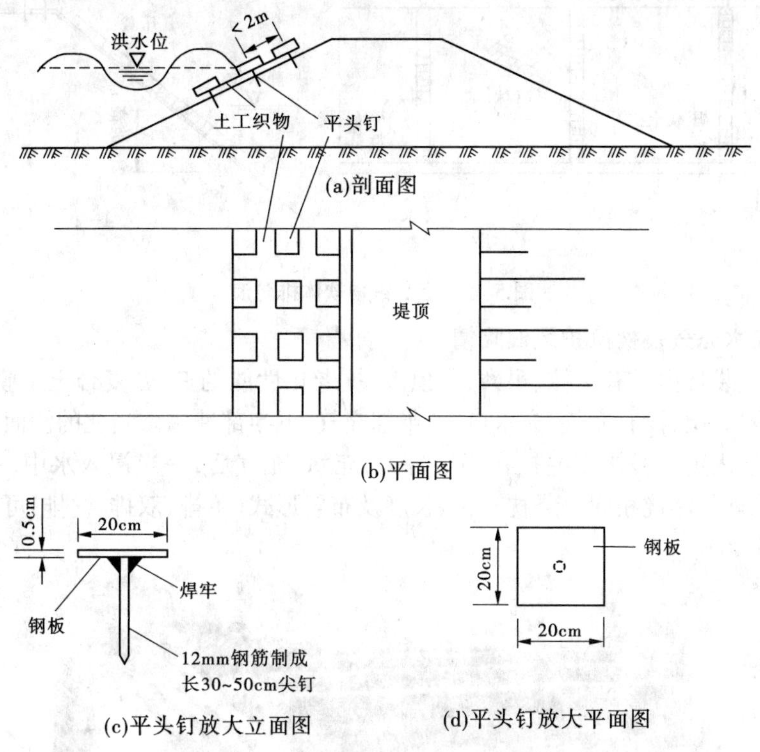

图5-43 土工织物(膜)防浪

4.2.1.3 土工织物软体排防浪

应用聚丙烯编织布或无纺布缝制成简单排体,单幅宽度按5~10m,长度根据风浪高和超高确定,一般5~10m,在编织布下端横向缝上直径0.3~0.5m的横枕长管袋。铺放时,将排体置于堤顶,横枕内装土(装土要均匀)封口,滚排成卷,沿堤坡推滚展放,下沉至浪谷以下1.0m左右,并抛压载编织土袋或土枕,防止土工织物排体被卷起或冲走。当洪水位下降时,仍存在风浪淘刷堤坡的危害,应及时放松排体挂绳下滑(见图5-44)。

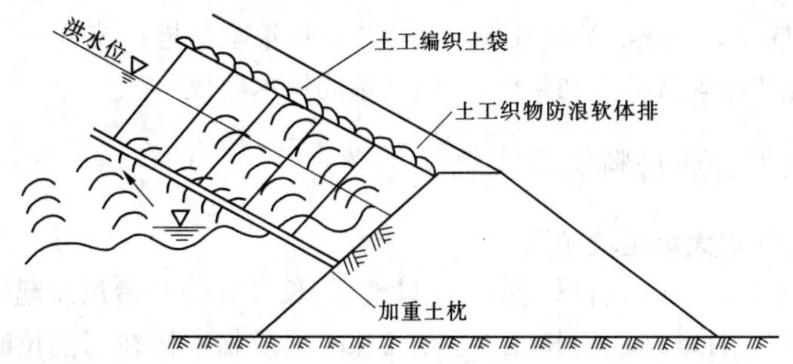

图5-44 土工织物软体排防浪

视风浪情况,可在排体上每隔3~5m放一组编织土袋压载。排体与排体之间的搭接宽度不小于1.0m,沿搭接缝必须有压载(见图5-45)。

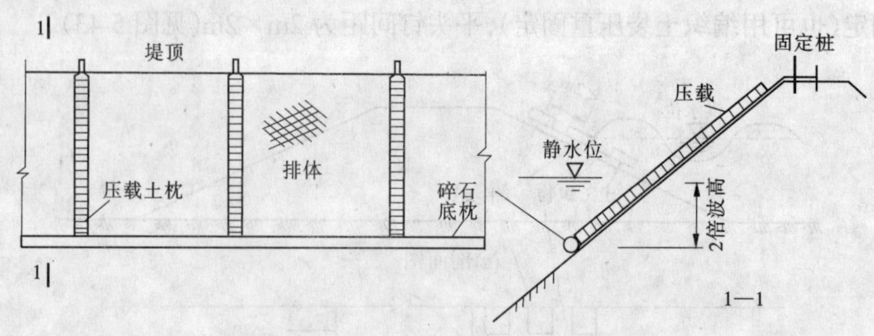

图 5-45　土工织物软体排防浪

4.2.1.4　充水充气袋枕抢护风浪险情

充水充气袋枕由具有抗拉、耐磨、耐顶破、抗老化性能的 PVC 复合土工膜制成,在袋枕中央设置隔离层,设有充气、充水口,上半部充气、下半部冲水。袋枕的侧面每米设一个系绳扣鼻以便固定。袋枕用绳拴在固定桩上,充水、充气后,一半浸入水中,一半高出水面,其基本原理与浮枕相同。袋枕直径、长度及布置形式(单排、双排、枕排)可视风浪情况选择(见图 5-46)。

图 5-46　充水充气袋枕抢护风浪险情

充水充气袋枕具有明显的消浪效果。与传统的风浪险情抢护技术——挂柳、挂枕、木排等相比,可降低防汛人员的劳动强度,避免大量的树木砍伐。

4.2.2　应用土工合成材料抢险实例

4.2.2.1　长江靖江段大堤堤坡防风浪

1997 年 8 月 18 日, 11 号台风袭击长江口地区,长江堤防受台风掀起的波浪袭击,程度不同地受到破坏。江苏靖江段长江大堤有 24km 堤段临水侧在高潮位时被风浪冲刷,堤面损失极为严重,当时用编织袋装土抛填抢护,保证了安全。

4.2.2.2　泥河水库土坝防风浪抢险

泥河水库位于松花江支流上,属于平原水库。土坝高 8.0m,坝长 4 310m。因吹程大、风浪高，原坝上游面用块石和油渣防护，均遭受风浪侵袭和冻融破坏。有一年汛期遇到8级大风，浪击坡面，坝身土体被淘刷，严重危机水库安全。后来采用无纺布铺设在坝坡并在其上压大块石抢护，从而安全度汛，汛后改为混凝土面板，下铺无纺布。经几个汛期考验，工程运行良好。

4.2.2.3 黑龙江省库里水库防浪抢险

黑龙江省库里水库，系平原水库，主坝长5.4km，为无护坡的黏土均质坝。1988年汛期，水库吹程7.8km，浪高2.0m以上，对坝体造成严重威胁。在总结以前防汛抢险经验的基础上，采用了非织造土工织物上压土袋的临时防浪措施，被保护坝段情况良好，没有淘刷现象。

4.2.2.4 黄河下游东平湖水库抢护风浪险情

2001年8月上旬，大汶河流域普降暴雨。8月7日，东平湖水位达44.38m，超警戒水位1.88m，为1960年建库以来最高水位。8月7日在二级湖堤未加高的八里湾缺口处(15+000～15+350)抢修一道子埝，子埝高1.0m左右，长350m，采用编织土袋排垒，外裹土工布。8月7日16时东平湖老湖区突起大风，湖面浪高1.5m，在八里湾缺口处，风浪涌上了堤顶，在湖面停靠的两条吸泥船被涌上了堤坡，由于及时抢修了子埝，堤防未出现大的险情(见图5-47)。

图5-47 东平湖水库八里湾缺口处抢修子埝

4.3 渗水(散浸)抢险

汛期高水位历时较长时，若堤身质量不好，渗水堤坡出逸，出逸点以下土体湿润或发软，有水渗出，这种情况需要进行处理或抢护。

4.3.1 应用土工合成材料抢护渗水险情

渗水险情以“临河截渗，背河导渗”，减小渗压和出逸流速，抑制土粒被带走，稳定堤身为原则。应用土工合成材料抢护渗水险情主要有以下几种方法：编织袋黏土前戗截渗、土工膜截渗、软式排水管导渗、土工织物导渗沟、土工织物反滤导渗、应用软式透水管修筑透水后戗。

在临河利用编织袋黏土前戗、土工膜防渗,增加阻水层,以减少向堤身的渗水量,降低浸润线,达到控制渗水险情发展和稳定堤身堤基的目的。在背河,利用铺设土工织物、软管式透水软管等的保土排水特性,引导渗水排出,降低浸润线,使险情趋于稳定。

4.3.1.1 **土工膜截渗**

当缺少黏性土料,若水深较浅时,可采用土工膜加编织袋保护层的办法,达到截渗的目的。防渗土工膜种类较多,可根据堤段渗水具体情况选用。具体做法是:①土工膜的宽度和沿边坡的长度可根据具体尺寸预先黏结或焊接(采用脉冲热合焊接器),以满铺渗水段边坡并深入临水坡脚以外 1m 以上为宜。边坡宽度不足可以搭接,搭接长应大于 0.5m。②铺设前,一般先将土工膜的下边折叠粘牢形成卷筒,并插入直径 4～5cm 的钢管加重(如无钢管可填充土料、石块等),然后在临水堤肩将土工膜卷在滚筒上进行展铺。③土工膜铺好后,应在其上排压一两层内装砂石的土袋,由坡脚最下端压起,逐层错缝向上平铺排压,不留空隙,作为土工膜的保护层(见图 5-48)。

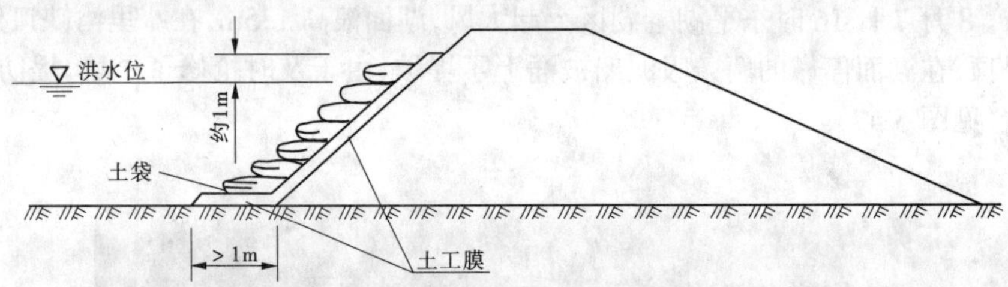

图 5-48 土工膜截渗

4.3.1.2 **软式排水管导渗沟**

软式排水管导渗沟的布置形式、施工方法及要求与常用导渗沟相同,一般有纵横沟、Y 字沟和人字沟等(见图 5-49)。软管的尺寸和间距应根据渗水程度和土壤性质而定,一般主排水管管径 10～20cm,支排水管管径 5～10cm。为避免软管土工织物被淤堵,在铺设软管前,应先铺设厚度约 10cm 的秸料或砂石料垫层。铺设软式排水管时应注意管与管的连接可靠,避免脱节。铺设完毕后,上面再铺盖厚度约 10cm 的秸料或砂石料层,然后回填土料与堤坡平(见图 5-50 中的(a)和(b))。

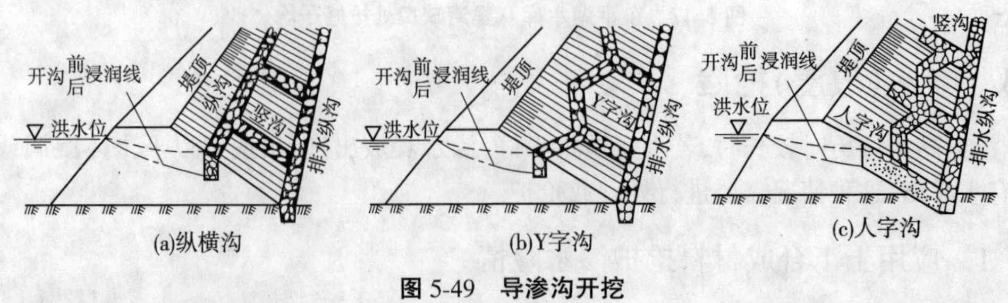

图 5-49 导渗沟开挖

4.3.1.3 **土工织物导渗沟**

土工织物导渗沟的布置形式及施工要求同上述,选用符合反滤要求的土工织物。铺设土工织物前,先铺设厚度约 10cm 的粗砂或麦秸垫层。接着将土工织物紧贴沟底和沟

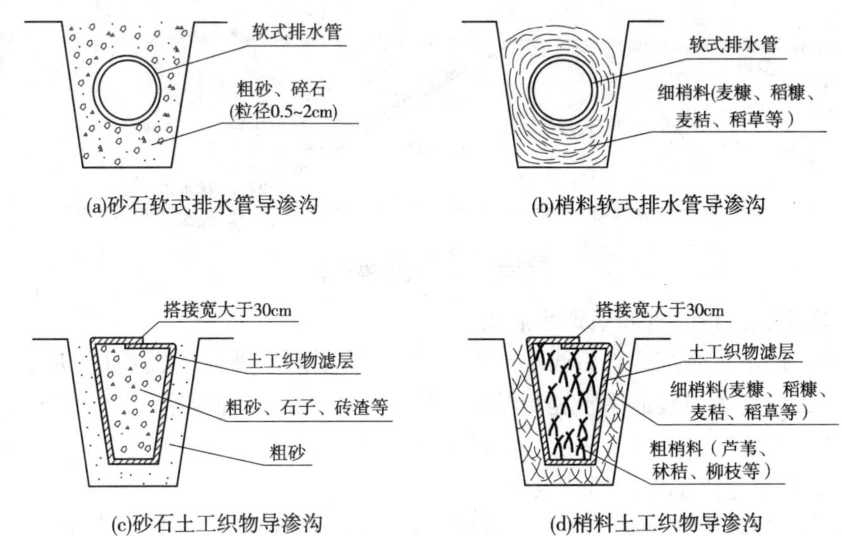

图 5-50 导渗沟铺填

壁铺好,在沟壁与土工织物接触部分也应填充垫层,并在沟口边沿露出一定宽度。然后向沟内填满一般透水料,如粗砂、石子、炉渣、砖渣或柳秸料等,不必再分层。在填料时,要避免有棱角或尖头的料物直接与土工织物接触,以免刺破土工织物。土工织物长宽尺寸不足时,可采用搭接形式,其搭接宽度不小于 30cm(见图 5-50 中的(c)、(d))。

4.3.1.4 土工织物反滤导渗

当背水堤坡渗水比较严重,堤坡土质松软时,采用加修滤水后戗进行抢护。具体做法是,按修做反滤层的要求,清理好渗水堤坡坡面后,首先应就地取材平铺一层麦秸、麦糠、稻草、稻糠、柳料或砂石料垫层,厚 10cm 左右,然后满铺一层符合反滤层要求的土工织物。铺时应使搭接宽度不小于 30cm。最后再压块石、碎石或编织土袋进行压载(见图 5-51)。

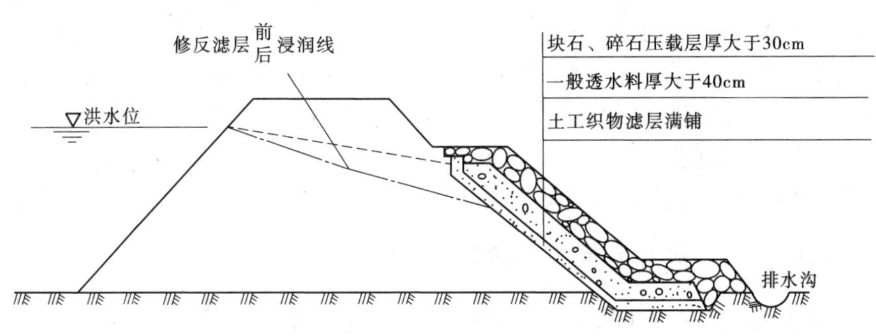

图 5-51 土工织物反滤

若当地缺少垫层材料,也可直接覆盖土工织物,最后采用碎石、块石或土工编织袋,压重导渗或做导渗沟(见图 5-52)。

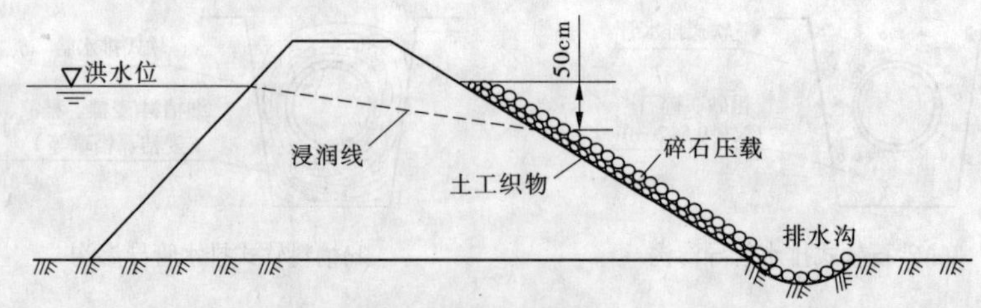

图 5-52　背水坡散浸压坡

4.3.1.5　应用软式透水管修筑透水后戗

采用软式透水管修筑透水后戗既能排出渗水,防止渗透破坏,又能加大堤身断面,达到稳定堤身的目的。一般适用于堤身断面单薄、渗水严重、滩地狭窄、背水坡度较陡或背水堤脚低洼的堤段。透水戗台一般高出浸润线出逸点 0.2～0.5m,顶宽 2.0～4.0m,戗坡 1∶3～1∶5,长度超过渗水堤段两端至少 3.0m。

在抢护前,先将边坡渗水范围内的软泥、草皮及杂物等清除,开挖深度 10～20cm(见图 5-53)。具体抢修步骤如下:

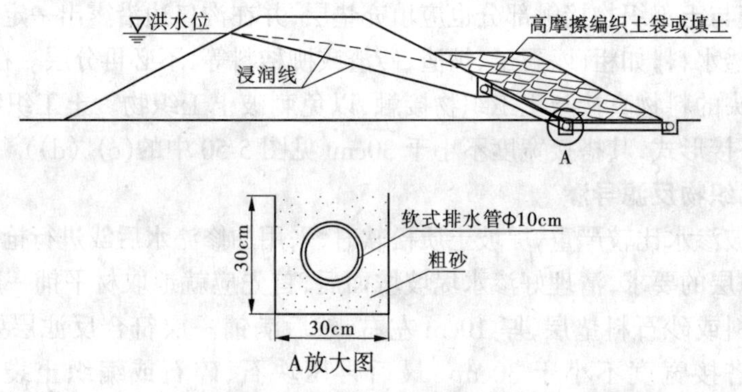

图 5-53　软管式透水后戗

(1)沿堤防轴线在堤坡浸润线以下 0.5m 处、堤脚处及戗台坡脚处开挖三条走向基本平行的纵沟,沿横向每 5～10m 布置一条横沟,排水沟断面尺寸均按 30cm×30cm 布置。

(2)先在纵横排水沟内铺粗砂(或细梢料),厚约 10cm,再铺设软式排水管,排水管直径为 10cm 左右,待纵横排水管连接完毕后,在排水沟内铺满粗砂(或细梢料)。最后沿纵横排水沟在坡面上排铺厚约 30cm 的梢料。

(3)采用编织土袋抢修后戗或填土筑戗。

4.3.2　应用土工合成材料抢险实例

4.3.2.1　监利县长江干堤上车湾内脱坡和严重散浸抢险

1998 年 8 月 8 日,在上车湾桩号 618+859～618+865 长 15m 的范围内,堤内脚以上垂高 2.5m 发生脱坡,吊坎高 0.5m,堤顶以下垂高 1m 以下堤内坡严重散浸,当时外江水位是 37.65m。具体抢险方法是:先在内脱坡处用编织土袋做透水土撑,填矿砂厚 0.1m,碎石厚 0.1m,内脱坡险情基本稳定;二是用编织土袋抢修前戗截渗,前戗长 50m、顶宽 5m,高出水面 0.5m,并在前戗上铺设土工膜防浪;三是在 400m 长严重散浸段开沟导渗,沟宽 0.3m，内填二级砂石料，将渗水导出，险情基本得到控制。

4.3.2.2　**监利县长江干堤卢家月严重散浸**

1998 年 8 月 19 日 12 时 30 分，在监利县长江干堤卢家月桩号 563＋085～563＋105 长 20m 范围内，堤内肩下沉 0.7m，堤内坡严重散浸。14 时 10 分，桩号 563＋103 处，堤内坡高程 35.6m 处渗水集中，演变成浑水漏洞，孔径 3cm。险情发生后，对严重散浸堤段采取堤内坡开沟砂石导滤处理，沟宽 0.3m，内填粗砂、碎石；对于浑水漏洞，利用编织土袋抢修围井，直径 1.0m、高 0.5m，填充粗砂、碎石各 0.2m 厚；堤外利用编织土袋外帮前戗，长 30m、面宽 5.0m，高出水面 0.5m。经过 8 个多小时抢护，严重散浸渗水明显减轻，险情基本稳定。

4.4　管涌（流土）抢险

大洪水期，堤防处于高水位运行状态，由于临水面与背水面的水位差而发生渗流，若渗流出逸点的渗透坡降大于允许坡降，则可能发生管涌或流土等渗透破坏（见图 5-54）。“牛皮包”常发生在黏土与草皮固结的地表土层，它是由于渗压水尚未顶破地表而形成的，也属渗透破坏。

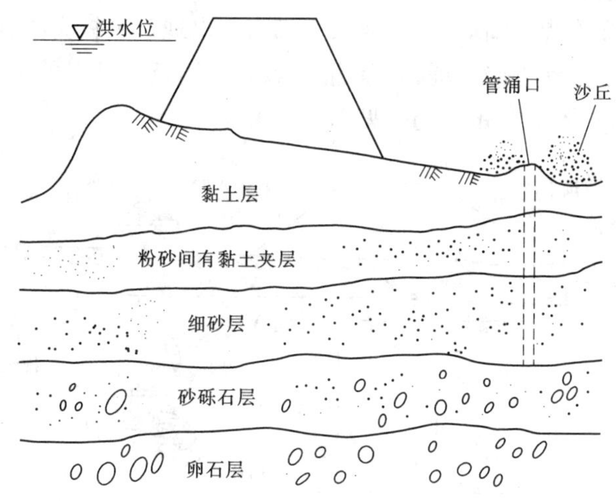

图 5-54　管涌险情示意

4.4.1　应用土工合成材料抢护管涌（流土）

应用土工合成材料抢护管涌（流土）的方法一般有：抢修土工合成材料反滤围井、编织土袋无滤层围井及软式透水管处理“牛皮包”。主要是利用土工合成材料的透水保土特性，代替砂石、柴草反滤等，以达到反滤导渗，防止渗透破坏的目的。

4.4.1.1　**土工织物反滤围井**

修筑土工织物反滤围井时，除按常规方法外，还应先将拟建围井范围内一切带有尖、棱的石块和杂物清除干净，防止土工织物扎破而影响反滤效果。铺设时块与块之间要互相搭接好，四周使土工织物嵌入土内，然后在其上面填筑 40～50cm 厚的砖、块石透水料以压重（见图 5-55）。

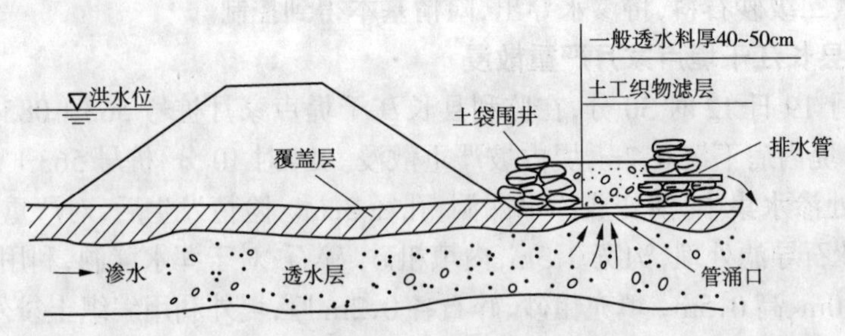

图 5-55 土工织物反滤围井

4.4.1.2 无滤减压围井(或称养水盆)

利用围井内水位减小水头差的平压原理,抬高井内水位,减小水头差,降低渗透压力,减小渗透坡降以稳定管涌险情。此法适用于当地缺乏反滤材料,临背水位差较小,高水位历时短,出现管涌险情范围小,管涌周围地表较坚实且未遭破坏,渗透系数较小的情况。

(1)无滤层围井。在管涌周围一定范围内用编织土袋排垒无滤层围井,随着井内水位升高,逐步加高加固,直至制止涌水带沙,使险情趋于稳定为止。为防止产生新的险情,围井高度一般不宜超过 2m。

(2)背水月堤(又称背水围堰)。当背水堤脚附近出现范围较大的管涌群时,可采用编织土袋在堤背出险范围外抢修月堤,截蓄涌水,或抽蓄附近坑塘里的水抬高水位。月堤可随水位升高而加高,一般不宜超过 2m(见图 5-56)。

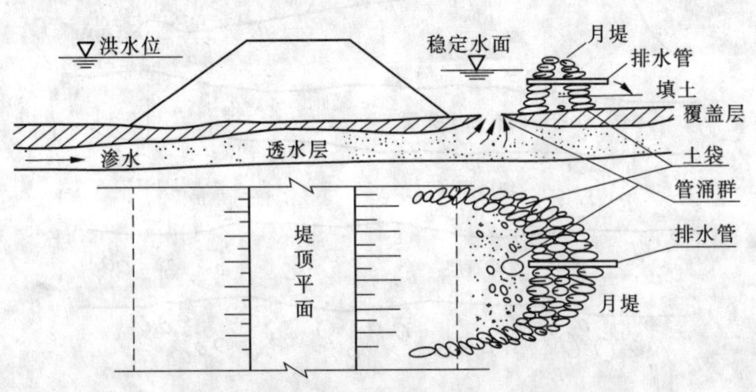

图 5-56 背水编织土袋月堤抢护管涌

(3)装配式"养水盆"。"养水盆"法是处理"管涌"险情的有效方法之一。传统的做法是用土袋排垒成围井,随着井内水位升高逐渐加高加固至险情稳定。由于"管涌"多发生在地势低洼、常年积水的堤段,往往取土困难。

ZY-Ⅱ型多功能装配式"养水盆",是由钢架与土工布内衬构成的圆形组合装置。外围框架用 12 根长 3m 的方钢(100mm×50mm)做立柱,用 1m×1m、厚 2mm 的铁板通过螺栓相互连接,外侧用 3~6 道钢丝绳扎紧与框架共同承受水压力,保持整体稳定。圆周包围面积 13m^2,内衬复合土工膜防渗,钢围板上设有排水孔(见图 5-57)。

4.4.1.3 软式排水管处理"牛皮包"

"牛皮包"险情可采用土工合成材料软式排水管处理。根据"牛皮包"险情的大小,选定造孔个数,一般情况下,排水孔按 1m×1m 进行布孔。边造孔边将直径为 5~8cm 的软

图 5-57 装配式"养水盆"

式排水管插入孔内，软式排水管底部要进行绑扎。在软式排水管顶部铺一层厚 30～40cm 的秸料或铺一层厚 30cm 左右的碎石，也可铺设一层针刺无纺布，上压透水编织土袋（见图 5-58）。

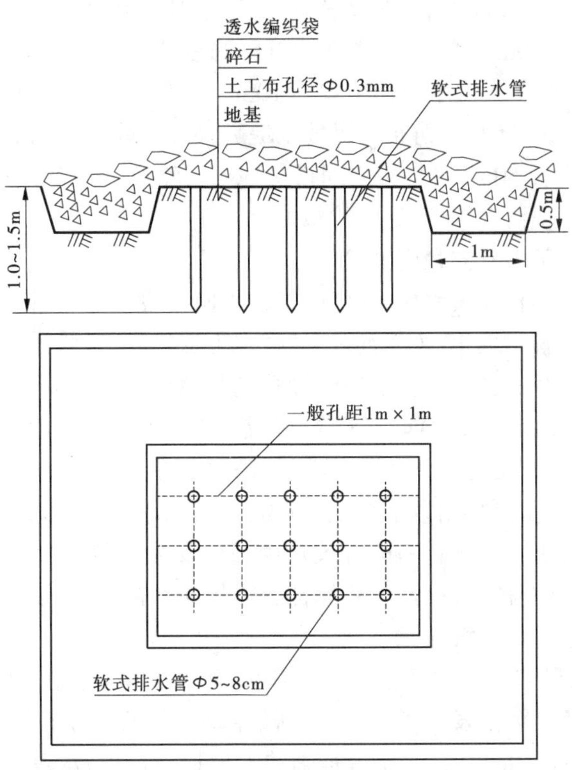

图 5-58 软式排水管处理"牛皮包"险情

4.4.2 应用土工合成材料抢险实例

4.4.2.1 淮河大堤陈大湾堤段地基管涌抢护

1991 年 7 月大洪水时，淮河大堤陈大湾堤段背水堤脚出现了直径 30～40cm 的管涌，冒水水柱高达 30cm，孔周堆积了许多沙环。抢险时采用非织造土工织物，土工布尺寸 5.3m×5.3m，单位质量为 400g/m^2，平铺在管涌孔口上，试图压住管涌翻沙，但由于方法不当，开始时并未达到预期效果。当在织物中央加块石压重时，其周围鼓起；在织物周围压块石时，则中间又鼓起。继续上压 30cm 厚的石料，仍有浑水流出；将压重加厚到 60cm 时，浑水依旧不止；再增厚压重到 1.0m 以上时，渗水才变清。待数小时后，非织造土工织物四周又流出浑水，说明险情仍未完全排除。最后在管涌周围修筑了一个长 30m、高 1.0m 多的围井，险情才得到控制。

1987 年淮河连续出现 5 次洪峰，高水位持续时间长，在蒙洼圈和城西湖蓄洪大堤多处出现翻沙鼓水险情，在紧急情况下，均采用土工织物覆盖管涌口，压住冒沙形成反滤，只要按照土工织物反滤排水的技术要求设计施工，绝大多数效果十分显著，一般土工织物铺放 30～60min 后便可出清水。

4.4.2.2 江西都昌矶山湖堤抢险

江西省九江市都昌矶山湖堤，部分堤基为砂层或淤泥。1983 年临背水位差 6.24m，在 1.88km 范围内发生严重管涌，部分堤身下陷，经大力抢护，虽然安全度汛但险情未除。1984 年在最严重的 230m 长的堤段修筑砂石反滤层 3 450m^2（砂、砾、石层分别为 20cm、30cm、50cm），在 1998 年大洪水时仍出现约 10m^2 的管涌群。采用针刺无纺布抢修反滤导渗，长 300m、宽 200m，针刺无纺布自堤坡至堤脚外延平铺。采用尼龙绳将 3 幅针刺无纺布缝成一大块，每块长 50m，块与块之间搭接 30cm，然后一边铺设一边在其上部压 50cm 厚的砂砾石，很快出现清水缓流，解除险情。

4.4.2.3 监利长江干堤三支角管涌抢险

该堤段于 1998 年长江大水中出现涌砂现象，险情发现后，立即采用三级导滤堆处理，随着水位的上涨，堤脚出现 10 个管涌孔，经过水下探摸，所有管涌孔均位于原鱼塘无水时所挖的一条不规则的深沟内。为此，向管涌孔内紧急抛块石、卵石和碎石，再铺纱窗滤布，后填粗砂，再铺一层纱窗布，填卵石、碎石形成三级导滤堆，并沿鱼塘四周抢筑围堰，在 400m^2 出险范围内平铺反滤料，险情最终得到控制。

从该抢险实例初步可得出以下结论：应用土工合成材料抢修管涌反滤围井时，在有效消杀水头的前提下，土工合成材料的有效孔径必须要大，有足够的排水能力，同时对于粒径较小的土颗粒允许跑掉一部分，但要保证土体骨架不被管涌破坏。

4.4.2.4 云南省南盘江大堤抢险

1985 年云南省陆良县首次将土工织物用做南盘江大堤防洪抢险材料，并获得成功。当年 7 月 2 日，南盘江河段发生了 20 年一遇的洪水，下午 5 时出现冒水泉眼，出水流速较大，冲出堤内水面 5～10cm 高，并挟带基础的大量粉砂逸出，水量与砂量不断剧增。至晚 10 时，出水流量已达 0.03m^3/s，出砂总量约 10m^3，并在离泉眼上部 5m 处堤埂上落陷一处，洞口直径约为 0.9m，情况万分紧急。

发生冒水泉眼的原因在于河堤系建在原有老河床的粉砂基础上，同时又无防渗措施，因而在高水头作用下形成了管涌。

因该地区的麦子河水库有应用土工织物作反滤层的经验，于是决定用土工织物铺盖泉眼，作为反滤层，上部加块石压重。到3日凌晨2时准备就绪并着手处理，采用三条4m长的土工织物，互相并搭起来，盖在泉眼上面，四周由人踩住土工织物，再由四周向中心逐渐堆放块石，最后形成中心高、四周低，平均厚度约1.0m的压重体，所用石料约25m^3，共用时间约3h。处理之后，砂量明显减少，出水量也略有减少，险情得以排除。后经长时间洪水多次涨落考验未发现异常现象，说明处理成功。管涌及处理情况见图5-59。

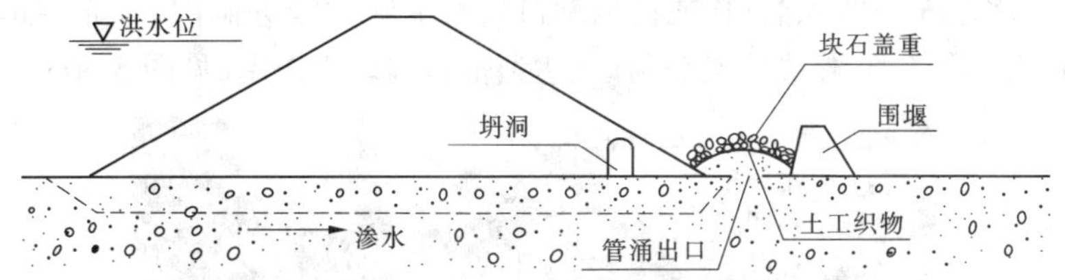

图5-59　南盘江大堤用土工织物抢险示意

根据以上应用实例，将土工织物抢护管涌险情的施工方法归纳如下：

(1)根据土壤条件选择保土、防止管涌、防止淤堵、保证透水的土工织物。

(2)将管涌范围地面整平，清除草皮、杂物及尖锐之物，同时在抢护范围四周开挖沟槽，以便将织物周边嵌入地面，沟槽尺寸一般应为0.3m×0.5m(深×宽)。

(3)若管涌出口较小，可用整块土工布盖住洞口；若洞口较大或连片，则土工织物块间用线缝或黏结剂搭接15～20cm，在松软地基或水下施工时，搭接宽度应为0.4～0.6m。

(4)将土工织物盖在管涌出口上后，先用重物将其固定，再由四周向中央压2～4cm粒径的小卵石或小石子，厚30～50cm，石子上面再压块石最后形成中心高、四周低的压重体。

(5)铺设土工织物的面积要大于需要保护的渗水范围，四周应超出2.0m以上。

(6)若管涌水压力较大，覆盖的土工布被水顶起来时，应继续盖压石子或装石子的编织袋，直至压平为止；若冒砂孔直径较大，土工织物加压后下凹，甚至把土工织物撕破，此时，应在孔洞内先填大块石、碎石来消杀水势，然后在大块石上方填筑小石子、石屑或秸料等，可略高于附近地面，以分散渗流，石子上面再铺放土工织物并压重。

4.5　漏洞抢险

漏洞是贯穿于堤身或堤基的过流通道。漏洞水流常为压力管流，流速大、冲刷力强、险情发展快，是造成堤防溃口的最严重险情之一。尤其对黄河，由于堤防多为砂性土，临背悬差大，漏洞险情抢护异常困难。

漏洞抢险的一般原则是“前堵后导，临背并举”。近几年来，结合黄河漏洞抢险演习，利用土工合成材料研制了一些“塞、盖、导”方面的器具，分述如下。

4.5.1　塞堵法

受历史堵漏用的草捆、铁锅、棉絮等启发，研制了炉渣土工布袋、水充(水布)袋、土工布胶泥软楔和圆锥形橡皮囊软楔进行塞堵。

4.5.1.1　**炉渣土工布袋**

用土工布编成锥体形布袋，粗头直径分别为15～30cm不等，将秸料和炉渣各半掺和后装入袋中，捆扎牢固，旁边作一背带，便于携带。

4.5.1.2　**水充(水布)袋**

水充袋是借助水压力堵塞洞口。采用耐压不透水土工布或采用柔软、轻薄、不透水尼龙布料加工制成的楔形布袋，长度在1m以上，袋口固定一个阻滑铁环即可。阻滑铁环直径一般在0.5m以上，圆形最佳，使用直经16mm以上的钢筋或采用直径18mm以上的空心钢管制作。将水充袋塞入洞口，或接近洞口靠水的吸力吸进洞内，水充袋迅速膨胀，使水袋与洞壁挤压紧密，阻滑铁环覆盖洞口，达到密封洞口之作用(见图5-60)。

图5-60　中牟杨桥3号水池1号漏洞解剖出的水充袋

4.5.1.3　**土工布胶泥软楔**

土工布胶泥软楔前段为实体，后段为空袋。实体部分以长1m多的柔性橡胶棒为中心，裹以胶泥、麻丝等，外裹土工布。直径从5～8cm渐变到15～20cm，再接0.5m长的空袋，袋口设一直径30cm的钢筋环，总长度1.5m(见图5-61)。

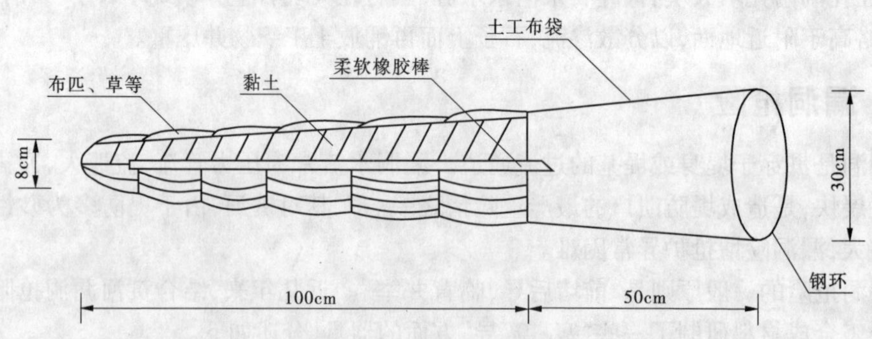

图5-61　土工布胶泥软楔示意

4.5.1.4　**圆锥形橡皮囊软楔**

圆锥型橡皮囊软楔，利用橡胶柔软可变形的特性，能很好地适应漏洞的形状(见

图5-62)。它的圆锥部分起软楔作用,圆锥底橡胶圆盘起软帘作用,是一种软楔和软帘结合的堵漏工具。

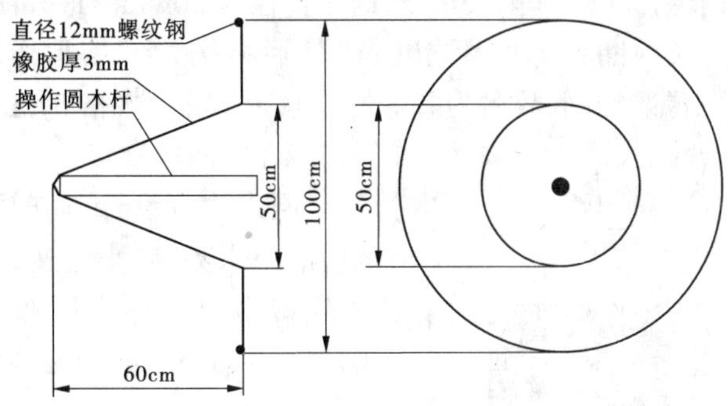

图5-62 圆锥形橡皮囊软楔平面及剖面

4.5.2 盖堵法

软帘覆盖法抢堵漏洞,对于堤坡比较平顺,洞口周围无树木、石料等障碍物的情况,是较为有效的措施之一。传统的软帘一般采用篷布、草帘、苇箔等。近几年来,黄河上采用土工合成材料替代,研制出几种不同形式的软帘。

4.5.2.1 蜘蛛网式软帘

蜘蛛网式软帘是在传统软帘的基础上研制而成的,主要由推杆、滚筒、复合土工布、固定杆和拴绳组成(见图5-63),在它的上面布置有球形配重物,以增加软帘与堤坡的附着

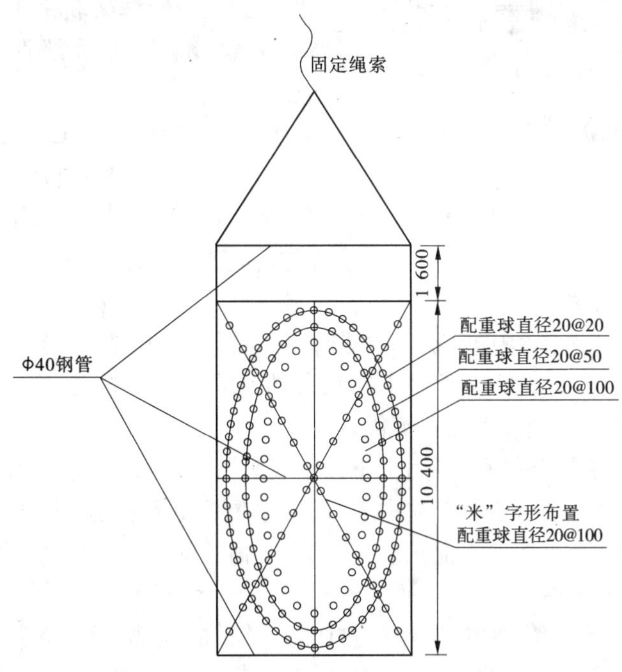

图5-63 蜘蛛网式软帘结构(单位:mm)

力。软帘布分上、下两层，上层采用不透水的柔软布料，如尼龙布；下层采用柔软、轻薄的机织布。将软帘沿长度方向分为上、下两部分，上段部分不配重；下段需配重，在软帘上面按椭圆形环布置三圈钢球，椭圆环间距 50cm，钢球直径为 20mm。最外圈钢球间距 2cm、中间圈钢球间距 5cm、最内圈钢球间距 10cm。然后再按“米”字形布置配重，钢球间距 10cm。制成软帘形状像蜘蛛网，故名为蜘蛛网式软帘。软帘规格 5.3m×12m。

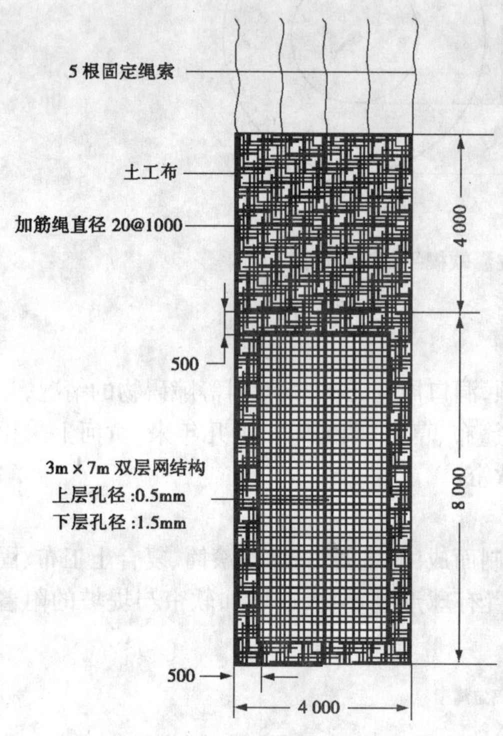

图 5-64　网式软帘结构(单位：mm)

4.5.2.2　**网式软帘**

网式软帘设计制作原理主要是分散水流，消杀水势，减小流速，延缓险情发展。网式软帘由双层透水网布制成，上层网眼为 0.5mm×0.5mm、下层为 1.5mm×1.5mm(见图 5-64)。网式软帘的网布采用经编土工布。为增强网式软帘的抗拉强度，在网布上需缝制纵向尼龙绳加筋，加筋间距为 1m，尼龙绳直径为 1～2cm。为使软帘与堤坡较好结合，在网的周边加设配重，配重块间距 0.25m，约需 60 块，每块重量 0.5kg。

4.5.2.3　**助推滚轮框架式软帘**

为克服软帘在堤坡不平或有杂物时不易铺放与大堤坡面不易贴合的问题，研制了滚轮式软帘，经过多次演练应用，均取得较好效果。助推滚轮框架软帘由前部主推架、滚轮组、软帘卷管及后部两节推杆组成(见图 5-65)。

4.5.2.4　**导杆式土工织物软帘**

导杆式软帘是在传统式滚铺帆布篷的基础上改进研制的，主要由支杆、滑轮、滚动钢管、经编土工布、拉绳、留绳、木桩等组成(见图 5-66)。试验证明，改进后的软帘，到位准确、操作安全、省时省力，有较高的应用价值。

4.5.2.5　**电动式软帘**

电动式软帘动力机构由电动机、变速箱及防水外壳等组成(见图 5-67)。在滚筒外设置一根能伸缩的操纵杆，由人工控制掌握软帘推进的尺度及方向。电动式软帘展开机具有推进速度快、软帘入水快、不漂浮等优点。

电动式软帘覆盖展开机具，可用于难以查找漏洞进水口的漏洞抢险，也可用于风浪塌坡险情。展开软帘覆盖，若没有盖住进水口，调整位置重新覆盖，也可用多个软帘同时覆盖。抢护风浪塌坡时，可快速大面积展铺软帘，险情解除后，软帘可收回重复利用。

4.5.2.6　**土工袋枕软帘**

土工袋枕软帘系采用 PE 模制作的排体，在软帘的底部、两边缝制直径 60cm 左右的管袋，利用灌浆设备充填泥浆，边展铺边充填压载。具有效率高、容易闭气等特点(见图 5-68)。

图 5-65　助推滚轮框架结构

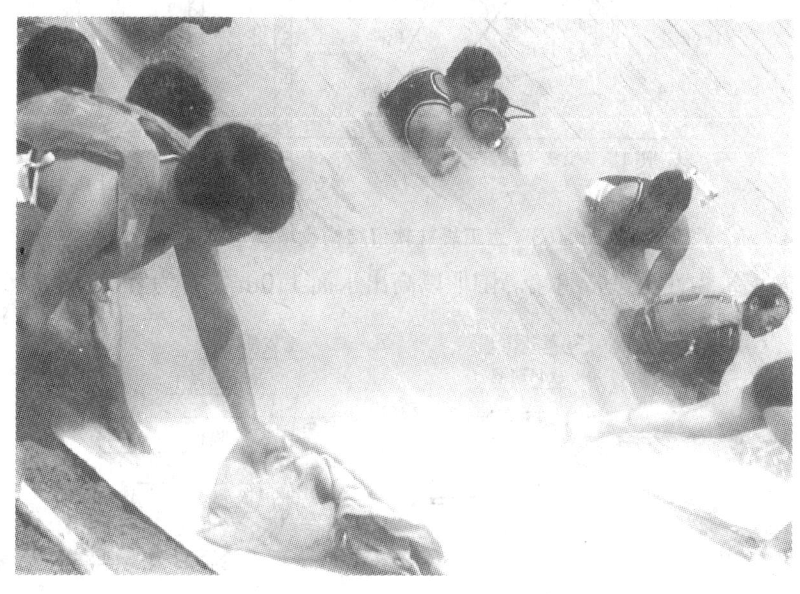

图 5-66　导杆式土工织物软帘

4.5.2.7　**柳石网兜**

采用尼龙绳交叉排放、编网，底层铺放柳料，料梢向外，然后填石，体积以 3～5m³ 为宜，柳、石体积比一般为 4:1，制作若干个备用。抢险时采用大型长臂挖掘机抛投，然后利用装载机、自卸车、推土机抢修黏土前戗加固处理。

4.5.2.8　**临水月堤法**

若临河水深较浅，流速较小时，可在洞口附近范围内用高摩擦编织土袋修筑月牙形围

图 5-67　电动式 PVC 膜软帘

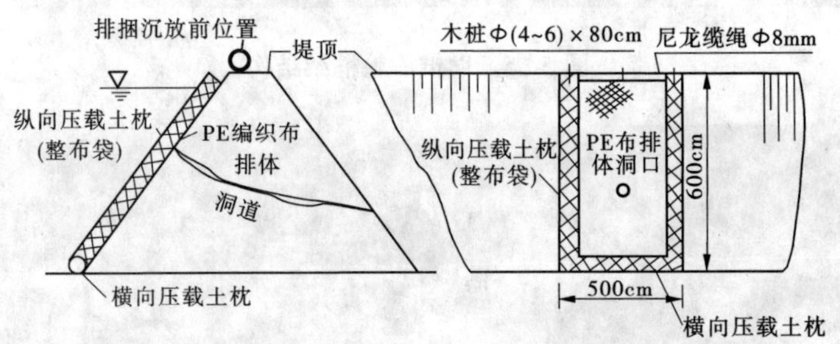

图 5-68　土工袋枕软帘结构及堵漏示意

堰，在围堰内填筑黏性土进行封堵。围堰以高出水面 1.0m 左右为宜(见图 5-69)。

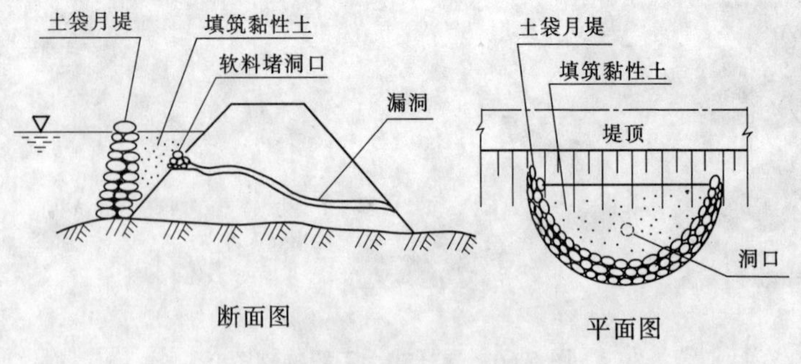

图 5-69　临水月堤示意

4.5.3　背河措施

在堵塞截断进水洞口的同时，背河出水口也应根据当地情况采取反滤导水措施，阻止土壤流失，防止出水口处大量涌沙，采用的方法一般是反滤围井、养水盆等方法。

4.5.3.1 **反滤围井**

反滤围井可用编织土袋修筑，同时铺设反滤料。漏洞一般涌水急，可先在漏洞出口填塞块石以消杀水势，然后用砂石料铺平，再铺放土工织物滤体，滤体之上用块石或土袋压载(见图 5-70)。若缺少砂石料，可用梢料替代，细料用麦秸、稻草等，粗料用柳料、秫秸或芦苇等。

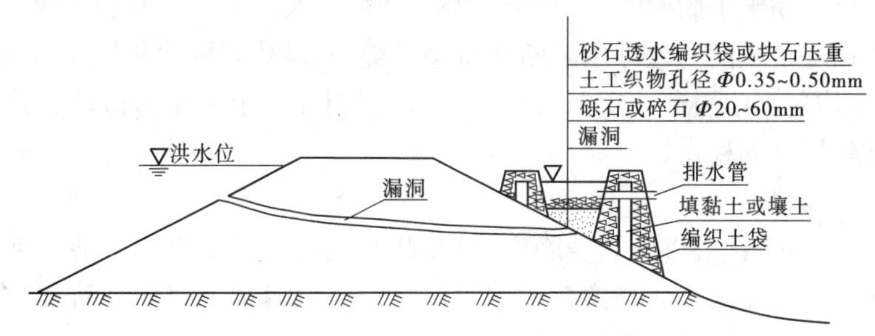

图 5-70 编织土袋砂石反滤围井

4.5.3.2 **装配式橡塑养水盆**

装配式橡塑养水盆采用分节式玻璃钢圆桶，利用法兰盘螺栓连接(见图 5-71)，适用于堤防临背悬差小的单个漏洞和管涌险情。具有体轻、运输方便、可重复利用、装配简单快速、抗压强度高等特点。

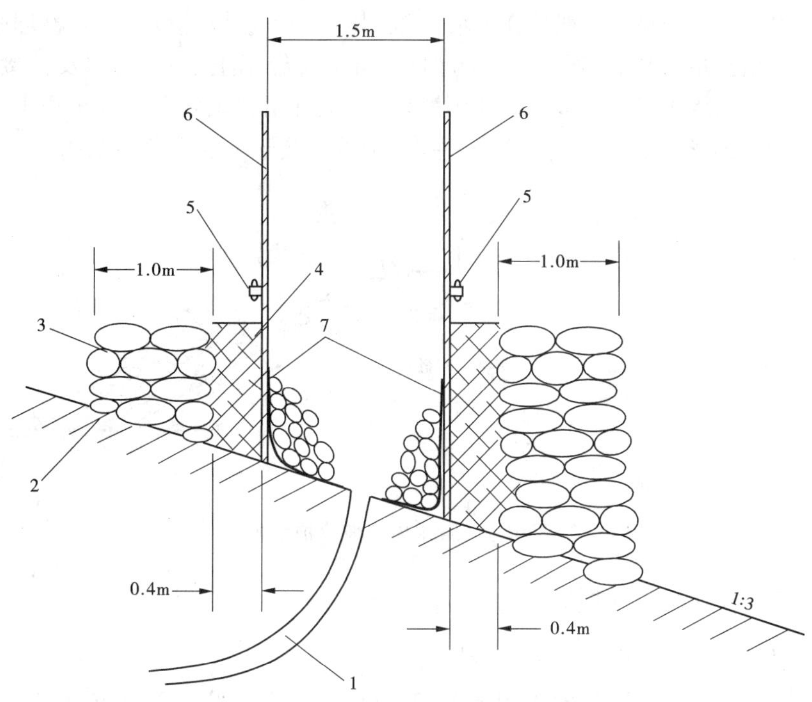

图 5-71 装配式橡塑养水盆剖面示意

1—漏洞；2—堤防；3—编织土袋；4—黏土环；5—快速夹扣；6—玻璃钢圆桶；7—土工膜止水

4.6 裂缝及滑坡抢险

堤坝裂缝是最常见的一种险情,有时也可能是其他险情的预兆,应引起高度重视。

4.6.1 应用土工合成材料抢护裂缝险情的方法

裂缝险情,可采用土工膜封堵缝口、土工膜中间截堵及经编复合布加固等。对于横向裂缝,主要是利用土工膜的防渗作用阻断水流穿过堤身,避免裂缝冲刷扩大。对属于滑坡的纵向裂缝或不均匀沉陷引起的横向裂缝,主要是利用经编土工布对滑坡土体的加筋及反滤功能,来增强堤身的稳定性。

4.6.1.1 土工膜盖堵

对埋深较大的贯穿性裂缝及裂缝隐患,可在临水堤坡铺设防渗土工薄膜或复合土工薄膜,并在其上用土帮坡或盖压高摩擦编织土袋、沙袋等,隔离截渗。在背水坡采用透水土工织物进行反滤排水,保持堤身土体稳定。

4.6.1.2 土工膜中间截堵

对贯穿性横缝也可用中间截堵法。即用插板机将土工薄膜或复合土工薄膜从堤顶打入堤身,截堵裂缝,也可利用高压水流喷射结合振动器使土松动,将土工薄膜插入堤身。

4.6.1.3 经编土工布抢护堤防滑坡

采用经编土工布进行抢护堤防滑坡,根据险情可先在滑坡裂缝上覆盖不透水的土工膜,防止雨水灌入加剧险情。然后在滑坡体范围内,进行缓坡、清理杂物、整理平顺,应先铺放直径约 10cm 的苇把,底部与集水沟相连,再铺设经编土工布,四周及搭接缝处进行锚固,并用编织土袋压载。为进一步加固滑坡体,也可用编织砂石袋抢修透水土撑,土撑一般间隔 5～10m 修一道,土撑宽度 3m 左右,边坡应缓于 1∶3(见图 5-72)。

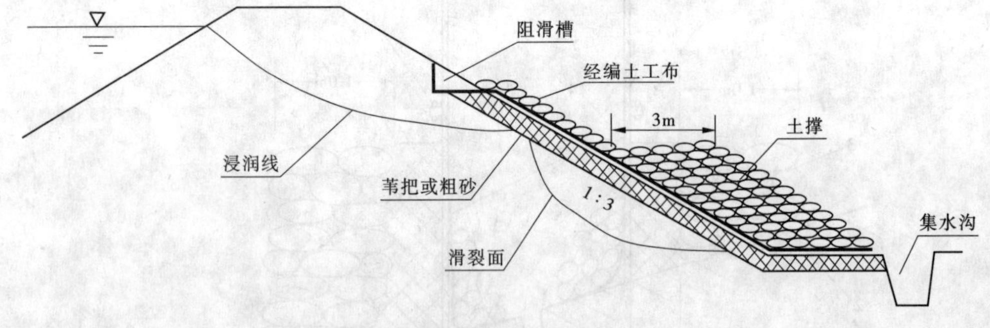

图 5-72 背水内脱坡抢护示意

4.6.2 应用土工合成材料抢险实例

4.6.2.1 钱粮湖农场采桑湖大堤裂缝抢险

1998 年 7 月 20 日,采桑湖大堤桩号 32 + 000～32 + 090、高程 36m 处堤背坡出现 1.0cm 左右的裂缝。滑坡开始发展,裂缝最宽 10.0cm,垂直下沉 20.0cm,长度发展到 600m,其中裂缝险情最严重的堤段长 93m。抢护时在滑裂体覆盖不透水的土工膜,防止雨水灌入加剧险情;对滑裂体堤坡开沟,以达到导渗、减载、平压阻滑的效果;开挖土方则用来作平压土撑，对 93m 严重滑坡段每隔 15m 抢修一土撑；在滑坡体中下部作类似于减压井的砂井，穿过滑裂面；禁止非防汛车辆通行，并加强观测。经处理后险情基本控制。

4.6.2.2 湖北长江干堤王家潭由裂缝引起的内脱坡险情处理

1998 年 8 月 20 日 23 时 20 分，洪湖段长江水位 34.08m。在王家潭堤段 33.27m 处发现一道明显裂缝，宽 1～2cm，并向外渗水，不到 1h，裂缝形成掉坎，坎高 0.2～0.3m、宽 2～8m、吊坎长 68m，坎内有大量明水流动；吊坎部分与两边的裂缝合计长度 182m，缝宽 1～2cm，深 1m 以上，滑挫现象不明显，堤内无水潭。抢护方法一是迅速排除挫裂面积水，加长加宽导渗沟使之加速排水；二是用编织土袋抢修透水后戗及土撑，透水后戗长 160m，土撑 4 个；三是临水抢修截渗前戗，采用编织土袋防冲，长 380m、顶宽 8～10m，高与堤顶平。处理后险情基本控制。

4.6.2.3 沁河新右堤应用土工织物进行裂缝处理

沁河新右堤是 1981 年修建的，1993 年开挖检查时，发现堤身仍有大量裂缝，虽连年处理但收效甚微。

分析产生裂缝的主要原因是：土质黏粒含量较大，施工时土壤含水率较高，堤身土体因自然失水产生干缩裂缝。另外，堤防原地基高低起伏较大，填土高度不一致，又由于施工工段多、进度不平衡、碾压不均匀等原因，导致堤身土体不均匀沉陷，产生裂缝。

经分析论证和方案比较，1995 年采用复合土工膜截渗加固处理。选用两布一膜复合土工膜，规格为 500g/m^2。先将原堤坡修整成 1:3 再铺设土工膜，最后加盖垂直厚度 1.0m 的砂壤土保护层，保护层内外坡均为 1:3。另外，为增强堤坡的稳定性，在原堤坡分设两道防滑槽，防滑槽深度为 50cm(见图 5-73)。工程竣工后，经受历年洪水考验，防渗效果良好。

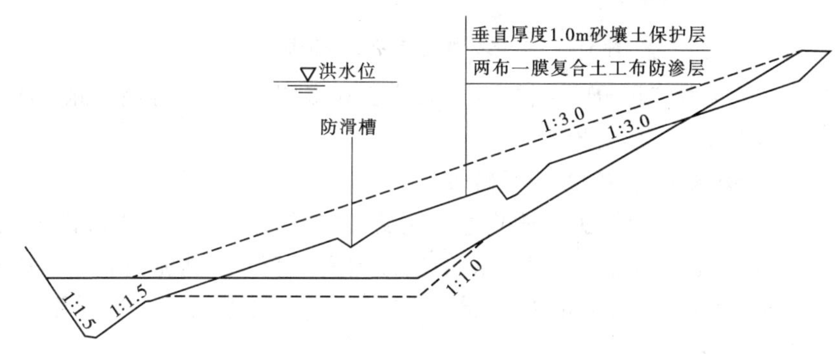

图 5-73 土工膜加固裂缝险情示意

4.7 堤防坍塌抢险

坍塌是堤防、坝岸临水面崩落的重要险情。发生坍塌主要条件是环流强度大、堤岸抗冲能力弱。坍塌险情如不及时抢护，将会造成溃堤灾害。

4.7.1 应用土工合成材料抢护坍塌险情的方法

当堤防受水流冲刷，堤脚或堤坡冲成陡坎，引起堤防坍塌，针对堤岸前水流冲刷情况，尽快实施护脚、固基、护坡、防冲抢护。

4.7.1.1 **应用高摩擦编织土袋或块石抢护坍塌险情**

对堤防坍塌险情,可直接抛投编织土袋或块石进行抢护。抛投抢护应先从顶冲坍塌严重的部位开始,然后依次向左右展开,抛至稳定坡度为止(见图 5-74)。水下抛填的坡度一般应缓于原堤坡。抛投的关键是实测或探摸险点位置准确,避免抛投体成堆压垮坡脚。该抢险过程工艺简单灵活,能较好地适应河床变形的特点,因此应用最为广泛。

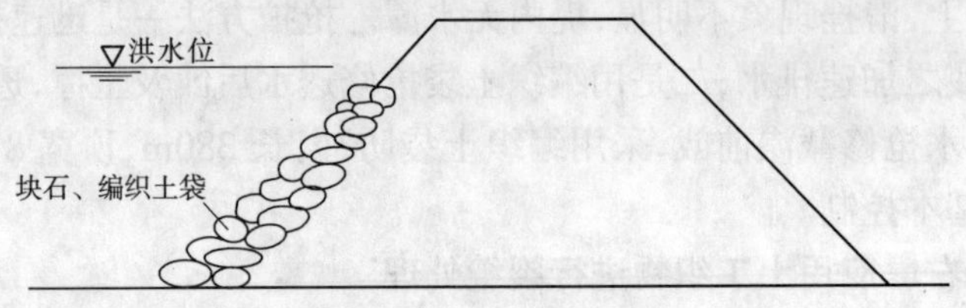

图 5-74 块石、编织土袋抢护坍塌险情

4.7.1.2 **化纤网笼配合编织土袋块石抢护坍塌险情**

堤防坍塌险情,也可抛投化纤网笼配合编织土袋或块石进行抢护。先将编织土袋装入网笼直接抛投至出险部位,然后再抛编织土袋或散石加固(见图 5-75)。

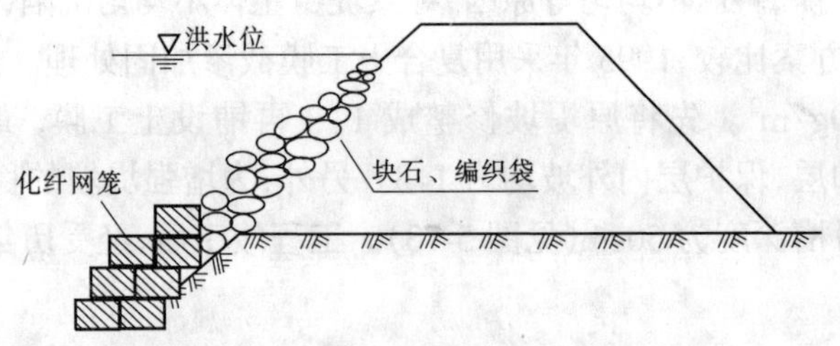

图 5-75 抛化纤网笼防冲固脚护坡示意

此项技术在兰考段工程抢险中推广应用,达 200 多坝次。实践证明,此方法简单、实用、效率高,适用于坡面较陡处抢险。

4.7.1.3 **大网兜配合编织袋抢护坍塌险情**

可就地制作化纤网兜,将 20m 长的尼龙绳交叉排放,用直径 1~2cm 的尼龙绳编网兜,网眼 20cm×20cm,进口处用直径 3cm 的尼龙绳做龙筋绳。网兜内底层铺放柳料(料梢向外),然后装填编织土袋,体积 3~5m^3 为宜(柳与编织土袋比例一般采用 3:1),网兜上预留 2 根牵拉绳用于固定。

可用大型长臂挖掘机抛投网兜至出现部位,一次抛投到位,并将牵拉绳拴在桩上,还应根据网兜下沉情况适时松绳。

这种方法采用机械施工,效率高、降低人力劳动强度、抢险速度快。同时由于网兜底面积较大,梢料外露,具有较强的缓流抗冲能力,能适应河床的冲刷变形。

4.7.1.4 **应用褥垫式充沙长管袋抢护堤防坍塌**

土工反滤布袋褥垫式长管袋可由工厂加工制作,现场充填工艺是抢险过程的关键环节。充沙的常用设备是泥浆泵,一般控制充灌压力为 0.2~0.3kg/cm^2,最大达 0.5 kg/cm^2,管袋泥沙饱满度以 80%~90%为宜,使其具有足够的柔性以适应变形。为使管袋内充填的泥沙快速排水固结，应根据充填泥沙的有关物理力学指标，正确选择管袋的有效孔径，黄河淤区土壤可选择 O_{95} 为 0.1～0.2mm，以控制管袋内泥浆密度大于 1 500 kg/m^3，满足管袋的压载要求。另外，充填中要注意管袋布的接缝强度，避免长管袋被胀破(见图 5-76)。

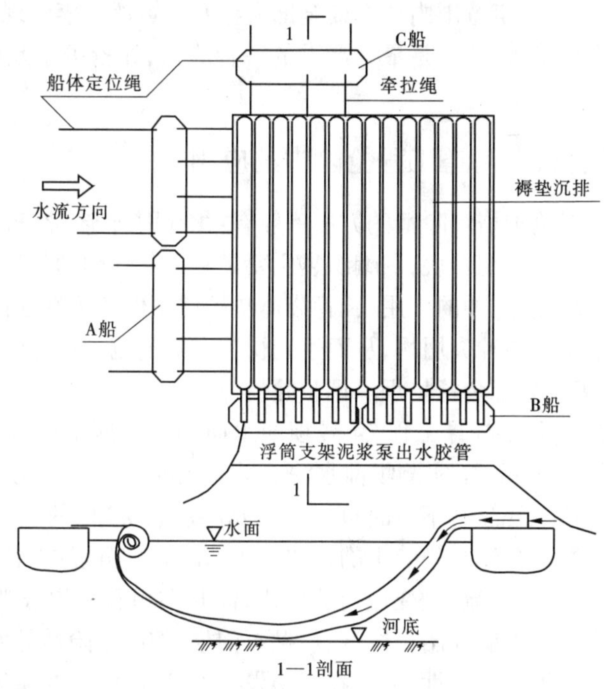

图 5-76　褥垫式充沙长管袋抢护示意

4.7.2　应用土工合成材料抢险实例

1999 年 3 月 17 日，黄河花园口 115 护岸受大回流淘刷，其下河床冲刷，岸坡失稳下滑而出险。现场大河流速 1.5～1.7m/s，水深 7.0～8.5m。抢险采用充沙土工反滤布长管袋褥垫进行了护坡、护根抢险。先探测坝前水深、流速情况，选择符合防护尺寸的土工反滤布长管袋褥垫，在土工反滤布长管袋褥垫上游边系 3～5 道 ϕ10mm 的定位锦纶绳，在褥垫管袋进口端的连接反滤布上每间隔 1.0m 拴系 ϕ10mm 的顶端锚固锦纶绳，在褥垫两角各拴一根 ϕ10mm 的牵拉锦纶绳。以褥垫末端为卷心将选定的土工反滤布长管袋褥垫卷好，沿抢护坝坡放置于临河坝肩坝面上。在坝顶适当位置打入 ϕ150mm、长 1.5m 木桩，木桩顶高出坝面顶 0.3～0.4m，将褥垫顶端锚固锦纶绳和牵拉纯固定于木桩上。利用泥浆泵抽沙结合人工装土(汽车运土，倒置于管袋充填口处)，最先充填褥垫上游边两个管袋，同时要求在充填过程中随着褥垫的展开要及时进行上游边、末端牵拉松、紧及时调整和锚定，实现褥垫的压载充填和准确就位。施工完成，险情很快得以控制。水位下降后，从暴露出的冲沙褥垫的位置判断，其护坡、护根的抢险效果比较理想。

4.8 坝垛(护岸)坍塌抢险

坝垛护坦在水流冲刷下出现沉降的现象称为坍塌险情,是河道整治工程险情中最常见的一种。坍塌险情又可分为塌陷、滑塌和墩蛰三种。塌陷是坝垛坡面局部发生轻微下沉的现象;滑塌是坦坡在一定范围内局部或全部失稳发生坍塌下落的现象;墩蛰是坝垛护坡连同部分土坝基突然蛰入水中,是最为严重的一种险情,如抢护不及时就会产生断坝、垮坝等重大险情。

4.8.1 土工合成材料在河道工程抢险中的应用

采用土工合成材料抢护坍塌险情的方法一般有:化纤网石笼、化纤网配合编织袋及长管袋褥垫护坡抢护。化纤网配合块石、编织袋主要是利用化纤网的整体性和柔性,能很好地适应地基变形起到缓流、防冲的作用;长管袋褥垫护坡不但整体性强而且利用其良好的防冲、反滤特性,制止土体被冲失坍塌,从而达到快速有效的抢护坍塌险情。

4.8.1.1 化纤网与编织袋配合抢护坝垛塌陷险情

1997 年 7 月 29 日,驾部控导工程 24 号坝迎水面和拐头迎水面,因长时间受大边溜冲刷(当时大河流量为 153m³/s,实测坝前水深 6m,流速约 1.5m/s),坝体根石严重走失,坦石裂缝、脱落,长度达 75m。若不及时抢护,将会导致重大险情的发生。武陟第二黄河河务局及时采用化纤网配合编织袋装土的方法抢护,在出险部位的上首抛投化纤笼墩,同铅丝笼墩一样,起到了抗流挑流、改变流向的作用,同时在坦石坍塌较严重的地方推抛化纤网,抗流护胎,使之不致淘刷坝胎土体,然后抛石固根,控制了险情的发展。

为检测化纤网在水下的稳定性,能否在水中发生滚动或滑动,在抛笼时有意识地在几个笼上系上绳,留在外面,观察一个月,均未发现笼体在水下有滑动现象。经理论计算分析,化纤网在流速大于 2m/s 时可能会出现平移,这时可采用加龙筋绳的方法使之稳定。

4.8.1.2 化纤网与编织袋配合代替柳石枕抢护墩蛰险情

1998 年 3 月 16 日,黄河驾部控导工程 29 号坝, 因回流淘刷,根石走失,拐头迎水面及坝头部位长 21.0m、平均宽 5.0m、深 4.0m,平墩猛蛰入水,土胎外露。若不及时抢护,将有溃坝的危险。若通知群众送柳料,最快也需 4h,贻误抢险时机。遂采用化纤网代替柳石埽体,在迎水面推 2m 宽化纤笼体(内装编制袋)进占闭气,然后用黏土填膛,笼外抛散石还坡,使险情化险为夷。

1998 年 3 月 18 日,该工程 30 号坝因受大溜顶冲(当时大河流量 846m³/s),迎水面 22m 长直线段根石大量走失,坦石下蛰,土体外露,如不及时抢护将导致更大的险情。按照常规抢护方法只有抛柳石枕护胎。武陟二局采用抛化纤笼抢出水面,抛石固根还坦,控制了险情。通过本次抢险充分表明,化纤笼代替柳石枕,既有利于缓流落淤,又有效闭气,保护坝内土体的效果显著。

4.8.1.3 采用长管袋褥垫护坡抢护坝垛坍塌险情

枣树沟 1 号坝抢险。1999 年 9 月 25 日,河势大幅度上提,河水在枣树沟工程上首坐弯,造成枣树沟 1 号坝根部的未裹护段土坝坡出险,当时大河流量 1 100m³/s、河面宽 80m、流速 2.0m/s、水深在 10.0m 以上,在漩涡、螺旋流的作用下,河湾内土坝坡塌失速度很快,利用石料抢险仅能护根,不能护坡,再加上工程地处黄河嫩滩区,柳料收集非常困难,决定利用 4 块长 37m、宽 25m 的土工反滤布长管袋褥垫进行充沙抢险,高强机织土工反滤布长管袋褥垫在泥水、土和土袋自重的作用下迅速沿坝坡下滚展开而贴附于坝坡和河床面上,在锦纶绳牵拉作用下,虽然坝前漩涡、螺旋流密布,但褥垫仍按设计状态平顺下沉,最终冲沙土工反滤布长管袋褥垫准确地铺设于设定的抢险位置,迅速控制了险情。

4.8.2 土工合成材料替代铅丝笼抢护根石走失现场试验

在黄河驾部、大玉兰、开仪三处控导工程的根石加固中,采用化纤笼装块石替代铅丝笼施工,装笼及抛投的施工方法与铅丝笼相同,在每道靠河丁坝的迎水面每间隔 10m 抛一化纤笼墩,笼墩之间抛投散石。分别选择乱石坝和平扣坝两种坦坡界面作比较,在驾部控导工程抢护中共抛化纤笼 200 个。据施工时 32 个化纤笼的实际观测,网笼入水前仍保持着较好的整体性。分析认为:只要网笼入水前整体性保持较好,入水后不会发生大的变化。从其作用和效果分析,驾部控导工程近两年出险次数分别为 47 次和 45 次,而用化纤笼加固过的坝岸均未发生较大险情,说明化纤网笼完全可起到铅丝笼的作用。试验情况见表 5-41 和表 5-42。

表 5-41　　化纤网笼抛投试验统计

坝号	笼墩编号	抛笼数量	网笼体积(m^3)	坦石结构	落差(m)	坦石坡度	抛投状况
15 号坝	1 号	4	1.82	散抛石	2.84	1:0.88	抛网笼顺利入水
	2 号	4	1.91	散抛石	2.84	1:0.88	抛网笼顺利入水
	3 号、4 号	4×2	1.84	散抛石	2.83	1:0.92	抛网笼顺利入水
	5 号	4	1.95	散抛石	2.87	1:0.91	抛网笼顺利入水
16 号坝	1 号	3	1.87	散抛石	2.90	1:0.90	抛网笼顺利入水
	2 号	4	1.76	散抛石	2.96	1:0.98	抛网笼顺利入水
	3 号	1	1.85	平扣	4.40	1:1.50	抛网笼顺利入水
18 号坝	1 号	2	1.80	平扣	4.50	1:1.50	落至距水面 1.5m 停止
	2 号	2	1.88	平扣	4.50	1:1.50	落至距水面 1.5m 停止

表 5-42　　化纤网笼装石试验统计

网笼编号及尺寸				试验地点及状况				下落情况及最终状态(长×宽×高)(m)	网笼损坏情况					
编号	绳直径(mm)	网眼尺寸(cm)	装石体积(m^3)	地点	护坡形式	坦石外坡	落差		断1股	断2股	断3股	断4股	断节	合计
1 号	$\phi 8$	19×19	1.93	大小岩险工 8-1 护	粗排	1:1.9	3.28	在坦顶推动后,下落至 1.72m 停止,又推下落至根石台,最终状态似椭球体,近似尺寸 2.9×1.7×0.65	1	2	2	1		6

续表 5-42

网笼编号及尺寸				试验地点及状况				下落情况及最终状态（长×宽×高）(m)	网笼损坏情况					
编号	绳直径(mm)	网眼尺寸(cm)	装石体积(m^3)	地点	护坡形式	坦石外坡	落差		断1股	断2股	断3股	断4股	断节	合计
2号	ϕ5	17×17	1.71	大小岩险工8-1护	粗排	1:1.9	3.28	在坦顶推动后，下落至1.72m停止，又推下落至根石台，最终状态近似椭球体，近似尺寸2.7×1.8×0.55	14	3	2	2		21
3号	ϕ8	18×18	2.00	大小岩险工3-2坝	平扣	1:1.6	3.21	在坦顶推动后，转3/4圈落至根石台，下落过程中端部封口绳断开，最终状态似椭球体，尺寸2.7×1.8×0.65	4	2	1	3		10
4号	ϕ5	15×15	2.00	大小岩险工3-2坝	平扣	1:1.6	3.51	在坦顶推动后，转3/4圈落至根石台，下落过程中顶部封口绳断开，最终状态似长方体，尺寸2.8×1.7×0.72	17	9	1	15	3	45

第五节　土工合成材料抢险应用评价

5.1　土工合成材料在抢险应用中的优势

土工合成材料的种类很多，但在防汛抢险中主要是利用其排水反滤和防渗功能，当然也兼有隔离和加筋等作用。应用较普遍的透水材料有织造土工织物(编织型)、非织造土工织物、PVC塑料细网(窗纱)等，三者均可作透水、排水反滤材料；另外有不透水的土工复合材料，如土工膜(塑料薄膜)、土工膜与织造土工织物、土工膜与非织造土工织物经加热滚压而成的各种复合土工膜。选用时应根据被保护土的粒径与级配，结合排水反滤准则和防渗要求来确定。此外，由于这些材料虽然一般不承受多大的附加荷载，在抢险中却不可避免地要受到施工应力作用，故亦应有适当的强度，如抗拉强度、顶破强度、撕裂强度等。

实践证明，在防洪工程抢险中采用土工合成材料用于护岸、护坡、抢修子堤、抢堵漏洞和堤防背水处理管涌(流土)、渗水等险情时，有其明显的优势。

5.1.1 整体性强

应用土工合成材料可以加工制作成长管袋、长管褥垫、软体排等，根据险情类别和大小而选用，如土工织物长管褥垫、软体排可用于抢堵堤防漏洞、堤岸坍塌、防水流冲刷、风浪淘刷等险情的抢护，又能与堤岸、河床紧密结合，不易发生局部冲刷，并很好地适应河床冲刷变形，起着非常好的防护作用。每块土工合成材料软体排的保护面积可达 100～150m^2 或更大。

5.1.2 抢险速度快

首先，在汛前根据所辖堤段的实际情况，针对不同险情加工制作相应的土工合成材料抢险制品，如大网兜、大土工包、土工织物软体排、水充(布)袋、充气袋枕、褥垫式长管袋、排水软管及各种化纤绳等均可在工厂实现系列化加工。其次，应用土工合成材料抢险有利于提高抢险的机械化水平，如采用充填泥沙(800kg/m^3)长管袋褥垫护坡、护根排体750m^2 需时间 1～1.5h，如果采用多台泥浆泵同时充填则速度更快。第三，根据现场试验和抢险应用来看，有时往往用几块土工布就可迅速有效地处理一处险情，避免了长距离大量调集符合反滤要求的砂、碎石及柳、秸料等问题，简便快捷。

5.1.3 适应性强

织造土工织物软体排沉放后，能与不同地形的河岸(堤坡)较好地贴合，并能随河床断面的淘刷变化而自行调整其位置，紧贴岸坡，发挥防冲护岸作用；同时它又可用做背水坡出现渗水、管涌(流土)、漏洞险情时的良好滤层。

5.1.4 储运方便

由于土工合成材料是由绦纶、聚丙烯、聚乙烯、聚氯乙烯等高分子材料制造的，由它们加工而成的软体排、土枕等成品，既便于拼接，又可以折叠，体积小、重量轻，运输与储存都十分方便。

5.1.5 有利于应急处理险情

黄河“96·8”洪水期间，河南原阳县武庄控导工程坍塌严重，所有抢险石料已全部用完，当时洪水已大部漫滩，阻断了交通，无法增运石料、梢料，情况非常紧急。该县河务局立即作出决定，采用麻绳编成大网兜配合编织袋装土进行紧急抢护，最终控制了险情发展，避免了重大垮坝险情的发生，抢险效益非常显著。

可解决缺乏反滤料地区修做反滤层的困难。黄河下游地区缺乏砂石反滤料，即使是砂石料丰富的地区，往往因恶劣的抢险条件限制，要想做好反滤层也不容易，而应用土工合成材料做反滤层就解决了这些困难。

5.2 效益评价

5.2.1 经济效益分析

5.2.1.1 采用充沙土工长管褥垫抢护坍塌险情

用土工反滤布抢险与传统抢险技术(如柳石搂厢、抛石、柳石枕等)相比,具有整体性强、抢险速度快、储运方便等优点。在抢险耗资、用工、运输量上也大大降低。

以武陟北围堤抢险和枣树沟1号坝抢险所用两种材料对比分析。直接经济效益:利用铅丝石笼抛投抢险,费用在130～145元/m^3,柳石枕和柳石搂厢抢险费用分别为90～100元/m^3和100～110元/m^3;而利用抽沙充填土工反滤布管袋费用仅为50元/m^3,可见其差价是比较大的。如果考虑大量使用,直接经济效益是非常巨大的。使用常规柳石搂厢护岸,每延米耗资3 000～3 500元,用工200工日左右,运输量50～60t;用充沙土工反滤布长管袋及其褥垫进行抢险,每延米耗资为900～1 200元,用工1～2个工日,运输量为0.03～0.04t。投资相比差3倍多,用工相比差30多倍,运输量相比差1 200多倍。

从耗资用工、运输量相比效益十分显著。尤其是运输问题,抢险时正当阴雨连绵季节,一般情况下大堤、道路汽车不能通行,只能靠链轨拖拉机运料。一旦材料运不上,必然造成重大险情。使用土工反滤布抢险,运输量很小,抢险快,处理及时,险情易得到早期排除。

5.2.1.2 化纤网笼配合编织袋抢险

为进行对比,分别对传统办法和化纤网笼装编织土袋抢险,进行抢险材料消耗单价分析。传统结构抢险参照黄委基本建设工程施工定额,石料单价按黄河下游河道工程抢险运料平均运距100km进行计算,其他材料均以当地市场价格为基础。传统的抢险方法所采用的铅丝笼、柳石枕及柳石搂厢等,其抢险施工中的单价分析,仍采用传统的方法进行计算。

化纤网笼装编织土袋抢险,按抢险中采用组合式装袋机装编织袋,小型翻斗车运输,运距平均200m计。由于编织袋装土的体积较大,化纤网笼网眼尺寸可由装石17cm×17cm见方,增大至25cm×25cm见方,单个网笼的重量从2.3kg降至1.7kg,每个网笼的单价可由40元降低至35元。化纤网配合编织袋笼与传统结构抢险经济分析估算比较见表5-43。

综合分析以上计算成果,单位体积化纤网与编织袋装土配合的价格分别为铅丝笼石的31.2%、柳石枕的71%、柳石搂厢的67%,经济效益十分明显。

5.2.2 抢险效果分析

5.2.2.1 褥垫式长管袋抢险效果分析

(1)时间效果。坝垛抢险最重要的一条原则就是"抢早、抢小",也就是说,一旦发生险情,必须尽快组织抢护。这就要求抢险人员、料物及时快速地到达抢险现场。根据多年黄河下游抗洪抢险资料统计表明,柳料供应按理想情况计算,自发出通知到运至现场至少需4～8h(若天气恶劣,道路泥泞需时间更长),需人力、车辆众多;15～18人捆一个9m^3左右

表 5-43 **化纤网笼与传统料物基本直接费用比较**(体积:$1m^3$)

序号	项目或费用名称	单位	数量	单价(元)	复价(元)
一	化纤网笼装编织袋				
1	装袋机	台班	0.016	300	4.80
2	翻斗车运输	台班	0.109	44.64	4.87
3	材料费				37.00
	①化纤网	个	0.50	35	17.50
	②编织袋	个	1.315	14.83	19.50
	小计				46.67
二	铅丝笼				
1	人工费	工日	0.67	12.81	8.58
2	材料费				141.13
	①铅丝	kg	6.25	4.5	28.13
	②块石	m^3	1.13	100.00	113.00
	小计				149.71
三	柳石枕				
1	人工	工日	0.40	12.81	5.12
2	材料				60.40
	①块石	m^3	0.30	100.00	30.00
	②柳料	kg	126	0.15	18.90
	③木桩	根	0.10	5.00	0.50
	④铅丝	kg	1.00	4.50	4.50
	⑤麻绳	kg	1.00	6.50	6.50
	小计				65.52
四	柳搂厢				
1	人工	工日	0.40	12.81	5.12
2	材料				64.48
	①块石	m^3	0.25	100.00	25.00
	②柳料	kg	144.00	0.15	21.60
	③木桩	根	0.20	5.00	1.00
	④铅丝	kg	0.50	4.50	2.25
	⑤麻绳	kg	2.25	6.50	14.63
	小计				69.60

的柳石枕,并抛投入水需 30～40min;8 人装填 $3.0m^3$ 铅丝笼并抛投入水约需 1h。根据马渡 94 号坝、枣树沟 1 号坝、花园口 115 号护岸现场试验及抢险资料统计,由 25 人结合 1

台 6 寸泥浆泵、一部 75kW 柴油发电机组、2 台潜水泵 (2.2kW)、2 部 8t 自卸汽车、2 条小船组成的机动抢险队,自接到通知可以迅速地赶到抢险现场,并于 0.5～1h 内将机械组装调试完毕投入抽沙充填抢险,充填 $8m^3$(直径 1.0m、长 11m)的泥枕并抛投入水在 15～20min 后,充填饱满度可达 80%;充填泥沙,含沙量为 $800kg/m^3$ 时,褥垫式长管袋护坡、护根排体 $750m^2$ 需时间 1～1.5h。由此可见,利用抽沙充填土工反滤布褥垫式长管袋抢险,时间效益是非常明显的,可满足快速抢险的需要。

(2)可操作性。黄河下游开展放淤固堤已有多年的施工经验,工艺成熟、可靠,群众基础好,泥浆泵抽沙、输送泥浆、充袋进行工程抢险,是黄河下游泥浆利用技术的又一种形式,普通职工和农民都能很快熟练运用,劳动强度远远低于人工装石、运柳、捆枕操作,干扰因素小,便于管理。材料来源充足,不受季节、地点限制。

(3)效果分析。抢险实践表明,利用充沙土工布长管袋枕及其褥垫代替柳石工程进行工程抢险,有较强的抗冲防护能力。长管袋枕及其褥垫防护面积大,质地柔软,相互结合紧密,并紧靠堤坡、坝垛与河底,随着河床冲刷下蛰,能很好地适应河床变形,有利于堤防、坝垛基础下的河床土壤不被冲失,防冲效果优于用传统材料抢险。

5.2.2.2 化纤网笼抢险效果分析

(1)黄河驾部控导工程 29 号坝,于 1998 年 3 月 16 日,采用化纤网笼配合编制土袋,抢护了坝垛坍塌险情。由于工程目前仍然靠流,无法准确检测网笼在水下的情况,仅能做定性分析。1997 年和 1998 年两年黄河均发生了中小洪水,最大洪峰流量分别为4 020 m^3/s 和 4 $700m^3/s$,驾部控导工程两年出险次数分别为 102 次和 45 次,但用化纤笼加固过的坝岸均未发生较大险情。由此看来,化纤网笼完全可起到铅丝笼的作用。

(2)1998 年 3 月 18 日,驾部控导工程 30 号坝因受大流顶冲(当时大河流量 846 m^3/s),迎水面 22m 长直线段根石大量走失,坦石下蛰,土体外露,如不及时抢护将导致更大的险情。按照常规抢护方法只有抛柳石枕护胎。武陟第二黄河河务局采用抛化纤笼抢出水面,抛石固根还坦控制了险情。通过本次抢险充分表明,化纤笼代替柳石枕,既有利于缓流落淤,又有效闭气,保护坝内土体的效果显著。

5.2.2.3 社会效益分析

(1)大大减少社会劳动力用量。采用传统的柳石秸料抢险,虽然料源充足,但砍运柳料需组织大量人力及运输车辆,指挥调度复杂,不利于抢险的组织管理,经常会出现交通堵塞。如 1982 年黄河北围堤大抢险,运送柳料的车辆堵塞道路长达 8km;1996 年武陟驾部工程抢险,由于送柳车辆多,影响交通,不得不调集大批交警实行交通管制。在抢险实践中,因柳料运送不及时而殆误战机的现象屡见不鲜。尤其是遇到阴雨天气,群众运送柳料则更加困难。应用土工合成材料抢险或修建河道整治工程,大大减少了料物的运输数量。

(2)不受季节、气候影响。应用传统的柳秸料除需动用大量劳动力这一明显弊端外,同时还受季节、气候影响。若在"三夏"、"三秋"农忙季节,群众忙于农活,一旦发生险情,催送柳料则成为县、乡干部的一大难题。往往由于柳料拖延致使小险酿成大险。使用化纤网代替柳石枕抢险,可达到"抢早、抢小",尽快遏制险情的目的。在深秋及冬季抢险时,树叶已落,柳料均为枝枝杈杈,埽体不易闭气。应用土工合成材料抢险的闭气效果好,在水下可长久保护土体，避免水流冲刷。

(3)便于管理，提高效率。防汛抢险是刻不容缓的大事，所谓抢险，即着眼于“抢”字。就是抓时机，抢时间。采用柳石梢体抢险，需组织大量民工运送料物，人员不便管理，需地方行政领导坐阵指挥，另外抢险时柳料需要人工二次倒运，生产效率也低，经常出现柳料倒运不及时，影响抢险。采用抽沙充填土工织物模袋、化纤笼抢险，可以机械化作业，大大加快抢护速度。按件计资，且方便管理。填充料可就地取材，工程用料总运输量小，节省仓储面积和运费，还节省砍送柳枝劳力。

(4)有利于保护生态环境。黄河上每修一道水中进占丁坝，一般就需 50 万 kg 左右柳料；一般险情抢护就需要数万千克柳料，稍大险情就需数十万乃至上百万千克柳料。1982 年武陟北围堤大抢险时，用柳料达 2 000 万 kg，动员武陟、原阳两县民工送料，几乎砍光了两县的树头，对树木的生长和生态环境产生了极大影响。应用土工合成材料抢险和修建河道工程，可明显减少对树木、柳秸料的砍伐和使用，对生态环境保护起到一定的积极作用。

1998 年在长江、松花江及嫩江的抗洪抢险中，土工合成材料广泛应用于堤防的渗水、管涌、脱坡、风浪等险情的抢护，尤其是在抢修子堤、九江堵口中发挥了重要作用，起到了传统抢险材料无法替代的作用。

第六节　结论与建议

6.1　项目研究的主要结论

6.1.1　适应黄河防汛抢险的反滤准则

依据前述室内试验、现场试验结果及土工合成材料在防汛抢险中的应用实践，本次提出用于黄河防洪抢险的土工合成材料反滤应用准则为[22]：

$$O_{95} = nd_{85}$$

$$k_g \geqslant 100k_s$$

$$POA \geqslant 30\%$$

式中：O_{95}为土工合成材料等效孔径，mm；d_{85}为被保护土壤特征粒径，mm；n 为经验系数，按土壤工程特性和险情类别确定，一般宜采用 2～10。按黄科院的试验，当土中黏粒含量较大或险情较严重时，宜采用大值。试验证明，当土中黏粒含量较大或用于漏洞减压时取大值，土壤为粉质黏土时，n 取 7～10；土壤为粉质壤土时，n 取 4～6；土壤为砂壤土时，n 取 2～3。满足上述取值即可同时满足保土性、透水性和防堵性的要求。k_g 为土工织物的渗透系数，cm/s；k_s 为被保护土的渗透系数，cm/s；POA 为土工织物的开孔率。

6.1.2　土工织物选择主要参考指标

从以上试验、理论计算及实践经验，推荐适应黄河下游抢险的土工合成材料性能指标见表 5-37～表 5-38。

6.1.3 土工合成材料在抢险中的应用

(1)各种险情均可选择普通土工编织袋。高摩擦编织袋的摩擦系数从原来的干态由0.31～0.33提高到0.40以上,湿态由0.27～0.29提高到0.32～0.35,接近麻袋。因此,在抢护漫溢、漏洞、渗水、脱坡等险情时,应尽量选用高摩擦土工织物编织袋。

(2)漫溢险情抢护。应用土工合成材料抢护堤、坝顶部的漫溢,主要抢险方法有:利用编织土袋及混合子堤、编织袋与土工织物子堤、土工织物与土子堤加高加固堤防等。主要是利用编织土袋、土工软体排及土工膜的抗冲刷性,以保护抢修子堤的稳定。

(3)风浪险情抢护。防风浪抢护,以削减风浪冲击力,增强临水坡抗冲为主。应用土工织物抢护风浪险情主要有以下几种方法:编织土袋防浪、土工膜防浪、土工织物软体排防浪及土工合成材料充水充气袋枕等。

(4)渗水(散浸)抢险。渗水险情以"临河截渗,背河导渗",减小渗压和出逸流速,抑制土粒被带走,稳定堤身为原则。应用土工合成材料抢护渗水险情主要有以下几种方法:高摩擦编织袋黏土前戗截渗、土工膜截渗、软式排水管导渗、土工织物导渗沟、土工织物反滤导渗、应用软式透水管修筑透水后戗。

(5)管涌(流土)抢险。应用土工合成材料抢护管涌、流土的方法一般有:抢修土工合成材料反滤围井、编织土袋无滤层围井、组合式复合土工膜养水盆及软式透水管处理"牛皮包"。主要是利用土工合成材料的透水保土特性,以达到反滤导渗、控制涌水带沙、留有渗水出路、防止渗透破坏的目的。组合式养水盆主要是利用土工合成材料的不透水性及其较高的强度,靠蓄水平压制止堤基的渗透破坏。

(6)漏洞抢险。应用土工合成材料制作的堵漏工具,在临河进行塞堵、盖堵,同时在背河抢修反滤围井或养水盆等综合实施,并注意各堵漏措施之间的相互衔接。①塞堵漏洞。目前应用土工合成材料制作的塞堵的工具种类较多,主要有适用于潜水堵漏的炉渣土工布袋、土工布胶泥软楔、水充(水布)袋。②盖堵漏洞。在临河堤坡铺设软帘、抛投大网兜装编织袋、柳石网兜或大型土工包进行应急抢护。③背河措施。抢修土工织物反滤围井,也采用编织袋在较大范围内抢修背水月堤(或养水盆)。

(7)裂缝抢险。应用土工合成材料抢护裂缝险情,可采用土工膜封堵缝口、土工膜中间截堵及经编复合布加固等方法。

(8)堤防及坝(岸)坍塌抢险。采用土工合成材料的主要抢险方法有:高摩擦编织土袋或块石抢护坍塌险情、化纤网笼石笼、大网兜配合编织袋及充沙土工反滤布褥垫式长管袋等。

6.2 认识与建议

(1)研究表明,土工合成材料用于防汛抢险,在技术上是可行的,经济上也是合理的,而且在快速抢险、应用操作、储存、调运等方面具有明显的优势。

(2)应用土工合成材料进行抢险,是为了有效利用其在抢险中的优势,快速有效遏制险情,而不是"为用而用"。实践证明,应用土工合成材料抢险,若选型不当,将给抢险带来被动。特别是所选土工织物应与被保护的土体及抢险土源的土壤特性相适应。因此,各河道防汛管理单位,要结合所辖河段土壤情况及险情特点,事先对土工合成材料进行选型,并根据需要储备相应种类规格的土工合成材料。

(3)土工合成材料的抗老化问题尚未得到很好解决,不宜长期储存。如编织袋、编织型土工布、针刺型无纺布、有纺织物土工布及各类绳索等土工合成材料,即使在比较好的仓库储存条件下,储存期较短(一般在 5 年左右,最长达 8 年)。因此,应创造比较好的仓储条件,避光保湿,尽量延长储存时间,同时在使用上也应加强管理,减少不必要的损失。

(4)实际抢险时,应以快速有效控制险情为目的,应根据洪水情况及工程出险状况,结合当时当地的料物供应及抢险技术条件,选用适宜的抢险材料。因此,在抢险过程中既不能排斥土工合成材料的应用,也不排斥其他材料的应用。

由于各方面条件限制,该成果试验研究中的组次较少,所得到的研究结论是初步的。建议今后继续深化土工合成材料在防汛抢险中的应用研究,加大应用推广力度,在抢险实践中不断积累经验,逐步完善应用土工合成材料抢险的方法,使之在防汛抢险中发挥优势。

参考文献

[1] 中华人民共和国国家标准.土工合成材料(GB/T 17630~17462—1998).国家质量技术监督局.1998-12-24发布,1999-03-01 实施

[2] 中华人民共和国行业标准.土工合成材料测试规程 (SL/T 235—1999).中华人民共和国水利部.1999-02-24 发布,1999-04-01 实施

[3] 中华人民共和国行业标准.水利水电工程土工合成材料应用技术规范(SL/T 225—98).中华人民共和国水利部.1998-11-10 发布,1998-11-15 实施

[4] 中华人民共和国国家标准.土工合成材料应用技术规范(GB 50290—98).国家质量技术监督局,中华人民共和国建设部.1998-12-22 发布,1999-01-01 实施

[5] 中华人民共和国行业标准.堤防工程施工规范(SL 260—98).中华人民共和国水利部.1998-10-27 发布,1998-11-01 实施

[6] 中华人民共和国国家标准.堤防工程设计规范(GB 50286—98).国家质量技术监督局,中华人民共和国建设部.1998-10-08 发布,1998-10-15 实施

[7] 中华人民共和国行业标准.公路土工合成材料应用技术规范(JTJ/T 019—98).中华人民共和国交通部.1998-12-30 发布,1999-02-01 实施

[8] 中华人民共和国行业标准.铁路路基工程土工合成材料应用技术规范(TB 10118—98).中华人民共和国铁道部.1998-01-14 发布,1999-03-01 实施

[9] 中华人民共和国行业标准.水运工程土工织物应用技术规程(JTJ/T 239—98).中华人民共和国交通部.1998-11-05 发布,1998-12-01 实施

[10] 南京水利科学研究院.土工合成材料测试手册.北京:水利水电出版社,1991

[11] 罗庆君.防汛抢险手册.郑州:黄河水利出版社,2000

[12] 刘宗耀,等.土工合成材料工程应用手册(第二版).北京:中国建筑工业出版社,2000

[13] 董哲仁.堤防除险加固实用技术.北京:中国水利水电出版社,1998

[14] SembenelliP,et a1.Bovilla.A Product of Dam History.Geotechnical Fabfics Report.1998,8

[15] 包承纲,吴昌瑜,丁金华.中国堤防建设技术和发展.人民长江,1999(9)

[16] 牛运光.土坝安全与加固.北京:中国水利水电出版社,1998
[17] 陆士强,王钊,刘祖德.土工合成材料应用原理.北京:水利电力出版社,1984
[18] 杨光煦.九江长江江堤堵口实录及经验.人民长江,1998(11)
[19] N. W. M. John. GeoteXtiles. New York: 1986
[20] 包承纲.堤防工程土工合成材料应用技术.北京:中国水利水电出版社,1999
[21] 冯利海,等.充沙长管袋褥垫进占施工技术探讨,人民黄河,2001(3)
[22] 张宝森,刘新华.土工合成材料用于防汛抢险反滤准则的研究.全国第六届土工合成材料学术会议论文集(陕西西安).香港:现代知识出版社,2004

第六章 大网笼、大土工包机械化抢险技术

第一节 概 述

在千百年与黄河洪水的斗争中，沿黄人民积累了丰富的抢险经验[1~4]，并且根据黄河的水沙特点，因地制宜，就地取材，创造了以秸柳料、土和少量石块为主要材料的柳石搂厢、柳石枕等抢险技术，这些技术和料物的应用，形成了黄河抢险的基本方法，在抗洪抢险中发挥了巨大的作用，直到现在仍然是抢险的重要手段。随着科学技术的发展和社会经济能力的增强，近年来黄河下游组建了 20 多支专业机动抢险队，配置有自卸汽车、挖掘机、推土机、装载机等大型机械设备，提高了抗洪抢险能力。近年来应用了化纤网笼和土工合成材料抢险，新材料、新装备、新技术给抗洪抢险带来很大的变化，突出的优点是节省人力、提高抢险速度、料物储备容易等。但也出现用石料过多，不能充分发挥机械能力，以及新的抢险技术如何规范、推广等问题。任何一种新事物的成长都有一个逐渐成熟完善的过程，遵照黄河防总办公室的指示，本课题针对在抗洪抢险中能够发挥较大作用的大铅丝网笼、大土工包的制造与使用方法，及其机械化抢险技术进行深入地研究，系统地进行总结，提出可以用于实际抗洪抢险的方案，为今后在抗洪抢险中推广使用创造条件。

目前，虽然大型机械和新材料在黄河下游防洪工程抢险中已有所应用，但各单位的应用程度、水平不同，且多限于抛散石抢险。在实际抢险斗争中，有盲目使用机械抛石抢险情况，因散石走失而石料浪费严重，对于土胎外露、溃膛等险情抢护技术以及水中进占或堵口还有待进一步完善和优化。因此，研究的主要目标是：根据社会和时代的发展要求，探索机械化抢险与传统抢险方法有机结合的途径，充分发挥大型抢险机械的作用，充分利用土工合成材料丰富、强度高、耐久、储运方便的优点，以因地制宜、就地取材（土料、坝垛备防石）为原则，充分利用已有的研究成果，研究和完善目前条件下大网笼、大土工包机械化抢险技术，解决大网笼、大土工包材料、结构、制作以及机械化装料、运输和机械化抛投问题。

第二节 网笼、土工包机械化抢险技术发展状况

2.1 网笼抢险技术发展状况

传统的石笼是采用铅丝、钢筋或植物枝条等制成各种网格或笼状体，内装块石、砾石或卵石而形成的条体或块体。抛投铅丝网石笼是抗洪抢险和坝垛根石加固中经常使用的措施。抢险时，首先将网片铺放在需要抛投网笼的坝顶边上，用人搬运石料在网片上摆放整齐，石料四周裹以网片，用钢筋棍把铅丝网片拧在一起，形成铅丝网石笼，几个人用撬棍插在网笼下面掀入水中。

可将这种方法分为几个步骤：

(1)织网片。网片用手工或网片编织机编织而成，可在抢险现场临时编制，也可事先编织好网片存储备用。网孔尺寸一般控制在边长 150～200mm 之间，采用双扣拧合方式编织。网笼形式有带耳、不带耳两种。生产机械织机的有山东河务局生产的拧扣铅(钢)丝网片织机、河南长垣黄河河务局生产的 QSWZDBZJ－0301 型铅丝网自动编织机，河南濮阳黄河河务局 HH－1 型铅丝网片自动织机，效果都不错。

(2)铺网片。除了直接在抛笼的地点铺网片外，可直接在装载机铲斗中铺网，在自卸汽车车厢中铺网，都在现场有过实验或应用。

(3)装石料。人码装，也有采用挖掘机向自卸汽车上的网笼装石料的。

(4)封闭网笼。一般手工用别棍把铅丝网的两边拧在一起。

(5)抛投。可人工抛投(见图 6-1)，也可机械投(见图 6-2)。

图 6-1　2003 年汛期顺河街工程 16 号坝抢险

图 6-2　2003 年汛期蔡集工程 35 号坝抢险

人工抛笼不能太大，一般有 $1m^3$、$2m^3$ 铅丝网笼；用机械抛笼，笼的尺寸可以是整个自卸汽车的车厢大小，即 $10～14m^3$。

为探讨新形势下的黄河防洪工程抢险新技术，近年来河南、山东两局及有关单位做了多种尝试和探索：

(1)装载机、挖掘机抛石抢险。利用装载机直接从坝面上抛散石或铅丝网笼，一部 WA380 装载机，在坝面上每小时可抛 $200m^3$ 块石，相当于 300 个民工的劳动量，而且，利用装载机可每次抛下 $3.0m^3$ 左右的铅丝网笼。机械抛石抢险有不受块石大小限制(大块石人工抛不动)的优点，能遏制大溜顶冲时的散石走失。

(2)2000 年结合国家防办“堤防堵口关键技术研究”专题项目，于 2001 年 4 月在枣树沟工程进行了大型铅丝石笼水中进占堵口试验，铅丝网片采用普通 8 号铅丝编织，大型铅丝笼的尺寸为长 4m、宽 2m、高 1m 和长 6m、宽 3m、高 1.5m。大型铅丝笼比照自卸汽车斗的大小制作，敞口放置于车斗内，用装载机或挖掘机装散石，在抛投过程中无损坏现象。实践证明，自卸汽车直接将大型铅丝石笼运送、卸放至出险部位，往往能起到控制险情的显著效果，多部大型自卸汽车同时运用，威力更大。

(3)当工程出险处距抢险石料的距离超出 100m 和现场石料储备不足时，尝试运用大型自卸汽车运石，直接将石料卸放至出险部位。2003 年兰考蔡集工程抢险堵口，试用了钢筋大网笼(见图 6-3)和扁钢大网笼(见图 6-4),但效果不好;用挖掘机将地面上人工绑扎好的 1m³、2m³ 铅丝网笼装上大型自卸汽车直接卸至出险部位,试用效果很好(见图 6-5、图 6-6)。

图 6-3 钢筋大网笼试验

图 6-4 扁钢大网笼试验

图 6-5 挖掘机装 1m³、2m³ 铅丝网笼

图 6-6 自卸汽车抛 1m³、2m³ 铅丝网笼

(4)2003 年 10 月,黄河防汛抢险技术所就合金网笼在黄河兰考蔡集工程抢险中进行了施工探索(见图 6-7)。合金网笼与传统的铅丝网笼相比有以下特点:一是合金钢丝强度高,所做网笼承重最大可达 10t;二是合金钢丝不锈蚀,便于储存保管,用合金网制成的石笼抛入水中后,不易散脱,可适当延长河道工程寿命;三是合金网笼工厂化生产,现场装笼方便,可用吊车吊运到位,便于机械化操作;四是合金网石笼有在深水和流速较大的区域进行施工的成功经验。

以上进行的各种实践和探索,都不同程度地积累了一定的经验,尤其是装载机或挖掘机装石、自卸汽车直接将大型铅丝石笼运送、卸放抢险的研究,得到了国家防办验收专家的充分肯定和赞扬,认为该技术快速、安全、可行、可靠。

1977 年,在美国华盛顿特区,修建于波托马克河的石笼潜堰,采用直升机进行施工并现场填充。1985 年,在紧急情况下,英格兰动用直升机放置预装好的石笼袋进行抢险试验。

1978 年,意大利伦巴地区,在尝试使用散石防护的方案失败后,开始采用水上平板船作业,使用圆柱形土工布加高强度石笼进行波河弯道的防洪堤堵口,缺口有 500m 宽,深度 12～26m。

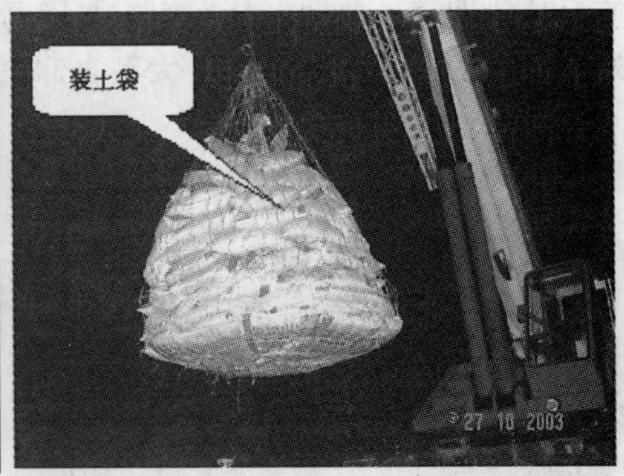

图 6-7　合金网笼吊装试验

2.2　土工包抢险技术发展状况[6]

土工包是将土工合成材料制作成一定形状和容积的大包用于防汛抢险。土工合成材料是一种新颖岩土工程材料,它是以合成纤维、塑料及合成橡胶为原料,制成各种类型的产品,置于土体内部、表面或各层介质之间,发挥其工程效用。便于配合装载机、挖掘机、自卸汽车等大型机械在土工包内装散土或其他料物,进行防洪工程机械化抢险,以便满足其快速、高效的特点。

土袋抢险是比较常用的料物,目前编织袋取代了草包和麻袋。根据需要,土工织物管袋、软体排等形式都有大量使用。黄河下游用大型机械抢险作业,近年有用土工织物制作大型土工包,大土工包尺寸以自卸汽车车厢尺寸而定,事先把土工布缝制成盒子形状,上面的盒盖留下三个边,敞口放置于车斗内,用挖掘机向土工包内装散土,土工包装满后用缝袋机或人工封口,形成一个大土工包。

以下是利用土工袋或土工包实际应用抢险的典型案例:

(1)“96·8”洪水期间,原阳武庄防洪路口门冲块恢复时,在石料、柳料运不进去情况下,采用滞留在工程上的机械和土工织物做土袋抢堵;利用装载机和挖掘机结合编织土工布做成长 2m、宽 1.5m、高 1.2m 的土工袋进行口门复堵,使得口门快速堵复。

(2)1999 年 2 月,结合枣树沟 1 号坝土坝基坍塌险情抢险,使用由泥浆泵结合人工装土快速充填长管袋褥垫进行土坝基、坡防护试验,效果较好。长管袋的材料采用 250g/m^2 高强机织土工反滤布,尺寸为长 10m、ϕ1.5m。

(3)2000 年结合国家防办“堤防堵口关键技术研究”专题项目,于 2001 年 4 月在枣树沟工程进行了大型土工包水中进占堵口试验。土工包的材料采用 400g/m^2 机织土工布,尺寸为长 4.2m、宽 2.5m、高 1.0m 和长 3m、宽 2m、高 1m,每边用涤纶线缝合 2~3 道。在抛投过程中约有 50%的土工包损坏。并对堵口土工包沉落进行了试验研究。

(4)2003 年 9~10 月,在东垆裁弯工程抢险时,采取的主要措施有倒挂柳缓冲落淤、投放柳石枕和编织土袋装笼、土工布大袋装编织土袋和装散土的抢险方式,阻挡了水流对出险段的土体冲刷,防止出险段扩展。其中土工布大袋采用 230g/m^2 机织土工布在现场人工缝制成长 2.0m、宽 1.5m、高 1.0m 的土工袋,人工装编织土袋和装散土,装满后人工缝口，然后人工推入水中。

(5)国外使用了特大型水上土工包抢险。水上土工包是将 Geolon 高强土工织物铺设在特制的可开底的空驳船内，将疏浚的淤泥或废料填其上，待装满后，将织物包裹封合，防止泄漏，然后将驳船开到预定地点，打开船底，把土工包沉放到水底，其操作过程如图 6-8 所示。这种土工合成材料产品由于尺寸很大(长度可达 40m，体积可达 800～1 000m^3)，

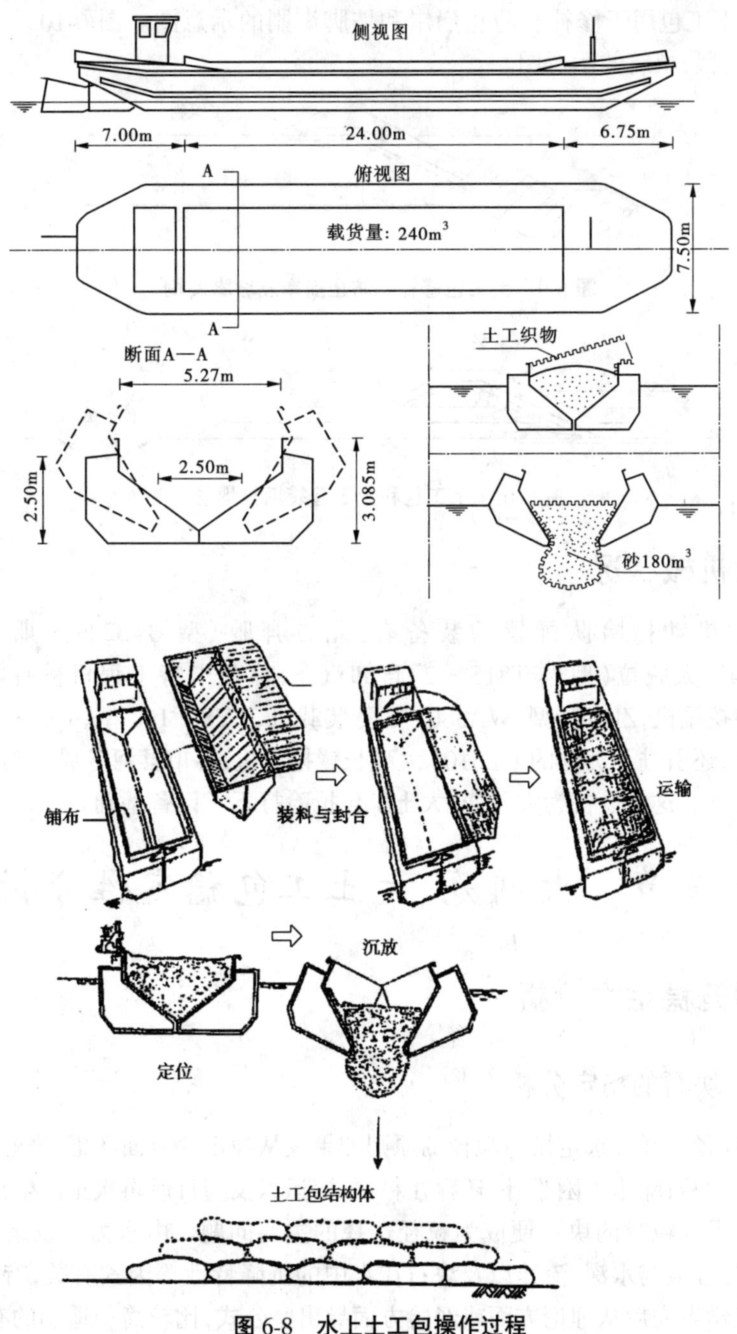

图 6-8　水上土工包操作过程

柔性好,整体性强,因此用于大面积崩岸治理、堤防迎水坡堵漏、河岸及河底的淘刷都很有效。

制作水上土工包的合成材料为织造型土工织物。三种规格的土工包使用的织物,其单位面积质量分别为 $360g/m^2$、$510g/m^2$ 和 $940g/m^2$,厚度分别为 1.0mm、1.6mm 和 3.3mm,在长度方向的抗拉强度分别为 80kN/m、120kN/m 和 200kN/m。

图 6-9 为土工包用于修补和防止崩岸和坡脚淘刷的示意图。图 6-10 为堤防中采用土工包和土工管袋填筑的示意图。

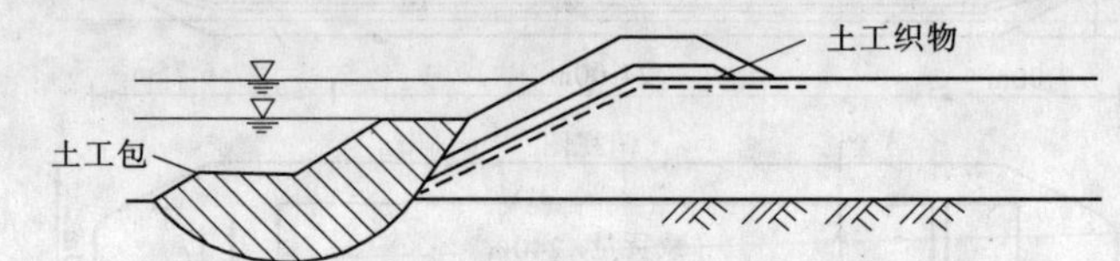

图 6-9 土工包修补和防止崩岸及坡脚淘刷

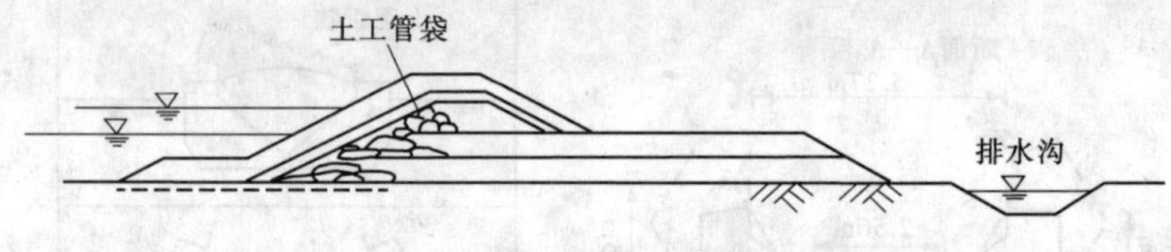

图 6-10 土工包和土工管袋填筑堤防

2.3 抢险机械状况

黄河下游机动抢险队配置的装备有:北方奔驰(型号 3229)、斯太尔(型号 ZZ3322BM294)、太脱拉(型号 T815-2)自卸汽车,徐州卡特工程机械有限公司产的 CAT325BL 型挖掘机,ZL50E 型、WA380-3 型装载机,TYS-160 型、TYS-220、D85 型推土机。另外,还引进了美国的 KL5100 大型长臂挖掘机,各市县河务局研制了不同种类的防汛抢险机械。这些设备为大网笼、大土工包抢险打下了设备基础。

第三节 大网笼、大土工包稳定性分析

3.1 大网笼稳定性分析

3.1.1 单个块石的稳定分析[7~12]

(1)抛石粒径选择。选定抛石粒径的原则如果仅从稳定性方面考虑,当然粒径越大越好,但是抛投大块石除施工困难外,还存在料源、搬运以及为日后再次抢险增添困难,因此选择具有一定尺寸粒径的块石便成为粒径选择的主要问题。由水力学及运动学理论可知,抛石临界粒径应与水深、流速以及块石在水中的沉降特性等因素有关,有关抛石临界粒径问题很多学者先后从理论方面或经验方面导出些公式,比较简便适用的有以下公式:

①奥野公式:

$$D_m = K_1 V^2 \tag{6-1}$$

式中：D_m 为临界粒径，cm；K_1 为临界粒径系数，取 0.04～0.05；V 为行进水流流速，m/s。

②刘宝山公式：

$$D_m = 0.048V^2 \tag{6-2}$$

③沙莫夫公式：

$$D_m = (\frac{\eta V_m}{5.45KH^{0.14}})^{\frac{1}{0.36}} \tag{6-3}$$

式中：η 为安全系数；V_m 为坝前最大流速，m/s；K 为斜坡系数，可取 0.6～0.9；H 为坝前垂线水深。

④张红武公式：

$$D_m = 0.038V^2/R^{1/3} \tag{6-4}$$

式中的水力半径 R，对于黄河可用水深 H 代替。工程应用结果表明，张红武公式与实际颇为符合，将调查得到的黄河丁坝经常出险时的水流资料代入，计算得到黄河根石稳定的临界粒径为 0.40～0.45m，显然黄河现有根石中相当部分的块度都小于此值。

(2)抛石位置或抛距。抛石抢险时，块石在动水中，尤其是在丁坝附近复杂的螺旋流条件下其下沉轨迹除受重力、浮力影响外，还受到水流的冲击作用，其沉降过程及其沉降轨迹极其复杂，由于试验条件所限，块石在水下水流冲击受力情况又很难进行施测。因此，目前仅能就试验中观测到的，在水下的沉降位置采用统计方法进行分析，以作为研究抛石位置或抛距问题的依据。

由水力学理论不难得知，粒径大者在水下的位移小，粒径小者其位移则大，根据已有的研究成果，动水块石的落距公式 $S = 0.228\frac{hV}{\varepsilon\sqrt{d}}$，考虑坝头水流扰动阻力，如果增加一扰动阻力系数 0.85，则抛石落距公式可修正为

$$S = 0.19\frac{hV}{\varepsilon\sqrt{d}} \tag{6-5}$$

式中：S 为块石入水点至河底的水平位移，m；h 为水深，m；V 为断面平均流速，m/s；ε 为块石形状系数取 0.9；d 为块石的当量粒径，m。

应用修正后公式计算抛距与实测值比较见表 6-1，结果较好。因此，在实际应用中可参考修正后的公式确定抛点位置。

(3)抛石量。能使河道工程险情得以稳定的抛投块石数量，称抛石量。冲坑越深，抛石量越大，抛投量一般反映了险情轻重程度，即险情越大抛石量越大。根据黄河下游河道险情特点及出险时的水流特性，河道工程出险时，多是水流集中冲刷所致。因此，确定险情抢护时的抛石量问题对于防洪抢险有重要意义。

对于已建多年的老工程来说，由于根基相对较深、坝体土胎稳定，险情多属于护坦的坍塌或下蛰，对于这类险情应视坦石坍塌位置、体积等因素水力条件进行抛投量估算。对于新修河道整治工程来说，根石的稳定坡度在 1:1.2～1:1.5 之间，从试验所抛块石落点分布看有 10%～15%抛石偏离抛投区，按照冲坑深度与流速、水深等水力条件关系，以及根石、护坦的稳定坡度及出险范围可以基本上估算出抛掷根石的数量。

表 6-1　　　　修正后的抛距公式计算结果与实测值比较

流速(m/s)	粒径(cm)														
	20			30			40			50			60		
	实测	计算	相对误差(%)	实测	计算	相对误差(%)	实测	计算	相对误差(%)	实测	计算	相对误差(%)	实测	计算	相对误差(%)
2.0	15.34	15.10	1.5	12.40	12.30	0.8	11.24	10.60	6.0	10.00	9.75	2.5	8.81	8.72	1.0
3.0	21.91	22.60	3.0	17.52	18.50	5.3	16.85	16.00	5.3	14.61	14.60	0.06	13.52	13.08	3.3
4.0	29.66	30.20	1.7	23.14	24.60	5.9	22.73	21.30	6.7	19.44	19.50	0.3	18.02	17.44	3.3

(4)稳定坡度。抛块石护坡的休止角 φ 值已有很多试验,从圆滑到棱角大块石,可取为 $\varphi=35°\sim40°$(Simons,1961),人工砌筑更可提高。黄河控导工程抛块石护坡一般为1:1.3~1:1.5达到稳定。

3.1.2　网笼块体稳定性分析

(1)铅丝石笼在黄河抢险中广泛应用,主要具有稳定好、受水流影响小、块石走失少等特点。

(2)从式(6-1)~式(6-4)可知,D_m 与 V 成正比,块体越大,受水流冲击影响越小,稳定越好。单个石块一般不能满足稳定要求。但网笼可以满足稳定要求。

(3)从式(6-5)可知,S 与$\sqrt{d}$成反比,块体越大,落距越小。

(4)大网笼受大网约束,整体性强;石笼之间和石笼与土之间摩擦系数大,整体稳定性好。

(5)铅丝石笼受河床变形的适应性较差,铅丝网受力不均匀,易造成笼体破坏。如果铅丝网笼改为化纤网笼或铅丝网笼装石料改为柳秸料和石料混装,可提高对河床变形的适应性。

(6)大网笼是以铅丝网笼或化纤网笼内装柳(或秸、苇)、石按质量比1:1混装,也可按流速大小或出险部位调整比例。大网笼装料采用石、柳秸料混装,具有缓流落淤、节约石料、网笼不易断等优势。

(7)柳梢料、秸料等的荷重与体积压缩率、荷重与容重关系的试验结果[5]见图6-11。取柳(或秸、苇)浸水状态下的容重2.5kN/m³,石料的容重21.3kN/m³,即按1:1混装网笼的容重为11.9kN/m³,在流速较大时不易稳定。

3.2　大土工包稳定性分析[6,13]

3.2.1　大土工包沉落过程中的受力分析

3.2.1.1　土工包的状态

首先分析大土工包的状态:包内装入散土,即便是用挖掘机铲斗压实后,现场取土样的最大密度为1.47g/cm³,土样含水率为24%;一般情况下整体土工包的孔隙率比较大,

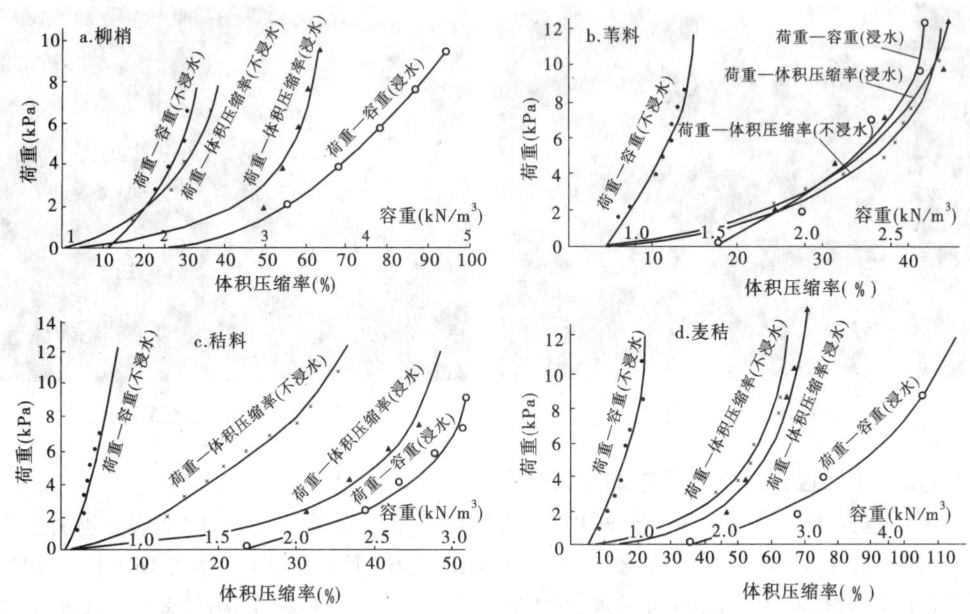

图 6-11　软料荷重与体积压缩率、容重关系曲线

综合平均大土包的密度 1.15～1.33g/cm³。当大土工包进入水中后，土工包的状态会发生很大的变化，土工包缓慢浸水，包中土体会缓慢排气并逐渐饱和，此时包中土体的力学参数也会发生很大的变化。该过程变化较为复杂。

3.2.1.2　土工包在抛投过程中的受力情况

土工包在自卸汽车抛投过程中的受力情况相对较为简单，主要受到重力和车斗摩擦阻力。当自卸汽车车斗达到 45°～50°时，土工包会瞬间自动滑出车斗，但在入地时会受到很大的冲击力，此时如果土工包的结构不合理，土工包就会破裂(见图 6-12)。土工包在入地时一般呈跪卧式形态(见图 6-13)。

图 6-12　土工包抛投过程中破裂

图 6-13　土工包入地时的形态

此外，土工包在抛投过程中，如果不到位还要受到挖掘机、推土机的推压作用(见图 6-14、图 6-15)，这些作用力在土工包的结构设计和材料选择时必须考虑。

图 6-14　推土机推土工包

图 6-15　挖掘机拨土工包

3.2.1.3　土工包在入水过程中的受力情况

土工包在水中的受力情况有两种:一为岸坡滚落或滑落;二为水中沉落。当大土工包进入水中时,土工包内的空气会聚集在土工包的上方,形成气囊(见图 6-16～图 6-19),其所产生的浮力是必须考虑的因素,它对大土工包沉落过程和稳定影响很大。大土工包在沉落过程中,主要受到重力、浮力、边坡的摩擦阻力、水的绕流阻力、水流对包的动压力,这些力的合力决定包的下沉过程的时间和位移。耿明全曾进行过土工包的水槽试验和稳定性分析。大河流速和水深对土工包沉落偏移量影响也很大,大河流速越高土工包偏移量越大,大河水深越深土工包偏移量越大。

图 6-16　土工包刚入水 A

图 6-17　土工包刚入水 B

船舶抛投大土工包沉降及受力过程见图 6-20。

3.2.2　大土工包的抗冲稳定分析

单个土工包的有效重量应满足水流的抗冲稳定要求。采用依士伯喜泥沙启动公式:

$$V_0 = 1.2\sqrt{2g\frac{\rho_s - \rho_\omega}{\rho_\omega}}\sqrt{d} \tag{6-6}$$

式中:V_0 为启动流速,m/s;g 为重力加速度,取 9.8m/s^2;ρ_s 为土工包内土的湿密度,

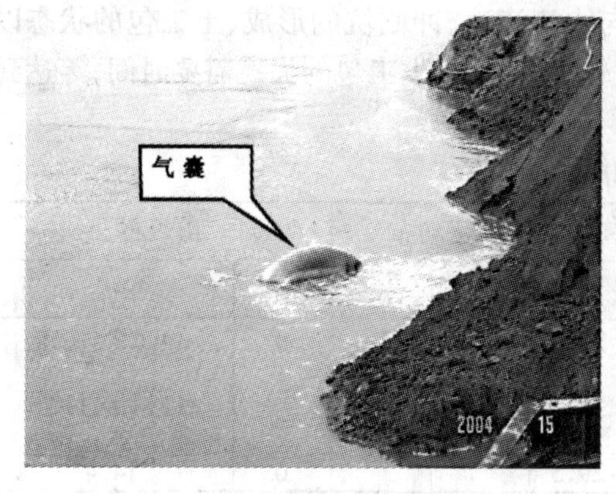

图 6-18　土工包入水后排气　　　　图 6-19　土工包入水后形成气囊

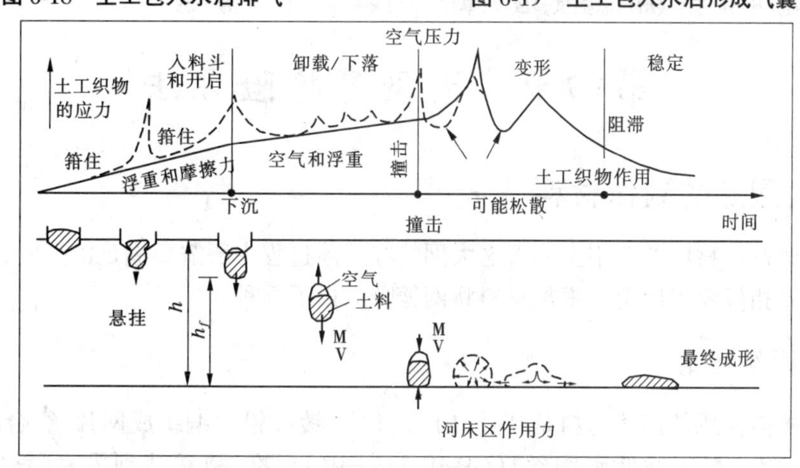

图 6-20　大土工包抛投沉降及受力过程(船舶沉放)

kN/m^3;ρ_{ω} 为水的密度,取 10kN/m^3;d 为土工包的体积折合直径,m。

可按式(6-6)估算在不同流速下土工包的最小体积和重量,经过现场实验表明,在水深 6~14m,流速 1.5m/s 以下时,大土工包在水下可以稳定。

如果考虑包内气体(充填度一般为 0.7~0.8,也可从土工包的制作尺寸和装土量计算),即包内装土越不密实,孔隙率越大,土中含有气体越多;如果土工包本身排气性差,不易在水中排气,则土工包所受浮力越大,稳定性越差。因此,在设计制作土工包时应选择排气性好的土工布制作土工包,以便使土工包在入水时排气;在土工包装土时应将散土压密实,以便减少土中含气量,增大浮压重。

3.2.3　大土工包的摩擦稳定分析

土工包之间在水中的摩擦稳定非常重要,摩擦系数选择土工材料与土、土工材料之间较小者,经计算后,即可指导确定土工包材料选择。表 6-2 是土工材料与土、土工材料之间直接剪切摩擦试验成果。

总体来看三种布与土的摩擦系数较大,均大于布与布之间的摩擦系数。无纺布与无纺布、编织布与编织布之间的摩擦系数较大,机织布与机织布之间的摩擦系数较小。

大土工包进占时，土工包的稳定性主要与水流流速、冲刷坑的形成、土工包的状态以及土工包进占强度等参数有关。在进占速度较快情况下，土工包的失稳需要时间，等达到一定坡度时，占体就会稳定。

表 6-2　　　　　　　　　　　　直接剪切摩擦试验成果

名称	粉质黏土		粉质壤土		级细砂		无纺布		编织布	
	C	φ	C	φ	C	φ	C	φ	C	φ
无纺布			0	30.2	0	27.5	0	23.4	0	14.0＊,10.8
机织布	10	19	0	32.8	0	31.3			5 2	13.4＊,11.0
编织布			0	29.9	0	29.5			0	14.4

注：本表为饱和试样的直接剪切摩擦试验成果；单位：C 为 kPa，φ 为度。＊为干态。

第四节　大网笼抢险方法

4.1　大网笼的制作材料

大网笼制作材料的选用主要考虑大网笼在抢险过程中所需要满足的强度、速度、可操作性等技术指标要求确定。根据材料将网笼分为以下几种。

4.1.1　铅丝网笼

黄河抢险使用的网笼材料是 8 号、10 号、12 号镀锌铅丝编织成网片、组合成网笼，钢丝达到国家《一般用途低碳钢丝》(GB/T 343—94)标准，镀锌达到国家《钢丝镀锌层》(GB/T 15393—94)标准。

铅丝网片的制作可分为手工和机械两种[14,15]，由于采用 8 号镀锌铅丝人工编织网片比较困难，因此在人工编织网片时设计上采用 12 号镀锌铅丝编织网片、间隔 0.55m 加 8 号镀锌铅丝加筋的方式制作网片，这种结构可以满足 12 号镀锌铅丝制作的网笼强度不够的要求。5m^3 笼加筋结构见图 6-21，10m^3 的笼的制作方法同 5m^3 的笼。手工编织的铅丝网笼见图 6-22，抛到位的铅丝网笼见图 6-23。

4.1.2　化纤网笼

化纤笼[16~18]除具有铅丝笼的所有作用外，还有如下作用和优点：①整体性强；②制作容易便捷、抢险速度快；③适应性强；④工厂化生产、储运方便；⑤造价低、经济实用等。化纤笼在水下比铅丝耐腐、耐磨，决定了化纤笼耐用的特点。另外，化纤笼网比铅丝网片还有易运输易管理的优点。

化纤笼作为防汛抢险新材料在阶段性试验中已显示了许多优点[19]，但也还有一定的缺陷，如在较缓的坦坡上推抛入河不容易(铅丝笼也有此缺点)；在乱石坦上推抛时，与块石相撞局部笼绳有被砸断现象。另外，化纤制品应置于水下，避免阳光直射，否则易老化。这类石笼常以高强度土工绳网或塑料条带制成，形状多为矩形和圆柱形。图 6-24 为工厂加工的化纤网笼,图 6-25 为自卸车抛投到位的化纤网笼。

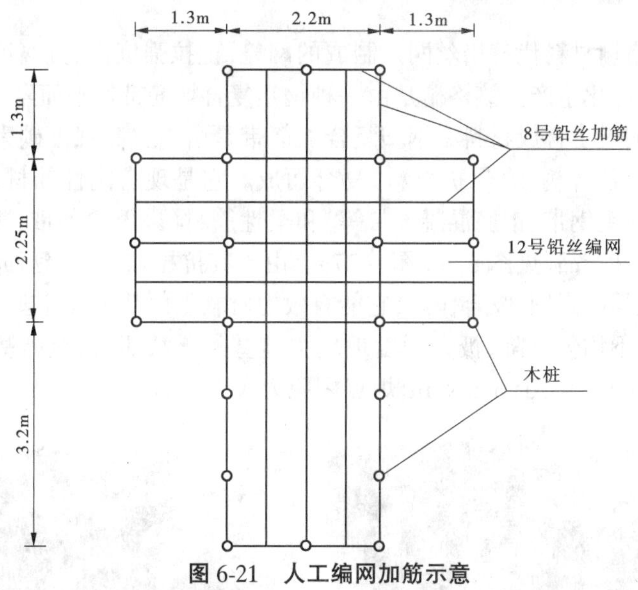

图 6-21　人工编网加筋示意

图 6-22　手工编织铅丝网笼

图 6-23　抛到位的铅丝网笼

图 6-24　工厂加工的化纤网笼

图 6-25　自卸车抛投的化纤网笼

4.1.3 钢塑网笼

用钢塑土工格栅材料代替铅丝网片制成的网笼，抗拉强度高、抗腐蚀和抗霉烂性好，且材源丰富，可工厂化生产。该格栅是由一种钢塑复合加筋带按平面经纬成直角布置，经超声波焊接成型的土工合成材料。钢塑复合加筋带是由内置高强度碳素弹簧钢丝（受力材料），外面裹覆聚乙烯树脂（保护材料）复合而成。它是现有刚性筋材（扁钢带、带肋钢带、镀锌钢带、不锈钢钢带、钢筋混凝土带等）和柔性筋材（聚丙烯条带、塑料土工格栅、经编格栅等）的综合性产品（见图 6-26、图 6-27）。由于其抗拉强度大、延伸率低（≤3%）、蠕变小、对土体有较强的嵌锁、咬合作用，它能有效地对软土地基进行处理，约束土体的侧向位移，克服土体的不均匀沉降，极大程度地增强地基的承载能力，提高基础的整体性能。纵横向极限抗拉屈服力大于 60kN/m，焊点剥脱力大于 30N。

图 6-26　钢塑网片

图 6-27　钢塑网装石料

4.1.4 合金网笼

合金网笼是杭州银河防汛物资有限公司开发出的一种合金网系列产品，包括合金网兜、网箱、合金网柔性板块、密目安全网等产品，该产品获国家多项发明、实用新型专利，在水利工程、交通工程已有应用，在钱塘江南北大桥的海水环境工程中使用，效果较好。该产品主要优点是：①机械强度高、抗冲击、抗剪切、耐磨损；②化学稳定性好、抗老化、耐腐蚀；③施工方便、适合机械化作业；④重量较轻、体积较小、便于储存。

合金网系列产品具有优良的抗冲击、抗剪切、耐磨损和抗老化性能[20]。经浙江省水利水电科学研究院和浙江省冶金产品质量监督检验站测试，产品在海水中的年腐蚀程度小于 0.01mm，单位面积承载强度大于 15～890kN/m^2。合金网系列产品是水利、交通、建筑工程防护技术的一项突破。

合金网笼可用于各类堤防工程的防冲护趾、护底、护坡，可用于溢洪道、水闸防冲槽、桥墩部位的除险加固和防护（见图 6-28），以及抗洪抢险中的封堵决口和漏洞、塌坑等。设计寿命在 50 年以上。

4.2 大网笼装料形式

大网笼装料形式按笼内材料可分为：石料、软料石料混装、土袋、土袋石料混装（见

图 6-29）。大网笼装料采用软料石料混装，具有缓流落淤、节约石料、网笼不易断等优势。

图 6-28　合金网笼装土袋

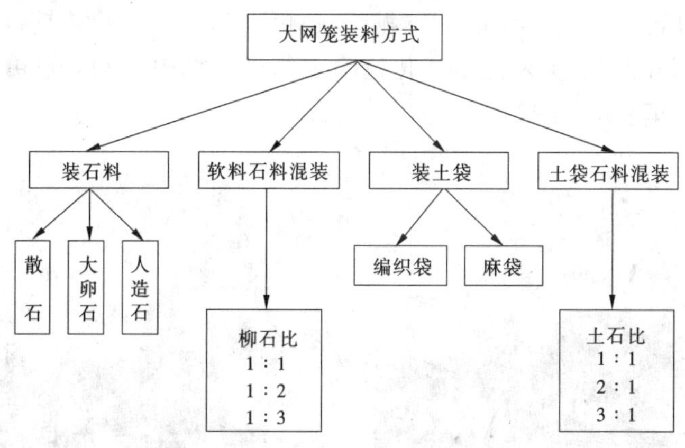

图 6-29　大网笼装料形式

软料，重点应为棉花柴、玉米秆、芦苇、豆棵等，这些材料充足、便于装笼，具备柳料特点，且不砍树。真正的柳料装笼需规整，且砍树破坏生态。麦秸透水性、缓流落淤效果差。

4.3　大网笼的制作方法及工序

大网笼基本部件是四方体或称网状矩形箱。大网笼抢险时，可根据自卸汽车尺寸加工成相应的四方体。常用大网笼部件的外部轮廓尺寸为：长 4.2～4.5m、宽 2.4m、高 1.0～1.3m。大网笼的主要工作程序为：铺网、装料、封口。

（1）铺网。将加工好的大网箱按设计尺寸铺放在自卸汽车上。

（2）装料。用挖掘机或装载机装料，亦可事先将槽状石笼绑扎好后放置在坝顶上。为提高挖掘机装石料效率，可将石料顶部基本整平，然后挖掘机上到石料顶部，即可开始装料（见图 6-30）。当石料较少，挖掘机不宜装满时，先用挖掘机将地面挖成地坑，石料拨入地坑，再开始装料。

（3）封口。用钢钳将预留的铅丝头相互拧紧，将四边折叠绑扎成四方体形状石笼。

图 6-30　挖掘机装石料操作过程

4.4　大网笼运输及抛投方式

石笼绑扎完工后，自卸汽车即可装运、抛投，也可由 D85 推土机或挖掘机推运的方式作业(见图 6-31～图 6-33)。大网笼机械化抢险工艺流程见图 6-34。也可采用小型机械作业，例如农用自卸车装运、抛投。

图 6-31　装载机或挖掘机装料、装运

图 6-32　自卸汽车抛投

图 6-33　D85 推土机推入水中

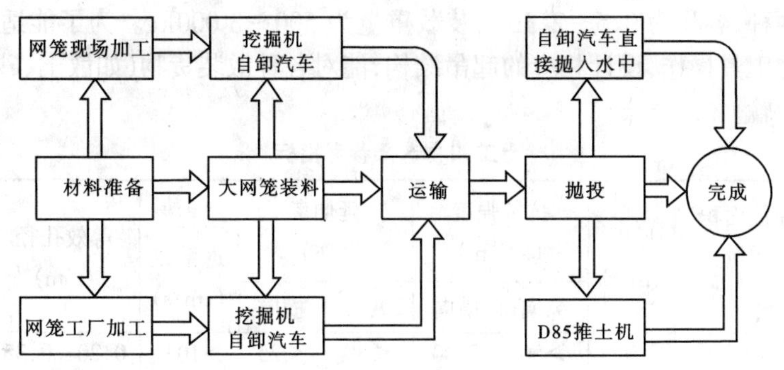

图 6-34　大网笼机械化抢险工艺流程

第五节　大土工包抢险方法

5.1　土工包的分类及用途

根据土工包的形状和容积,将土工包划分为:特大型、大型、中小型,以满足不同机械的使用和抢险要求(见表 6-3)。

表 6-3　　土工包的分类及用途

规　格	分　类	形　状	容　积(m^3)	用　途
A 型	特大型	管袋形	800～1 000 80～200	用于底开船水上抢险
B 型	大　型	长方体形	9.5～16	用于自卸汽车抛投
C 型	中小型	圆形和方形	0.5～2.3	用于挖掘机或吊车抛投

注:中小型土工包也称防汛集装袋。

5.2　土工包的制作材料

土工包制作材料的选用,主要考虑土工包在抢险过程中所需要满足的强度、变形率、透水性、排气性和保土性等技术指标要求确定。

在抢险过程中土工包材料的变形率、排气性和保土性指标非常重要,要求变形率、排气性越大越好,透水性、排气性和保土性主要与土工合成材料的等效孔径有关。按照 2000 年国家防办“堤防堵口关键技术研究”专题项目土工合成材料在黄河防汛抢险中的应用研究,得出适用于黄河下游堤防土壤防汛抢险的土工合成材料的等效孔径 O_{95} 在 0.10～0.50mm 范围内。

根据以上几个方面的分析,制作土工包的材料可以采用:机织布材料、编织布材料、复合土工材料、无纺布材料等,具体技术指标见表 6-4、表 6-5。但机织布渗透系数、等效孔径 O_{95} 太小,对排气不利。

防汛集装袋主要是以聚丙稀(PP)、聚乙稀(PE)等高聚合物为原料,经挤出拉伸成扁丝后,再经过编织、切割、缝制等工序制作而成。它是一种易折叠的柔性包装,袋体形状有圆形和方形两种，容积为0.5～2.3m^3，装载重量为500～3 000kg。为了能适合于各种起吊设备及运输工具操作，设计相应的起吊结构，能对各种散装货物(如散土、砂石、矿产品)等快速集装运输。

表 6-4　　土工织物选择参考指标

物资名称	单位面积质量(g/m^2)	厚度(mm)	抗拉强度(kN/m)		延伸率(%)		垂直渗透系数(cm/s)	等效孔径(mm)	开孔率(%)
			纵向	横向	纵向	横向			
编织布	200～250	>0.3	>50	>40	<30	<25	$>10^{-2}$	0.20～0.35	>30
机织布	200～250	>0.3	>60	>50	<30	<25	$>10^{-3}$	0.10～0.20	>30
复合布	200～250	>0.6	>60	>50	<30	<25	$>10^{-3}$	0.10～0.20	>30
无纺布	300～350	>3.0	>12	>12	<80	<80	$>10^{-2}$	0.10～0.50	>30

表 6-5　　防汛集装袋主要技术参数

物理性能			装载重量(kg)		
			1 000	2 000	3 000
袋体基布	抗拉强度(N/50mm)	纵向	≥1 470	≥1 646	≥1 960
		横向	≥1 470	≥1 646	≥1 960
	延伸率(%)	纵向	≤40	≤40	≤40
		横向			
	垂直渗透系数(cm/s)		$>10^{-2}$	$>10^{-2}$	$>10^{-2}$
吊带	抗拉强度(N)		≥15 000	≥30 000	≥45 000
	延伸率(%)		≤25	≤25	≤25
缝合处抗拉强度(N)			≥618	≥962	≥824

5.3　大土工包加工设计

5.3.1　结构、尺寸和加工

为满足自卸汽车运输抛投的需要，土工包规格尺寸按自卸汽车车斗尺寸确定；本次试验按黄河机动抢险队配备的15t解放自卸汽车，20t、31t太脱拉自卸汽车考虑，根据自卸汽车料斗长、宽尺寸各加大1.2倍，高度上均增加30cm的原则来确定土工包尺寸，制作尺寸分别为：4.2m×2.4m×1.3m、5.0m×2.9m×1.3m、5.4m×3.0m×1.3m即有效尺寸分别为：4.2m×2.25m×0.95m、5.0m×2.41m×1.0m、5.4m×2.50m×1.0m。

在使用编织布材料、复合土工材料制作土工包时，原则上间隔1.0m缝制一条5cm宽的加筋带，以满足编织布材料、复合土工材料制作的土工包强度不够的要求(见图6-35～图6-37)。在使用无纺布材料制作土工包时，原则上间隔1.0m用粗麻绳或化纤绳捆绑，解决无纺布材料强度不够的要求(见图6-38)。

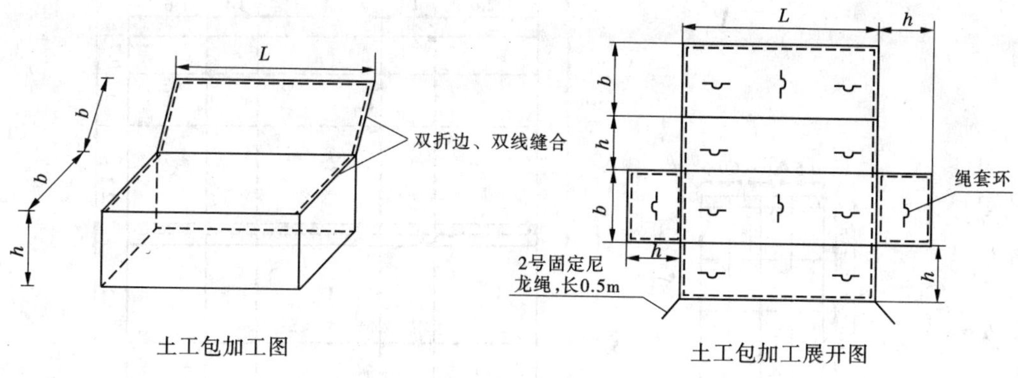

b—车斗长　h—车斗宽　b—车斗高

图 6-35　机织布土工包结构及加工(单位:mm)

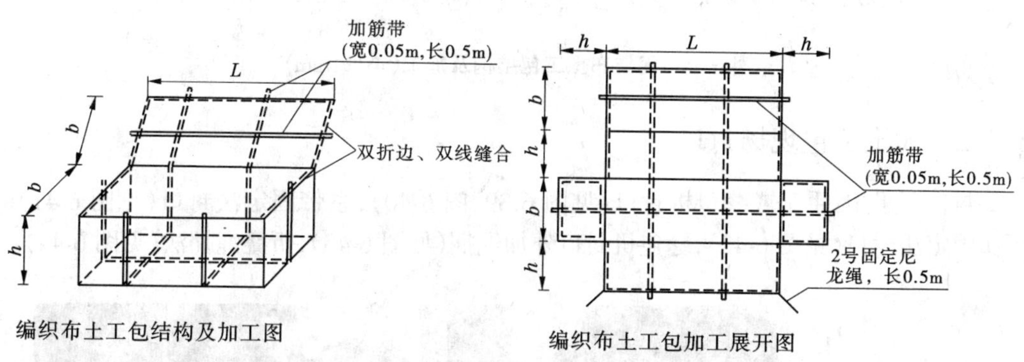

b—车斗长　h—车斗宽　b—车斗高

图 6-36　编织布土工包结构及加工(单位:mm)

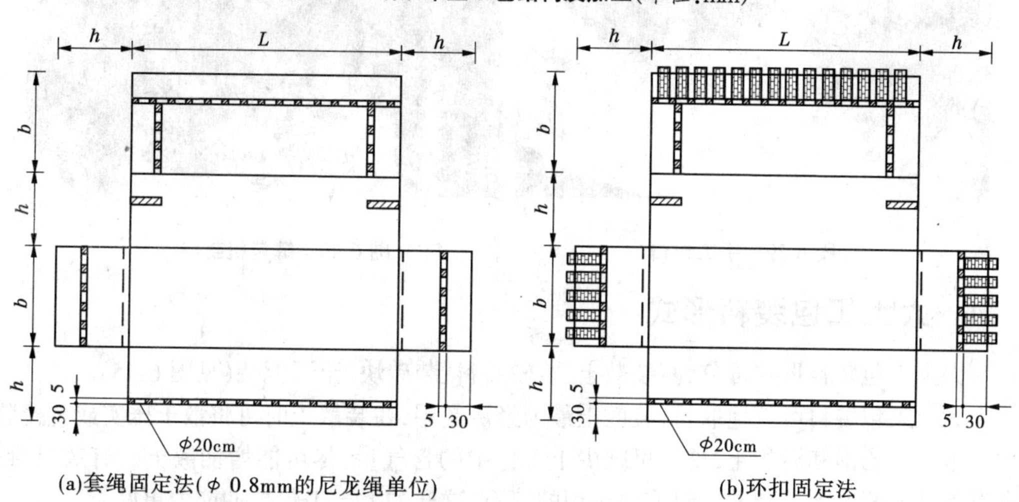

L—车斗长　b—车斗宽　h—车斗高

图 6-37　编织布土工包封口方式(单位:mm)

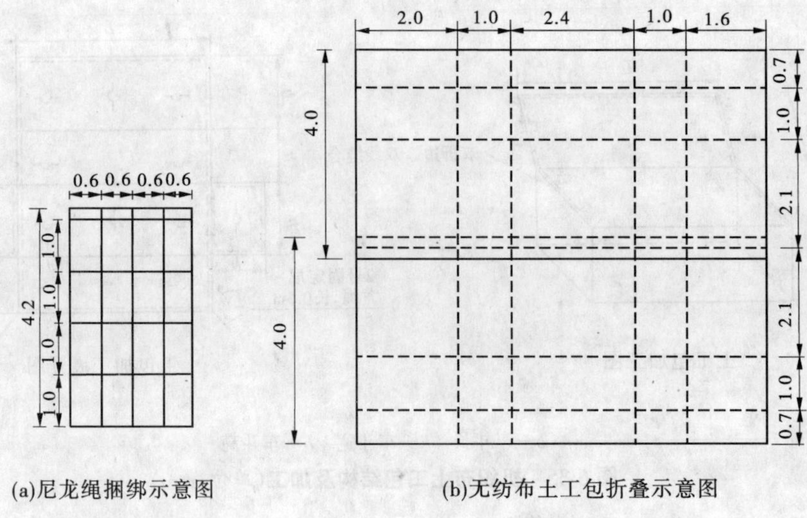

(a)尼龙绳捆绑示意图　　(b)无纺布土工包折叠示意图

图 6-38　无纺布土工包结构及加工(单位:mm)

5.3.2　大土工包现场封口

封口可采用:手工或缝包机封口(见图 6-39、图 6-40),系带固定法封口(见图 6-41),环扣固定法封口(见图 6-42),缝包机封口外加绳捆(见图 6-43),折叠绳捆法(见图 6-44)。

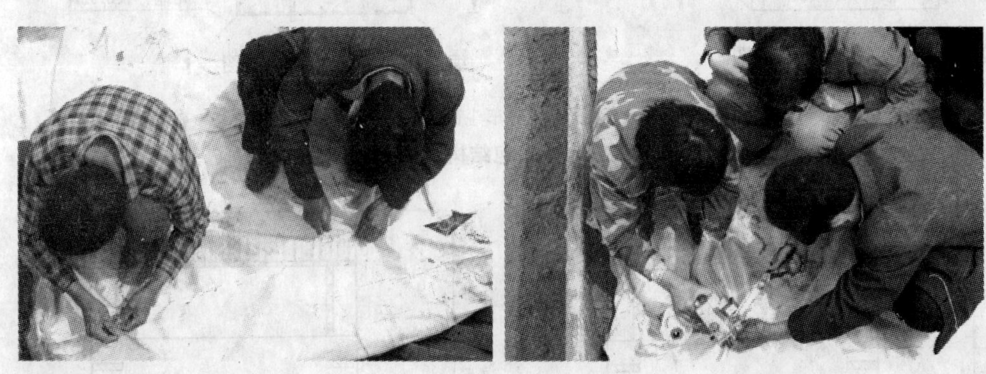

图 6-39　手工封口　　**图 6-40　缝包机封口**

5.4　大土工包装料形式

大土工包装料形式可分为:装散土、装砂石料、装砖块、土石混装(见图 6-45)。

大土工包装料可就地取材,装散土最为经济实用,在装散土时可将散土压实或直接装含水量较大的饱和淤积土,这样可减少土工包中的含气量,尽可能增加散土的有效重量;在有条件的情况下可装砂石料或建筑用的碎石,这样的大土工包抗冲能力更好。

5.5　大土工包运输及抛投方式

大土工包宜采用装载机或挖掘机装料,自卸汽车运输、抛投,D85 推土机推运的方式

图 6-41　系带固定法封口

图 6-42　环扣固定法封口

图 6-43　缝包机封口外加绳捆

图 6-44　折叠绳捆法

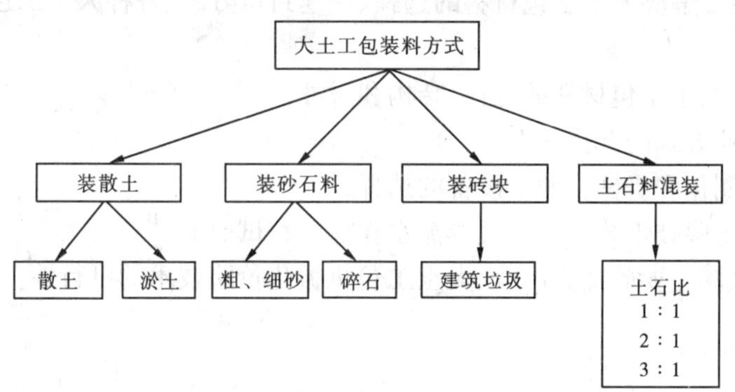

图 6-45　大土工包装料方式

作业。

在大土工包机械化抢险或进占时,要特别注意机械车辆的安全性。在机械化抢险过程中,尽可能利用推土机在坝前作业,先将坝头推成斜坡,如果是砌石坝或坝面有乱石,先将散土推到坝面,再用自卸汽车抛投,这样既可以保证大土工包不宜破损,又可以保证自卸汽车的安全。在水中进占过程中,如果自卸汽车抛投不到位,可用推土机或挖掘机将土工包推入水中。

大土工包机械化抢险工艺流程见图6-46。

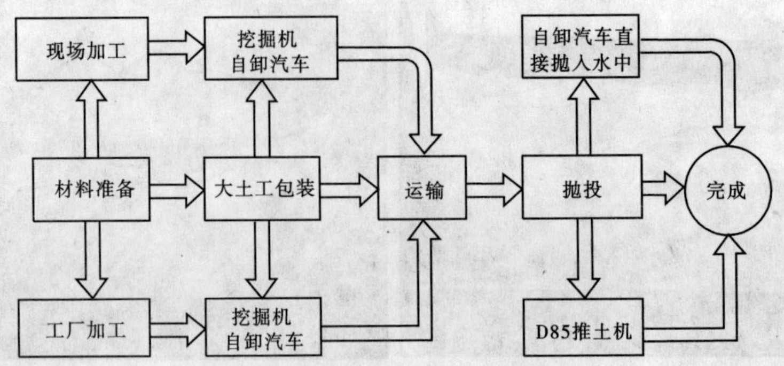

图6-46　大土工包机械化抢险工艺流程

第六节　现场试验

6.1　试验的目的和原则

6.1.1　试验目的

本次试验主要研究如何利用大铅丝网笼、格栅网笼、化纤网兜、大土工包配合装载机、挖掘机、自卸汽车等大型机械进行防洪工程机械化抢险，以便满足其快速、高效的特点，使抢险技术得到进步。

单项试验主要解决大土工包材料的选择、快速封口方式、各种大土工包的适应性等问题。包括：

(1)大网笼、大土工包材料的选择、结构和尺寸；

(2)抛投作业方式的选择；

(3)机械化制作和机械化抛投设备的选择；

(4)机械化抢险技术装—运—投等流水作业流程试验。

水中进占试验主要验证大网笼、大土工包机械化抢险技术的可行性。

6.1.2　试验原则

(1)不改动和少改动现有机械设备的结构和尺寸，最好可直接利用；

(2)获得最大程度的工作效率和工作程序，尽可能减少工作程序或操作简单化；

(3)减少人工操作，不用或少用辅助机械设备；

(4)在大网笼、大土工包的结构和材料上进行研究和改进，以满足各种机械设备的使用；

(5)设计研究各种机械设备的最佳使用和合理配置；

(6)设计研究各种机械设备的安全操作程序或规程；

(7)主体材料可就地取材。

6.2 单项试验

试验时间在2004年5月15～16日,试验地点在兰考蔡集54号坝。

6.2.1 大土工包单项试验

6.2.1.1 土工包加工

大、小土工包试验材料选择机织布、编织布、复合土工布、无纺布,单位面积质量分别为300g/m^2、300g/m^2、300g/m^2、400g/m^2。防汛集装袋选用编织布各加工2～3个(见表6-6、表6-7)。

表6-6　试验用小土工包加工规格

名　称	材　料	规　格	数量(个包)	加工方式
机织布小土工包	机织布	2.0m×1.4m×0.4m	2	工厂加工
编织布小土工包	编织布	2.0m×1.4m×0.4m	2	工厂加工
无纺布小土工包	无纺布	2.0m×1.4m×0.4m	2	现场加工
复合布小土工包	复合土工布	2.0m×1.4m×0.4m	2	现场加工

表6-7　试验用大土工包加工规格

名　称	材　料	规　格	用　料(1个包)	加工方式
机织布大土工包	机织布	4.2m×2.4m×1.0m	机织布:规格300g/m^2,幅宽2.5m(或5m),长15m(或7.5m),裁剪后可做1个包	工厂加工
编织布大土工包	编织布	4.2m×2.4m×1.0m	编织布:规格300g/m^2,幅宽2.5m(或5m),长15m(或7.5m),裁剪后可做1个包加筋袋:宽5.0cm,长12m的2根	工厂加工
复合布大土工包	复合土工布	4.2m×2.4m×1.0m	编织布:规格300g/m^2,幅宽2.5m(或5m),长15m(或7.5m),裁剪后可做1个包加筋袋:宽5.0cm,长12m的2根	现场加工
无纺布大土工包	无纺布	4.2m×2.4m×1.0m	无纺布:幅宽4m,规格400g/m^2,长8m,宽4m裁2块 尼龙绳:直径0.8～1.0cm,长9m的4根,长12m的3根	现场加工
防汛集装袋	编织布	2.3m^3	工厂成品	订购

本次试验主要选择 4 种规格的材料，即①高强机织土工布，单位面积质量 200～250g/m²，等效孔径为 0.085～0.10mm、渗透系数 $k>10^{-4}$ cm/s，抗拉强度 60kN/m。②编织土工布，单位面积质量 200～250g/m²，等效孔径为 0.1～0.2mm、渗透系数 $k>10^{-2}$ cm/s，抗拉强度 30kN/m。③高强复合土工布，单位面积质量 200～250g/m²，等效孔径为0.1～0.2mm、渗透系数 $k>10^{-2}$ cm/s，抗拉强度 40kN/m。④针刺无纺布，单位面积质量 300 g/m²，等效孔径为 0.1～0.2mm、渗透系数 $k>10^{-2}$ cm/s，抗拉强度 20kN/m。

加工尺寸：用于自卸汽车，4.2m×2.4m×1.0m；用于自卸农用车：2.0m×1.4m×0.4m。

6.2.1.2 试验计划

大、小土工包单项试验计划见表 6-8、表 6-9。

表 6-8 大土工包单项试验计划

试验组号	试验内容	机械设备	封口方式	试验材料	观测要点
1	机织布大土工包	自卸汽车、缝包机、挖掘机	手工封口、缝包机封口	土工包	土工包是否开裂
2	机织布大土工包	自卸汽车、挖掘机	环扣固定法封口	土工包	土工包是否开裂
3	机织布大土工包	自卸汽车、挖掘机	系带固定法封口	土工包	土工包是否开裂
4	编织布大土工包	自卸汽车、挖掘机	手工封口、缝包机封口	土工包	土工包是否开裂
5	编织布大土工包	自卸汽车、挖掘机	环扣固定法封口	土工包	土工包是否开裂
6	编织布大土工包	自卸汽车、挖掘机	系带固定法封口	土工包	土工包是否开裂
7	复合布大土工包	自卸汽车、挖掘机	手工封口、缝包机封口	土工包	土工包是否开裂
8	复合布大土工包	自卸汽车、挖掘机	系带固定法封口	土工包	土工包是否开裂
9	复合布大土工包	自卸汽车、挖掘机	绳捆法	土工包、尼龙绳	土工包是否开裂
10	无纺布大土工包	自卸汽车、挖掘机	系带固定法封口	土工包、尼龙绳	土工包是否开裂
11	无纺布大土工包	自卸汽车、挖掘机	折叠绳捆法	土工包、尼龙绳	土工包是否开裂
12	无纺布大土工包	自卸汽车、挖掘机	化纤网兜法	化纤网兜	土工包是否开裂
13	2m³ 防汛集装袋	自卸汽车、挖掘机	系带固定法封口	2m³ 集装袋	土工包是否开裂

表 6-9　　小土工包单项试验计划

试验组号	试验内容	机械设备	封口方式	试验材料	观测要点
1	机织布小土工包	自卸农用车、挖掘机、缝包机	手工封口、缝包机封口	土工包	土工包是否开裂
2	机织布小土工包	自卸农用车、挖掘机	环扣固定法封口	土工包	土工包是否开裂
3	机织布小土工包	自卸农用车、挖掘机	系带固定法封口	土工包	土工包是否开裂
4	编织布小土工包	自卸农用车、挖掘机、缝包机	手工封口、缝包机封口	土工包	土工包是否开裂
5	编织布小土工包	自卸农用车、挖掘机	环扣固定法封口	土工包	土工包是否开裂
6	编织布小土工包	自卸农用车、挖掘机	系带固定法封口	土工包	土工包是否开裂
7	复合布小土工包	自卸农用车、挖掘机	手工封口、缝包机封口	土工包	土工包是否开裂
8	复合布小土工包	自卸农用车、挖掘机	系带固定法封口	土工包	土工包是否开裂
9	复合布小土工包	自卸农用车、挖掘机	绳捆法	土工包、尼龙绳	土工包是否开裂
10	无纺布小土工包	自卸农用车、挖掘机	系带固定法封口	土工包、尼龙绳	土工包是否开裂
11	无纺布小土工包	自卸农用车、挖掘机	折叠绳捆法	土工包、尼龙绳	土工包是否开裂
12	无纺布小土工包	自卸农用车、挖掘机	化纤网兜法	化纤网兜	土工包是否开裂
13	$2m^3$ 防汛集装袋	自卸农用车、挖掘机	系带固定法封口	$2m^3$ 集装袋	土工包是否开裂

6.2.2　大网笼单项试验

6.2.2.1　**大网笼加工**

大网笼可按表 6-10 中的尺寸和用途进行加工，加工材料分别为：12 号铅丝网笼、12 号铅丝加 8 号筋网笼、粗麻绳网笼、8 号铅丝网笼、化纤网笼、钢塑网笼。

表 6-10　　大网笼分类

规　格(m^3)	分　类	形　状	尺　寸	用　途
2	A 型	长方体形	2.0m×1.4m×0.4m	用于自卸农用车或装载机抛投
5	B 型	长方体形	2.1m×2.4m×1.0m	用于大型自卸汽车抛投
10	C 型	长方体形	4.2m×2.4m×1.0m	用于大型自卸汽车抛投

6.2.2.2　**试验计划**

大网笼单项试验计划见表 6-11。

表 6-11　　　　大网笼单项试验计划

试验组号	试验内容	机械设备	装料形式	试验材料	观测要点
1	12 号铅丝网笼	自卸汽车、挖掘机	装石料	网笼、石料	是否断裂、掉石
2	12 号铅丝网笼	自卸汽车、挖掘机	柳石混装 1:1	网笼、柳石料	是否断裂、掉石
3	12 号铅丝网笼	自卸汽车、挖掘机	柳石混装 1:2	网笼、柳石料	是否断裂、掉石
4	12 号铅丝加 8 号筋网笼	自卸汽车、挖掘机	装石料	网笼、石料	是否断裂、掉石
5	12 号铅丝加 8 号筋网笼	自卸汽车、挖掘机	柳石混装 1:1	网笼、柳石料	是否断裂、掉石
6	12 号铅丝加 8 号筋网笼	自卸汽车、挖掘机	柳石混装 1:2	网笼、柳石料	是否断裂、掉石
7	8 号铅丝网笼	自卸汽车、挖掘机	装石料	网笼、石料	是否断裂、掉石
8	8 号铅丝网笼	自卸汽车、挖掘机	柳石混装 1:1	网笼、柳石料	是否断裂、掉石
9	8 号铅丝网笼	自卸汽车、挖掘机	柳石混装 1:2	网笼、柳石料	是否断裂、掉石
10	化纤网笼	自卸汽车、挖掘机	装石料	网笼、石料	是否断裂、掉石
11	化纤网笼	自卸汽车、挖掘机	柳石混装 1:1	网笼、柳石料	是否断裂、掉石
12	化纤网笼	自卸汽车、挖掘机	柳石混装 1:2	网笼、柳石料	是否断裂、掉石
13	钢塑网笼	自卸汽车、挖掘机	装石料	网笼、石料	是否断裂、掉石
14	钢塑网笼	自卸汽车、挖掘机	柳石混装 1:1	网笼、柳石料	是否断裂、掉石
15	钢塑网笼	自卸汽车、挖掘机	柳石混装 1:2	网笼、柳石料	是否断裂、掉石
16	粗麻绳网笼	自卸汽车、挖掘机	装石料	网笼、石料	是否断裂、掉石
17	粗麻绳网笼	自卸汽车、挖掘机	柳石混装 1:1	网笼、柳石料	是否断裂、掉石
18	粗麻绳网笼	自卸汽车、挖掘机	柳石混装 1:2	网笼、柳石料	是否断裂、掉石

6.3　水中进占现场试验

水中进占现场试验于 2004 年 5 月 22～31 日在兰考蔡集 54 号坝进行。蔡集 54～59 号坝为 2004 年汛前完成项目，要求时间紧，工程量大。设计坝长 100m，其中 54 号坝有 50m 为水中进占，设计采用柳石搂厢水中进占结构（方案一），另外还设计了三套方案，但在实际进占中，大土工包进占方案（方案二）在水深 2～3m、最大流速 0.5m/s、大河流量 735m³/s，进占了 5m；大网笼进占方案（方案三）在水深 4～6m、最大流速 1.2m/s、大河流量 735m³/s，进占了 10m；试验各方案进占位置见图 6-47。

6.3.1　水中进占试验方案

6.3.1.1　方案一即传统柳石进占方案

（1）断面结构尺寸。占体为传统柳石搂厢（见图 6-48），顶宽 6m、水深 4～6m、超高 1m，边坡 1:1.3，柳石枕枕长一般 5～10m，直径 0.8～1.0m，柳、石体积比 2:1，也可按流

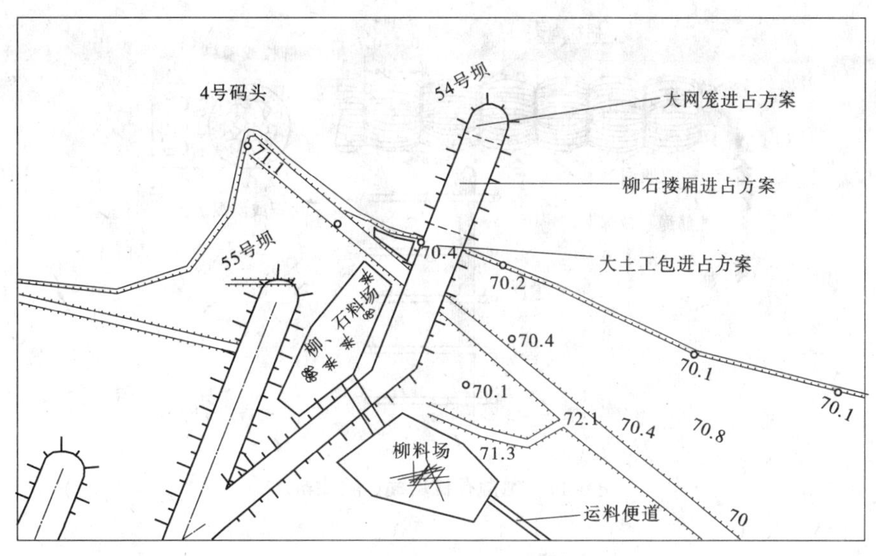

图 6-47　水中进占各试验方案位置

速大小或出险部位调整比例。柳石枕构造见图 6-49。散石护坡 1∶1.5，后戗散土跟进。

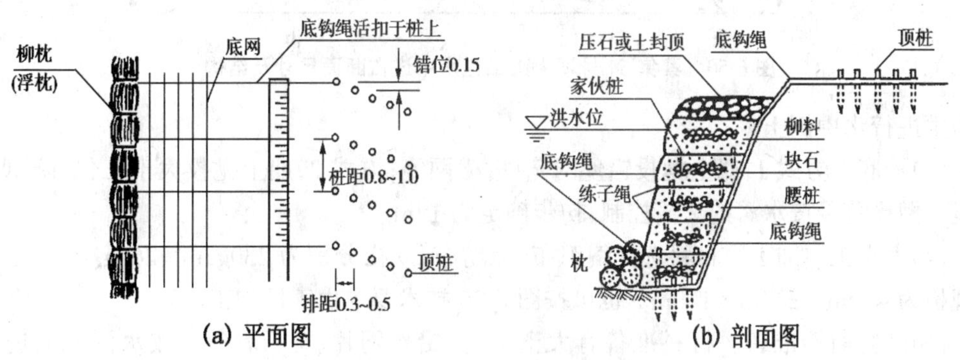

图 6-48　柳石搂厢示意(单位:m)

(2)施工进占。占体，以传统柳石搂厢为主水中进占；后戗，以散土为主进行水中倒土。

(3)效果评价。柳石搂(混)厢是以(柳或秸、苇)石为主体，以绳、桩分层连接成整体的一种轻型水工结构。它具有体积大、柔性好、抢险速度快的优点，技术成熟；但用于水中进占速度较慢，以人工现场制作为主，操作复杂，造价适中，适应于一般流速。另外需要砍伐大量树木，破坏生态环境。

6.3.1.2　方案二即大土工包进占方案

(1)断面结构尺寸。占体为大土工包，顶宽 6m、水深 4～6m、超高 1～1.5m，迎水面抛大土工包，边坡 1∶1，铅丝网笼、散石护坡 1∶1.5，背水面边坡 1∶1；后戗顶宽 10m，散土跟进(见图 6-50)。

(2)施工进占。占体，以大土工包为主水中进占，以铅丝网笼、散石护坡。后戗，以散

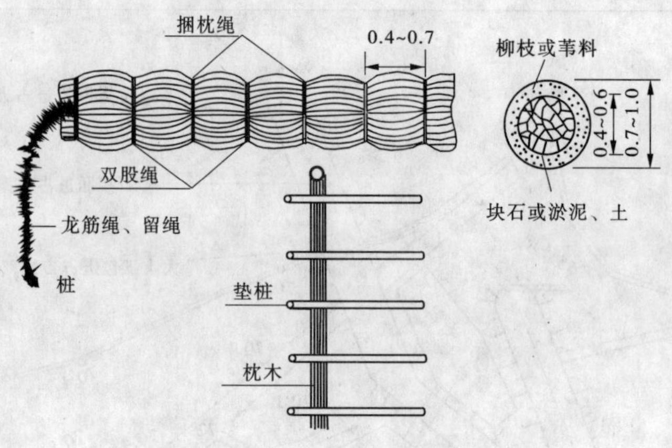

图 6-49　抛柳石枕剖面(单位:m)

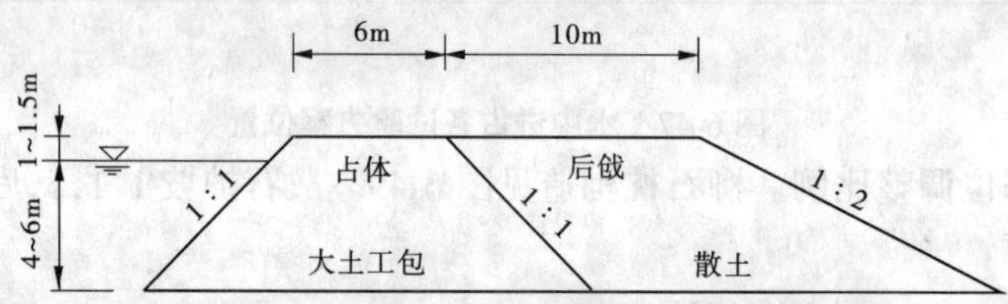

图 6-50　蔡集 54 号坝大土工包水中进占断面尺寸及结构

土为主进行水中倒土。

(3)护底。方式 1,船上抛投铅丝网笼、格栅网笼;方式 2,船上抛投大土工包、防汛集装袋。抛投范围按水深的 2 倍控制,初步确定为 12m。

(4)大土工包加工。材料选择编织布、无纺布,规格分别为 230g/m^2、260g/m^2。土工包规格为 4.2m×2.4m×1.0m。也可按图 6-36 技术要求由工厂加工。

(5)试验前期准备。材料准备有大土工包、铅丝网片、土石料等。按水深 6m、进占 50m 考虑,占体需散土4 200m^3,520 个大土工包,材料加工费 13 万元。后戗需散土4 550 m^3。裹护体需石料 500m^3,铅丝网片 70 个,吊包 200 个。合计土方7 500m^3,石料 500m^3。

机械准备需 1 辆 D85 的推土机、3 台挖掘机、10 辆自卸汽车、移动照明设备及打包机等。

人员准备需现场指挥 3 名,技术人员 6 名,民工 20 名。

(6)水中进占抛投顺序见图 6-51。

(7)进度控制。根据大土工包单项试验结果,装 1 个大土工包需要 15min、4 个民工、1 台挖掘机、1 辆自卸汽车。

如机械设备不足:每个包按 10min 考虑,需要 86h,3.6 天。每天按 12h 施工需 7.2 天。如机械设备充足:每个包按 5min 考虑,需要 43h,1.8 天。每天按 12h 施工需 3.6 天。备料 3 天,整修 5 天,总工期 10 天。

(8)效果评价。大土工包是以土工包内装散土为主体。它具有体积大、柔性好、抢险

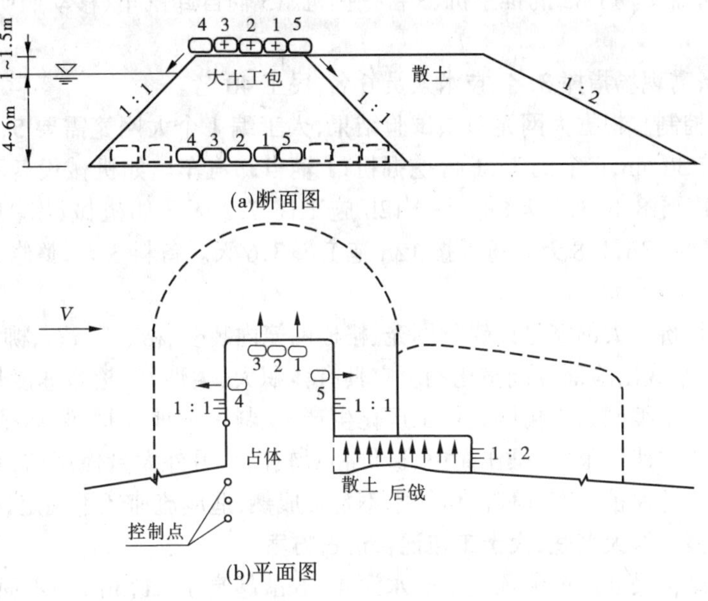

图 6-51　水中进占抛投顺序

速度快的优点;大土工包可工厂化生产,土料可就地取材,装运抛机械化程度很高,用于水中进占速度很快,操作简单,造价适中。另外不需要砍伐大量树木,不破坏生态环境。但在试验时技术不是很成熟,适应流速还不确定。

6.3.1.3　方案三即大网笼进占方案

(1)断面结构尺寸。占体为铅丝网笼,顶宽 6m、水深 4～6m,超高 1～1.5m,迎水面抛铅丝网笼边坡 1∶1,散石护坡 1∶1.5,背水面边坡 1∶1;后戗顶宽 10m,散土跟进(见图 6-52)。

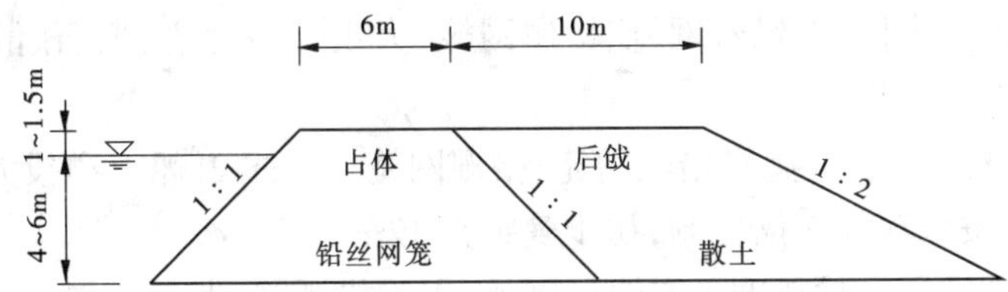

图 6-52　蔡集 54 号坝大网笼水中进占断面尺寸及结构

(2)施工进占。占体,以铅丝网笼、格栅网笼为主,散石、散土混合进占;后戗,以散土水中倒土为主。

(3)护底。方式 1,船上抛投铅丝网笼、格栅网笼。方式 2,船上抛投大土工包、防汛集装袋。抛投范围,按水深的 2 倍控制,初步确定为 12m。

(4)试验前期准备。材料准备有铅丝网片、土工格栅网、土石料等。按水深 6m、进占 50m 考虑,占体4 200m^3,需要 520 个大网笼,材料加工费 10 万元。需石料 900m^3,软料 2 700m^3;后戗散土4 550m^3;裹护体石料 500m^3,铅丝网片 70 个。合计石方1 400m^3,软料 2 700m^3,散土3 900m^3。

机械准备需1辆D85的推土机、3台挖掘机、15辆自卸汽车、移动照明设备及打包机等。

人员准备需现场指挥3名，技术人员6名，民工40名。

(5)进度控制。根据大网笼单项试验结果，人工编1个大网笼需要5个民工，2h。装1个大网笼需36min，6个民工，1台挖掘机，1辆自卸汽车。如机械设备不足，每个包按10min考虑，需要86h，3.6天，每天按12h施工需7.2天。如机械设备充足，每个包按5min考虑，需要43h，1.8天。每天按12h施工需3.6天。备料3天，整修5天，总工期10天。

(6)效果评价。大网笼是以铅丝网笼、格栅网笼内装柳、秸、苇与石，柳、石质量比2:1，也可按流速大小或出险部位调整比例。它具有体积大、柔性好、抢险速度快的优点；铅丝网笼(目前为人工编网)、格栅网笼可工厂化生产，土料可就地取材，装运抛机械化程度很高，用于水中进占速度很快，操作简单、造价相对较高。另外大量使用秸、苇，也可不需要砍伐大量树木，可保护生态环境。但技术不是很成熟，适应流速还不确定，处在试验阶段。

6.3.1.4 方案四即大网笼、大土工包混合进占方案

(1)断面结构尺寸。占体顶宽6m、水深4～6m、超高1～1.5m，迎水面抛铅丝网笼边坡1:1，散石护坡1:1.5，背水面抛大土工包边坡也为1:1，顶部散土跟进；后戗顶宽10m，水中倒土，背水面边坡1:2(见图6-53)。

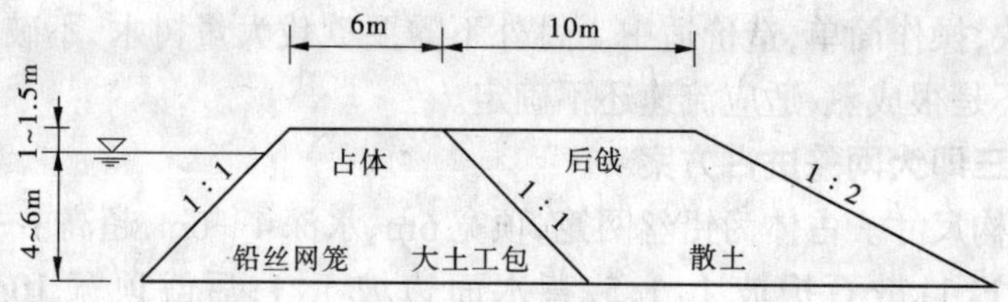

图6-53 蔡集54号坝大网笼、大土工包混合水中进占断面结构

(2)施工进占。占体，以铅丝网笼、格栅网笼、大土工包为主，散石、散土混合进占；后戗，以散土水中倒土为主。

(3)护底。方式1，船上抛投铅丝网笼、格栅网笼。方式2，船上抛投大土工包、防汛集装袋。抛投范围按水深的2倍控制，初步确定为12m。

(4)试验前期准备。材料准备有铅丝网片、土工格栅网、大土工包、土石料等。

按水深6m、进占50m考虑。占体4 200m^3，各需要260个大网笼、大土工包，材料加工费12万元。需石料450m^3，散土2 100m^3，软料1 350m^3。后戗需散土4 550m^3。裹护体需石料500m^3，铅丝网片70个。合计石方950m^3，散土6 650m^3，软料1 350m^3。

机械准备需1辆D85的推土机、3台挖掘机、12辆自卸汽车、移动照明设备及打包机等。

人员准备需现场指挥3名、技术人员6名、民工30名。

(5)进度控制。根据大网笼单项试验结果，人工编1个大网笼需要5个民工，2h。装1个大网笼需要36min，6个民工，1台挖掘机，1辆自卸汽车。根据大土工包单项试验结果，装1个大土工包需要15min，4个民工，1台挖掘机，1辆自卸汽车。如机械设备不足，

每个包按 10min 考虑,需要 86h,3.6 天。每天按 12h 施工需 7.2 天。如机械设备充足,每个包按 5min 考虑,需要 43h,1.8 天。每天按 12h 施工需 3.6 天。备料 3 天,整修 5 天,总工期 10 天。

(6)效果评价。大网笼、大土工包混合进占是以铅丝网笼内装柳、秸或苇、石和土工包内装散土为主体混合进占,柳、石质量比 1∶1,也可按流速大小或出险部位调整比例。它具有体积大、柔性好、抢险速度快的优点;铅丝网笼(目前为人工编网)、大土工包可工厂化生产,土料可就地取材,装运抛机械化程度很高,用于水中进占速度很快,操作简单,造价适中。另外大量使用散土、秸、苇,也可不需要砍伐大量树木,可保护生态环境。但技术不是很成熟,适应流速还不确定,处在试验阶段。

6.3.2 现场观测

(1)观测内容。河势、流速,水深,机械效率、进占速度。

(2)观测频率。水利参数 4h 测 1 次,机械效率单车次记录,进占速度 2h 测 1 次,大土工包、大网笼稳定情况每天测 1 次。

(3)录像制作。将试验的全过程录像制作成光盘,用于今后抢险技术推广和教学等。

(4)观测仪器。经纬仪 1 台,水准仪 1 台,录像机 2 台,数码照相机 2 台,流速仪 1 台,测深锤 1 个及测船 1 艘。

6.4 试验成果分析

6.4.1 单项试验成果分析

6.4.1.1 防汛集装袋及小土工包现场单项试验

结果表明:

(1)$2.3m^3$ 防汛集装袋可工厂化生产,用 4 个民工操作,挖掘机装散土非常方便,封口也很简单,平均 5min 装 1 个防汛集装袋,用吊车或挖掘机可以吊起放入自卸车上,试用效果非常好。见表 6-12 和图 6-54～图 6-57。

表 6-12 防汛集装袋现场单项试验效果

编组	名称	设计容量(m^3)	装料	装料时间(min)				抛投时间(min)	试用效果
				铺包	装土	封口	小计		
1	防汛集装袋	2.3	散土	1	2	2	5	6	好。先用挖掘机在地面上装散土,然后用挖掘机吊起直接抛入水中,没有破坏
2	防汛集装袋	2.3	散土	1	8	1	10	1	好。先用挖掘机分别在地面上装好后,然后挖掘机吊到自卸车上,再用自卸车直接抛入水中,没有破坏
3	防汛集装袋	2.3	散土	1	7	1	9		
4	防汛集装袋	2.3	散土	1	6	1	8		

(2)3 种结构的小土工包均能满足农用车的抛投要求,操作简单、快速,平均 6min 装 1

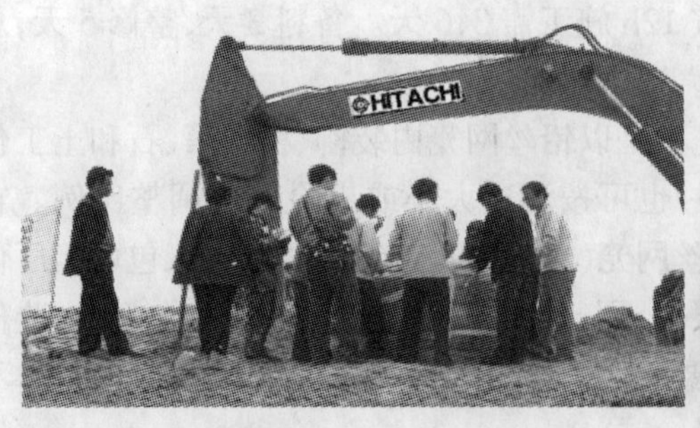

图 6-54　防汛集装袋装土

图 6-55　挖掘机吊起

图 6-56　挖掘机运输抛投

图 6-57　抛投到水中的防汛集装袋

个 $2m^3$ 的小土工包。在没有大自卸车或大自卸车进不到作业现场时，可使用农用车抛投小土工包(见表 6-13)。

表 6-13　　小土工包现场单项试验效果

编组	名称	设计容量(m^3)	装料	装料时间(min)				抛投时间(min)	试用效果
				铺包	装土	封口	小计		
1	无纺布小土工包	2	散土	1	1	2	4	1	好。先用挖掘机直接往农用自卸车装散土，然后直接抛入水中，滚动而下，没有破坏
2	复合布小土工包	2	散土	1	2	3	6	1	好。先用挖掘机直接往农用自卸车装散土，然后直接抛入水中，滑动而下，落在无纺布小土工包上，已露出水面，没有破坏
3	机织布小土工包	2	散土	1	2	3	6	1	好。先用挖掘机直接往农用自卸车装散土，然后直接抛入水中，滑动而下，落在复合布小土工包上，没有破坏，3 个包落在一起。用挖掘机压入水中

(3)$2.3m^3$ 防汛集装袋和 $2m^3$ 的小土工包，在今后的防汛抢险中，可就地取材、操作

方便,用农用车或人工直接抛投,特别是在没有大自卸车或大自卸车进不到作业现场时,或缺乏料物时,可发挥很大的作用。

(4)2.3m^3 防汛集装袋便于在船上运输、抛投,将用于水上机动抢险,实现水上机械化抢险作业。

6.4.1.2 大土工包现场单项试验

结果表明:

(1)大土工包可工厂化生产,运输、储藏方便(见图 6-58)。

(2)大土工包也可现场人工制作,由 4 个民工操作,挖掘机装散土非常方便,封口简单,平均 16min 装好 1 个大土工包(见图 6-59)。

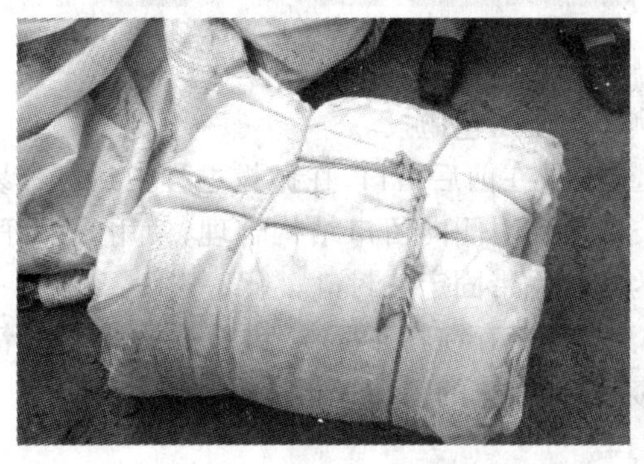

图 6-58　工厂化生产加工的大土工包

图 6-59　机械化装散土

(3)使用编织布、复合布和无纺布制作的 10m^3 大土工包试用效果好;3 种结构的大土工包均能满足自卸车的抛投要求,操作简单、快速。

(4)机织布制作的大土工包试用效果较差,上部缝口处在抛投过程中容易开裂,在入水过程中不易排气,因浮力太大,不易稳定。

(5)系带固定法封口现场封口不需要缝包机,现场操作简单、快速,整个装料过程只需要 10~15min,在抛投过程中也不易开裂,试用效果好(见图 6-60、图 6-61)。建议在水中进占时主要采用该结构方式工厂化生产。

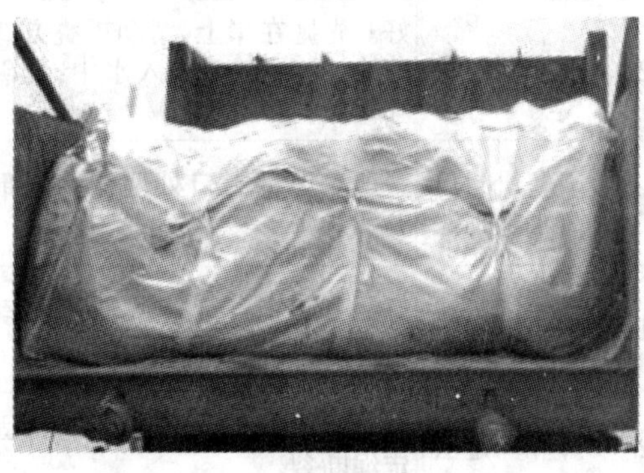

图 6-60　系带固定法封口

图 6-61　抛投到位的大土工包

(6)10m^3 大土工包,D85 推土机可以直接推入水中(见图 6-62)。

图 6-62　D85 推土机直接推土工包入水

(7)在车斗底部先撒一层散土或麦秸有利于大土工包抛投。

(8)从实际受力情况和试用效果来看,大土工包在前后留口,在抛投过程中封口容易破裂;在一侧留口,在抛投过程中封口不易破裂。说明侧向留口结构合理、使用效果好。即大土工包在制作时一侧为整体结构、一侧为现场系带固定法封口。

(9)采用自卸汽车抛投大土工包时,自卸汽车难免存在料斗反卷、粗糙不平、毛刺等情况,这些都容易挂破土工包,在使用车辆前应对自卸汽车的料斗进行适当整修。

大土工包现场单项试验效果分析见表 6-14。

表 6-14　　大土工包现场单项试验效果

编组	土工包名称	设计容量(m^3)	装料时间(min)				抛投时间(min)	封口方式	试用效果
			铺包	装土	封口	小计			
1	机织布大土工包	10	7	7	25	39	2	手工缝口	差。上部缝口处开裂,底部被车斗挂钩挂烂。装土过多,缝口困难
6	机织布大土工包	10	3	3	4	10	3	系带固定法封口	差。前后口没有加工系带,用人工系 2 条带,自卸车在抛入水中前就漏土,落地后上部开裂
7	机织布大土工包	10	3	3	7	13	2	环扣固定法	好。先抛在岸上,滑动折叠方式落地,后用 D85 推入水中,无破坏
11	机织布大土工包	10	4	5	15	24	2	缝包机封口外加绳捆法	一般。上部封口处两侧均局部开裂约 1m
2	编织布大土工包	10	7	4	5	16	1	系带固定法封口	好。自卸车直接抛入水中,滑动折叠方式,没有破坏
5	编织布大土工包	10	2	4	8	14	2	环扣固定法	差。滑动折叠方式落地,上部固定绳断裂

续表 6-14

编组	土工包名称	设计容量(m^3)	装料时间(min)				抛投时间(min)	封口方式	试用效果
			铺包	装土	封口	小计			
13	编织布大土工包	10	5	4	3	12	1	系带固定法封口	好。自卸车直接抛入水中,没有破坏
4	复合布大土工包	10	4	3	8	15	1	手工和缝包机封口	一般。D85 推入水中,上部局部开裂
8	复合布大土工包	10	3	3	8	14	1	缝包机封口	差。上部封口基本上全部开裂
10	复合布大土工包	10	4	3	14	21	2	缝包机封口	一般。底部局部开裂
14	复合布大土工包	10	10	4	24	38	1	缝包机封口外加绳捆法	好。自卸车直接抛入水中,没有破坏(5~6 级大风)
9	无纺布大土工包	10	8	4	9	21	2	折叠绳捆法	好。自卸车直接抛入水中,没有破坏

6.4.1.3 大土工笼现场单项试验

结果表明:

(1)平均 18min 装 1 个 $5m^3$ 的笼,36~40min 装 1 辆自卸车 2 个 $5m^3$ 的笼。

(2)平均 30min 装 1 辆自卸车 1 个 $10m^3$ 的大网笼。

(3)粗麻绳网笼、绳捆大笼、土工网笼 $5m^3$ 的笼或 $10m^3$ 的大网笼试用效果均不好。

(4)12 号铅丝加 8 号铅丝加筋网片制作的 $10m^3$ 大网笼试用效果最好,可满足自卸车装运抛机械化作业要求。用 1 台挖掘机配合 1 辆自卸车,柳料、石料按 1∶1 或 1∶2 混装,只需要 20~30min 的时间,抛投过程中整体性较好,1 辆自卸车装 1 个笼抛在岸上,然后用 D85 推入水中,不会破坏。其中大网笼采用麦秸料、稻草料等软料和石料按 1∶1 或 1∶2 混装,效果也很好;建议水中进占中全部采用该网笼结构(见图 6-63、图 6-64)。

大土工笼现场单项试验效果分析见表 6-15。

图 6-63　自卸车抛投大土工笼

图 6-64　D85 推土机可以直接推入水中

表 6-15　　　　　　　　　　**大土工笼现场单项试验效果**

编组	名　称	设计容量(m^3)	装料	装料时间(min)				抛投时间(min)	试用效果
				铺网	装料	封笼	小计		
1	12 号铅丝网笼	5	稻草+石料	3	5	5	13	4	好。1 辆自卸车装 2 个笼直接抛入水中,没有破坏
2	12 号铅丝网笼	5	稻草+石料	4	6	6	16	4	
3	12 号铅丝加 8 号筋网笼	5	稻草+石料	5	5	4	14	9	好。1 辆自卸车装 1 个笼抛在岸上,然后用 D85 推入水中,没有破坏
4	12 号铅丝加 8 号筋网笼	10	稻草+石料	4	8	6	18	6	好。1 辆自卸车装 1 个笼抛在岸上,然后用 D85 推入水中,没有破坏
5	12 号铅丝加 8 号筋网笼	5	稻草+石料	3	6	7	16	5	好。1 辆自卸车装 1 个笼直接抛入水中,没有破坏
6	粗麻绳网笼	5	稻草+石料	3	5	8	16	4	较好。1 辆自卸车装 1 个笼直接抛入水中,没有破坏。人工编笼、封笼比较困难,不易操作
7	12 号铅丝加 8 号筋双片网笼	10	柳料+石料	8	7	10	25	3	一般。1 辆自卸车装 1 个笼直接抛入水中,没有破坏
8	12 号铅丝加 8 号筋网笼	5	柳料+石料	10	5	5	20	4	好。1 辆自卸车装 1 个笼直接抛入水中,没有破坏
9	土工网笼	10	柳料+石料 稻草+石料	5	6	15	26	5	差。1 辆自卸车装 1 个笼抛在岸上,上部封口处破裂,一侧被车傍挂烂,石料掉出,然后用 D85 推入水中。土工网强度较低,局部有断筋现象,人工封笼比较困难
10	绳捆大笼	14	柳料+石料	10	8	10	28	6	一般。网径太大,自卸车抛投时,直立入水,石料容易掉出
11	化纤网笼	10	石料	5	5	10	20	5	一般。1 辆自卸车装 1 个笼抛在岸上,底部被车箱底板挂烂,化纤网局部有断筋现象,人工封笼比较简单。然后用小型推土机推入水中
12	化纤网笼	10	柳料+石料	3	5	5	13	5	较好。1 辆自卸车装 1 个笼抛在岸上,网底先装少许柳料,没有断筋现象,人工封笼比较简单。然后挖掘机推入水中
13	塑钢网笼	2	石料	4	2	5	11	3	一般。局部有断筋现象,节点有开裂,人工封笼比较麻烦。然后用小型推土机推入水中
14	12 号铅丝网笼	2	石料	2	1	3	6	2	较好。12 号铅丝网片直接铺在装载机料斗里,然后直接装石料,抛在岸上,局部有断筋现象;也可用 1 辆装载机装 1 个笼直接抛入水中

注:(1)11、12、13 组试验于 6 月 2 日在兰考蔡集 54 号坝进行;

(2)14 组试验于 4 月 29 日在周营上延工程进行。

6.4.1.4 **大网笼、大土工包的制作结构和尺寸**

根据蔡集工程 54 号坝现场试验比较分析，推荐化纤大网笼、大土工包的制作结构和尺寸见图 6-65～图 6-70。

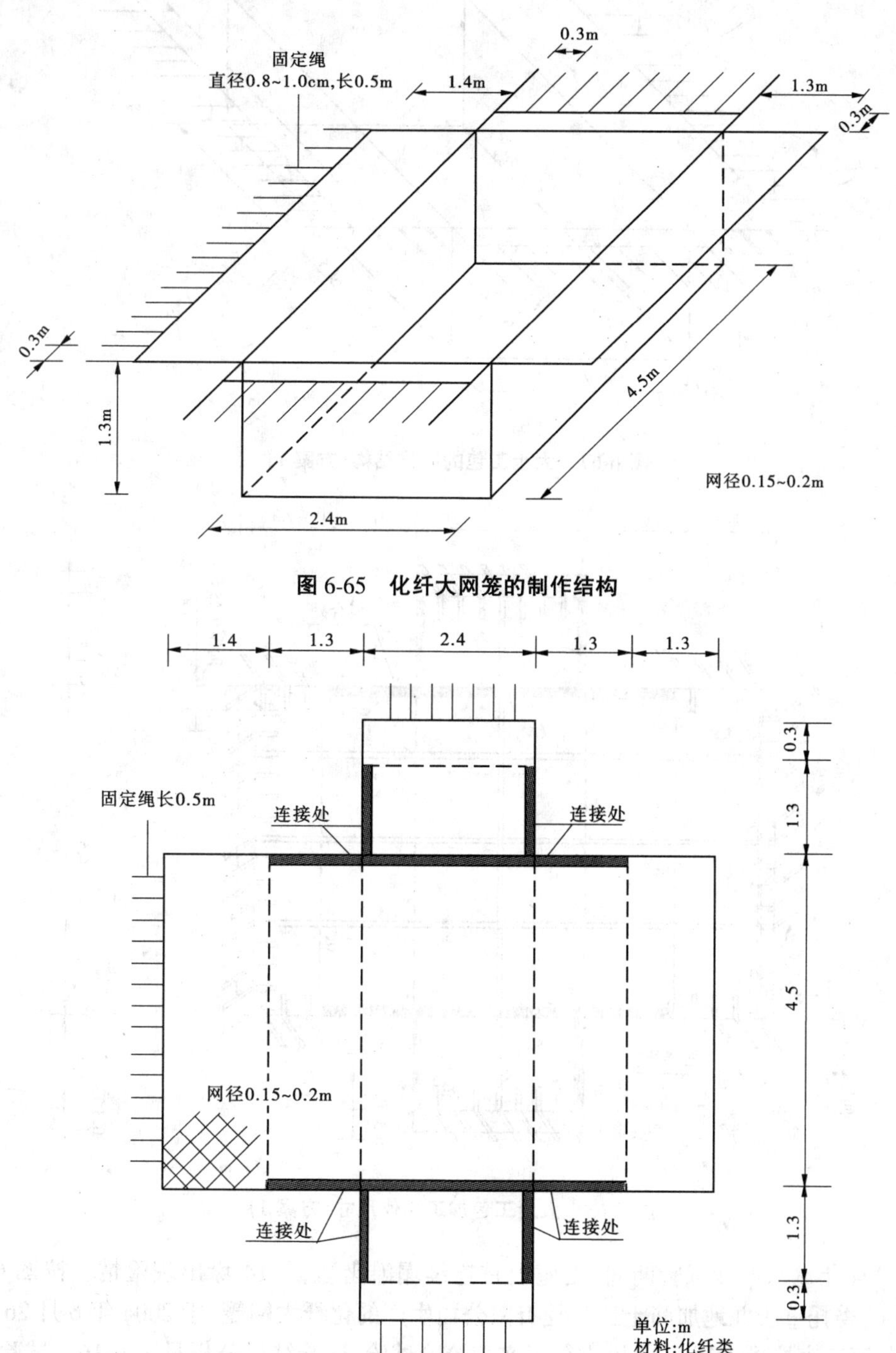

图 6-65 化纤大网笼的制作结构

图 6-66 化纤大网笼加工尺寸

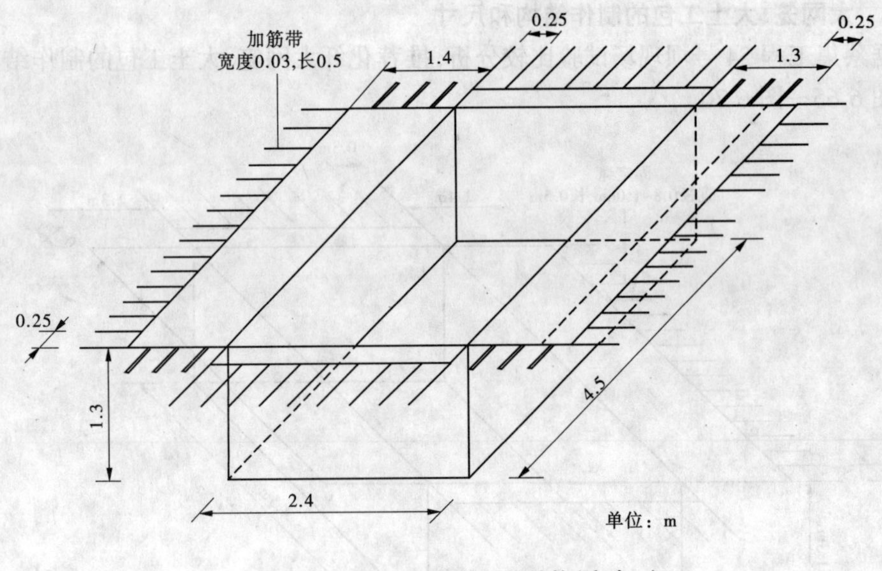

图 6-67 大土工包的制作结构(方案 1)

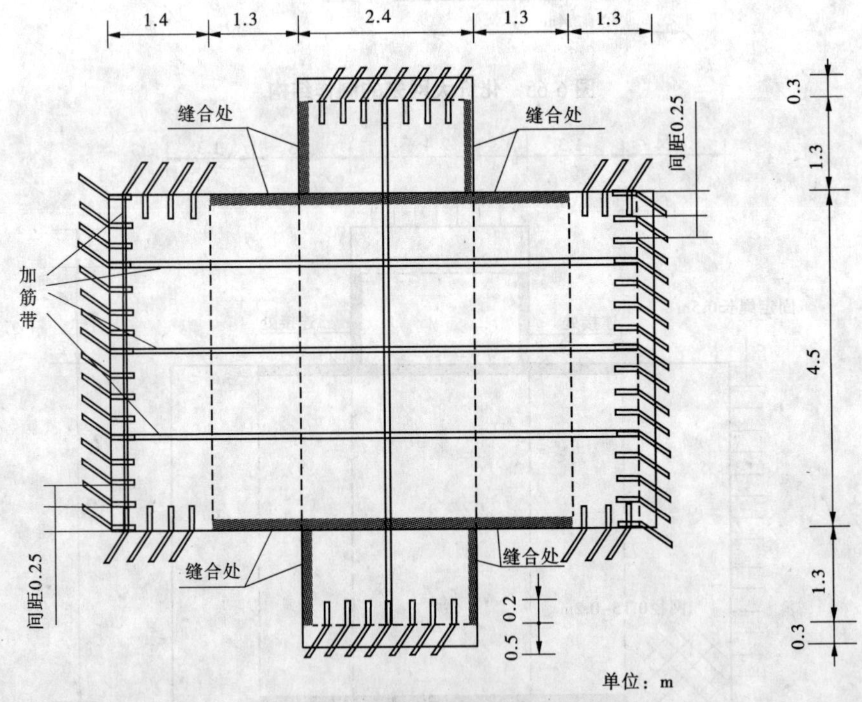

图 6-68 大土工包加工制作尺寸(方案 1)

2004 年调水调沙试验期间,王庵上首连续塌滩坐弯,－14 垛出现险情。按图 6-65、图 6-66,委托重庆九地加筋土工工程有限公司生产的化纤大网笼,于 2004 年 6 月 26 日在开封黄河王庵控导工程－14 垛进行了实战抢险试验,试验结果分析见表 6-16。试验表明装一个 10～12m^3 的化纤大网笼,用 10min 的时间即可完成,1 辆自卸车装 1 个笼抛在岸

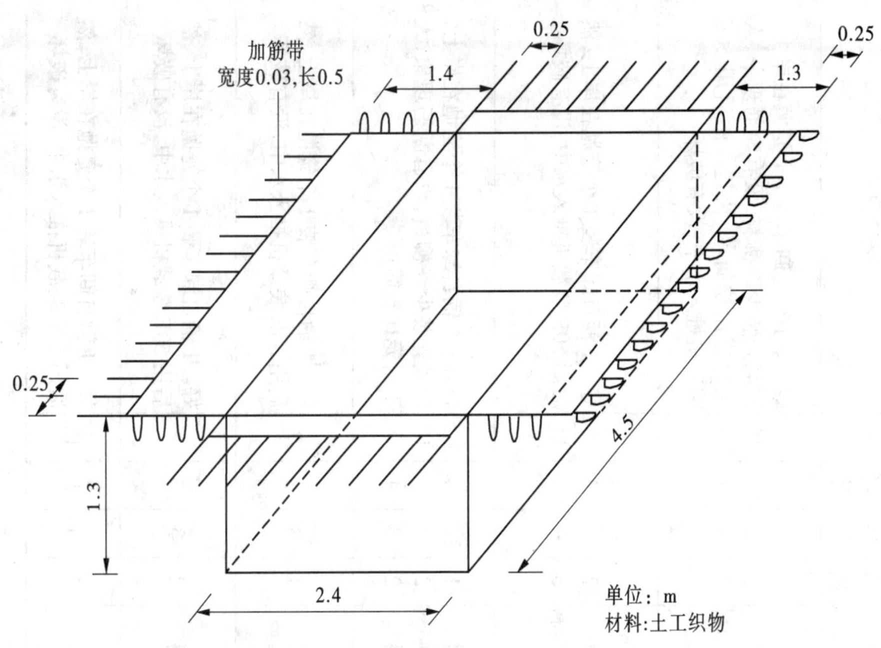

图 6-69　大土工包的制作结构(方案 2)

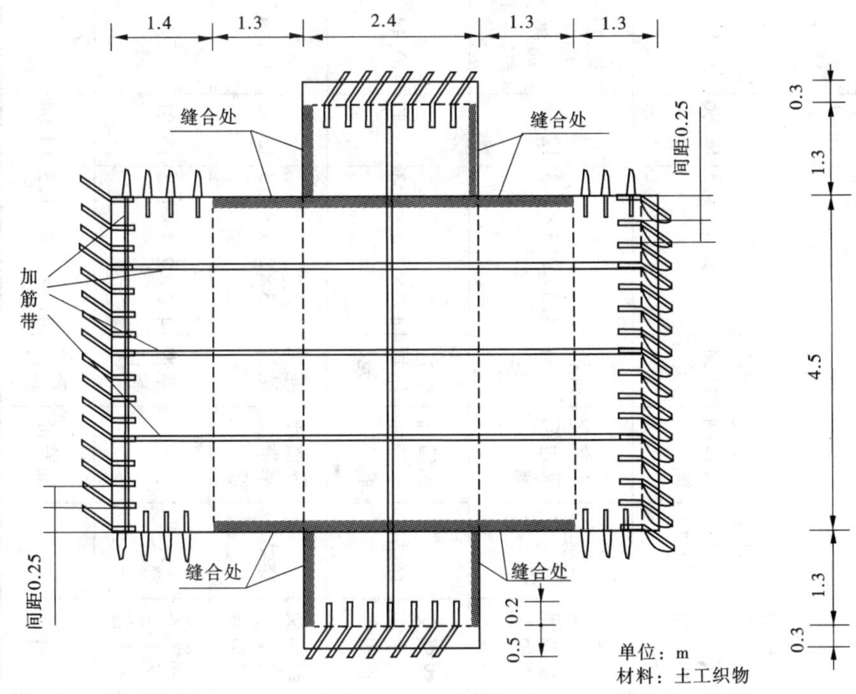

图 6-70　大土工包加工制作尺寸(方案 2)

上,网底先装少许柳料,没有断筋现象,人工封笼比较简单、快速。然后用 50E 装载机推入水中,没有破坏。

表 6-16 王庵控导工程 -14 垛化纤大网笼试验成果

型号编组	主材料	结构型式			封笼形式	外形尺寸(长×宽×高)(m)	容量(m^3)	展开面积(m^2)	装料	装料时间(min)				效果分析
		结构	节点	加筋						铺网	装料	封笼	小计	
A-1 A-2	扁平pp塑料带	格栅带纵、横交接三角形组合	三带交叉梅花形扎结	十字交叉边纲绳	绳拴结封笼	4.3×2.3×1.3	12.86	36.94	石料 石料+柳料	2 3	4 4	4 4	10 11	较好。1辆自卸车装1个笼抛在岸上，网底先装少许柳料，没有断筋现象，人工封笼比较简单、快速。然后用50E装载机推入水中，没有破坏
B-3 B-4	50%扁平塑料带、50%绳网	格栅扁平带与塑料绳交织组合	网带交接	十字交叉边纲绳	绳拴结封笼	4.3×2.3×1.3	12.86	38.23(因盖加宽1.29m^2)	石料 石料+柳料	2 3	3 4	3 4	8 11	好。1辆自卸车装1个笼抛在岸上，然后用50E装载机推入水中，没有破坏
C-5 C-6 C-7	70%绳网、30%扁平带	纵横交叉十字形组合	穿结	纵横扁平带加筋	绳拴结封笼	4.3×2.4×1.3	13.42	40.44	石料 石料+柳料 石料	1 2 2	2.5 4 3	4 4 4	7.5 10 9	较好。1辆自卸车装1个笼抛在岸上，网底先装少许柳料，没有断筋现象，人工封笼比较简单
D-8	扁平钢塑带与网绳	纵横交叉十字形组合	穿结	纵横扁平带加筋	绳拴结封笼	4.3×2.4×1.3	13.42	40.44	石料	1	3	3	7	好。1辆自卸车装1个笼抛在岸上，然后用50E装载机推入水中，没有破坏
9	加筋带	纵横交叉十字形组合	缝合		系带封口	4.2×2.4×1.3	13.01		石料	2	3	3	8	好。1辆自卸车装1个笼抛在岸上，然后用50E装载机推入水中，没有破坏
10	编织布加筋带	缝合		加筋带	系带封口	4.5×2.4×1.3	14.04		石料	3	4	5	12	好。1辆自卸车装1个笼抛在岸上，然后用50E装载机推入水中，没有破坏

6.4.2 水中进占试验成果分析

6.4.2.1 兰考蔡集 54 号坝水中进占抛投大网笼试验结果分析

(1)54 号坝水中进占按方案一和方案三进行,机械化作业现场平面布置见图 6-71,合理的现场布置可以提高机械化作业速度。自卸汽车数量可按运输距离所需的运转循环时间和挖掘机的作业循环时间来确定,数量不宜过多,以保证生产率最高、成本最低。按水中进占 50m 考虑,1 辆 D85 的推土机、3 台挖掘机、10～12 辆自卸汽车配合作业效率最高。

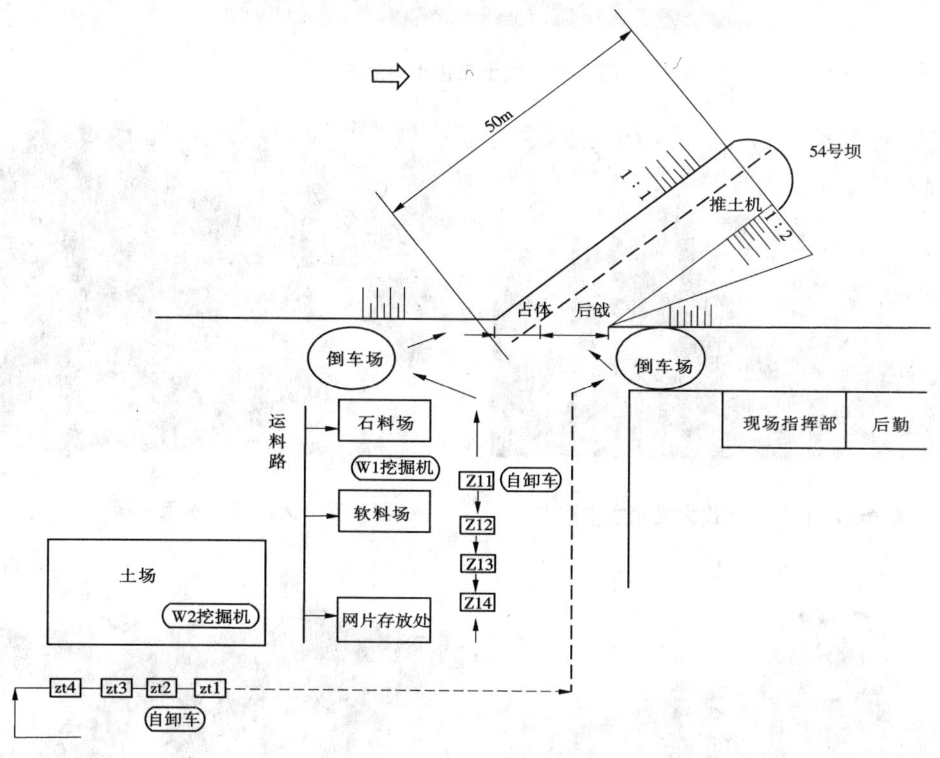

图 6-71 54 号坝水中进占机械化作业现场平面布置

(2)柳料、石料按 1∶1 或 1∶2 混装 $10m^3$ 大网笼,在水深 4～6m,坝头实测流速小于 1.0m/s,大溜顶冲情况下,$10m^3$ 大网笼可以站稳,并能形成占体(见图 6-72～图 6-76)。

(3)水中进占时,需要 1 台 D85 型推土机、3 台 $1m^3$ 挖掘机、10 辆自卸汽车,即可达到各种机械设备的最佳使用和合理配置;其中 2 台挖掘机配合 6 辆自卸汽车装大网笼进行占体作业,1 台挖掘机配合 4 辆自卸汽车装散土进行后戗作业,1 台 D85 型推土机在坝顶进行整修作业。进占强度为:平均 5min 1 辆自卸汽车 $10m^3$ 大网笼、3～5min 1 辆自卸汽车 $10m^3$ 散土。

6.4.2.2 封丘顺河街 13 号坝水中进占抛投大土工包试验结果分析

(1)机织布大土工包在水深 8～10m,坝头实测流速 1.5m/s,大溜顶冲情况下,包内装土和土石混装均不易站稳,没有形成占体。分析原因主要与土工包抛投强度有关,25～35

图 6-72　大土工包水中进占

图 6-73　自卸车抛投大网笼水中进占

图 6-74　大网笼抗水流淘刷

图 6-75　D85 推土机推大网笼水中进占

图 6-76　大网笼形成占体

min 抛投 1 个 $10m^3$ 土工包，这样的抛投速度不能满足水中进占的要求。

(2)8 号大铅丝网笼在水深 8～10m，坝头实测流速 1.5m/s，大溜顶冲情况下，可以站稳。

(3)背水面抛大绳网笼柳(或秸、苇)、石混装，可以站稳，并能阻止回流淘刷。

(4)机织布大土工包在抛投过程中，多数大土工包在上部缝口处开裂，漏土严重，效果很差，浪费太大。包内装土改为包内土石混装，增大了大土工包的重量，但效果并不理想。

分析原因，主要是机织布透水能力太差，包内空气在水下难以排出，大土工包受浮力太大，启动流速小、抗冲能力较差。

6.5 成本单价分析

6.5.1 材料单价

(1)防汛集装袋：用料编织布，1.5～1.6 万元/t，加工费 2 000 元/t；80 元/个($2.3m^3$)。

(2)大土工包：用料编织布，230～250 元/个($10～14m^3$)；机织布，300～350 元/个($10～14m^3$)。加筋带：0.6 元/m。

(3)大网笼：用塑料土工格栅，5 元/m^2；塑钢网笼：300～470 元/个($10～14m^3$)；化纤网笼：260～360 元/个($10～14m^3$)。

(4)铅丝网笼：铅丝 5 元/kg；60 元/个($2m^3$)；260～360 元/个($10～14m^3$)。

6.5.2 综合工程单价

根据以往抢险和本次试验研究，各种抢险方案的综合工程单价见表 6-17，从而可以得出采用大网笼、大土工包抢险具有较高的性价比。

表 6-17　各种抢险方案的综合单价分析　（单位：元）

编号	名　称	单位	单价	材料费	人工费	机械费	说　明
1	散抛石	m^3	110～130	90～100	4.78	0.61	设计院提供
2	石笼	m^3	140～165	115～120	13.83	0	设计院提供
3	柳石枕	m^3	90～105	60～73	10.95	0	设计院提供
4	柳石搂厢	m^3	100～120	65～83	10.95	0	设计院提供
5	备防石	m^3	100～120	90～100	2.95	0	设计院提供
6	大土工包	m^3	50～70	30～50	2	10	实际费用
7	防汛集装袋	m^3	60～80	40～60	2	10	实际费用
8	大网笼(铅丝)	m^3	90～110	60～80	5	10	实际费用
9	塑钢网笼	m^3	100～130	70～100	5	10	实际费用
10	化纤网笼	m^3	90～100	60～70	5	10	实际费用
11	回填土方	实 m^3	15～18	0.59	0.16	14.67	运距 5.8km

第七节　大网笼、大土工包抢险方案

今后的抢险技术将向高强度、高效率、工厂化、机械化即“两高两化”的方向发展，并按“就地取材，预先抢险与预先加固”的原则进行。

传统埽工是用柳枝、秸料等裹以土石来抵抗水流的工程，迄今已有两千多年的历史。因其柔性好、能适应多沙河床的变形，并具有较好的缓流落淤作用，如今仍被黄河上广泛采用，并被誉为黄河抢险之魂。然而，此项技术的开发受当时经济和施工条件的制约，已不能完全适应现代机械化抢险的要求。埽工抢险主要以手工操作为主，程序繁杂，技术要求高，施工场面小，施工速度慢，不适应现代快速抢险的需要。

通过本次试验和以往抢险的经验，针对大网笼、大土工包的应用，提出以下几个方案，可供今后抢险采用。

7.1 防洪工程险情抢护方案

7.1.1 堤防坍塌险情的抢护

大洪水期间，若河势突变，发生“横河”、“斜河”[21~27]，大溜顶冲堤防，水深溜急，堤身坍塌严重时，在坍塌之处应迅速采用搂厢临堤下埽进行抢护。在险情较严重的情况下，也可采用大网笼、大土工包机械化抢险。

对于堤防的冲塌险情，由于是顺堤行洪走溜，水流淘刷堤脚，造成堤坡失稳坍塌，一般这种险情破坏的长度大、坍塌的速度快，在水深、流急、滩地长的堤段，应当采用垛或者短丁坝群导溜外移的方法。有石料时，可用大铅丝网笼机械化抛投，也可以用软料、石料混装的大网笼；在缺少石料时，也可以用大土工包代替石料。应注意的是大土工包形成的垛或者短丁坝应该比石料的宽大一些。

对出险部位采取抛投软料、石料混装的大网笼缓冲，防止土胎受溜冲刷继续坍塌；对顶冲较急的部位加抛铅丝笼墩以巩固大网笼不被水流冲失，可遏制险情的发展。

堤防坍塌险情，首先应采取固基防冲、保护堤身堤脚安全、增强抗冲能力以及缓溜落淤的原则进行抢护。

7.1.2 坝岸基础淘刷险情的抢护

当河道工程坝岸受急溜淘刷，将坝基根石冲揭、剥离，使坦石墩蛰入水。土坝基坍塌严重时，可采用柳石搂厢埽或柳石混绞埽进行抢护，待埽抓底后，埽外抛枕护根，后用机械或人工抛石，恢复坝坦。这种方法比单纯用石料抛护节省，又可取得较佳效果，达到及时控制险情的目的。在险情较严重的情况下，也可采用大网笼、大土工包机械化抢险。

坝岸基础淘刷险情，应根据根石冲失程度，及时抛填料物抢修加固的原则进行抢护。

7.1.3 根石走失险情的抢护

大洪水期间，受大溜顶冲的坝垛根石最易走失，导致坦石下蛰坍塌而生险。其抢护方法除用铅丝笼抛护外，还可就地取材，抛枕护根，防止根石走失。在险情较严重的情况下，也可采用大网笼、大土工包机械化抢险。

根石走失险情，应按及时压护水下根石坡面，防止急溜冲揭走失的原则进行抢护。

大网笼、大土工包抢险方法如下：

(1)抛大网笼。在大溜顶冲情况下，如果河床淘刷严重，工程出险，先抛软料、石料混装的大网笼，直至高出水面 1.0m 为止，然后在大网笼前加抛铅丝笼固脚。在流速较大情况下大网笼站不稳时，可先在坝顶打固定桩，用绳牵挂住。

大网笼采用 12 号铅丝加 8 号铅丝加筋制作的 $10m^3$ 的柳秸料、石料混装，试用效果最好,可满足自卸车装运抛机械化作业要求。用1台挖掘机配合1辆自卸车软料、石料混装按1∶1或1∶2混装,只需要20~30min的时间,抛投过程中整体性较好,1辆自卸车装1个笼抛在岸上,然后用D85推入水中,不会破坏。网笼机械化抢险方式见图6-77。

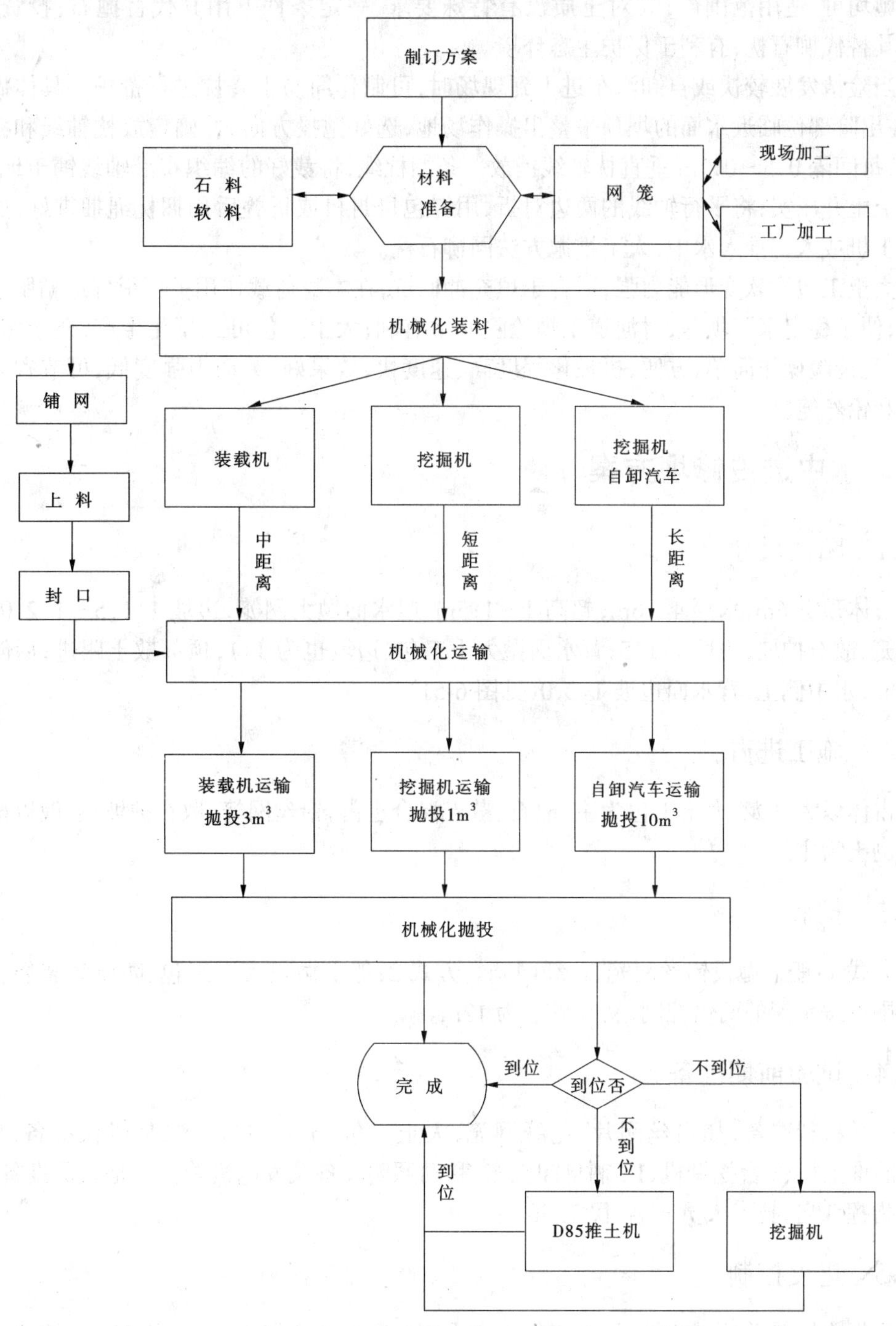

图6-77 网笼机械化抢险方式示意

(2)抛大土工包。大土工包可以用自卸汽车直接装土,可满足自卸车装运抛机械化作业要求。由于空袋可预先缝制且便于仓储,当发现险情后可迅速运往出险地点装土抛投,因此大土工包具有以下特点:①运输方便,操作简单,抢险速度快;②船抛、岸抛、人工抛、机械抛均可,适用范围广;③对土质没有特殊要求,一定条件下用其代替抛石,投资省;④用其替代柳石枕,有利于保护生态环境。

当险情发展较快或自卸汽车进不到现场时,可制作简易土袋枕进行抢护。具体做法是,在出险部位临近水面的坝顶平整出操作场地,选好抛投方向,并确定放枕轴线和抛枕长度,每间隔 0.5~0.7m 垂直枕轴线铺放一条捆枕绳,将裁好的编织布沿轴线铺于地上,然后上土并压实;将平行轴线的两边对折,用缝包机封口或折叠后用捆枕绳捆绑好,然后用推土机或人工推入水中,人工推抛方法同柳石枕。

大土工包柔软变形能力强,适合于填充冲刷坑,在本身荷载作用下可很好地帖服于河床上,便于稳定水下坝基,对河道丁坝抢险非常有利;大土工包可工厂化生产,便于储备、运输,且抢险操作简单、方便,机械化程度高、速度快、效果好、劳动力强度低,可节省大量石料和铅丝笼。

7.2 水中进占修坝方案

7.2.1 断面尺寸

占体顶宽 6m,水深 4~6m,超高 1~1.5m,迎水面抛大网笼,边坡 1:1.5~1:2.0,铅丝网笼、散石护坡,边坡 1:1.5;背水面抛大土工包、边坡也为 1:1,顶部散土跟进;后戗顶宽 10m,水中倒土,背水面边坡 1:2.0(见图 6-51)。

7.2.2 施工进占

占体以大网笼、大土工包为主,散石、散土混合进占,铅丝网笼、散石护坡;后戗以散土水中倒土为主。

7.2.3 护底

方式 1:船上抛投铅丝网笼、化纤网笼。方式 2:船上抛投大土工包、防汛集装袋。抛投范围可按水深的两倍控制,初步确定为 12m。

7.2.4 试验前期准备

一是材料准备,如铅丝网片、化纤网笼、大土工包、土石料等。二是机械准备,1 辆 D85 的推土机、3 台挖掘机、12 辆自卸汽车、移动照明设备及发电机等。三是人员准备,需现场指挥 3 名,技术人员 6 名,民工 30 名。

7.2.5 进度控制

根据大网笼单项试验结果,人工编 1 个大网笼需要 5 个民工,2h。装 1 个大网笼需要 20~30min,6 个民工,1 台挖掘机,1 辆自卸汽车。根据大土工包单项试验结果,装 1 个大土工包需要 15～20min，4 个民工，1 台挖掘机，1 辆自卸汽车。

如机械设备不足，每个包按 10min 考虑，进占 50m 需要 86h，即 3.6 天。每天按 12h 施工需 7.2 天。如机械设备充足，每个包按 5min 考虑，进占 50m 需要 43h，即 1.8 天。每天按 12h 施工需 3.6 天。备料 3 天，整修 5 天，总工期 10 天。

7.2.6 水中进占抛投顺序

水中进占时，需要 1 台 D85 型推土机、3 台 $1m^3$ 挖掘机、12 辆自卸汽车，即可达到各种机械设备的最佳使用和合理配置。其中 2 台挖掘机配合 8 辆自卸汽车装大网笼进行占体作业，1 台挖掘机配合 4 辆自卸汽车装散土进行后戗作业，1 台 D85 型推土机在坝顶进行整修作业。进占强度为：平均 5min 1 辆自卸汽车 $10m^3$ 大网笼、3～5min 1 辆自卸汽车 $10m^3$ 散土。

7.2.7 效果评价

大网笼、大土工包混合进占是以铅丝网笼内装柳（或秸、苇）、石和土工包内装散土为主体混合进占，柳、石质量比 1∶1，也可按流速大小或出险部位调整比例。它具有体积大、柔性好、抢险速度快的优点；铅丝网笼（目前为人工编网）、大土工包可工厂化生产，土料可就地取材，装运抛机械化程度很高，用于水中进占速度很快，操作简单，造价适中。并且闭气效果比石料、石笼更佳。另外大量使用散土、秸、苇，也可不需要砍伐大量树木，利于保护生态环境。兰考蔡集54坝水中进占抛投大网笼试验已经成功，在水深 4～6m、流速小于 1.0m/s、大溜顶冲情况下，$10m^3$ 大网笼可以站稳，并能快速形成占体。

7.3 堵口方案

堵口进占材料用量大，应尽量使用大网笼、大土工包进占，尤其是刚开始进占时，水比较浅，流速也比较小时，用大土工包是合适的。用自卸汽车抛投大网笼、大土工包占体，顶宽度应在 8m 以上，临河侧应随后跟进一层铅丝石笼，背河侧应用散土跟进。该方案是在 2003 年兰考蔡集工程抢险堵口实践基础上提出来的，具有实际操作意义。

7.3.1 裹头加固

首先应对口门两侧堤防进行裹护，适当限制口门扩展。主要方法是抛投大网笼、大土工包对临河侧 100m、背河侧 50m 进行防护，以便护根护坡、防止水流冲击对裹头造成破坏，具体方法同大溜顶冲抢险方案。或在裹头临河侧 100m、背河侧 50m 铺设加工好的大土工布进行防护，在铺设大土工布底部挂 $2m^3$ 铅丝笼固定，临水面上抛投大网笼、大土工包压重防护。

7.3.2 护底防冲

由于黄河口门河床为沉积淤泥、沙质河床，抗冲流速较小，口门合龙时，会加大水位差、流速，此时口门底部极易淘刷，因此在口门合龙前进行护底有利于减少堵口工程量，增加成功的把握。

在预留的龙口门处采用合金网兜等大网笼进行护底,以免合龙时冲刷坑太深,浪费料物。此项工作应在合龙进占前完成。

7.3.3 抛投进占

如何提高进占效率,保证不同料物抛投到位,尽量减少料物流失是关键。除做好现场抛投试验之外,现场指挥、道路疏导、料物装卸、设备性能、机械手心理素质和技术水平等都很重要,各方配合也很关键。另外人机混合作业,安全问题也很重要,应特别注意。

大网笼、大土工包作业以机械化为主,即用装载机、挖掘机配合自卸汽车装大网笼、大土工包,或用吊车、挖掘机将地面上装好的 $1m^3$、$2m^3$ 铅丝笼或 $2m^3$ 防汛集装袋吊至自卸汽车或平板车上,运送到龙口位置时采用自卸或吊车方式入水。

铅丝网笼、散抛石或土袋以机械抛为主,人工抛为辅。为提高效率,应尽量打开作业场面,实现流水作业。

7.3.4 龙口门位置预留

为使护底更有效,应根据现场河势、现场料物供应情况及进占情况,尽量预先确定龙口门预留位置。

7.3.5 闭气加固

由于合龙后,进占体透水性较大,不闭气。同时合龙后将在上下游产生水位差,如果不及时闭气,将可能在进占体底部土石结合部发生新的渗透破坏和集中淘刷,最终将进占体塌落进淘刷坑中,随着后续流量的加大,将会导致进占体毁坏,出现新的决口。因此,闭气加固工作应及时跟上,以确保堵口的成功。由于黄河河床的易淘刷性,素有“堵口容易闭气难”之说,为此应高度重视闭气工作。本方案拟采用散土闭气,并辅之以泥浆放淤闭气。具体操作如下:

(1)散土闭气。用土工布铺在进占体下游侧,然后用自卸车装运散土在土工布下游侧倾倒,并用推土机推压,其断面上部不小于4m。

(2)泥浆放淤闭气。利用现有的月牙形透水围堰,先将土工布铺至透水围堰上游侧,并抛投土袋使其下部基本不漏,然后用多台泥浆泵将高浓度泥浆打入,沉淀后即形成类似淤背区的后戗。这种方法效率很高,适合体积很大的月牙堤。

第八节 结论与建议

通过本次试验,基本解决了大网笼、大土工包的制作材料选择、结构、尺寸以及现场机械化装料、运输、抛投等问题。综合分析初步得到以下结论和建议:

(1)大网笼、大土工包机械化抢险,将充分体现“高强度、高效率、工厂化、机械化作业”的原则,具有很大优势和发展潜力,为今后防汛抢险提供了新的技术保障。

(2)$2.3m^3$ 防汛集装袋可工厂化生产,用 4 个民工操作、挖掘机装散土非常方便,封口也很简单;平均 5min 装 1 个 $2.3m^3$ 防汛集装袋,用吊车或挖掘机可以吊起放入自卸车上，试用效果非常好。2.3m^3 防汛集装袋便于在船上运输、抛投，将用于水上机动抢险，实现水上机械化抢险作业。

(3)大土工包可工厂化生产，运输、储藏方便；使用编织布、复合布和无纺布制作的10m^3 大土工包试用效果好；3种结构的大土工包均能满足自卸车的抛投要求，操作简单、快速。机织布制作的大土工包试用效果较差，上部缝口处在抛投过程中容易开裂，在入水过程中不易排气，受浮力太大，不易稳定。

(4)系带固定法现场封口不需要缝包机，操作简单、快速，整个装料过程只需要10～15min即可完成，在抛投过程中也不易开裂，试用效果好。大土工包在一侧留口，在抛投过程中封口不易破裂，说明侧向留盖结构合理、使用效果好；即大土工包在制作时一侧为整体结构、一侧为现场系带固定法封口。推荐两种大土工包结构和尺寸见图6-67至图6-70。

(5)12号铅丝加8号铅丝加筋网笼作的10m^3 的大笼试用效果较好，可满足自卸车装运抛机械化作业要求。用1台挖掘机配合1辆自卸车，柳料、石料按1:1或1:2混装，只需要20～30min的时间，抛投过程中整体性较好，1辆自卸车装1个笼抛在岸上，然后用D85推入水中，不会破坏。其中大网笼采用麦秸料、稻草料等软料和石料按1:1或1:2混装，试用效果也很好。

(6)大网笼是以铅丝网笼或化纤网笼内装软料、石料按质量比1:1或1:2混装，也可按流速大小或出险部位调整比例。它具有体积大、柔性好、抢险速度快的优点；化纤大网笼可工厂化生产，装运抛机械化程度很高，用于防汛抢险速度很快，操作简单，造价适中。按图6-65、图6-66生产的10～12m^3 化纤大网笼，用10min的时间即可完成。另外大量使用散土及棉花柴、玉米秆、芦苇、豆棵、秸、苇，也可不需要砍伐大量树木，有利于保护生态环境，具有推广价值。

(7)兰考蔡集54坝水中进占抛投12号铅丝加8号筋大网笼试验已经成功，在水深4～6m、流速小于1.2m/s、大溜顶冲情况下，软料、石料按质量比1:1或1:2混装的10m^3 大网笼可以站稳，并能快速形成占体。

(8)水中进占时，需要1台D85型推土机、3台1m^3 挖掘机、10辆自卸汽车，即可达到各种机械设备的最佳使用和合理配置；其中2台挖掘机配合6辆自卸汽车装大网笼进行占体作业，1台挖掘机配合4辆自卸汽车装散土进行后戗作业，1台D85型推土机在坝顶进行整修作业。进占强度为：平均5min 1辆自卸汽车10～12m^3 大网笼、3～5min 1辆自卸汽车10m^3 散土。

(9)本次试验对大网笼、大土工包在抛投过程中的受力情况和水中的稳定性进行了初步分析，但大土工包在水中的稳定性情况较为复杂，应视具体水深、流速条件和施工工艺而定，还须继续开展专题研究。

参考文献

[1] 胡一三.中国江河防洪丛书·黄河卷.北京：中国水利水电出版社，1996
[2] 胡一三.黄河防洪.郑州：黄河水利出版社，1996

[3] 胡一三,等.黄河下游游荡性河道整治.郑州:黄河水利出版社,1998
[4] 张俊华,许雨新,等.河道整治及堤防管理.郑州:黄河水利出版社,1999
[5] 罗庆君.防汛抢险技术.郑州:黄河水利出版社,2000
[6] 张宝森,汪自力.大土工包机械化抢险技术探讨.全国第六届土工合成材料学术会议论文集(陕西西安).香港:现代知识出版社.2004
[7] 张红武,汪家寅.黄河丁坝冲刷及根石走失试验研究.第四届中日河工坝工会议论文集.东京:东京出版社,1998
[8] 毛佩郁,毛昶熙.抛石护岸防冲的几个问题.水利水运科学研究,1999(2)
[9] 徐国宾,等.多沙河流河道整治新型工程措施试验研究.西北水资源与水工程,1994(3)
[10] 张遂芹.河南黄河的根石探测及根石加固.堤防加固技术研讨会(江西南昌).1999 年 12 月
[11] 麦远检.岸坡稳定的安全度与可靠度.水运工程,1996(8)
[12] H-J.kohler(德国),A.bdzuijen(荷兰).滤层渗透性对波浪侵蚀作用下抛石护岸稳定性的影响.第五届国际土工合成材料学术会议论文集(新加坡).1994
[13] 孙东坡.堵口土工包沉落试验研究.武汉大学学报(工学版),2002(8)
[14] 孙新忠.铅丝笼网机编技术的应用.山西水利科技,2000(2)
[15] 赵明河,等.黄河防汛抢险铅丝笼网片自动编制机的研制.人民黄河,1998(9)
[16] 刘宗耀,等.土工合成材料工程应用手册(第二版).北京:中国建筑工业出版社,2000
[17] 包承纲.堤防工程土工合成材料应用技术.北京:中国水利水电出版社,1999
[18] 陆士强,刘祖德.土工合成材料应用原理.北京:水利电力出版社,1984
[19] 温小国,史纪安.黄河驾部控导 19 坝 1989 年 5 月 27 日险情分析.人民黄河,1992(11)
[20] 杨红波.合金钢丝网石笼在长江堤防护岸工程中的应用.浙江水利科技,2003(1)
[21] 李国英.论黄河长治久安.人民黄河,2001(7)
[22] 李国英.治水辩证法.北京:中国水利水电出版社,2001
[23] 耿明全,张超,等.黄河下游游荡性河段坝垛险情分析.人民黄河,1999(7)
[24] 王有福.1993 年黄河驾部控导险情分析.人民黄河,1994(6)
[25] 张宝森,郭全明.黄河河道整治工程险情分析.地质灾害与环境保护,1997(1)
[26] 申建华,赵应福.黄河下游河道工程险情分析与防守预筹.人民黄河,1994(7)
[27] 彭瑞善,李慧梅.小浪底水库修建后已有河道整治适应性研究.人民黄河,1996(10)

第七章　防汛道路应急措施技术研究

第一节　概　　述

大型机械由于具有效率高、速度快、能迅速控制险情等优点，已在黄河下游防汛抢险中被广泛应用，另外，黄河下游险情发展快、抢险料物易被冲失的特点也决定了抢险时需要大量料物。如 1996 年 8 月陶城铺险工抢险，共动用装载机 3 部，自卸汽车 4 部，拖拉机等 60 余辆，共抛柳石枕 50 个，铅丝笼 1 410 个，累计用石 5 500m^3。这些防汛料物及大型施工机械在险情抢护中具有重要的作用，是抢险成功的重要条件之一，而防汛料物及大型施工机械能否及时到达险情发生地点又有赖于防汛道路的畅通。黄河下游可能影响抢险道路通畅的原因有许多，基本上可以归结为两大类：第一类为突然发生的天灾人祸，造成平时可以通车的道路因某一地点被阻断，使道路无法通行，如大风刮倒了路边的树木、建筑物等阻塞了道路，洪水冲毁了小桥或一段路基等。遇到此类情况，一般应立即组织人力、设备清除事故现场，恢复道路通行。第二类为道路本身的质量原因造成道路在某种条件下不能通车，如雨雪天气造成道路泥泞使交通中断。

多年来,由于投入不足,黄河下游防汛道路偏少,尚未形成网络,且建设标准较低,道路管理也比较薄弱,维护费用不足,年久失修,正常天气时还可以允许低速轻载车辆通行,下雨天气时则无法通行。还有许多为未硬化的土路,一旦遭受雨水浸泡,面层极易形成泥泞,从而造成抢险料物无法运送和机械设备不能通行,直接影响到抢险的效果和施工速度。为解决土路在雨天的通车问题,尤其是上堤路口处的土坡、控导工程的坝顶等地段在雨天的通车问题,本项目研究将利用新材料、新技术,对未硬化道路表面泥泞采取应急措施,迅速铺设一条可以通行大型车辆的临时道路,保证抢险大型机械装备的通行和防汛料物的运送,其成果对保障黄河堤防的安全及滩区、蓄滞洪区人员和财产的迅速撤离具有重要意义。

根据黄河防总关于 2002 年汛前重点准备工作的要求，黄河水利科学研究院，黄河防汛抢险技术研究所在充分调研和咨询的基础上，以满足黄河防汛实战为目标，确定了既要满足应急实用，又要有所创新的指导思想，采取调研—总结—试验—再总结的研究思路，对黄河防汛道路进行了实地察看，组织人员进行调研和材料选择，并在网上查阅了大量资料，提出该项研究的总体目标为：针对未硬化的防汛道路面层因雨水浸泡遭受浅层破坏（面层破坏厚度小于 20cm）而使车辆无法通行时，研制能快速铺设并能重复利用的轻质路面铺放在已损坏的道路面层，使运送抢险料物的车辆和大型抢险机械顺利通行。

第二节　国内外发展状况

2.1　泥泞道路的应急措施

2.1.1　国外合成材料临时路面

法国军队在1995年展示一种合成材料的临时路面，主要铺设于河滩、沼泽等泥泞道路上，作为临时路面，以防止车辆打滑，使用效果十分好。其主要材料是土工合成材料作面层，中间有碳纤维材料作骨架，每件长100m、宽3.9m，可卷成直径约1m的一卷，6个人不费力就能抬起。这种路面突出的优点是：重量轻、强度大、铺设方便、适应性强，但是，造价昂贵，平均每平方米合人民币1万元左右，目前我国尚未见到生产此种材料。

2.1.2　国内军队的临时路面

1985年中国人民解放军工程兵"克服泥泞道路科研组"提出一项成果，利用土工布加铺上部材料克服松软泥泞道路的方法。土工布采用B960－DP6无纺土工布，布宽4.2m、长20m，单位重量500g/m^2。上部填铺材料有：制式木材路面、竹排路面或柴束，也可以用碎石(小于5mm)作为上部材料。实施步骤为：①清理场地。将车辙深度超过15cm的地方粗略填平，清除尖角物体。②标示路中心线。③铺土工布。由2～3名作业手将成卷的布展铺、拉平，两卷布搭接宽度为0.3～1.0m。④铺填上部材料。碎石面层机械化作业，摊铺厚度为20cm。⑤根据情况可以开挖两边排水沟和锚固土工布。该方法属于在松软泥泞道路上修筑一条临时道路，比较费工费时，不属于快速应急措施。

GLM121型机械化路面主要作为GZQ221型重型舟桥(74改)的配套设备，用于通过岸滩、泥泞道路及松软地段。以单车为配套基础，每辆路面车可铺路面长16.2m、宽3.5m，路面是用钢板材料做成的制式路面，设计荷载履带式LD－60(总重600kN)、轮式LT－20(最大轮压力130kN)。路面段全重约2 700kg，适应地基条件为：软土深0.5m以内，地基允许承载力不小于0.7kg/cm^2。作业方式为作业人员3人，机械化铺设、撤放，单车作业速度10min内完成铺设、20min内完成撤收。每车配一台PX－40E喷射清洗机，每四辆车配一台CLD－225手压式触探仪。还有一种路面车每台可以铺设30m。这些临时路面都需要专用的车辆进行铺放，且重量太大，不适宜作为防汛道路应急的专用技术。

南京部队展示一种用于泥泞道路的临时路面，其主要材料是机织土工布，在两层布之间每隔约30cm有一根竹条，竹条宽约2.5cm，厚约0.8cm。整个路面长约50m、宽约4m，重量约500kg，可通行10t重的汽车。

2.1.3　国内其他行业情况

胜利油田的钻井前线有解决重型机械在泥泞道路上通行的经验，因只需考虑钻机的进场，无须考虑其经常性的材料运输，所以采用的方法基本为简易的就近取材临时道路铺设法，如用木杆、碎石、草袋、树枝、秸料等铺设道路；还有利用当地盛产的芦苇编制成厚

5～10cm 的芦苇板，作为临时道路，效果较好。但以上所述就近取材解决道路泥泞的方法存在一些问题，如料物需征集，运输比较费工费时，材料不宜长期储存等，不能适应机械化快速抢险的要求。

2.2 软弱路基抢修加固方法

2.2.1 土工格室方法

土工格室是 20 世纪 80 年代在国际上开发的一种新型特种土工合成材料。北京燕山石油化工股份有限公司树脂应用研究所，自 1993 年开始立项研制土工格室，1997 年投放市场。土工格室是由聚丙烯材料生产的片材，经专用焊机和焊头焊接而成的立体格室组。耐老化、耐高低温(－40℃～80℃)，拉伸屈服强度 23MPa，挠屈模量 600～800MPa，冲击强度 8～9J/m。土工格室高度 50～200mm，焊距有 340mm、400mm、500mm 和 680mm 四种规格，单组展开尺寸为 4m×5m(宽×长)。

土工格室可应用于软基加固、土体防护等。土工格室铺放时，可利用连接件将组件按前后联接、按展开方向铺设。展开后，网格内要充填满砂石料，并保留表面至少 5cm 的砂垫层。

1996 年，上海铁路局对南淮线的一部分用土工格室对软基进行加固，效果良好。1997 年南疆铁路西延工程，用土工格室作为强盐渍土软弱地段工程基础的加固层材料。1993 年利用土工格室对塔里木沙漠进行施工道路的铺设，格室高 10cm，不用充填砂石料，而直接用 10t 压路机碾压即可。

土工格室作为一种加固软土路基方法的材料应是可行的，若作为抢险材料加固滩涂等软基，由于施工过程较为繁琐，还需进行专门的研究。

2.2.2 土壤固化剂法

高水速凝固结材料是由甲、乙两种固体粉组成，使用时分别加水搅拌成浆液，体积比含水率可达 87%～90%，混合 5～30min 凝固，1h 强度可达 0.5～1.0MPa，5 天可达 5.5MPa 以上，拥有“点水成石”的高新技术，是一种无毒、原料来源广泛、价格低廉的新型无机材料。

战备水泥是一种速凝混凝土，10min 强度可达 4MPa，价格稍高于普通水泥。

固土材料是一种能与土发生反应形成高强固结体的新材料。土、固土材料之比为 20:1，固结 30min，强度可相当于 525 号水泥。

高水速凝固结材料、战备水泥、固土材料具有凝固快、强度高、造价适中等特点，已在公路建设等领域得到应用，但由于其施工条件要求较高，如路基含水量不能太高，需用专用机具进行碾压，阴雨天气施工困难等，其用于道路应急抢险尚不成熟。但可用于损毁道路的修复，如对坑坑洼洼的路面进行修复。

2.3 黄河下游防汛道路概况

黄河下游防汛道路主要由堤顶道路、平行于黄河大堤的防汛道路、河道整治工程的连坝道路、滩区及蓄滞洪区内的防汛道路等组成。从道路数量上看,整体尚未形成网络,一处交通线路的损坏将造成整个交通的中断和瘫痪,这在滩区道路和通往控导护滩工程的道路上表现最为明显。从道路质量上看,黄河下游防汛道路可分为以下几类:

(1)柏油路。如中牟县境内的黄河大堤堤顶道路,这些道路大多为刚刚修建,路况较好,阴雨天气一般不会对其造成危害,汛期发生交通中断的几率不大。

(2)面层已损毁的柏油路。如平行于黄河大堤的防汛道路,这些道路由于修建时标准较低(面层只有 3cm 左右),再加上年久失修、养护不力及重车碾压,至今已成为表面坑坑洼洼的麻面路,有些路段甚至被拦腰冲断,但由于路基尚存,车辆慢行尚可通行,阴雨天气对其影响不大。

(3)土路。这在防汛道路中还占有相当比例,如河道整治工程的连坝道路、部分通往河道整治工程的道路及部分上堤路口。这些道路平时尚可通行,但一遇阴雨天气,道路将变得湿滑泥泞而无法通行。其影响车辆通行的原因主要有两个:一是道路湿滑,路面与车轮之间的摩擦力不足造成车辆打滑;二是土基含水量增大,承载力降低,车辙变深,增大了车辆的前行阻力。要使车辆顺利通行,必须对道路面层采取措施,增加道路摩擦力并使车轮与泥浆隔离。这种因道路泥泞而影响通行的现象在黄河下游抢险中经常遇到,尤其在连坝道路上,极易将抢险机械滑入河中,对行车安全影响极大。

目前黄河上对于泥泞道路经常采取的方法有:①在泥泞道路上铺一层碎石、粗砂、柳秸料等;②如果降雨已经停止,用推土机铲去路表层的泥泞层,使车辆在未湿的土面上通行;③上堤路口或个别地方车辆无法通过时用推土机牵拉车辆通过。以上所举的办法都有使用的局限性,不是一种完善的应急措施。因此,需要研究提出一种使用效果好、铺设方便、便于储备的应急路面解决道路泥泞问题。

黄河下游防汛道路抢险时经常通行的车辆主要有以下几种:一是轮式自卸汽车,如 TATRA 等,自重都在 13t 左右,加上载重物,其重量可达 25t。由于重量较大,其对路基的承载力要求较高,若遇雨雪天气,在未硬化的上堤道路或河道整治工程连坝上通行,也要采取防滑措施,以保障行车安全。二是轮式装载机及履带式推土机,自重也在 13t 左右,履带式推土机的通行受限制条件较少,而轮式装载机其通行受限的原因与轮式自卸汽车相同。三是一般轻型运输车辆,如农用汽车、东风卡车等,自重一般在 5t 左右,其在雨雪天气通行受限的主要原因是车轮打滑。

第三节 设计方案

3.1 设计原理

泥泞道路影响车辆通行的原因主要是车轮与地面的摩擦力不足、前行阻力增加以及地面承载力不足使车辙深度增加,因此,设计铺设的轻质路面与原泥泞路面结合以后应达到以下目的:一是实现车轮与泥泞路面的隔离,以减小车辆前行阻力和增大车轮与路面之间的摩擦力;二是增加路基承载力。

土工布、土工格栅、聚烯烃加筋带等由于其具有高抗拉性、抗撕裂性、良好的韧性、整体性和耐酸碱、耐生物侵蚀以及材料宜于储存等性能，已在土木工程中得到广泛应用，它不但提高了结构的可靠度，而且还节省了工程材料，尤其在处理软土地基中。选用以上材料作为制作轻质路面的基本原理如下：

(1)土工布可以起到隔离、排水作用，土工格栅可以增加摩擦力。由于土工布具有透水不透砂的功能，且具有一定的抗撕裂强度，当没有破损的土工布铺放在泥泞路面上时，可以起到下部泥土与上部车轮隔离的作用。另外土工布具有一定的柔性，可以与泥泞路面紧密贴合，在上部荷载的作用下，将发生单向渗流，泥泞路面中的多余水分将通过土工布排出，同时又能阻止细颗粒通过土工布，这在一定程度上加速了路基的排水固结，进而提高了路基的承载力。土工格栅在轻质路面结构中可以起到骨架作用，不但可以提高整个轻质路面的抗拉强度，而且由于其平面为井字结构，表面凹凸不平，增大了轻质路面的表面摩擦力。

(2)土工布与土工格栅、土工布与聚烯烃加筋带相互组合组成的土工织物轻质路面可以增加路基的承载力。土工织物轻质路面对泥泞路基的加固作用主要体现在水平加筋上。在复合路面中，轻质路面主要处于受拉状态下，在产生拉伸应力的同时，对下部的泥泞土体产生了一个类似于侧向约束压力的作用，使得复合路面具有较高的抗剪强度和变形模量。也就是说，由于土工织物有较高的强度和韧性等力学特性，且能紧贴于泥泞路面，使其上部施加的荷载能均匀分布在地层中。当土工织物受到车轮等集中荷载作用时，高弹性模量的土工织物受力后将产生一部分垂直分力，抵消部分荷载，这就是所谓的薄膜作用或者网兜作用，其最终效果是改变作用在路基中的应力，即在车轮下是减少，而在车轮之外则是增加。如图 7-1(a)路基直接加载时，其极限承载力可用下式表示：

$$P_c = Q = CN_cB \tag{7-1}$$

由于 Q 很小，其极限承载力也很小。而有土工织物轻质路面时，如图 7-1(b)，根据 Nishigate－Yamaoka 法理论，其极限承载力可用下式表示：

$$P_{s+c} = CN_cB + 2P\sin\theta + PN_qB/R \tag{7-2}$$

式中：C 为土的内聚力；N_c 为地基承载力；P 为土工织物的抗拉强度；θ 为基础边缘与土工织物的倾斜角；B 为地基底宽；N_q 为复合地基承载力因数；R 为地基变形当量半径。

按文献[1]建议：$\theta = 45 + \Phi/2$，Φ 为内摩擦角；$N_q = 1$；$R = 3\text{m}$。

实际上，上式中第一项为原天然路基的极限承载力，后二项为由于铺设土工织物轻质路面后而提高的路基承载力。所以要提高路基的承载力，必须发挥轻质路面的横向抗拉强度，由于轻质路面的横向宽度较窄，周边也无上部荷载镇压，仅靠与路面之间的摩擦力是无法发挥轻质路面的横向抗拉强度，轻质路面周边必须与原路面固定在一起才能提高路基承载力。

3.2 初步设计方案

本项目主要研究解决泥泞道路情况下的应急处理措施，按泥泞情况分为浅层泥泞和深层泥泞，本项目主要解决路面浅层泥泞(泥泞深度不大于 20cm)造成的车辆打滑问题。对于泥泞层较深、车辆过重，车辆通过时沉陷较大的问题，留作以后去进一步研究解决。

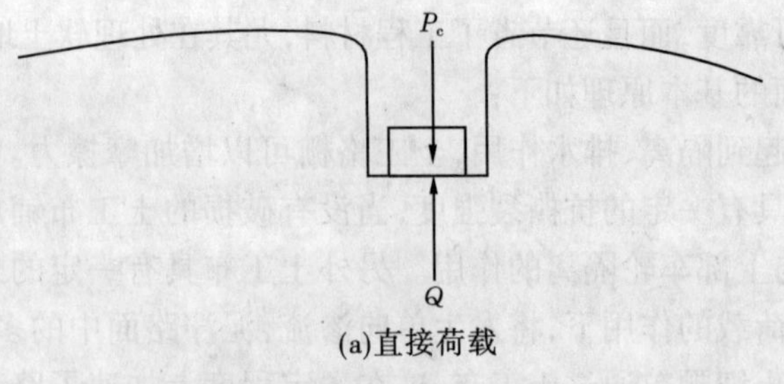

(a)直接荷载

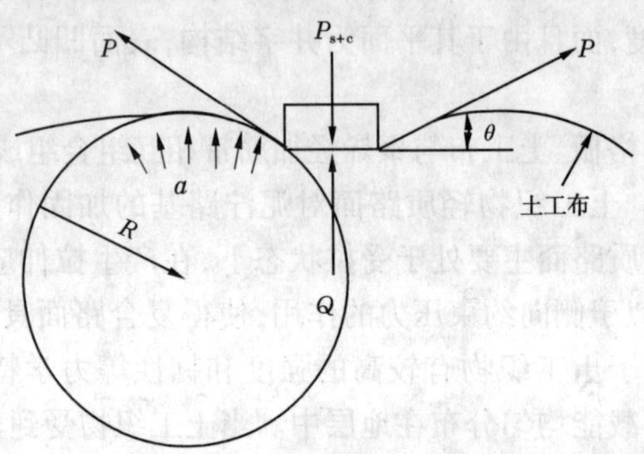

(b)有土工布时的间接荷载

图 7-1　路基受力机理

从我国现有的材料来选择，提出以下三种方案进行试验。

3.2.1　第一方案(Ⅰ型路面)

这是一种无纺布和合成纤维格栅组合的临时路面，适用于较轻泥泞道路的抢险临时路面(见图 7-2)，上层是土工格栅，下层是无纺土工布。

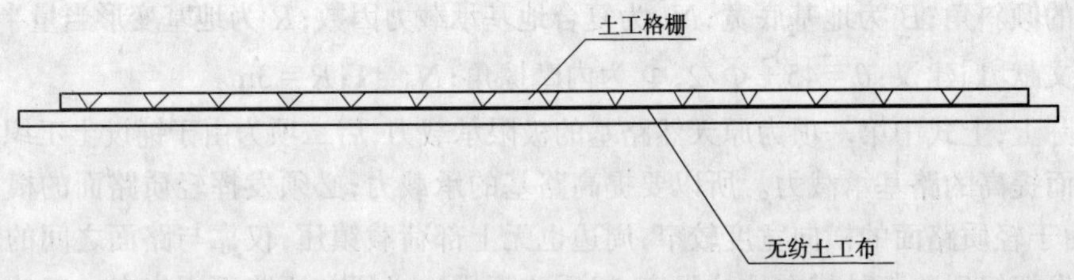

图 7-2　Ⅰ型路面

使用时，用土工布铺在路面上将松软泥泞的路面遮盖起来，泥土就不会直接与车轮接触，车辆的压力可以使土基中的水分透过土工布而排出，起到了隔离、滤水作用，促使土的快速固结，提高土的承载力。土工格栅可以分散荷载压力，提高路面的承载力，减小车辆通过时的车辙深度，同时土工格栅与车轮之间的摩擦力较大，保证了车辆不会打滑。

土工布选择仪征无纺布厂生产的聚酯纺黏长丝土工布。技术指标：单位面积质量

323g/m^2,抗拉强度纵向 22.6kN/m、横向 18.8kN/m,极限延伸率 75%～87%,撕破强度 0.70kN,CBR 顶破强度 4.7kN,垂直渗透系数 k = 0.3cm/s,等效孔径 O_{95} = 0.10～0.15mm;幅宽 4.2m。

土工格栅选择南京玻璃纤维研究设计院、杭州强士工程材料有限公司生产的合成纤维土工格栅 P8050。技术指标:单位面积重量 500g/m^2,网格尺寸 11mm×14mm,抗拉强度纵向 78kN/m、横向 77kN/m,断裂伸长率 20%,材料为高强聚酯,幅宽 1.95m。

铺设时,土工格栅在上,土工布在下。用两幅土工格栅相互搭接 30cm,因此道路宽度为 3.6m,试验路面的长度为 20m,用缝纫机缝合在一起。端部均布四个穿绳孔,两侧每隔两米有一个穿绳孔。固定方法可采用 U 形钉打入穿绳孔的方式或用绳子绑在穿绳孔上拉到路边用桩固定方式。

3.2.2 第二方案(Ⅱ型路面)

这是一种机织布和聚烯烃加筋带土工格栅组合的临时路面,适合一般泥泞道路的抢险临时路面,上、下层是机织土工布,中间是聚烯烃加筋带土工格栅(见图 7-3)。

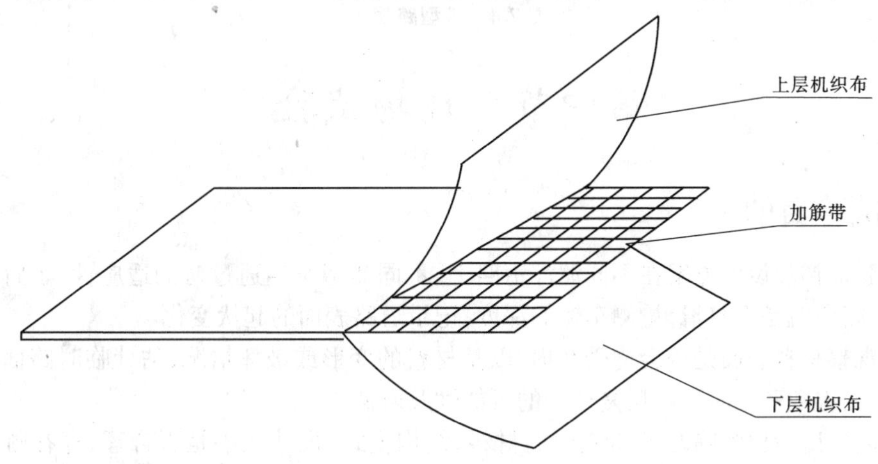

图 7-3　Ⅱ型路面

使用时,土工布起隔离和排水作用,加速路基固结;加筋土工格栅起提高承载力和增加摩擦力的作用。

土工布选择抗拉强度高的织造型土工布,试验时选用江苏省盐城虹光织业有限公司生产的长丝机织土工布,单位面积质量 723g/m^2,厚度 1.2mm,极限抗拉强度纵向 130kN/m、横向 153kN/m,极限延伸率 19%～28%,等效孔径 0.07～0.10mm。加筋材料选择聚烯烃加筋带用激光焊接成的格栅,格栅孔径为 100mm×200mm,抗拉强度 70.2kN/m,加筋带尺寸为宽 25mm、厚 2mm,极限延伸率 2%。

铺设时,上、下层是机织土工布,中间是聚烯烃加筋带土工格栅,四周用缝纫机缝在一起,为固定格栅在路面中间有若干个缝合块把上下层订在一起。路面的端部均布四个穿绳孔,两侧每隔 2m 有一个穿绳孔。固定方法可采用 U 形钉打入穿绳孔的方式或用绳子绑在穿绳孔上拉到路边用桩固定方式。加筋固定方式可采用筋绳穿孔法或锚固法。

3.2.3 第三方案(Ⅲ型路面)

这是一种无纺布、合成纤维格栅加竹片组合的临时路面。此方案是在第一方案的基础上在土工格栅上面增加一层竹板,竹板宽 40～60mm,厚 6mm,间距 250mm,竹板用细铅丝捆扎在土工格栅上(见图 7-4)。

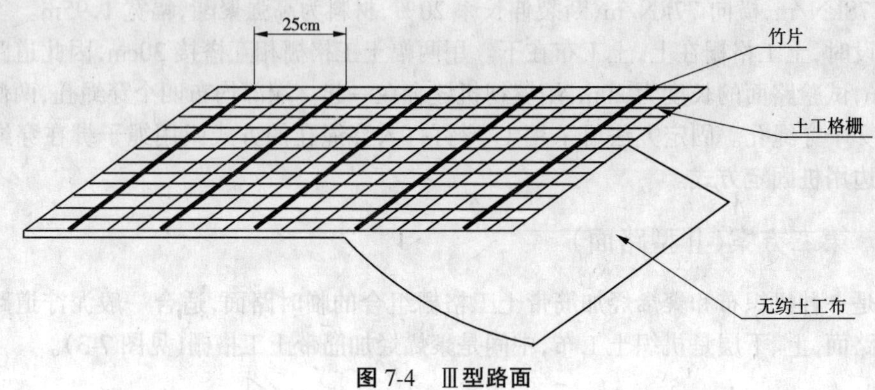

图 7-4 Ⅲ型路面

第四节 现场试验

4.1 试验目的

(1)验证初步设计方案在不同泥泞道路上、不同类型车辆通过时的适应性,了解车辆通过试验路段时是否打滑,量测车辙的深度,记录道路表面的起伏变化。

(2)观察材料表面是否会遭受磨损,以及材料的变形或破坏情况,估计临时路面允许车辆通过的次数和临时道路反复使用的可能性及寿命。

(3)通过试验检验临时道路使用的材料、结构型式、尺寸大小是否合理,存在哪些问题,为进一步改进、优化、定型临时道路提供依据。

4.2 试验场地概况

试验在中牟黄河河段大堤桩号 39+760 的淤背区进行。该场地长 500m、宽 80m。表面铺盖有一层黏土,厚度为 0.70～1.2m。试验路段布置从试验场地的西端约 85m、南约 6m 位置开始向东依次排列,分别将试验路段确定为 A、B、C、D、E、F 段,各试验路段宽 6m、长 20m(见图 7-5)。

对试验场地的要求:

(1)试验路段平整,用推土机将地表推平并压实。

(2)向试验路段人工洒水,使之达到试验的含水量。即首先在试验段四周打起土埂,埂高 25cm 左右,用潜水泵从井中抽水浇灌到试验路段。每次灌水量要求不同,应认真掌握。每次灌水后待地表面无积水后,挖一深坑检查水渗透到地表以下的深度,不合要求时再灌水,一次灌水不能太多。洒水时间应掌握好,保证在试验时地表基本无积水,各试验

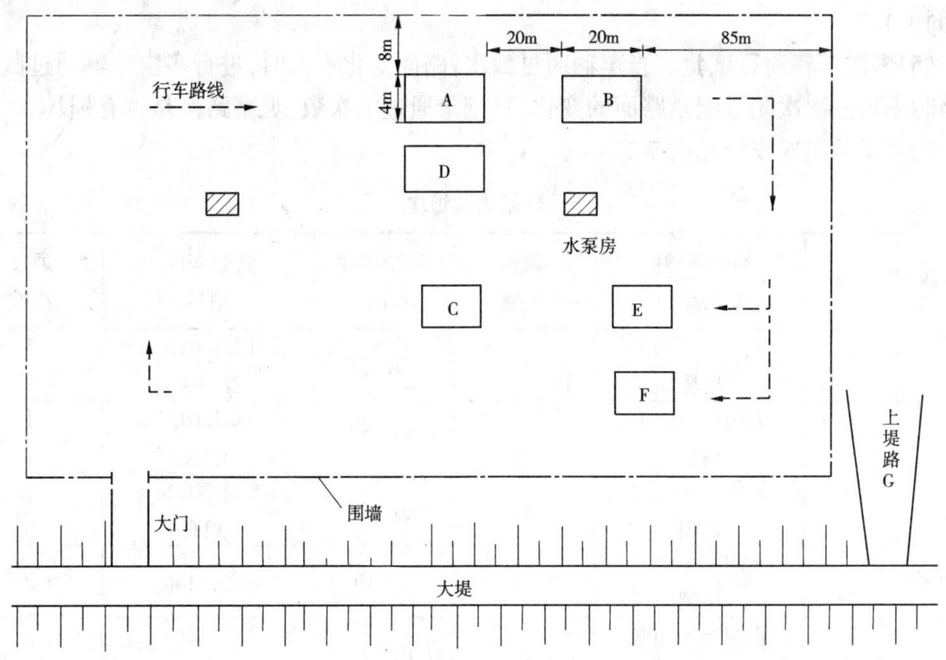

图 7-5　现场试验平面布置

段的洒水量和渗透深度应基本一致。第一类试验渗透深度为 10～15cm,第二类试验渗透深度为 20～25cm,第三类试验渗透深度为 25～30cm。

4.3　试验量测方法

本次试验由于时间和经费等因素不能作深入的理论探讨,现场路面的受力情况测试比较复杂、费用高,本次暂不作该项试验。试验主要测量路面在车辆通过后的车辙深度,用水准仪测量设定断面上各点过车前后的高程,并进行车辙深度计算。记录车辆型号、车重、通过时的车速、次数等。

4.4　试验步骤

(1)铺设临时路面。在不同路段上铺设不同的临时路面,例如 A 段铺Ⅰ型路面(无纺布 + 土工格栅路面),B 段铺Ⅱ型路面(机织布 + 土工加筋带格栅路面),铺设方法为将临时路面卷成一卷,抬到路端用人工推开展铺。

(2)用水准仪测量试验路段初始状态的规定断面测试点的高程,每个断面不少于 5 个测点,并实施跟踪录像;取土样、测量含水量(表层,地表下深度 15cm、25cm、35cm…),取样深度应根据每次情况确定。

(3)用较轻型车辆(初选东风 EQ1031N,空车质量 2 000kg,最大质量 2 705kg)直线匀速通过铺设的应急路面,车速控制在 7～15km/h 范围。分别进行空车通过试验和重车通过试验。记录车重、车速。测量规定断面的沉降。观察路面变化、录像、记录。

(4)大型工程车辆通行试验。用太脱拉(TATRA)自卸汽车(空车质量 13 000kg),装载机ZL－40(空车质量 12 000kg)、EQ－140(空车质量 4 080kg)通过试验路面,测量、记录(同上)。

(5)多次车辆通行试验。当车辆通过数次,路面变化不大时,进行多次车辆通过试验,试验时不再一次次测量记录路面的变化,只记录通过的次数,观察路面是否有损坏。

现场试验组次安排见表 7-1。

表 7-1 **现场试验组次**

序号	方案	路面材料 规格型号	试验 区域	泥泞深度 (cm)	通过车辆 型号	通过 次数
1	Ⅰ	无纺布+土工 格栅	E	10~15	EQ1301N ZL-40	5 5
2	Ⅰ	无纺布+土工 格栅	A	20~25	EQ1301N TATRA	1 1
3	Ⅰ	无纺布+土工 格栅	C	20~25	EQ1301N TATRA	1 5
4	Ⅰ	无纺布+土工 格栅	G	5~10	EQ-140	2
5	Ⅱ	机织布+加筋 带格栅	D	10~15	EQ1301N ZL-40	2 7
6	Ⅱ	机织布+加筋 带格栅	B	25~30	EQ1301N TATRA	1 3
7	Ⅲ	无纺布+土工 格栅+竹板	F	20~25	EQ1301N ZL-40	3 7

注:序号 4 试验路面为斜坡。

4.5 试验过程及成果分析

4.5.1 Ⅰ型路面试验

4.5.1.1 在较浅泥泞道路上的试验

路面泥泞深度 10~15cm。试验地点为 E 区,铺设的路面没有采取任何固定措施。试验车型有:东风 EQ1301(空车质量 2 000kg),装载机 ZL-40 型、质量 12 000kg。试验步骤如下:

第一步,东风车空车试验。第一趟在铺设的路面上通车很顺利,车辙印平均深度约 5cm,车辙处有水渗出。但在车开出铺设的路面进入原泥泞路时,车轮立刻陷入泥中,车轮打滑开不动。由此看出,铺设路面的防滑效果非常明显。后经对出口原泥泞路面的填土处理,第二、三趟整个通行都很顺利,试验路面收缩、变形不大,车辙略有增加。

第二步,东风车载 10 人(增重约 750kg)过车试验。重量增加后,车辙深度略有增加,个别处车辙深度最大达 13cm,其他情况变化不大,载人试验过车两趟。

第三步,装载机过车试验。经过连续 5 趟的通行,车辙印最深地方增大到 15cm,两侧有少量泥水上翻,当前轮出试验路面、后轮对试验路面产生向后的摩擦力,将路面向后收缩 2m。显然，铺设的路面在出口部位应实行固定。

试验成果分析：

(1)无纺布 + 土工格栅组成路面的优点：无纺布具有良好的隔泥、滤水作用，与地面摩擦力大；格栅的抗拉、耐磨性能强，摩擦力较大。

(2)为防止轻质路面在车轮摩擦力作用下与土路面发生滑动，要对路面出口端实施固定。

(3)铺设的路面要与能过车的路面相搭接，避免车辆进出的困难。

(4)从重复使用情况看，无纺布的长丝易被泥土粘连破坏，不易重复使用。

4.5.1.2 在较深泥泞道路上的试验

路面泥泞深度 20～25cm。试验地点为 A 区，试验路面没有实施固定。

第一步，对初始断面进行测量。通过东风车一趟，过车顺利，车辙深平均约 8cm(见图 7-6)。车辙处有水滤出，车出试验路面时，由于路面没有固定，车轮的摩擦力使路面向后有纵向打皱现象。

第二步，通过太脱拉一趟。由于太脱拉重量大，车轮对路面产生的向后摩擦力明显增大，加之铺设的路面没有固定，车在铺设的路面上开出约 5m，就出现因车轮向后的摩擦力使路面快速向后滑动并最终卷皱在车轮后。路面的横向收缩也非常严重，由初始的 3.6m 收缩为近 2m(只有轮距宽)。随后，车轮陷入原路面的泥中，试验未获成功。由图 7-6 看出，太脱拉的通过使路面变形明显增加，最大高差达 25cm。

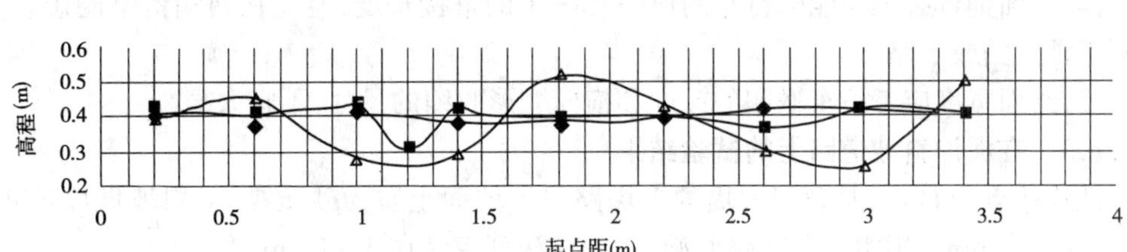

图 7-6 A 区断面测量结果

这一步试验说明，道路在较深泥泞状态下，若不采取任何措施，车辆就无法通行；另一方面，铺设了轻质路面后，由于轻质路面与原路面之间的摩擦力小于车轮与轻质路面之间的摩擦力，轻质路面不采取固定措施车辆也是无法通行的。

第三步，重新铺设Ⅰ型路面，试验地点为 C 区，路面泥泞深度 20～25cm。用木桩和 8 号铅丝对铺设的路面出口端进行了固定。

第四步，对固定后的路面进行初始断面测量，然后进行东风车的过车试验。东风车顺利通过，铺设路面纵、横向收缩很小。

第五步，通过太脱拉自卸汽车。第一次通过时，在还未因进入铺设的路面前，由于原路面浇有大量的水，太脱拉重量较大，车前轮陷入原路面的泥泞之中，车轮与铺设的路面形成了台阶，造成前轮前行时将路面推起，使铺设的路面产生有 3m 左右的纵向打皱和一定程度的横向收缩。之后，车开到铺设的路面上，行使恢复正常，车轮对路面产生的摩擦力使路面纵向绷得很紧,固定桩受力很大。铺设的路面没有撕破和磨损现象,但车辙深度较大。

第六步,太脱拉又连续通过两趟,个别部位由于泥泞深度过大,车辙深度不断增加,车辙处的泥被挤向中部和两侧(见图 7-7)。该图显示过车后使路面发生较大变形,车辙处地面凹陷,车轮间路面凸起,最大高差达 0.4cm,直至造成过第五趟时车的前桥与凸起的中部路面发生接触,格栅被前桥撕破。

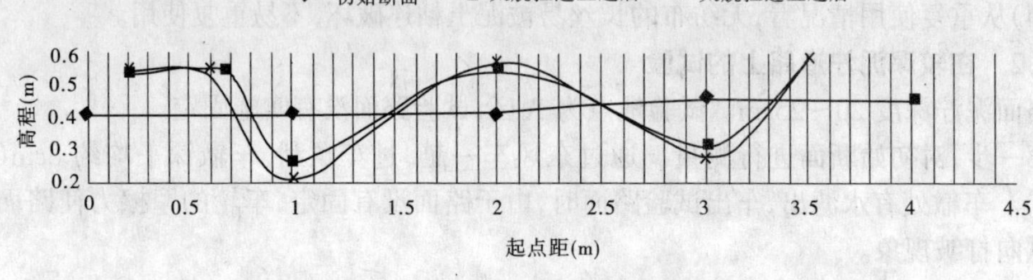

图 7-7 C 区断面测量结果

试验结果分析:

(1)路面一定要采取前、后以及周边固定,克服车轮对路面的摩擦力和横向收缩力。

(2)土工布+格栅路面在减小车辙深度方面不明显,但在增加摩擦力方面效果明显。

(3)在较深泥泞道路上铺设土工布+土工格栅,影响车辆通行的主要障碍是车辙深度。车辙一旦太深,就会碰到车的前桥,车辆便无法通行。

(4)路面铺设必须与能够行车的道路有一定的搭接长度,避免在两端留下隐患,妨碍车辆正常上路或下路。

(5)路面宽度应考虑车辙印的深度和横向变形收缩的尺寸,不宜太窄。

4.5.1.3 在泥泞斜坡道路上的试验结果

试验地点为 G 区,是黄河大堤的上堤路口。坡面土质为砂质黏土,斜坡坡度约 10°,坡长 30m、宽 6m。用洒水车向路面洒水,泥泞深度控制在 5~10cm。

试验第一步,在铺设路面之前,先由东风卡车(空车质量 5 000kg)进行空车爬坡试验。由于道路泥泞,汽车后轮打滑并左右扭摆不能前行,最终退到坡下。

第二步,铺设无纺布+土工格栅路面,铺设长度 15m、宽 3.6m,位置基本在斜坡的中下部,并对出口端的二个角用木桩进行固定。

第三步,汽车爬坡试验,东风车以 20km/h 速度顺利爬上坡顶。在车爬坡过程中,尤其在接近出口端,铺设的路面纵向受力很大,使其中一个固定桩被拔起,但格栅无撕破损坏等情况,路面的横向收缩不明显。东风车又进行第二趟爬坡试验,车速减慢为 15 km/h,同样顺利通过。

第四步,装载机上坡试验,上坡顺利,车辙深度约 5cm,路面变形轻微。

试验结果分析:

(1)在浅层泥泞状态下,无纺布+土工格栅路面作为一般的上堤路口临时路面使用,能够满足车辆对路面摩擦力的要求。

(2)应在铺设路面的出口端进行固定,固定方法一定要保证拉力大于摩擦力。

(3)由重载车辆通行试验证明，Ⅰ型路面材料的抗拉强度可以满足要求。

4.5.2 Ⅱ型路面试验

4.5.2.1 在较浅泥泞道路上的试验结果

路面泥泞深度10～15cm，试验地点为D区。

试验第一步，出口端用木桩固定，固定深度约0.35m。通过东风车二趟，第一趟顺利通过。通过第二趟时，开始情况良好，在车出路面时，即前轮刚出路面，而后轮（还在路面上）出现打滑，停车再启动后通过。

第二步，通过装载机。第一趟通过效果良好，车辙不深；第二、三趟效果良好；第四趟时固定桩被拔起；第五、六、七趟照常通过，平均车辙12cm，最小深度8cm，最大深17cm。

试验结果分析：

(1)一定要在铺设的路面前、后及两侧实施固定。固定措施应能承受车辆通过时产生的拉力，保证桩不被拔出。

(2)要保证铺设的路面前、后端与较坚实的路面相搭接，搭接长度应不小于1.5m，以避免车辆在进出处出现打滑、抛锚。

(3)Ⅱ型路面对于浅层泥泞道路防止车辆打滑效果良好。

4.5.2.2 在较深泥泞道路上的试验结果

路面泥泞深度25～30cm。试验地点为B区。

试验第一步，铺设路面没有进行任何固定，东风车过第一趟。因铺设的路面前缘有泥泞，车没上到路面上已经打滑，后经填铺干土后，车才得以通行。当行车接近出口时，车轮对路面产生的摩擦力使没有固定的路面迅速向后滑动，整个铺设的路面形成严重的纵、横向收缩褶皱。

第二步，仅对铺设路面的出口端用小木楔进行了简单固定。通过自重13t的TATRA自卸汽车。当太脱拉第一次通过时，路面的横向收缩严重，当车行出约10m时，固定路面出口端的木楔被拔起，失去控制的路面被车轮的摩擦力迅速向后滑动，路面由原20m变为10m左右，横向收缩仅剩轮距宽2m，之后车辆陷入泥中打滑开不动。

第三步，人工将打皱的路面铺平，入口端未固定，出口端用大木桩和8号铅丝固定。木桩入土深度约0.35m，四周用小木楔及铅丝固定。

第四步，太脱拉第二次通过。因铺设的路面没有与能通车的路面相搭接，车轮陷入铺设路面前的泥泞中，与铺设的路面形成台阶，车轮没能上到铺设的路面上而是将路面推起。此时，入口端及侧面小木楔被拔出，路面被车辆前推动，造成纵向褶皱，同时横向收缩也较大，过车失败；之后，汽车后退出去，重新用小木楔固定铺设路面再次试验，车顺利通过。车辙深度达25cm左右。断面测量结果见图7-8。

试验结果分析：

(1)对铺设的路面进、出口或四周特别是出口端必须采取牢固的固定。

(2)铺设的路面要与能通车的路面相搭接，使车辆能顺利通过上下铺设的路面。

(3)机织布面防滑作用较格栅差，不宜作为应急路面的面层。

(4)从断面图7-8分析明显看出，太脱拉造成的车辙深度远大于轻型车。同样泥泞的

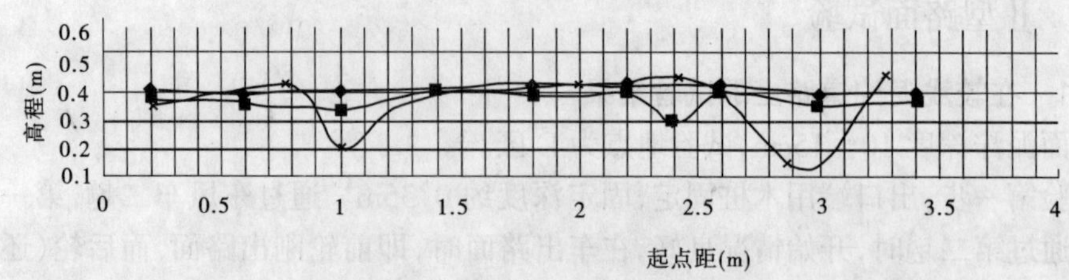

图 7-8　B 区断面测量结果

路面和同样过车情况下,方案Ⅱ车轮之间土体隆起高度比方案Ⅰ小,说明方案Ⅱ的加筋带的分散承载力的作用比土工格栅稍强。

(5)路面宽度不宜过窄,应充分考虑车辙深度和横向变形造成的路面宽度收缩。

4.5.3　Ⅲ型路面试验

路面泥泞深度 20～25cm。试验地点为 F 区。路面铺设时,将每根长 4m、宽 4cm、厚 1cm 竹片沿铺设路面的纵向方向间隔 25cm 捆扎,每根竹片用细铅丝捆扎 4 道,其间距为 1m。捆扎竹片的路面长 14m。

试验第一步,用大木桩和 8 号铅丝将铺设路面出口端的二角进行固定。

第二步,东风 EQ1301 车(空车重 2 000kgf)过车试验。当东风车通过时,车速很慢,竹片基本无损坏,平均车辙深 12cm,但在没有铺设竹片处的车辙深达 16cm。东风车共通过 3 趟,平均车辙深度 14cm。

第三步,装载机过车试验。由于车重的增加,路面变形增大,平均车辙深 14cm,有 4 根竹片被压断,其他竹片能恢复变形。通过第二趟时,竹片断 6 根,车辙深变化不大,但在没有铺设竹片的土工布处,最大车辙达 25cm。当装载机通过第四趟时,车辙中间路面凸起高近 30cm,许多竹片两头翘起,且不能恢复。第五趟通过后,车辙深达 30cm。第六趟通过后,车辙最深已达 40cm,竹片多根断裂。通过第七趟时,装载机的前桥已碰到中间的隆起路面,路面隆起过高的原因是土工布有破损,使土体外溢。布宽收缩仅剩 2.8m,竹片两端翘起达 50cm,车辆已无法继续通过。

试验结果分析:

(1)铺设路面上加竹片,可增大路面的刚度和摩擦力。

(2)从车辙深度分析,当竹片能恢复弹性前,可起到传递和分散车辆对路面的垂直压力,使车辙深度减小,但随着荷载的增加,其效果不明显,但可起到防止土工布横向收缩的作用。因此,加竹片对于较轻的车辆有用,对于像太脱拉之类的重型车辆作用不大。

(3)车辙深度会随着通行次数的增加而增加,而车辙深度的增加又会加大竹片的变形而使部分竹片被压断。此次试验选择了部分新竹片和部分老竹片,从试验结果看,新竹片的柔性较好,弹性较高,试验过程中发生断裂的也较少,大部分断裂的为老竹片。说明竹片长期存放过程中,容易失去强度和柔性,不易作为防汛物资进行储备。

(4)铺设路面的出口端必须实施固定。

第五节 轻质路面方案评价

通过试验对初步设计的三种路面可以做出如下评价：

(1)Ⅰ型路面的优点是路面摩擦系数较大，车轮不易打滑，对于较浅泥泞道路(路面泥泞深度10～15cm)，基本解决了车辆打滑问题。对于较深泥泞道路(路面泥泞深度20～25cm)，由于车辙深，横向收缩较大，周边固定非常重要，若固定得好，可基本解决重量为15t轮式车辆的通行。路面选用合成纤维土工格栅防滑效果较好，选用的无纺土工布起隔离和滤水作用虽然效果较好，但是无纺布与泥土接触后不易清洗、不能反复使用，而且吸水后重量增加太大是其缺点，需加以改善。

(2)Ⅱ型路面与Ⅰ型路面效果基本一样，原设想可以起到提高承载力的作用，从试验效果看作用不太明显。主要原因是两边未很好固定，没有能够充分发挥材料的作用，但在减小车轮之间土体的隆起有一定的作用。机织布直接与车轮接触的摩擦力较小，轻型车辆有打滑现象，不如土工格栅好。

(3)Ⅲ型道路加竹板后路面的承载力有所提高，横向收缩也有所减小，小型车辆比较明显，但是对于较重的车辆如TATRA其效果并不明显。原因是过重的车辆使竹片变形超过了竹片的弹性极限，竹片易折断。且竹片不易长期存放，因此不宜作为路面的骨架使用，应重新选择合适的材料。

(4)在各方案试验过程中，当路面上部荷载较重使车辙深度较深时，由于各方案的横向幅宽较窄，在横向固定措施不到位的情况下，轻质路面宽度会随车辙深度增大而显得幅窄，容易被车轮卷入车辙之中，下部泥浆翻上，影响车辆通行。建议路面宽度应为2～3倍轮距宽。

(5)试验完成后，对各方案的材料又进行了强度测试，试验结果表明：除土工无纺布外，其他试验材料经过反复碾压撕拉后，强度并没有明显降低，说明轻质路面还可重复利用。

(6)固定措施十分重要，凡是没有固定的临时路面都不同程度地影响了使用效果，甚至不能使用。本次试验只是用了简单的木桩固定方法，且木桩植入较浅，作用不太明显，植桩方法又过于笨重、简陋。今后应进一步研究路面固定方法，简化固定的施工难度，提高固定拉力。

(7)对于临时路面分散力的作用问题，原设想依靠车轮与路面摩擦力加上材料本身的拉应力能起到一定的作用，实际试验结果说明，车轮的摩擦力不足以使路面不产生横向收缩，材料的拉力也就起不了作用。因此，路面横向也必须有强大的固定拉力或材料必须有较高的刚度，只有这样才能使路面起到分散力的作用，从而减少车辙深度。

第六节 推荐方案及施工方法

6.1 推荐方案

通过试验成果，结合我国目前现有工厂大量生产的材料条件，建议使用以下轻质路面结构:机织土工布+合成纤维土工格栅。制作方法是将每块长50m、幅宽1.95m三幅的土工格栅按搭接10cm缝制在长50m、幅宽6m的机织布上。机织布两边各向内折15cm,与格栅缝合且在长度方向上每隔2m制一个穿绳孔,将路面的两端各做一折径为8cm的套,用线缝结实,套中插入4cm的钢管,钢管两端用扣件把路面的土工布连同钢管一起夹紧,钢丝绳一端连在扣件上,另一端将来和固定桩上的拉环连接用于固定路面(见图7-9)。把制成的路面卷成一卷,每卷轻质路面长50m、幅宽5.7m、重约200kg。该轻质路面适应于泥泞厚度小于20cm、荷载小于15t的轮式车辆通过。

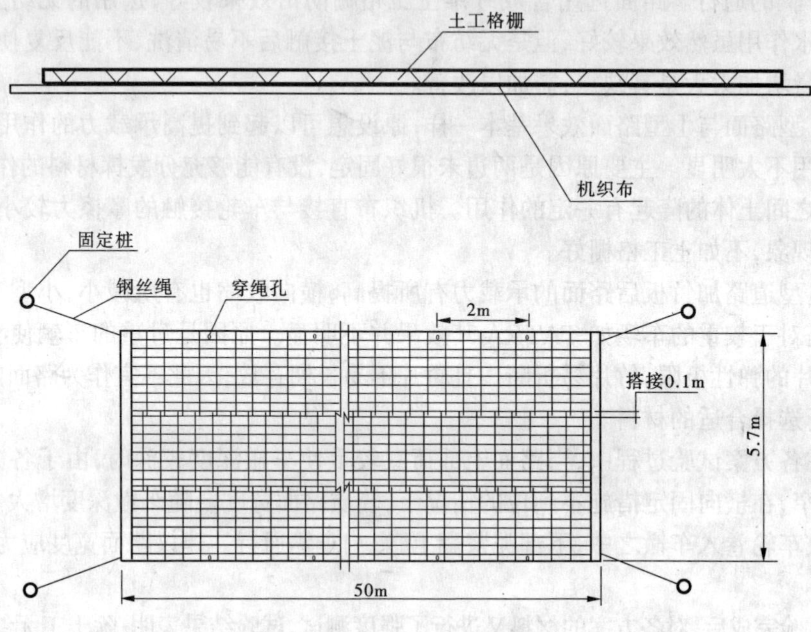

图7-9 推荐方案示意

6.2 施工方法

(1)清理路面。清除路面所有带棱角的物体,如大石块等,以免这些物体刺破轻质路面,影响其透水隔泥的作用。对于路面坑洼严重的,应进行适当的整平。

(2)展铺轻质路面。每卷轻质路面的重量为200kg,由8～10人将其运至泥泞路段起点,通过滚动向前展铺。注意两端用力均匀,以免偏离方向。轻质路面的起点和终点应与非泥泞路段有2～3m的搭接,以利车辆通行。当泥泞路段较长,需数卷轻质路面时,可按上述方法逐段展铺,两卷之间的连接可采用U形卡穿过两卷轻质路面的穿绳孔直接固定于地面,搭接长度1m。

(3)轻质路面固定。展铺完毕后,应尽量将轻质路面拉平,然后采用固定措施固定。当泥泞厚度小于15cm时,可只纵向固定;当泥泞厚度大于15cm时,纵横向都必须固定,以防路面横向收缩。

两侧的固定方式为用U形卡穿过穿绳孔直接固定于地面。两端的固定方式为打桩固定。固定桩采用螺旋桩或钢管桩两种方式,具体固定方法是:将临时路面的两端预先做好的固定钢丝绳的另一端与螺旋桩或钢管桩相连,并与之一起打入地面。螺旋桩可以在桩上端加上推杆用人力推动旋转使桩入土;钢管桩用人工捶击入土(见图 7-10、图 7-11)。

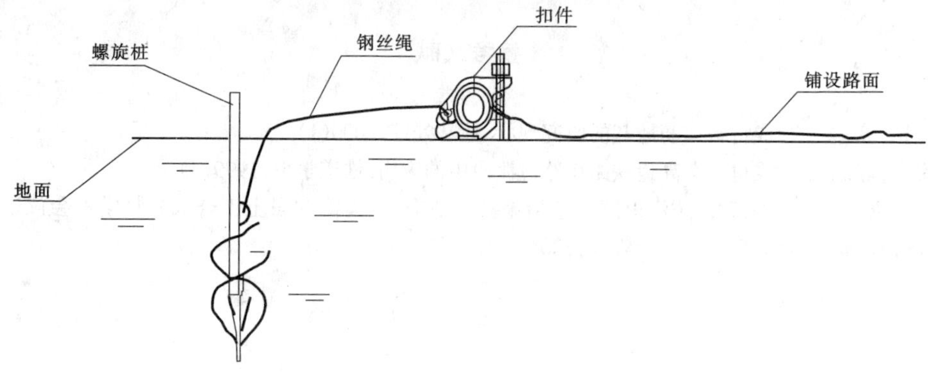

图 7-10　螺旋桩固定示意

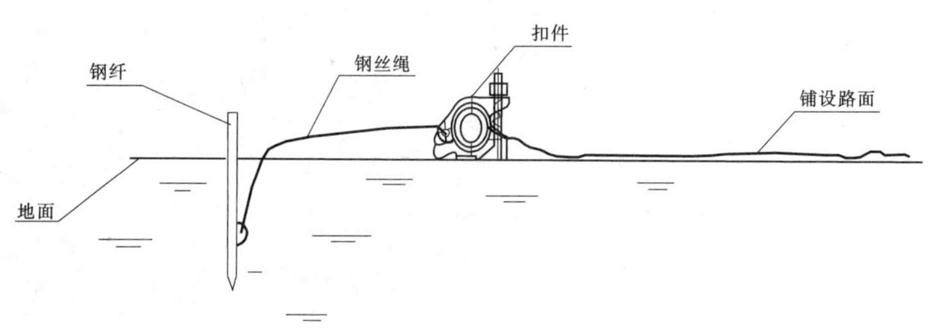

图 7-11　钢钎固定示意

第七节　结　论

通过试验得出,采用推荐的轻质路面,即下层为机织土工布,上层为合成纤维土工格栅,可基本解决黄河下游常见的防汛道路因雨雪天气造成的道路泥泞而无法通行的问题。该轻质路面具有以下特点:一是重量轻,每卷 50m 长,5.7m 宽,仅 200kg 重。二是施工快速简单,不需专用施工机具,只需 10 人通过滚动展铺。三是适应范围广,可用于未硬化的上堤路口、河道整治工程的顶面、雨天无法通车的土质路面等。四是可重复使用,因所使用的材料属于土工织物类,不但强度高,而且宜于长期储存,一次使用完毕后,经冲洗晾干后可再次使用。

对于硬化的防汛抢险道路,当路面出现损毁情况,需要进行应急处理时,建议使用清华大学研制的战备水泥等快速固结材料进行修补。

最后要特别强调指出的是,本次试验着重解决浅层泥泞道路车辆打滑应急处理措施,对较深泥泞道路的快速处理措施尚未进行更深入的研究。通过调研分析,解决较深泥泞道路通行和重车车辙深度过大的问题,有以下三种设想:一是利用土工格栅作为主要材料研制出一种新型的应急路面,有可能较好解决这方面的问题;二是寻找一种刚度大、质量轻的材料作应急路面的骨架,研制出一种新型的轻质路面,解决较深泥泞道路通行问题;三是引进或仿制法国生产的合成材料轻质路面,也是解决这一问题的途径。

参考文献

[1] 王钊,等.土工合成材料加筋地基的研究现状.地基处理,2000(1)
[2] 梁波,等.土工合成材料在高速铁路桥路过渡段中的应用.铁道学报,1999(4)
[3] 张宝森,孙振谦,等.黄河防汛道路应急措施技术研究.全国第六届土工合成材料学术会议论文集(陕西西安).香港:现代知识出版社,2004